Molly Hopkins

Se você procura por romance, só há um lugar para onde possa ir

Aconteceu em Paris

Tradução
Maria Ângela Amorim De Paschoal
Adriana Amback

Novo Conceito

Publicado originalmente na Grã-Bretanha em 2011 por Sphere

Esta é uma obra de ficção. Nomes, personagens, lugares e acontecimentos descritos são produto da imaginação do autor. Qualquer semelhança com nomes, datas e acontecimentos reais é mera coincidência.

3ª Impressão – 2013

Produção Editorial:
Equipe Novo Conceito
Impressão e Acabamento Geográfica 151013

Este livro segue as regras da Nova Ortografia da Língua Portuguesa.

Dados Internacionais de Catalogação na Publicação (CIP)
(Câmara Brasileira do Livro, SP, Brasil)

Hopkins, Molly
Aconteceu em Paris / Molly Hopkins ; tradução Maria Ângela Amorim De Paschoal, Adriana Amback. -- Ribeirão Preto, SP: Novo Conceito Editora, 2013.

Título original: It happened in Paris
ISBN 978-85-8163-259-9

1. Ficção inglesa I. Título.

13-04502 CDD-823

Índices para catálogo sistemático:
1. Ficção : Literatura inglesa 823

Novo Conceito

Rua Dr. Hugo Fortes, 1885 - Parque Industrial Lagoinha
14095-260 - Ribeirão Preto - SP
www.editoranovoconceito.com.br

Em memória da minha querida amiga Sarah Ward

AGRADECIMENTOS

A TODOS DA LITTLE, BROWN, especialmente Rob Manser, por acreditar que escrevi um livro publicável e por passá-lo para Rebecca Saunders, que teve certeza disso. E para Manpreet Grewal, que deveria escrever um livro sobre como escrever um livro.

Agradeço a Karen Browning e Julie Manser pelo apoio, encorajamento e almoços líquidos, e à minha amiga Sue Besser, por se hospedar em hotéis chiques ao redor do mundo e me contar tudo sobre eles.

Agradeço também a meus amigos da indústria de viagens (vocês sabem quem são), do passado e do presente, por fornecerem, em primeiro lugar, o material que me inspirou a escrever este livro. Seus segredos foram revelados, mas suas identidades estão salvas, prometo! E para minhas preciosas sobrinhas, Becky, Lauren e Katie Coombs, por serem as melhores editoras não remuneradas que uma escritora poderia desejar.

E, finalmente, um grande agradecimento para minha família, Peter, Elise e Jack, por viverem de macarrão instantâneo enquanto eu escrevia este livro, e para meu cachorro, Paxie, por passear sozinho.

Todos contribuíram.

CAPÍTULO 1

TUDO BEM, ESTOU QUEBRADA. Encostada na geladeira, copo na mão, num estado de total relaxamento. Durante todo o dia, meu coração bateu forte por causa da ausência forçada de vinho. Me considerei derrotada às sete, senão teria tido um ataque do coração. Dias atrás, meu médico me disse que qualquer pessoa que bebe mais de oito unidades de álcool por semana corre o risco de virar dependente. Brandindo um copo de plástico, ele ilustrou o que equivalia a oito unidades. Para mim, aquilo não era suficiente para afogar uma vespa. Sendo bem honesta, suspeito que eu já seja dependente de álcool, mas não ligo, porque dependo de uma série de outras coisas, como maquiagem e cartões de crédito. Não, o alcoolismo não me incomoda nem um pouco. O que me incomoda é o grande número de alcoólicos magros pelo mundo. Como eles conseguem beber tanto vinho e permanecer magros? Não me incomodaria ser uma alcoólica magra. Aliás, não me incomodaria ser qualquer coisa magra.

Giro o copo debaixo do nariz. Essa bebida é medicinal. Muito melhor do que me afogar, o que considerei seriamente nesta manhã. Fui despedida da agência de publicidade onde trabalhei nos últimos dez meses. Tudo bem que isso não precisa necessariamente ser classificado como um assunto de vida ou morte, mas, para celebrar o fato de estar empregada, ultrapassei em nove mil meu limite bancário. Preferia ter sido vítima de uma fraude. Teria sido muito mais barato do que gastar meu próprio dinheiro.

Saio da cozinha, copo na mão, cambaleando até a garrafa de vinho. Estou sem emprego e endividada. Devo ao banco 9 mil libras. Isto representa 900 notas de dez libras. Engulo o pânico e rapidamente troco a imagem de uma enorme pilha de notas de dez libras por uma menor, de 50 libras, e logo me sinto melhor. Visto desse ângulo, parece quase nada.

Sentada na cama, abro, com um floreio, o *Evening Standard* de ontem à noite.

— Certo, Evie. Missão importante: achar um emprego — disse para mim mesma, mas, como sempre, a página de classificados tinha sido rasgada ao ser colocada na caixa de correio e me vi vasculhando os anúncios de Corações Solitários.

— "Trinta e poucos anos". Sei... mais fácil estar fazendo quarenta e quatro no próximo aniversário. — Engoli mais vinho.

— "Amante da diversão". Sei... um idiota. — Virei a página com um gesto dramático.

— "Procuro um príncipe encantado"... O marido fugiu com outra. O que ela procura é qualquer ser masculino que esteja vivo.

— "Adoro comer fora"... Não sabe cozinhar.

— "Aventureira"... Piranha.

Rasguei um anúncio chamado "Hipnose combate alcoolismo", joguei o jornal no chão e decidi, pela primeira vez na vida, arrumar meu quarto.

Havia acabado de escancarar meu guarda-roupa quando Lulu, com quem divido o apartamento, chegou do trabalho, se jogou na cama, chutou os sapatos e colocou um travesseiro debaixo da cabeça. Olhei de soslaio. Ela se contorceu até a cabeceira, com as pernas esticadas e os tornozelos cruzados. Vestia uma túnica azul-marinho de enfermeira, com um pequeno relógio pendurado de cabeça para baixo e calças brancas. Braços exageradamente cruzados, olhou para as unhas.

— Teve um bom dia? — perguntei, sentindo que o contrário seria mais verdadeiro.

Ela deu de ombros e entrou no modo sonhador.

— Então... — Tentei de novo: — O que aconteceu?

Ela deu um suspiro desesperado.

— Se lembra de que falei sobre o David, o novo médico da clínica? Gostava dele desde o início dos tempos. Estava realmente apaixonada e, bem, pensei que ele poderia ser o cara — disse num irritante choramingo de autocomiseração.

Se não me engano, David trabalhava na clínica havia duas semanas apenas.

— Humm, sim. Ele...

Ela fez um gesto com a mão pedindo silêncio.

— Fui a seu apartamento ontem à noite.

O choramingo era agora pontuado com piscadas cheias de lágrimas.

— Nós dormimos juntos.

Joguei um amontoado de roupas, cabides e sacolas plásticas sobre a cama.

— Sorte sua — eu disse, massageando os braços. "Estou com inveja", e não era à toa, pensei. Não transava havia vinte e oito dias.

Lulu mordiscava os nós dos dedos, com a expressão anuviada.

— Ele gozou antes de mim! — ela gritou, pulando da cama.

Me assustei.

— Ele terminou antes mesmo de eu ter começado... duas vezes!

Tomada de raiva, ela andava de um lado para o outro do quarto.

— Transamos duas vezes e, em ambas, aconteceu a mesma coisa. Isso é fraude! — Mexeu em seu bolso, tirou um lenço e assoou o nariz. — Não é um comportamento aceitável, pelo menos no primeiro encontro. Talvez depois de cinco anos de casados ou no dia de seu aniversário ou se eu estiver exausta e permitir, mas, mas... — ela gaguejou.

Cá entre nós, achei que ela foi caridosa ao dar ao rapaz uma segunda chance. Duas vezes!

— No começo ele nem gostou. Estava assistindo a *Deal or no Deal*[1]. Até quebrei uma unha tentando tirar seu cinto. Olha só!

Sua mão apareceu na frente de meu rosto. Realmente a unha estava quebrada. Recuei.

— Ele queria esperar para ver o que estava na última caixa.

Lulu bufou furiosamente.

— "Dane-se a última caixa!", eu disse. Mas ele continuou e sabe o que aconteceu? Sabe o quê!? — Lulu balançou a cabeça vigorosamente. — Aposto que você não adivinha. Nem em um milhão de anos! — Ela me deixou especular por um milésimo de segundo e, então, continuou: — Ele entrou numa espécie de transe, que me lembrou aquela cena de *Ghost*, em que Whoopi Goldberg é possuída por espíritos. Esperei que ele fosse possuído por um sequestrador *viking* excitado, mas não. Acho que foi possuído pelo espírito de um condutor de trem vitoriano, porque ele, literalmente, freou. E então tudo terminou.

Suas mãos se moviam e se contorciam em desespero.

— Quisera que eu também estivesse possuída, mas pelo espírito do estrangulador de Boston, porque eu queria matá-lo. E o que piorava tudo era saber que a ideia tinha sido minha. — Para enfatizar, ela bateu no peito com o punho fechado.

"Um sequestrador *viking* excitado. Deus, não me importaria de ter um desses para mim!" — pensei. Imagine um homem, com cabelo preso num rabo de cavalo, barba por fazer, brandindo uma espada enorme. Ele usaria uma saia de couro e uma capa de pele e cheiraria a Chanel for Men. Ele poderia me levantar facilmente e me colocar em seu barco, onde eu pareceria incrivelmente magra a seu lado. Franzi o cenho. Mas o que eu estaria vestindo?

"Vou procurar imagens de *vikings* no Google."

Lulu bateu o pé, irritada.

[1] *Game show* televisivo que consiste em várias caixas onde se guarda dinheiro com valores desconhecidos. (N. T.)

— Você tem algo a dizer ou não? — ela desabafou. — Acabei de ser sexualmente insultada e você está agindo como se nada tivesse acontecido.

— Hum, bom, não se zangue — disse. "Pelo menos você transou", pensei. — Essas coisas acontecem — inclinei a cabeça em solidariedade, quando ela passou por mim.

— Comigo não! — ela gritou. — Sou boa no que faço. — Jogou o cabelo para o lado e cruzou os braços com tanta força que seus dedos ficaram brancos. — É como ser um professor de aeróbica gordo. Me diga, você nunca se perguntou se eles se incomodam? Nunca?

Olhei atentamente para ela. Professor de aeróbica? Será que perdi alguma coisa?

— Professores de aeróbica gordos costumam engordar cada vez mais. Então, qual o sentido de malhar o seu traseiro se ele continua do tamanho de um ônibus? Bom, eu deveria ter ficado assistindo a *Deal or no Deal* — ela apontou o dedo para meu rosto. — Você entendeu?

Sabiamente concordei. É claro que entendi seu ponto de vista. Já fiz aeróbica.

— Bom, o próximo será melhor — falei, improvisando.

— Homens como ele deveriam ser deportados — ela desabafou.

— Para onde?

— Para começar, para fora de Londres.

Segurei um vestido em minha frente, olhei para o espelho e pensei em quantos vinhos tinha tomado quando o comprei. Ele era verde fluorescente. Arremessei-o no chão, sobre a pilha "jogar fora", e voltei a fuçar dentro do armário. Essa arrumação é divertida. Como não pensei em fazer isso antes? Não levava muito tempo. Estava achando coisas que esqueci que tinha e, com menos roupa entulhando o armário, podia ver melhor o que é importante. Sim, definitivamente, uma aparência de ordem começava a tomar forma e isso era reconfortante.

— Tomei uma decisão — disse Lulu, resoluta.

— Qual?

— Não vou dormir com um homem antes que ele me leve três vezes para jantar fora. Assim, se isso acontecer de novo, pelo menos terei usufruído de três noites agradáveis, em restaurantes fabulosos, cercada de comidas requintadas e vinhos finos – ela se jogou de volta na cama.

– E – cruzou os braços, triunfante – falei como ele é ruim de cama para a Esme, a faxineira da clínica, o que equivale a uma reportagem na BBC News. A reputação dele ficou em frangalhos. – Ela se aninhou de novo na cabeceira e colocou uma mecha do seu longo cabelo loiro atrás da orelha. – Quando saí de seu apartamento, enterrei o celular dele dentro de um pote de *chilli* com carne. Parece que não vou falar com ele de novo, não acha? – ponderou, sorrindo para seu anel da Tiffany.

Virei-me para encará-la.

– Por que você terminou com o Marcus? – perguntei. Um cara com quem ela namorou por três meses antes de terminar tudo no Dia dos Namorados.

Lulu colocou o dedo na bochecha, pensando seriamente.

– Sabe que nem me lembro? Isso foi há neuras e neuras atrás. – Sua atenção mudou. – O que você está fazendo?

– O que você acha? Estou arrumando meu guarda-roupa.

– Por quê? – perguntou, encolhendo os ombros, confusa.

– Por que as pessoas limpam seus guarda-roupas?

Ela bebeu meu vinho e estudou o fundo da garrafa vazia.

– Não tenho a menor ideia. Não vejo razão – levantou-se graciosamente da cama, puxou a túnica por sobre a cabeça e contorceu-se para fora da calça. – Você acha que a gente deveria ir para um spa? – perguntou, puxando meu braço. – Tire suas roupas e fique a meu lado, na frente do espelho.

Tirei o short e a camiseta.

– Nada mal – ela disse, desenhando em seu umbigo. – Quer dizer, nós não somos tamanho zero, mas não temos pneuzinhos. E olha que não temos mais dezoito anos, e sim vinte e seis – olhou o bumbum no espelho. – Odeio essas calcinhas novas, com cintura baixa. Prefiro as com cintura alta. Não consegui achar nenhuma na Marks & Spencer ontem

— reclamou. — Você acha que os designers de lingerie ingleses pensam que toda a população feminina do país desenvolveu bumbuns quadrados?

Concordei, examinando meu corpo e desejando que meus seios fossem menores.

— Está tudo bem. Quer dizer, seu tamanho é 44, o meu, 46, então, você está ótima! — ela disse.

Lulu é bonita. Além de grossos cabelos loiros e grandes olhos castanhos, ela tem cílios longos deslumbrantes e as maçãs do rosto salientes. Mas, sendo justa, e ela seria a primeira a concordar, também não sou de se jogar fora, com uma combinação incomum de cabelos castanho-escuros e olhos azul-claros. Temos pernas longas e esguias que não costumamos valorizar, e estamos prontas para cismar com o tamanho de nossos traseiros.

Ela é enfermeira. É surpreendente. Eu a conheci bêbada em festas pra lá de animadas. A única conduta médica que eu conseguia associar com ela era a respeito do uso de preservativos. Mas, aparentemente, ela é a enfermeira mais popular e mais trabalhadora da clínica. Seus compromissos são agendados a cada dez minutos. Ela diz que ama seu trabalho. Lá no fundo, acho que gosta mesmo é de abaixar cuecas e espetar, com uma agulha, o maior número possível de nádegas por hora.

— Estamos sem papel higiênico, pão, saco de lixo... na realidade, falta tudo. Temos que fazer compras. E só nos restam quatro garrafas de vinho — disse, ainda estudando seu perfil. Apertou suas coxas à procura de celulite, suspirou e se ajoelhou para pegar suas roupas. — Se arrume! Vamos sair.

— E o que faço com isso? — perguntei, apontando para a montanha de roupas amontoadas no chão.

— Coloque de volta no armário — sugeriu, com um aceno desdenhoso.

"Não vou colocar tudo de volta no armário", pensei, indignada. "Assim nunca vou conseguir limpá-lo de novo". Comecei a arrumação, determinada a completar a tarefa. Empurrei as roupas para debaixo da cama, imaginando que poderia resolver a questão em outra ocasião. Não há razão para me apressar.

— Vamos? — Lulu berrou da porta da frente.

CAPÍTULO 2

Dividimos um apartamento no andar térreo, com jardim, num prédio vitoriano de três andares em Tooting, no sudoeste de Londres. Uma grande parte do pagamento inicial foi financiada pelos meus pais. A vista da sala de estar dá para três lixeiras verdes com rodinhas e um ponto de ônibus. Nessa bela tarde de julho, nosso pequeno gramado estava lotado de cores, já que a única roseira floresceu com dois botões, os quais Lulu derrubou com a bolsa ao correr em direção ao portão.

A maneira como Lulu dirige me assusta. Ela saiu de ré da garagem e entrou na rua. Escondi meu rosto atrás da bolsa. Enquanto fazia a manobra, ela passava batom nos lábios, portanto a manobra foi perfeita, considerando que ela usou apenas a mão esquerda. O carro seguiu em frente e meu pescoço para trás, meus pés buscaram instintivamente pedais inexistentes. Agarrei a alça do teto, senão acabaria mergulhando meu nariz no seu colo quando virasse à direita.

— Acho que você deveria ouvir o motor — falei, notando que ela estava a 80 por hora, mas ainda em terceira.

— O motor? Por que tenho que ouvir o motor? É melhor ouvir Beyoncé — sugeriu, ligando o CD player. — Aaahhhhh!

Meu interior se agitou.

— O quê!!?? — gritei, com as mãos no peito, assustada.

Ela cobriu os olhos com a mão esquerda, enquanto segurava o volante com a direita.

— Achei que o caminhão fosse bater na gente. Eu não consegui olhar — falou em pânico.

Meu coração batia mais que um bongô. Olhei de relance. Passado o perigo da colisão, ela estudou as sobrancelhas no espelho retrovisor.

— Me lembre de pedir emprestado sua pinça quando chegarmos em casa. Não me deixe esquecer. Pareço o Animal dos Muppets — resmungou.

Chegamos ao Tesco e Lulu começou a andar depressa, propositadamente, pelo estacionamento, me obrigando a correr atrás dela.

— Vamos, se apresse! — falou por sobre o ombro.

Rapidamente dei meia-volta para colocar algum dinheiro na caixa de coleta do Exército da Salvação. Eu havia conversado com Deus no carro. Primeiro, pedi para chegar sã e salva ao Tesco e, segundo, para emagrecer. Se não desse certo, que ao menos Lulu engordasse. Eu ficaria arrasada se ela coubesse no meu jeans da Diesel e eu não. Prometi também que se Ele me desse uma força, apoiaria as boas causas.

Ela começou a empurrar um carrinho de supermercado como se praticasse um esporte olímpico.

— Não precisamos de chocolate. Biscoitos engordam. Vamos comprar queijo branco. Quero perder três quilos essa semana — tagarelava.

Lulu empurrava o carrinho, com o torso curvado, em alta velocidade, na direção do corredor de vinhos e bebidas.

— A Kate Moss mais parece um desentupidor de encanamento, apesar de gostar de beber. Pegue as folhas — mandou, referindo-se à salada.

— "Compre uma garrafa de Pinot Grigio e ganhe outra grátis"... Então vamos comprar cinco para ganhar outras cinco de graça e seis pacotes de batata chips. Não quero ser santa o tempo todo. Ai, ai — ela arfou, caindo de joelhos em respeito ao espumante Prosecco. — É caro, mas merecemos.

— Bem... Pensei que você quisesse perder três quilos essa semana. — Lembrei.

— Eu vou, se me livrar de todo o restante e comer apenas batata chips e salada não vou? — Ela roubou um biscoito furtivamente do carrinho de uma mulher.

— Coloque isso de volta — falei baixinho, meus olhos virando rapidamente para a direita e para a esquerda, com medo de que alguém tivesse visto.

— Estou lhe fazendo um favor. Ela tem um traseiro tão grande quanto a cidade de Brighton. Preciso desse biscoito para me manter sóbria e não resta mais nenhum na padaria — justificou, marchando em frente.

Quando chegamos em casa, abrimos uma garrafa de vinho e começamos a guardar as compras.

— Tenho uma surpresa para você — Lulu anunciou. — Adivinha o que comprei?

— Uma barra gigante de chocolate? — respondi, esperançosa.

Sorrindo, ela tomou seu drinque.

— Não, é muito melhor que isso — deixando o copo de lado, procurou na última sacola.

— Uma garrafa decente de vinho que não estava na promoção?

— Não, melhor que isso também. — Ela saltitava de uma perna para outra.

— Bom, se não posso beber ou comer, prefiro não saber.

— Sim, você precisa — insistiu —, você precisa! — Ela tirou duas caixas que escondia atrás das costas. — Da dá! — cantarolou.

Olhei para elas.

— São DVDs para condicionamento físico — eu disse, imperturbável.

Ela concordou.

— Comprei quando você estava na fila do caixa e fui atrás de algumas revistas. Hoje vamos ficar em casa e malhar. Coloque sua roupa de ginástica e me encontre na sala. — Colocou as garrafas vazias de vinho na pia com um cuidado exagerado e me empurrou em direção à porta da cozinha. — Vamos — tentou me convencer. — Rápido, rápido!

Lulu costuma ter péssimas ideias. Por causa disso, nosso armário no corredor está repleto de besteiras. Temos botas de esquiar, raquetes de tênis e squash, fitas para aprender italiano, sapatos de boliche, dois capacetes para uma motocicleta que ela nunca comprou, uma mountain bike dobrável que nunca viu a luz do dia (na verdade, ela nunca saiu da caixa) e uma enciclopédia com 25 volumes.

Caminhei devagar até a sala. Ela estava recostada na lareira de ferro fundido, examinando os DVDs. Sentei-me confortavelmente no sofá estampado azul-marinho e passei a admirar nossa obra. Nós havíamos decorado o apartamento. Depois de três dias de ásperas discussões e testes de 28 amostras de tinta, decidimos usar branco nos quartos, branco na sala, branco no banheiro e branco no hall de entrada. E, graças aos meus colegas do Visa, deitamos um enorme tapete azul-claro por todo o cômodo.

No canto há uma poltrona de couro chocolate, em péssimas condições (quase caindo aos pedaços), uma mesa de centro de pinho mexicano, na frente da lareira, combinando com uma mesa de jantar ao lado da janela, onde fica o computador. Um grande candelabro de bronze domina o centro da sala. É deslumbrante, mas machuca a cabeça de qualquer pessoa maior que um ogro. Há também 19 velas de igreja de vários tamanhos, perfiladas sobre a lareira, graças a uma compra idiota feita pela Lulu na internet. O efeito geral proporciona o clima perfeito para uma sessão descontrolada do Black Lace[2] ou um velório.

— Certo, vamos começar — falou com autoridade. — Mel B está ótima. Vamos experimentar? — Mostrou a caixa com a figura magra e musculosa de Melanie.

— Bem, não precisamos perder peso, apenas fortalecer os músculos. Vamos tentar também o DVD de Geri Halliwell, "Condicionamento de Yoga da Geri" — sugeri.

[2] Grupo pop inglês. (N. T.)

— Eu quero diminuir o busto. Será que algum DVD pode me ajudar? — ela perguntou, arremessando as caixas, uma a uma, na minha direção. Olhei seu busto tamanho 46 e ri. Com certeza, sua única opção era a cirurgia. — Eu agradeceria se você me levasse a sério. — Lulu fungou. — Dieta e exercício são cruciais para manter um estilo de vida saudável e equilibrado. Algumas vezes me desespero com sua atitude preguiçosa.

“Preguiçosa?”, pensei. Ela é quem costuma deixar xícaras de café e balas de goma grudadas na penteadeira.

Decidimos por *Aprender o Step* e nos posicionamos lado a lado, com os olhos fixos na TV. Era torturante, complicado e, na minha opinião, perigoso. Eu estava ficando cansada e profundamente tentada a sugerir que, em vez disso, víssemos *Friends*. Já Lulu, que ansiosamente acrescentava um pouco de ar a seus pulmões, estava à beira de um colapso físico.

Apareceu um aviso na tela dizendo que a etapa de aquecimento tinha acabado.

— Vamos fazer um intervalo? — Eu ofegava, encurvada.

Ela concordou relutantemente e nos atiramos no sofá.

— O que você acha de ficarmos assistindo um pouco? Nós não entendemos os termos técnicos — apontei vergonhosamente. — Quando ela fala “step-touch” ou “duplo-atravessado”, temos de parar para ver como é e acabamos perdendo o ritmo.

Lulu retirou o suor que se formou sobre os lábios com uma de nossas novas almofadas creme.

— Sim, estava pensando a mesma coisa. Primeiro, precisamos nos familiarizar com os exercícios. — Ela limpou a testa com o dorso da mão. — Vou buscar uma bebida. Não quero que a gente se desidrate.

Lulu voltou com uma garrafa de vinho dentro de um balde de gelo e dois copos.

— Ok, vamos assistir e depois praticar — declarou de modo decisivo, me passando um copo cheio até a borda. Ela se acomodou no sofá perto de mim e esticou as pernas ao lado das minhas, sobre a mesa de centro. Bebericamos o vinho, enquanto nossos corações se estabilizavam, e observamos nossas treinadoras.

— Então — ela suspirou —, você precisa de um emprego. Você já foi a uma agência?

— Bem, não. — Eu tossi. — Eu, bem, honestamente, decidi mudar de profissão, então...

— Mudar de profissão! — Ela interrompeu.

Eu já tinha um discurso preparado. Então adotei o tom de Miss Moneypenny[3].

— Nós gastamos todo o nosso dinheiro comendo, bebendo e viajando...

— Pelo menos, ninguém pode nos acusar de desperdiçá-lo — ela ponderou.

— Tudo bem. Mas comecei a pensar se não seria maravilhoso poder fazer todas essas coisas e ainda ser paga para isso.

Ela franziu a testa, curiosa.

— Você está pensando em se tornar uma vendedora de sorvete gorda?

Escondi-me atrás do copo.

— Não... Eu quero ser guia de turismo — falei.

Ela se virou para me encarar.

— Ah, você quer? — ela disse.

— Sim, quero — respondi, com naturalidade.

— Desde quando?

Hesitei.

— Bem, desde... desde que assistimos àquele programa sobre férias segunda à noite —admiti.

— Nós assistimos, na terça, a um programa sobre ciência forense. Por que você não arruma um emprego de legista e começa a cortar corpos? Comece com o médico com quem eu dormi, pois ele não

[3] Personagem dos livros e filmes de James Bond que trabalha como secretária particular de M, chefe do Serviço Secreto Britânico, e do agente secreto 007. (N. T.)

precisa de seu instrumento. — Ela pegou o controle remoto e desligou a TV. — Você não sabe nada sobre ser guia de turismo!

— O que preciso saber? — devolvi.

Lulu engoliu um pouco de vinho.

— Não faço ideia do que é preciso saber. Eu sou enfermeira, por isso não entendo do assunto. Já você não sabe porque estudou Mídia.

— Eu quero viajar, conhecer novas pessoas e ser paga para isso. — Eu me contorci. Isso soava estúpido e fútil até mesmo para mim.

— Nesse caso, você já pensou em seguir carreira como astronauta? Você — ela disse, me apontando um dedo acusatório — é a última pessoa que eu recomendaria para ser guia de turismo.

Encolhi as pernas embaixo da bunda e retruquei zangada:

— Por quê? Não preciso de um diploma para ser guia, não é mesmo?

Lulu colocou o copo sobre a mesa e começou a contar os dedos.

— Primeiro — ela começou —, você não tem senso de direção. Segundo — ela me encarou sem piscar os olhos castanhos —, sua mala foi parada pelo controle da alfândega e explodida como medida de segurança na nossa viagem para a Espanha, onde acabamos presas em Málaga por onze horas até seu pai pagar a fiança. A terceira razão — ela estremeceu e olhou para o teto — é de longe a pior experiência de minha vida: foi quando a polícia apareceu no nosso hotel na Turquia. Catorze tapetes de seda foram entregues em nosso quarto porque *você* resolveu praticar o seu turco, árabe, francês ou que outra língua seja para conversar com um vendedor. Você pensou que ele estivesse falando de seus catorze filhos! E eu que achei que você era muito inteligente e poliglota quando, na verdade, não estava entendendo nada. Eu não parava de concordar, porque também queria parecer inteligente e poliglota.

— Você — eu lembrei convicta — chorou até se acabar na Turquia.

— Chorei mesmo. Tinha visto o filme *Expresso da Meia-Noite*. Fomos emboscadas por três policiais, o gerente do hotel, um vendedor de tapete maluco, acompanhado de dois pesos-pesados com mais de dois metros de altura. — Ela alcançou a garrafa de vinho e descobriu que estava vazia. — Pensei que não íamos escapar dessa e quase fiz xixi nas calças quando o policial tirou as algemas do bolso. — Ela suspirou e tremeu. — E nunca se esqueça de que você tem de me agradecer pela sua liberdade, porque se eu não tivesse desmaiado de susto e a Embaixada Britânica não tivesse se envolvido, nós estaríamos encrencadas. Fiquei sem falar por dois dias! Lembra que você pensou que eu tinha ficado muda e então me comprou um bloco e um caderno de desenho?

— De qualquer maneira — eu disse, afastando seu sarcasmo com um aceno de mão —, acho que sou uma pessoa sociável que sabe criar uma atmosfera animada.

— É, realmente — ela foi obrigada a concordar. — Mas então você desmaia e acorda de ressaca doze horas depois. Está querendo me dizer que está pensando em se responsabilizar pelas pessoas, acompanhá-las a um país estrangeiro e depois as trazer de volta sãs e salvas? Isso não vai acontecer, acredite. — Ela esvaziou o copo. — Se conseguir um emprego de guia turística, alguém vai processá-la ou você vai acabar no Jornal das Dez ou sabe-se lá onde. Você é a última pessoa apta a um trabalho como esse! — Ela se levantou para arrumar a mesa. — Você não consegue nem organizar uma bebedeira num bar.

Ela estava exagerando. Minha mente rodopiava em busca de uma resposta à altura. Não demorou muito.

— Ah! — deixei escapar. — Olha só quem está falando — apontei um dedo acusatório.

— O quê? — ela contestou, irritada.

— E você, que nos reservou um pesadelo chamado "Excursão para Pessoas Descoladas"? Como pôde confundir "férias recheadas de compras extravagantes" com um "fim de semana no deserto"?

— O site era enganoso — ela insistiu, zangada.

— Enganoso? — Engasguei. — Nós duas tivemos uma reação alérgica àquelas pulgas, percevejos, ou qualquer criatura que voe ao redor da bunda de um cavalo. Sofremos à beça e nos arriscamos a ter uma prisão de ventre permanente, porque nosso corpo se recusava a fazer o número 2 ao ar livre.

Seus dedos tamborilavam sobre as bochechas, agora em chamas.

Eu não conseguia parar...

— Tivemos que tomar emprestadas roupas malcheirosas de homens fedorentos que tinham dez vezes nosso tamanho, porque colocamos na mala trajes informais e vestidos de noite. Chegamos àquele lugar nojento calçando sandálias de salto alto da Chloe. Se lembra? E aquela cozinheira, que mais parecia uma bruxa, que nos emprestou sapatos que mais pareciam um furão morto? Na verdade, não sabíamos se eles não eram furões mortos realmente — acusei. — E você, ainda por cima, transou com aquele cowboy! E insistia em chamá-lo de Hawk, quando seu nome era Hank. E tive que dormir na nossa barraca *sozinha*, o que foi assustador. Cheguei a pensar em arrumar alguém para transar, só para não ficar solitária, mas preferi deixar que aquele dingo ou hiena dormisse comigo, porque achava que fosse um cachorro, apenas para descobrir, depois, que tive sorte de não ter sido comida por ele e...

Ela ergueu a mão.

— Você se esqueceu de que cada uma de nós perdeu três quilos — interrompeu defensivamente.

— Sim, mas isso aconteceu apenas porque fomos devastadas por doenças e má nutrição, já que vivíamos na selva, como selvagens.

— Nós não vivíamos na selva.

— O que estávamos fazendo então?

— Acampando.

— Exatamente... acampando! Por que alguém gostaria de fazer isso se existem hotéis? — Lulu jogou o cabelo sobre o ombro num movimento brusco. Continuei. — Se lembra daquela irritação na pele que nos manteve trancadas neste apartamento por nove dias? — Sua expressão murchou com a lembrança. — Você virou todos os espelhos contra a parede e se sentou no banheiro, chorando sem parar por horas. E eu fiquei com um enorme calombo na cabeça quando desmaiei no chão do quarto, porque você passou tanta loção de calamina no rosto que, quando entrei segurando uma xícara de chá, pensei que estivesse morta.

Seus lábios formaram um botão de rosa, indignados.

— Vamos tomar um gim tônica antes de irmos pra cama — sugeriu.

Como sempre, bebemos demais. Apesar disso, ainda não tinha conseguido dormir o suficiente quando o barulho ensurdecedor do timer do fogão me acordou três vezes. Sem hesitar, Lulu se levantou da cama, atravessou apressadamente o corredor até a sala e ligou o computador. Está fazendo um lance no eBay para comprar uma *chaise longue* e a descreve dizendo que é George IV, cerca de 1825, decorada com volutas folheadas a ouro e estofada com um tecido adamascado vermelho-escuro. Ponderei que não caberia no armário que fica embaixo da escada, junto com o restante das coisas que ela odeia.

Antecipando que venceria o leilão, Lulu comprou uma grande fruteira de cristal e a encheu com uvas vermelhas e maçãs verdes. Penso que ela se vê como uma piranha renascentista, nua, deitada sobre a cadeira antiga, penteando os longos cabelos. Deixei bem claro que me recusava a sentar na sala a seu lado para ver *Friends*, enquanto ela estivesse deitada em nuvens ao meu lado.

Sentei na cama e afastei o cobertor.

— Você não pode usar o despertador de seu celular? — gritei.

— Esqueci no trabalho. Ainda faltam cinco minutos para terminar os lances.

Virei de bruços e enfiei a cabeça debaixo do travesseiro. "Sean Connery e eu... não, não, Sean Connery é uma relíquia viva. Nem sei se ele já morreu. Hum... então quem seria? George Clooney? Ele é cinza como um texugo. Deixe-me pensar... Não poderia ser o Antonio Banderas, porque ele vai se aposentar antes que eu complete quarenta anos. Não gostaria de limpar a baba do rosto de meu marido, mesmo que ele seja um ator famoso e multimilionário. Então, poderia ser o..."

— Enquanto escolhia com quem transaria essa noite e, talvez, com quem me casaria, um peso caiu em cima de mim.

— Consegui, consegui! Maravilhoso! Fechei em 350 libras. Deveria ter custado quatro vezes mais. Eu lucraria se devolvesse a cadeira agora.

— Fabuloso — disse, com um suspiro cansado.

— Sim, fabuloso! — Lulu repetiu, pulando da minha cama diretamente para fora do quarto.

"Eu poderia ficar com o Brad Pitt, não poderia? Espere! O que estou pensando? Meu *viking*! Sim, prefiro ficar com ele. Por que não? Podemos passar a noite juntos, pelados, até eu ter tempo de procurar as roupas dele no Google."

CAPÍTULO 3

Decidi tirar um dia de folga da dieta e da faxina de primavera e concentrar meus esforços em procurar um emprego. Andei até a banca de jornal, onde, por recomendação de um jovem cientista de foguetes de 10 anos de idade, comprei as revistas *Turismo e Negócios* e *Viagem e Turismo*.

— Tenho certeza de que essas são as publicações mais adequadas para ajudar na sua busca por emprego — ele me informou.

— Você acha? — perguntei de um jeito amigável, olhando de soslaio para as revistas que ele carregava sob os braços: *Matemática Grau 3* e *Matemática Avançada*. "Esse menino parece bem inteligente" — pensei.

Fazia um dia bonito de verão, exatamente o que se esperava no começo de julho. Sentei-me numa mesa de calçada do Thea, um bar em frente a meu apartamento, perfeito para quem não liga para o perfume da fumaça dos carros ou dos homens sem banho que se encaminham para a estação de metrô de Tooting Broadway. Costas, o garçom, arremessou uma xícara de café com leite na minha frente e logo saiu atrás de uma garota que passava, vestindo uma saia tão larga quanto um lenço de cabelo. Eu teria preferido um cappuccino, mas sabia que, enquanto ele ia atrás da gostosa, nada o traria de volta, a menos que eu ficasse em pé numa cadeira acenando loucamente. Espalhei os jornais sobre a mesa e bebi meu café meditativamente. Meu humor se animou; havia muitos anúncios de emprego na indústria turística. Peguei o marcador rosa e vasculhei a página.

Nikki, meu vizinho e dono do bar, apareceu de repente a meu lado. Pegou uma cadeira, virou ao contrário e se sentou. Meu sorriso desapareceu. Esperava ter um pouco de privacidade enquanto procurava emprego. Nikki tem cabelos pretos na altura dos ombros, que ele prende atrás, e olhos da cor de chocolate, emoldurados por cílios escuros. Ele é descendente de gregos, nascido e criado em Londres. Bonito, admito, mas seria necessária uma pesquisa nacional para achar alguém mais safado. Acreditem, a culpa não é inteiramente sua. É lamentável ver como as mulheres dão em cima dele. Ele apenas precisa arquear uma sobrancelha afetadamente para elas espumarem pela boca e rapidamente tirarem as calcinhas. Isso sinaliza o final da paquera e o começo de um relacionamento que dura entre três horas e dois dias, dependendo de quanto tempo leva para seu sonar do sexo localizar outro ponto G palpitante.

Nesse momento, ele tenta me convencer a acompanhá-lo até a academia.

— Nikki, não estou interessada — digo, impaciente. — Vai chatear outra pessoa — levanto o jornal e me escondo atrás dele.

— Evie, você não tem hobbies. Vem comigo só dessa vez.

Franzi o rosto, contrariada. Olhei para ele, com irritação.

— Se não gostar, não precisa ir de novo — ele disse.

— Por que você quer que eu vá? — perguntei.

— Porque vou ganhar três meses de graça se você entrar para a academia — admitiu.

— Não vou.

— Bem que você poderia. — Ele roubou meu jornal e o escondeu atrás de si. — Evie, vai lhe fazer bem! — Eu duvidava.

Ele entrelaçou o braço no meu.

— Querida, nos dê uma chance! — pediu.

— Nik, *não* — enfatizei.

Ele beliscou minha bochecha, puxou meu cabelo, zuniu na minha orelha, bateu no meu joelho com uma colher, derrubou um cubo de gelo na minha camiseta e se sentou em meu colo. Cedi.

— OK — concordei relutante. — Me devolve o jornal.

Ele se animou.

— Vamos nessa tarde. Esteja pronta às quatro.

Eu senti uma rajada de pânico.

— Bem... estava pensando em ir na sexta ou no sábado. — Dei para trás. — Mas hoje... Quer dizer, estou ocupada e...

Seu bíceps sarado apertou meu pescoço. Nikki puxou minha cabeça em sua direção e me deu um beijo barulhento no rosto.

— Esteja pronta — me alertou, erguendo-se devagar. — Você não está trabalhando, está? — perguntou, apontando para os jornais sobre a mesa. — Você poderia me ajudar na próxima quinta-feira? Meu pai quer tirar um dia de folga.

— Eu? Nunca trabalhei como garçonete.

— Na verdade, quero uma escrava. Você vai aprender — ele disse, e suspeito que não estava brincando inteiramente.

Fiz uma careta.

— Nik, acho que não posso. Estou ocupada procurando emprego...

Ele segurou meu queixo entre o polegar e o dedo indicador, abaixou a cabeça e me olhou astutamente. Sua respiração era morna no meu queixo.

— Quer falar para um senhor de idade que ele não poderá ir à consulta médica porque você se recusa a me ceder algumas horas do seu tempo? — Ele virou meu rosto na direção em que seu pai estava, sentado a uma mesa próxima, respirando com a ajuda de um inalador e massageando o peito. Ele me acenou alegremente. Engoli em seco.

— Tudo bem — concordei.

— Você se importa se eu deixá-la agora? O bar está ficando cheio

— ele disse, olhando para meu jornal. — Não precisa achar outro emprego. Se você se tornar uma boa escrava, fico com você — ele acrescentou, dando uma piscadela diabólica.

Depois que Nikki foi embora, marquei alguns anúncios, fiz uns telefonemas e, acredite se quiser, consegui agendar uma entrevista para um emprego de guia. Era para depois de amanhã, na Insignia Turismo, uma operadora com sede na Trafalgar Square, especializada em excursões pela Europa. Feliz, terminei meu café e fui até o agente de viagens do outro lado da rua, onde peguei uma seleção de folhetos de viagem. Passei também na locadora para ver se achava algum DVD sobre viagens. Como precisava de algo relativamente educacional, escolhi *Alfie, o Sedutor*. Quer dizer... não deveria ser tão difícil assim. Além disso, Jude Law é o máximo.

Voltei para casa, me aconcheguei no sofá, estudei a *Vogue Paris* e assisti ao filme. Devo dizer que tudo parecia incrivelmente fácil. Alegre pelo conhecimento recém-adquirido sobre a indústria turística, cheguei à conclusão de que já era uma das melhores guias no circuito, embora, tecnicamente, ainda a ser descoberta.

Nikki apareceu no apartamento às quatro em ponto. Ele manteve o dedo na campainha até eu atender à porta.

— Não sou surda — gritei, saindo do apartamento.

Ele estava encostado no muro do jardim, com os braços cruzados e as pernas afastadas, atento. Fechei a porta e me arrastei ao longo do caminho atrás dele. Fiquei cansada só de caminhar até a academia. Quando chegamos, ele empurrou a porta giratória com a palma da mão. Perdi a saída e continuei girando. Prestativo, ele me alcançou e me puxou, pelo cabelo, para fora.

Segurei seu braço musculoso e me apoiei em seu ombro para ajustar as batidas do meu coração, enquanto ele mostrava o cartão de sócio para a recepcionista gostosa. “Ah! Um oásis”, pensei, quando percebi duas poltronas ao lado da área de recepção. Perfeito, decidi, dançando ao redor dele. "Vou me dar um descanso". Meu traseiro estava prestes a alcançar o alvo quando um aperto resoluto me recolocou em órbita pelo corredor, em direção à sala de ginástica.

— Em primeiro lugar, tire essas coisas — Nikki falou apontando para meus brincos. — E dê um nó duplo no cadarço do tênis. — Tirei os brincos. Ele bateu com a palma no apoio para as mãos da esteira. — Suba, que eu lhe mostro o que fazer.

Suspirei e me dirigi para a frente.

— Nikki, nós caminhamos até aqui — protestei, passando-lhe os brincos. — Acho que não é preciso também caminhar na esteira, não é mesmo? — Mantive seu olhar, abaixei o queixo e levantei os braços para apertar o rabo de cavalo.

— Você não vai andar — ele disse vigorosamente. — Vai correr. Vamos começar.

"Está bem", remoí, "já que estou aqui, posso até mostrar a ele do que sou capaz". Pisei com vigor na esteira. Afinal, sou jovem, forte e saudável. Aprontei-me, fazendo pose, e concordei com um movimento confiante de cabeça para Nikki, como se dissesse: "Estou pronta quando você estiver". Ele ligou o aparelho e comecei a correr, depois a trotar. Com muito estilo, devo dizer. Uma perfeita Bond Girl. Balancei o rabo de cavalo, respirei regularmente e, quando estava certa de que não ia cair, larguei o apoio e flexionei os braços. Eu corria cada vez mais rápido. "Deus, sempre pensei que nunca poderia correr uma maratona, mas aqui estou eu, correndo pela minha vida." Respirava regularmente — inspirando e soltando, inspirando e soltando. Corria como um homem-bala. Então, decidi que removeria a pilha de roupas para passar que ficava em cima de nossa esteira e andaria durante uma hora toda noite. "Sim, com certeza, com certeza. Pena que tenha deixado de fazer isso por tanto tempo! É tão revigorante, energizante e estimulante. Ah! Essa dor! É apenas uma pontada", disse para mim mesma. E continuei: "Posso fazer isso. Sim, é claro que posso". Na verdade, estava me sentindo um pouco enjoada. Engoli em seco, arfei e dominei a situação. "Um pequeno contratempo", pensei. Aumentei o ritmo. Nikki me vigiava ao lado do aparelho.

— Quantos minutos já se passaram? — Arquejei alegremente, esfregando a sobrancelha.

— Um — eu o ouvi falar.

Continuei a correr, batendo os pés e movendo os braços. Meu rabo de cavalo se mexia como as pás de um moinho.

— Quantos minutos, Nikki? — perguntei, quase sem ar. Senti o gosto de bílis na boca e um barulho ressoava no ouvido.

— Ainda um — ele disse, indiferente.

Golpeei o ouvido. O barulho parou, mas começou um zumbido.

— Nikki, não pode ser apenas um minuto — arquejei. — Impossível.

— É — ele disse, estudando as unhas.

Segurei o apoio. Sentia-me doente. Gotas de suor desciam pelo pescoço. Balancei, cambaleei e me inclinei, descansando a testa no apoio. Meus pés continuavam correndo. "Deus, acho que vou morrer!" Minha cabeça pendia de um lado para o outro e tentei encher de ar os pulmões. Um gemido alto e profundo percorreu a sala. Era meu. Pus a mão no peito.

— Ai, estou tendo um enfarte! — gritei.

O aparelho parou. Arfei e, então, como um medalhista olímpico, chorei. Nikki suspirou indulgente, agarrou minha cintura, tirou-me do aparelho e largou-me no chão.

— Aqui está. — Olhou para o relógio. — Um minuto e meio. Não está ruim — ele disse.

Funguei e limpei o nariz com o dorso da mão. Deixei que ele me empurrasse até os instrumentos de tortura que ficavam na frente do espelho. Ele me ofereceu uma breve demonstração de cada aparelho, antes de chegar minha vez.

— Estou cansada. Quero ir para casa — reclamei.

— O peso está leve — ele sorriu, apertando meu braço. — Querida, você está indo muito bem — mentiu.

Esfreguei meus olhos com os punhos fechados.

— Nikki, eu não posso fazer isso.

— Você pode.

— Eu não quero.

— Você quer.

Eu o segui, com minha vontade de lutar se esvaindo. Ele me empurrava de uma torturante geringonça para outra. Eu resfolegava, bufava, cambaleava, resmungava.

— Agora, o último aparelho — ele incentivou, através de dentes cerrados. Funguei.

— Nikki, não quero fazer isso. E não vou me tornar sócia.

— Nem quero que você se associe. Prefiro pagar dobrado a vê-la por aqui de novo — ele agarrou meu pulso, forçando-me a cambalear atrás dele. — Mas você está aqui agora, então vamos finalizar o circuito — disse categoricamente.

Ele permaneceu atrás de mim, passou o braço pela minha cintura, levantou-me e me colocou sentada no banco, com as pernas afastadas. Ele pressionou minhas omoplatas com a palma das mãos, forçando-me para baixo.

— Quanto antes começar, mais rápido vai acabar — ergueu minhas pernas sobre o assento. — Segure nos apoios de cada lado de sua cabeça e endireite as pernas. — Meu nariz foi amassado de encontro ao banco. Levantei o queixo à procura dos apoios. — Tudo bem, os pesos nos tornozelos vão dificultar que você levante as pernas. Esse aparelho é bom para deixar o bumbum mais firme. Para mim, ele está ótimo, mas sempre podemos melhorá-lo. Faça vinte repetições — ordenou.

Rosnei, fechei, comprimi os olhos e pressionei os calcanhares contra os glúteos. "Este é o último, depois vou pra casa tomar uma taça de vinho e comer um saco de salgadinhos." Duas repetições e minhas coxas doíam. "Odeio essa academia", pensei, "e odeio Nikki. Vou me vingar qualquer dia desses". Quatro repetições e meus tornozelos pulsavam. Cinco repetições. Senti uma pontada de novo. Gemi. Seis repetições. Sete. Hummmmmm. Espere...

Arfei. “Será...? Não, não pode ser.” Minha virilha estava pulsando. Meus olhos se abriram. Era aquela inconfundível excitação antes de um orgasmo. Reconheço em qualquer lugar. Bem, você também, não?

Ajustei o quadril sobre o banco. Virei a cabeça para encarar a janela, em vez do baixo-ventre de Nikki. A minha “florzinha” começou a formigar. Estava certa. Deus do céu! Deve ser o ângulo dos pesos ou, talvez, a costura da *legging* apertada. Vai saber! E quem se importa? Estava acontecendo... Inquestionavelmente, esse era meu exercício predileto. Nikki contava. Apressei o ritmo, levantando as pernas mais rápido e mais alto. “Deveria me tornar sócia. Sócia anual, nada menos do que isso. Nikki estava certo ao me trazer aqui. Farei um esforço e passarei todo o meu tempo livre malhando. Não tenho bastante nesse momento? Sim, vou me manter na linha. Agora entendo a necessidade de manter a forma física.”

— Aiiiiiii! — gemi, quando uma dor aguda atingiu minhas narinas. Empinei o queixo para evitar que meu nariz cavasse um buraco no banco.

— Muito bem, Evie. Você conseguiu fazer vinte repetições — Nikki falou de algum lugar distante.

Continuei no meu ritmo. “Ai, meu Deus! Preciso comprar uma dessas máquinas para o apartamento. Mal posso esperar para contar para a Lulu.”

— Ok, Evie. Acabou —Nikki ordenou. — É o suficiente. Você pode sofrer uma distensão.

Inspirei, extasiada, quando uma sucessão de minhocas dançantes viajou rumo ao sul.

— Saia daí! — Nikki berrava.

— Me deixa em paz, está tudo bem — suspirava ofegante. — Estou bemmmmmmm. Acho que conseguiria fazer 72 repetições.

— Não — ele falou, zangado. — A última coisa que quero é que você se machuque.

— Nikki, me deixa em paz! — Estava a não mais de cinco segundos do êxtase... quatro segundos, três, dois...

— Evie, pare. Pare agora!

Meu corpo se contorceu e se contraiu como uma truta se debatendo no anzol e fui tomada por várias ondas de prazer. Caí sobre o assento e tremi, extasiada pelos tremores que se seguiram.

Nikki me agarrou.

— Sai fora.

Suspirei. Tinha me esquecido completamente dele.

— Fora!

Ele levantou a barra dos meus tornozelos e me ergueu. Minhas pernas oscilaram. Segurei os braços de Nikki em busca de apoio. Me sentia leve, flutuante e feliz.

— Faça o que eu disser na próxima vez. Você não está acostumada a se exercitar — disse bruscamente, sacudindo meus ombros.

Minha virilha pulsava, o que era adorável, mas também minhas coxas, o que era uma tortura. Meus joelhos fraquejaram. Caí no chão com um baque e enfiei o nariz no umbigo de Nikki.

— O que deu em você? Falei que vinte repetições eram mais do que o suficiente para começar — ele agarrou meus ombros e me ajudou a levantar. — Assim está melhor.

— Gostei desse aparelho — disse, decidindo que manter a forma não era tão maçante como imaginava. Na verdade, até recomendaria.

Nikki deu um passo para trás, olhou-me calmamente, sorriu e segurou minhas mãos ao lado do corpo.

— Sim, mas você tem que tomar cuidado. É muito entusiasmada.

CAPÍTULO 4

Depois dos exercícios, voltei para casa e estava bebericando meu segundo gim tônica quando Harry, meu vizinho, apareceu com o cachorro, Lucsie, um Jack Russell branco e peludo.

Nos últimos meses, Harry achava cada vez mais difícil passear com o cão. Quando ele sabe que estou em casa, muitas vezes toca a campainha e me pede para andar com Lucsie. Não ligo. Harry está envelhecendo e isso vai acontecer a todos nós mais cedo ou mais tarde. Fico feliz de ajudar. Afinal de contas, é bom ser simpática.

— É claro, Harry. Vou andar com Lucsie — disse para ele, aceitando a coleira da sua mão estendida.

— Você é uma boa garota — ele me cumprimentou, acenando com apreciação.

Fechei a porta e levei Lucsie pelo corredor. Sua cabeça peluda franziu e se enrugou à medida que resistia à coleira. "Ele é um diabinho", pensei, "sabe o que o espera". Prendi a coleira no apoio para as mãos da esteira, apertei o botão e, incrível, ele começou seu passeio revigorante pelo parque, ao longo da margem do rio, pelos campos ou qualquer outro lugar que sua imaginação canina o levasse. Sua pequena língua rosada pendia solta para fora da boca, enquanto caminhava relutante.

— Vou me servir de mais um drinque e então volto pra lhe fazer companhia. "Posso estar desempregada", pensei, sacudindo o que restou na garrafa de gim para cair em meu copo, "mas não consigo ter um momento só para mim".

Não fazia muito tempo que tinha devolvido Lucsie a Harry quando ouvi um inconfundível ruído de freios rangendo e Beyonce.

— Oiiiiii — falou Lulu enquanto colocava a chave na fechadura.

— Estou na sala — gritei. Estava sentada de frente para o computador, perto da janela, estudando o site da Insignia Turismo.

— Quer uma bebida? — ela perguntou, entrando na sala e jogando os sapatos atrás do sofá. Olhei para o copo vazio.

— Por que não?

"Deus do céu", pensei aflita, "nunca nem ouvi falar de muitas das cidades para onde essa companhia promove excursões!". Rapidamente agradeci porque minha entrevista era para um emprego de guia em Paris. Pelo menos sabia onde ficava a França. A Insignia queria que eu enviasse o currículo antes da entrevista. Franzi o cenho e fitei a tela, preocupada. Quando você se aventura numa nova carreira, começam a surgir os obstáculos; talvez seja preciso enfeitar um pouco as experiências prévias. Suspirei, torci uma mecha de cabelo até formar uma ponta afiada e rocei-a na bochecha. "Talvez não consiga o emprego", pensei, deprimida. "Não sou qualificada. Mas presidentes também não têm diploma, não é mesmo? Quer dizer, Ronald Reagan foi ator antes de ser presidente." Sentei ereta e subitamente entendi. Ele mentiu, ele mentiu incrivelmente em seu currículo. Sorri e festejei sua iniciativa. "Sim, imagino que ele tenha mentido bastante." Inspirada, meus dedos passearam pelo teclado.

Lulu abriu, com o cotovelo, a porta da sala, carregando um balde com vinho.

— O que você fez hoje? — ela perguntou, batendo com o balde na quina da mesa de jantar.

Contei que tinha marcado uma entrevista de emprego.

— Se lhe ofereceram esse emprego, sem dúvida nenhuma o Departamento de Pessoas Desaparecidas será o mais atarefado da Scotland Yard. — Ela derramou vinho em minha taça e veio em minha direção. Não queria que ela visse o que eu estava fazendo, então tentei esconder a tela. Ela levantou meu braço.

— Sociologia! Italiano! Alemão! — ela gritou. — Você fez algum transplante de cérebro desde que terminou a escola e escondeu de mim? Auxiliar qualificada da Cruz Vermelha? Você não pode escrever que tem qualificações médicas — ela gesticulou com a taça em direção ao computador. — Primeiro, torne-se uma médica. Então você pode procurar um emprego de cirurgiã num hospital.

Resolvi rebater os argumentos.

— Olha só quem fala! Você incluiu "colecionadora de selos" e "instrutora de voo" em seu currículo.

— Eram *hobbies* e não qualificações. Não poderia listar "fazer compras" e "ir ao bar", poderia? Além disso, ninguém me pediria para dirigir um Boeing 747 durante uma cirurgia. Eu nunca seria pega.

Dispensei seus comentários com um aceno de mão.

— São apenas pequenas mentiras — comentei, anexando o currículo à mensagem que dizia o quanto eu aguardava ansiosamente o dia da entrevista.

— Escreva minhas palavras — ela me avisou —, isso vai voltar a atormentá-la.

Mudei de assunto e lhe contei sobre minha tarde maravilhosa na academia. Seus olhos brilharam ao ouvir a história.

— Mesmo? — ela falou devagar. — Isso é justamente do que precisamos. — Ela me derrubou da ponta da cadeira e confiscou o teclado. — Vamos comprar esse aparelho — ela disse, com as bochechas coradas.

Franzi o cenho, observando a sala analiticamente.

— Mas onde vamos colocá-lo? — perguntei.

Com a cabeça abaixada, ela martelava o teclado como um demônio.

— O quê? — murmurou, distraída.

Apontei para a sala.

— Onde vamos colocá-lo?

Ela me dirigiu um olhar irritado.

— Se foi tão bom como você falou, vamos jogar fora o maldito sofá — ela se exaltou.

Depois de uma hora navegando pela internet, Lulu não tinha achado nada. Ela foi ficando preocupada, agitada e zangada, completando sua taça três vezes.

— Você não acha que está quente aqui? — ela perguntou, abanando-se com o mouse pad. Abriu os quatros primeiros botões da túnica. Seus seios tamanho 46 vibravam enquanto Lulu digitava em alta velocidade. Ela tinha aberto o eBay, duas companhias americanas que vendiam aparelhos de ginástica e três sites ingleses. Com os ombros curvados, clicava no mouse sem parar. — Esse é o tipo de coisa que estava procurando: um exercício comum que me agrade e no qual não ligaria em ficar viciada. Algo que enrijeça bumbum, barriga e pernas.

— Nós não podemos nos livrar do sofá — declarei, pouco convincente.

— É claro que podemos — ela desabafou. — Mostre algum entusiasmo. Estou fazendo isso também em seu benefício.

Por fim, ela concordou, relutante.

— Estou desapontada — falou emburrada, quase chorando. — Queria tanto entrar em forma! — Despejou o restante do vinho nas taças. — Certo. — Reanimou-se. — Vamos descongelar a torta de carneiro dos Vigilantes do Peso?

Me mudei para o sofá.

— O que você acha de eu fazer entrevista de emprego de guia de turismo?

Seus olhos castanhos me encararam. Houve um minuto de silêncio antes que ela meneasse a cabeça.

— Ah, isso. Tudo bem, mas cheque o perfil da companhia na web. Você poderá terminar sequestrada e vendida como escrava no Iêmen ou se prostituindo na rua — ela disse rudemente. — De qualquer maneira, espere até que eles a conheçam. Em cinco minutos, você estragará o disfarce. Aposto que não será nem capaz de achar o escritório.

CAPÍTULO 5

Minha irmã, Lexie, ligou cedo na manhã seguinte.

— Você ainda está na cama? — ela me desafiou. — Eu *sei,* porque você demorou horas para atender.

Encarei o teto com os olhos embaçados. Tinha atendido no quarto toque.

— O que tem de errado nisso? — perguntei, massageando as têmporas com as mãos. Empurrei o cobertor, sentei na beirada da cama e depois me levantei. Meus joelhos dobraram e caí no chão. Meu rosto foi de encontro ao tapete, emitindo um som abafado. Por incrível que pareça, ainda segurava o telefone junto à orelha.

— Você não se esqueceu de que vou cortar o cabelo e que você prometeu levar as gêmeas para uma festa de aniversário, não é?

— É claro que não. — Estremeci. — Estou ansiosa para fazer isso. — Arquejei corajosamente, tentando alcançar a cômoda. Tinha me esquecido dos exercícios do dia anterior. Com certeza estava pagando o preço agora.

— Você está transando com alguém? Está com falta de ar? — ela perguntou.

— Não, é claro que não. — Perdi o equilíbrio e caí de costas na cama.

— Não se atrase! — disse e desligou.

Passei vinte minutos massageando as pernas com uma loção cremosa antes de tentar levantar e caminhar até o banheiro. Vesti com cuidado um minivestido de seda roxo, combinando com sandálias e jaqueta jeans. Ao explorar o guarda-roupa, agora arrumado, achei uma bolsa de veludo preto, com borda lilás. Para completar o *look*, argolas de prata nas orelhas e uma echarpe roxa, imitando a pele de um leopardo. Afinal, uma festa é sempre uma festa. Saí correndo do apartamento, com a echarpe esvoaçando, pulei para dentro do carro e dirigi até Hampton em vinte minutos. Lexy estava a postos, na porta de sua isolada casa vitoriana cor de baunilha, tamborilando com os dedos no relógio, impaciente.

— Tenho dez minutos para chegar ao cabeleireiro. Estava prestes a comunicar seu desaparecimento — ela reclamou.

Minha irmã é dois anos mais velha. Quando mais jovens, achavam que éramos gêmeas, mas isso mudou com o tempo e hoje somos muito diferentes. Na realidade, ultimamente ela nem parece *humana*. Ela pagou quatrocentas e cinquenta libras para modelar e tatuar a sobrancelha. Ela mais parece um ser do planeta Vulcano saído de *Jornada nas Estrelas*. E, pelo estado de sua franja, você diria que ela foi cortada com garfo e faca. É curta, cheia de pontas, desarrumada, mas Lexy insiste que não liga em parecer com a amante de Lúcifer, desde que prestem atenção em sua sobrancelha.

— Aqui. — Lexy jogou uma chave e um pedaço de papel na minha mão. — Você deve voltar antes de mim, então leve a chave extra. Desenhei um mapa para chegar até a festa — ela disse, virando-se, com a bolsa Prada apertada junto ao peito.

Adoro tomar conta de minhas sobrinhas de três anos. Meus dois anjinhos estavam perfilados, um ao lado do outro, na entrada, maravilhosos em seus vestidos rosa. Lauren é tímida, amorosa e sensível, com uma natureza calorosa e generosa. Ela tem surpreendentes olhos cor de esmeralda, circundados por longos cílios, e cabelos castanhos ondulados na altura dos ombros. Uma criança perfeita. Becky também é bonita, com cachinhos loiros e olhos azuis, cor de anil, mas — e este *mas* é significativo — algo *não está certo*. Ela é egoísta e rancorosa. Se você a beija, ela limpa o rosto com a manga, e, se tenta abraçá-la, foge correndo. Se pudesse, acho que ela preferiria morar sozinha. Eu olho para ela e me pergunto se houve alguma troca no hospital, se esse bebê com espírito malévolo foi impingido à família como um mau agouro.

Becky levantou a cabeça e deu um sorriso demoníaco. Os pelos do meu pescoço se arrepiaram, como sempre acontece quando ela me olha. Em troca, dei um vacilante meio sorriso. Tempos atrás, decidi ser boazinha, no caso de ela possuir poderes satânicos e resolver se vingar quando ficar mais velha. Quem sabe eu deva levá-la a uma igreja um dia desses, sentar no banco e ver se sua cabeça gira ou se ela pega fogo? Pelo menos, eu saberia. É lógico que nunca falei nada para minha irmã. Obviamente Lexy pensa que Becky é normal. É claro.

— Ok, meninas, hora da festa! — disse, procurando na testa de Becky algum sinal revelador. Sabe, algo como uma estranha marca satânica.

Penteei seus cabelos e borrifei um pouco de Chanel Nº 5 atrás de suas orelhas.

— Vamos — falei animada.

Lancei um olhar amoroso sobre o ombro. Elas estavam atrás de mim, cada uma segurando um presente. Pensei se minha irmã se incomodaria se eu as levasse ao joalheiro para furar as orelhas, mas mudei de ideia ao lembrar que tinha desmaiado quando furei as minhas.

Sei que não havia necessidade de me arrumar para uma festa infantil, e talvez eu tenha extrapolado um pouco, mas, honestamente, algumas mães exageraram. Calças largas de moletom foram feitas para a academia ou para ficar em casa, chinelos de dedo, para a praia, e camisetas cobertas de vômito e café, para a máquina de lavar. Então, por que alguém apareceria em público vestida em trajes tão horríveis? Francamente, está além de minha compreensão! Eu me apresentei como a "titia" e procurei não olhar para os cabelos tingidos de mingau. A prioridade era me divertir com minhas queridas sobrinhas. Então, tentei entrar no clima da festa.

As gêmeas não ganharam nada no Passe o Pacote[4]. Fiquei furiosa. O moleque que venceu a brincadeira roubou – eu vi. Ele manteve um olho no controle de volume do aparelho de som o tempo inteiro. Berrei: "Marmelada! Marmelada!", mas ninguém se importou, então fiquei encantada ao ver que o presente recebido não valia a pena.

Becky foi a última a jogar Pendure o Rabo no Burro[5]. Ela ganhou. Astuciosamente, deixei uma fresta na venda dos olhos. Ainda bem que ela é tão safada quanto eu e entendeu de primeira o que era necessário fazer para ganhar. Fiquei muito orgulhosa. Ela se debatia cegamente, com os braços esticados, lábios apertados em consternação e, então, rapidamente, pendurou o rabo no lugar certo. Quase aplaudi. Honestamente, ela não é inteligente? Parece comigo.

Quando estavam brincando de Estátua, consegui fazer com que as gêmeas permanecessem até o fim. Afinal, eu era a encarregada de escolher quem ficaria de fora. Certifiquei-me de que todos saíssem, menos elas. Houve uma certa discussão quando uma menina insistiu que não tinha se mexido, mas minha decisão era definitiva. É apenas um maldito jogo. As gêmeas adoraram quando foram declaradas vencedoras por mim. Cada uma ganhou um apito colorido no formato de passarinho. Fiquei tão orgulhosa delas! Especialmente de Becky, que ganhou dois dos três jogos. O almoço estava horrível e quase não comi. Nem preciso dizer que nunca mais pretendo comprar pacotes de salgadinhos na vida.

Cantamos "Parabéns pra Você" pra Samantha, a aniversariante, lembrancinhas foram distribuídas e alegremente recebidas e, final-

[4] *Pass the Parcel*: brincadeira infantil parecida com passa-anel, com a diferença de que um pacote embrulhado é passado entre as crianças, enquanto toca uma música. Quando a música para, quem o está segurando fica com o presente. (N. T.)

[5] *Pin the Tail on the Donkey*. Brincadeira infantil em que o retrato de um burro é pendurado numa parede e as crianças, com os olhos vendados, tentam pendurar o rabo que está faltando. (N. T.)

mente, chegou a hora de irmos embora. Sally, a mãe gordinha e emburrada de Samantha, entrou no hall e barrou nossa saída, reclamando que havia encontrado chiclete entre as lembrancinhas. Ela parecia ameaçadora. "Deus do céu", pensei, "estamos falando de um simples chiclete, não de um baseado!". Ela culpou a babá sueca. "Cá entre nós", pensei, "o problema mais importante que ela deveria resolver seria demitir a babá sueca e contratar a feiosa, baixinha e gordinha Mrs. Doubtfire[6]". Sorri e lhe agradeci pela tarde agradável e encantadora e saí pela porta da frente, segurando uma gêmea em cada mão. Fomos pulando e cantando *Dó-ré-mi* até o carro. Senti-me a própria Supernanny.

Antes mesmo de chegar ao final da rua, já não aguentava mais ouvir os malditos apitos. Que presente mais estúpido para se dar para uma criança! Fiquei tão doida com o barulho que pisei no freio em pleno sinal verde, fazendo com que dois motoristas atrás de mim tivessem que desviar. Um subiu na calçada e o outro foi em direção ao outro lado da rua. Eles apertaram as buzinas.

— Idiota! — gritou um deles.

— É preciso manter uma distância segura em relação ao carro da frente! — devolvi. Como tinha repetido quatro testes de habilitação, podia me considerar uma *expert* em relação a distâncias seguras entre os carros.

Becky mexia no cabelo.

— Idiota — ela sussurrou em tom de confidência para Lauren.

Desviei de outro carro, quase me enforcando com o cinto de segurança.

— Deem os passarinhos para a titia — implorei com os dentes cerrados. Elas me deram os apitos e se ocuparam em vasculhar as sacolas de lembrancinhas.

— Voa passarinho, voa! — cantarolei sobre meu ombro, jogando os apitos pela janela do carro entre os arbustos.

[6] Personagem interpretada por Robin Willians no filme *Uma babá quase perfeita*. (N. T.)

Meu coração disparou. A combinação de trânsito, crianças, apitos e motoristas londrinos acabou completamente com minha paciência. Fechei a janela e suspirei fortemente. Estava acabada e ainda era a primeira da fila, praticamente *estacionad*a em frente ao sinal, que mais uma vez estava verde. Chequei o espelho retrovisor, esperando ver um motorista de táxi revoltado acenando com as mãos. Em vez disso, fiquei feliz ao ver que a motorista do carro de trás gritava ao telefone enquanto passava batom nos lábios. Disparei no mesmo momento em que o sinal ficou amarelo.

No meio da Hampton Hill High Street, vislumbrei uma loja de bebidas e uma garrafa de Shiraz apareceu diante dos meus olhos, envolta por um balão, como nas histórias em quadrinhos. Contraí os braços, apertei o volante e freei subitamente. Conduzi as crianças pela loja, peguei três garrafas de vinho, paguei em dinheiro para ser mais rápida e manobrei o bando de volta a sua rota original, passando por garrafas de cerveja e caixas empilhadas de champanhe barato.

Coloquei Becky no carro e prendi o cinto de segurança. Quando ia pegar Lauren, vi que havia uma maçaroca azul na parte de trás de sua cabeça. Olhei mais de perto e percebi que era um pedaço de chiclete do tamanho de um pequeno descanso de mesa. Estava no meio do delicado cabelo castanho de Lauren e era impossível tirar.

Apertei os dentes. "Babá cabeça de vento!", xinguei e soquei o volante. Olhei para as garrafas de vinho. Fiquei tentada em beber direto do gargalo, mas estava ocupada lutando para tirar as mãos de Lauren de seu cabelo.

— Não mexa no cabelo, querida. Está um pouco grudento. — Amarrei seu pulso com meu cachecol de leopardo e revistei a sacola de Becky para confiscar o chiclete.

— É meu! — Becky berrou, agarrando o pacote azul com a goma de mascar.

— Não é mais. Agora é meu! — gritei de volta. — Dápramim, dápramim, dápramim.

Uma vez sentadas confortavelmente (quer dizer... eu estava confortável, Lauren estava amarrada e Becky urrando), dirigi até o final da rua e estacionei na frente de um armarinho. Dei uma olhada pelo espelho retrovisor. Elas estavam sentadas, com os olhos arregalados e sem expressão.

— Para fora! — ordenei, saindo do carro.

Estava mudando rapidamente de ideia quanto ao fato de tê-las chamado de "meus adorados anjinhos". Comprei tesouras para tirar o chiclete do cabelo de Lauren. Não poderia deixar minha irmã pensar que eu não sou capaz de supervisionar e sobreviver a uma simples excursão a uma festa infantil. Se ela notar que está faltando uma parte do cabelo de Lauren, explicarei que Becky a arrancou. Ao cortar as últimas mechas de cabelo embaraçado, vi Becky enchendo os bolsos de lápis.

— Devolva, Becky! — adverti.

— São meus — ela me informou.

— Becks... Coloque... No... Lugar!

Ela pegou um punhado de canetas com ponta grossa, caminhou em minha direção e as enfiou em meu bolso.

— Vamos dividir! — ofereceu.

— Devolva! — gritei.

Ela fez beicinho, reuniu seu saque e jogou numa cesta de brinquedos de pelúcia. Lutei para ficar calma.

— Terminamos, querida — falei para Lauren, suspirando, enquanto as últimas mechas com chiclete caíam no chão. Ela deslizou a mãozinha na minha e se aconchegou junto a meu quadril.

— Brigada, titia! Eu te amo — ela disse, com os olhos cor de esmeralda brilhando.

Inesperadamente, senti meus olhos lacrimejarem. Funguei e pisquei com força para afastar as lágrimas. Estava exausta. Tinha passado o dia inteiro com as crianças. Você tem de passar por essa experiência para saber o que significa. É tão estressante e exaustivo!

Ainda mais sendo solteira, o que faz tudo ser um milhão de vezes mais difícil. Tenho que fazer tudo sozinha. Não tenho um parceiro que me ajude. Sou eu, sozinha, com as crianças. Elas são egoístas, mais parecem parasitas sugadoras de sangue retirando toda a sua força. Olhei para o meu reflexo na vitrine e senti uma pontada de aversão. Meu cabelo parecia sujo e sem vida, meus lábios anêmicos e meus olhos, fundos e inexpressivos. Funguei. Pensando bem, desde que saí de casa essa manhã não havia tocado em meu batom, borrifado perfume, penteado os cabelos, comido ou tomado um drinque. Posso dizer honestamente que tenho um profundo respeito pelas mães de crianças pequenas. Olhei infeliz em direção aos pequenos demônios. Era hora de ir embora.

De volta ao carro, coloquei o cinto de segurança nas meninas. "Carro ligado, mais dois minutos e estamos em casa", pensei, agradecida. Quando chegamos, tive vontade de beijar a entrada da casa. Quase arranquei o portão da sua dobradiça enquanto empurrava as gêmeas pelo jardim. Lexy abriu a porta, balançando o cabelo de um lado para o outro.

— Gostou do meu cabelo? — ela sorria, radiante.

— Gostei. Ele parece, hum... maravilhoso. Estou com muita pressa — disse empurrando as crianças pela porta. Ela levantou as sobrancelhas tatuadas e tocou a franja vulcana.

— Por quê? Aonde você vai? — perguntou, confusa. — Pensei que havia tirado o dia de folga.

— Um homem vai passar para consertar a máquina de lavar e a Lulu vai trabalhar até tarde. Não posso viver sem a máquina de lavar roupa. — Isso era uma grande mentira, mas estava tão traumatizada! Sim, essa palavra era perfeita: traumatizada. Estava tão exausta e quase a ponto de enlouquecer que suspeitava que poderia começar a chorar a qualquer momento. Lexy concordou que eu não poderia viver sem a máquina de lavar roupa, mas relutava em me deixar escapulir. Agarrou minha mão.

— Não sei se gosto de meu cabelo — ela disse —, cortado assim, em camadas.

— Está ótimo, querida, realmente ótimo. Amei! — falei, entusiasmada. — Agora você está parecendo uma princesa vulcana, não apenas uma simples vulcana. — Ela revirou os olhos.

— Entre — pediu. — Vou colocar um pouco de maquiagem, assim talvez me sinta melhor. Vou fazer um café para você. Também comprei umas rosquinhas com geleia. Você gosta, não?

Retirei seus dedos de meu pulso, preparada para quebrar algum se ela não me largasse. Café era a última coisa de que estava precisando. Estava era sofrendo de abstinência alcoólica.

— Adoraria, mas preciso sair voando — respondi.

Ela segurou meus braços.

— Gostaria que você não tivesse que trabalhar. Seria adorável ter você aqui durante o dia! Você poderia me ajudar com as crianças — ela disse. Acho que ela realmente acreditava nisso.

Distribuí beijos e fui como uma gazela em direção ao carro. Lauren permaneceu parada na porta, esfregando a parte de trás de sua cabeça, mostrando seu novo corte de cabelo para a mãe. Graças a Deus, Lexy estava muito ocupada observando seu próprio reflexo no painel da porta de vidro para notar ou se importar. Meu Renault Clio disparou ou decolou conforme eu acelerava de zero para cem quilômetros por hora. Eu precisava da minha casa, meu roupão e um copo de Shiraz o mais rápido possível. "E um trabalho", pensei enquanto via as crianças acenarem pelo espelho retrovisor. "Eu simplesmente tenho que conseguir esse trabalho. Eu posso e vou."

CAPÍTULO 6

Já atrasada para a entrevista, amaldiçoava meus sapatos pretos de salto alto, que faziam um ruído metálico enquanto eu andava pela estação Tooting Broadway. Joguei-me dentro do trem e observei o vagão. Só havia um assento vazio. Um jovem mochileiro se dirigia para ele. Rapidamente me movi, passei por trás e lhe dei um discreto chega pra lá com o quadril. Ele tropeçou, ajudado pelo peso da mochila. Desabei no assento e relaxei.

Peguei meu guia de Paris da bolsa e folheei as páginas, tentando decorar o máximo de fatos e informações que pudesse. Estava agitada, nervosa e com as palmas das mãos suadas. Eu *queria* aquele emprego. O problema é que não poderia ser eu mesma. Certamente essa era a última pessoa que eu deveria ser, porque *eu* não teria nenhuma chance de conseguir esse emprego.

— Ai, meu Deus do céu! Eu não estou fazendo um teste para o *American Idol* — sentei ereta e cruzei as pernas. "Quem é melhor do que eu?", pensei, enrolando a alça da bolsa até virar uma massa de couro. "Quem é melhor?", murmurei alto, sentindo meu intestino se revolver num princípio de diarreia.

Desembarquei em Charing Cross e marchei pela estação, resoluta, até sair na Strand. Atravessei a Trafalgar Square em direção à Cockspur Street, o tempo todo cantarolando "Sim, eu posso; sim, eu posso".

"Imponente", pensei, enquanto empurrava a pesada porta de vidro fumê da Insignia Tours. Sofás de couro preto estavam dispostos ao redor de uma grande mesa de centro com tampo de vidro, quadros com diferentes cidades europeias adornavam as paredes e grandes palmeiras artificiais ficavam ao lado dos três elevadores mais à frente.

Meus saltos altos continuavam a fazer clap-clap, enquanto atravessava o piso de mármore polido até a recepção. Dei meu nome para o guarda. Bufando, ele me passou um crachá e inclinou a cabeça em direção aos sofás. Dois minutos depois, uma loura esguia, da minha idade, vestindo um conjunto de calça e paletó verde, veio em minha direção. Levantei, ostentando um sorriso confiante, e estendi a mão.

— Evie Dexter — falei oficialmente.

— Tina Williamson — ela respondeu, piscando como um tigre sonolento. — Por favor, me acompanhe — falou, dando meia-volta com um cuidado exagerado.

Ok, estou por cima. Definitivamente a sorte está a meu lado. Percebi que Tina Williamson estava com uma enorme e terrível ressaca. Isso muda tudo. Estou ansiosa para começar a entrevista, porque estarei completamente sóbria enquanto ela me entrevistará com uma barulhenta bateria martelando em sua cabeça. Rapidamente ajeitei a alça da bolsa. Tina cambaleava, com os ombros curvados, em direção à escada e eu a seguia obedientemente.

— Meu Deus! — exclamei, surpresa. Enquanto entrava pela sala de entrevista, empurrei Tina de encontro à parede. — Ahhhhhhhhhhhhhh! — murmurei arrebatada. — Que vista maravilhosa! — Dei cinco passos em direção à janela. Apertei a bolsa contra o peito e suspirei diante da magnificência da Trafalgar Square. Tina sorriu debilmente e se sentou à cabeceira de uma bonita mesa de carvalho. A vista era incrível. E não é sempre que me dou ao trabalho de admirar a paisagem. Londres é meu lar e muitas vezes não prestamos atenção, mas bem... inacreditável! No centro da praça, erguia-se a Nelson's Column, tocando as nuvens como uma agulha prateada resplandecente. Dei um passo para trás quando percebi que meu nariz, palmas e lábios estavam tocando o vidro. Virei-me e olhei atentamente para a Tina.

— É fabuloso. As fontes parecem fantásticas vistas daqui — falei, entusiasmada.

Devagar, ela puxou uma pasta à sua frente, abriu e fechou os olhos. Afastei-me da janela e arrrrrrasteeeeeiiii minha cadeira pelo piso de madeira, sentando-me calmamente do outro lado da mesa. Tina colocou os cotovelos sobre a mesa, fechou as mãos e nelas apoiou o queixo.

— Ok. — Ela suspirou, cansada. — Paris.

Acenei ansiosamente a cabeça.

Ela examinou a pasta.

Pensei se deveria também fazer isso, apenas para me garantir, o que fiz. Encarei a pasta com admiração.

— Paris — ela soltou o ar. — Você conhece bem?

— Como a palma de minha mão — declarei, para minha surpresa. E me lancei numa narrativa que teria entediado até Robinson Crusoé, e olha que ele estava, havia anos, louco por companhia. Citei o sumário, a sinopse e todo o conteúdo do meu guia de viagem. E graças a Deus que tinha permitido que Lulu me arrastasse para assistir a *O Código Da Vinci*, porque todo o meu vasto conhecimento sobre o Louvre e sobre a arte francesa se limitava ao que vi no filme. Na verdade, estava começando a me entediar com meu exibicionismo. Parecia que era uma das competidoras do *Mastermind* [7], minha especialidade: falar besteira.

Bati a mão propositadamente na mesa, quando percebi que Tina havia caído no sono. Seu pescoço caiu para trás e seus olhos se abri-

[7] *Mastermind* é um programa de perguntas e respostas da televisão britânica. A cada jogo o participante enfrenta duas etapas: na primeira deve responder a perguntas de sua especialidade e, na segunda, a perguntas de conhecimentos gerais. (N. E.)

ram. Sim, agora ela estava prestando atenção em mim. Arrumei meus cabelos sobre os ombros, cruzei e descruzei as pernas e continuei, resumindo uma matéria da *Vogue* que havia lido sobre a Semana de Moda de Paris. A diferença é que fiz de conta que havia estado lá. E, para esquentar nossa conversa, até contei que tinha conseguido um passe VIP para ver a coleção do Versace.

Ela estava desfalecendo. Nem liguei. Não conseguia parar. Afinal, estava falando de *mim mesma*.

— E... — recomecei.

Estava começando a me sentir a própria Florence Nightingale, aumentando minhas qualificações de primeiros socorros, quando Tina levantou as mãos fazendo um gesto de "não atire".

— Ei, ei — disse, respirando com esforço. — Você parece conhecer as coisas. — Ela raspou sua unha pela lista de nomes, no lado direito da folha de papel.

— As nossas excursões de fim de semana para Paris ainda não foram distribuídas para todos os guias, então estamos ansiosos em contratar mais alguns para a temporada de verão. Nós... — ela interrompeu por um momento, fechou os olhos e engoliu em seco, a cabeça oscilava, largada sobre o pescoço. Sorri. Não sou nenhuma médica, mas sei diagnosticar a síndrome do vômito quando a vejo.

— Nós... — ela parou. — Quer dizer...

Abri minha bolsa e peguei uma lata de Coca Diet. Deslizei-a sobre a mesa. Ela abriu a lata e bebeu sofregamente.

— Ai... — balbuciou.

Um arroto do tamanho de um trovão nos pegou de surpresa. Seus olhos se arregalaram. Os meus também.

— Acho que estou com uma infecção de garganta — mentiu, não muito convincente.

— É mesmo? — concordei, solidária.

Ofereci uma bala de menta, que ela pegou, mordeu e engoliu.

— Você gostaria de me perguntar alguma coisa? — perguntei, sóbria.

— Não, acho que falamos sobre tudo — ela soluçou. — Ah, sim — lembrou-se rapidamente. — Você poderia começar amanhã?

Por um momento, pensei que havia ouvido errado. Mas não, ela estava escrevendo meu nome no pé de sua agenda. Senti uma onda de empolgação no estômago e quase não consegui disfarçar a vontade de gritar.

— Sim, é claro — confirmei, num fio de voz.

— Ótimo — ela respondeu, fechando bruscamente a pasta. — Me dê alguns minutos para ir buscar os papéis — ela disse, dirigindo-se para a porta.

Levantei-me, andei majestosamente até a janela, abri os braços e falei para a multidão, lá embaixo, que a rainha Evie acabava de conseguir um trabalho. E que Lulu falava muita besteira.

Tina voltou minutos depois, brandindo um documento oficial.

— Tudo o que você precisa está aqui: itinerário, reserva do hotel, lista de passageiros, seguro, informações sobre o seu guia local, questionários para os clientes, dinheiro para imprevistos, cheques de viagem para emergências, manual de instruções, formulários. Você tem mais alguma pergunta?

Na verdade, um milhão. Não fazia a menor ideia do que ela estava falando. Mas sabe o que mais? Não estava nem aí. Estava empregada! Com certeza, esta fora a parte mais difícil.

— Não, está tudo claro para mim — respondi.

Ela terminou pedindo para que eu ligasse quando retornasse, na segunda-feira, para confirmar se tudo havia corrido bem. Se tudo desse certo, ela me contrataria até outubro.

Desfilei elegantemente pelo piso de mármore da área da recepção, balançando minha pasta. Lancei um sorriso radiante para o amigável guarda que tinha conhecido mais cedo e caminhei rumo à tarde ensolarada. Ergui o rosto em direção ao sol e dei uma volta, como Julie Andrews em *A Noviça Rebelde*. Não xinguei um motorista de táxi que quase me atropelou e até deixei que alguém pegasse meu lugar no assento do metrô.

CAPÍTULO 7

— Lhe ofereceram um trabalho e você começa amanhã? Isso é inacreditável! — Lulu me parabenizou. — Estou feliz por você, mas sinto pena das pessoas de quem você tomará conta. De qualquer maneira, você vai desfrutar um fim de semana de graça em Paris antes de ser despedida na segunda-feira.

Eu estava sentada na beirada de sua cama, enquanto ela se aprontava para sair para um encontro.

— Consegui o trabalho por méritos próprios. Estudei, pesquisei e fui atrás. Sei do que estou falando — vangloriei-me.

Ela colocou uma mecha de cabelo atrás da orelha.

— Parabéns! Tiro o chapéu para você. Eu sofreria um ataque de pânico em meio a tanta mentira e papo-furado, tentando parecer que tinha algum cérebro. Estou impressionada com seu desempenho — ela me elogiou. — Honestamente, estou muuuuiiiito impressionada.

Sacudi os ombros, envaidecida, e acrescentei:

— Nos últimos dez minutos da entrevista, ela conversou comigo em francês. Fiquei um pouquinho nervosa. — Lulu largou o espelho de maquiagem e se virou, sorrindo radiante enquanto segurava o rímel.

— Evie, você é uma figura. Você é tão... Como posso dizer? Habilidosa. Uma camaleoa, sim, é isso que você é. Tudo em que põe a mão dá certo. Estou tãããooo orgulhosa de você! — Ela me abraçou e beijou minha bochecha. — Você sempre foi ótima em francês na escola.

Eu resplandeci e acariciei a pasta de viagem. Ela estava certa. Eu era boa em francês, mas isso acontecia só porque eu me sentava ao lado da Brenda Fedorenta e ela me deixava colar.

— Você vai estragar tudo, espere e verá. — Ela deu um tapinha em meu joelho. — De qualquer maneira, aproveite enquanto é tempo.

Suspirei e arranquei meu batom de sua cômoda. Lulu não merecia que eu o deixasse com ela.

Seu tom jovial esmoreceu.

— Tudo bem. Vamos mudar de assunto. Vamos falar do meu encontro. Sei que já falamos disso várias vezes, mas você sabe o que deve fazer?

Suspirei desesperadamente.

— Não entendo por que você quer sair com o Vic, se nem se lembra de como ele é. Você passou seu telefone para ele, não é mesmo? Você não faria isso se não tivesse gostado dele.

Lulu jogou o rímel na bolsa e caminhou até o guarda-roupa.

— Eu o conheci no Clube 100, numa festa dada por um de nossos representantes de vendas de produtos farmacêuticos. Fiquei bêbada. Você se lembra? Tive de colocar o pacote de comida chinesa que tinha comprado no chão, para procurar a chave na bolsa. Procurei que nem louca e não achei. Telefonei para a polícia, para ver se alguém havia deixado a chave lá. Fui advertida por fazê-los perder tempo. Ele pode ser um vendedor repulsivo, com cara de fuinha, e eu lhe dei meu número porque ele me subornou, prometendo alguns brindes.

Ela estava certa. Nós tínhamos vários tubos de creme para bronzear, centenas de toucas de banho, vinte caixas de lenços de papel, cinquenta garrafas de loção pós-banho e suprimento para dez anos de vários remédios para resfriado e gripe, entulhados e guardados no banheiro. Resultado das ligações de Lulu com representantes de vendas.

— Certo — afirmou, com autoridade. Torceu os lábios enquanto tentava fechar o zíper da calça jeans. Não teve jeito. — Vamos tentar mais uma vez. — Ela pegou um cabide de arame do guarda-roupa, prendeu a ponta no zíper e puxou com toda a força.

— Atende... à... porta... — ela arquejou. Pouco a pouco, o zíper ia subindo. — Vou... me... esconder... atrás... da... cortina... da... sala. — Ofegou, à procura de ar, enquanto o zíper vagarosamente subia rumo ao norte e, então, sim, ele finalmente fechou. Ela retirou o cabide e se jogou contra a parede, até retomar o fôlego. De repente, com uma força sobre-humana, começou a fechar o botão da calça. Eu a congratulei silenciosamente quando ela conseguiu e já estava tentada a aplaudi-la, mas desisti, porque teríamos começado uma de nossas brigas sobre "quem é a mais gorda".

— Se gostar dele, levanto o polegar, se não, abaixo. Nesse caso, diga a ele que tive de sair para atender a uma cesária de última hora.

— Você não é parteira.

— Não seja tão crítica — Lulu disse, exaltada. Ela se inclinou, tirou meus brincos, virou-se de volta para o espelho da cômoda e colocou-os em suas orelhas. — Você me empresta seu colar da Juicy Couture? Meu pingente se acomoda perfeitamente entre os seios. Já seu colar ressalta as linhas esbeltas de meu pescoço. E, bem, desvia a atenção dos meus seios, até os esconde um pouco — comentou, iludindo-se.

Um cordão de arenques defumados não esconderia o tamanho de seus seios, mas eu sabia que era melhor ficar calada. Dei-lhe o colar e pulei ao ouvir o som da campainha.

— Chegou a hora — ela declarou, desanimada.

Lulu me empurrou pelo corredor, seguindo-me na ponta dos pés até a sala, para se esconder atrás da cortina. Abri a porta.

— Olá — disse eu, educadamente, antes de abrir um grande e genuíno sorriso de boas-vindas. O mistério havia terminado. Não porque Vic fosse particularmente bonito, mas porque um Aston Martin vermelho estava parado atrás de meu Renault branco.

Lulu saiu, apressada, pelo corredor.

— Não me espere acordada — ela disse, acenando ao sair.

Fiz café e resolvi estudar a papelada sobre Paris. Tinha de encontrar o ônibus da excursão na estação Victoria, às nove da manhã de sexta-feira. Iríamos até Dover antes de embarcar na última balsa da manhã para Calais. Da costa francesa, seguiríamos viagem até Paris, onde ficaríamos durante três noites num hotel quatro estrelas. Fiquei maravilhada ao perceber que estava começando a parecer uma guia turística, apenas lendo o itinerário em voz alta. Dei uma risada animada, guardei a papelada com o passaporte na minha bolsa e tirei a mala de debaixo da cama.

Ficaria fora por apenas três noites, então faria uma mala pequena. Precisaria me virar com sete pares de sapato, dois pares de bota e doze trajes diferentes. A última coisa que guardei no meu *nécessaire* foram as cápsulas de Milk Thistle para o fígado. Lulu uma vez me disse que qualquer idiota ou imperador romano que valesse a toga que usasse tomaria vitaminas para acompanhar o ritmo de suas orgias semanais, no templo da cidade. Sei que não há muitas orgias em Tooting, e Lulu não conta muito como companhia, devido a seu estado etílico, mas de vez em quando ela aparece radiante, como se não tivesse uma ressaca há muitas semanas. Ela jura que isso acontece graças aos efeitos regenerativos desse remédio maravilhoso. Vale a pena tentar. Às vezes, após uma saída com as garotas, sinto que estou tendo uma experiência fora do corpo.

Tudo pronto. Decidi dormir cedo. Ajeitei os travesseiros e me aconcheguei na cama, então Lexy ligou.

— Mais uma vez, parabéns! Ainda não posso acreditar que você conseguiu o trabalho. Se lembra que lhe confidenciei que a Mary, minha vizinha, acha que o marido dela está tendo um caso com uma das professoras da escola, onde ele trabalha como diretor? Um bom cafajeste, ele bem que merecia ser expulso da escola. Bem, contei para uma das mães que conheço na creche, obviamente pedindo segredo, e ela contou para a sogra, que trabalha no refeitório da escola, também pedindo segredo. Lei de Murphy: a tal da sogra, no trabalho, escorregou e caiu, e ficou no hospital por quatro dias. Ela começou a delirar por causa da morfina e acabou contando tudo. Agora Mary está me culpando. Isso é um absurdo! Fala a verdade: você acha que eu tenho culpa? Mary e eu brigamos feio. Quer dizer, eu nem mesmo conheço aquela mulher idiota – ela vociferou. – Ah, quase esqueci. Você poderia deixar sua jaqueta da Whistles sobre a cama? Vou buscá-la enquanto você estiver fora, porque quero usá-la no sábado à noite. Tenho de correr, não posso ficar fofocando a noite inteira. Tchau!

Não abri a boca nenhuma vez. Desliguei o telefone. "Mal posso esperar", pensei, animada. "Um adorável fim de semana em Paris, apenas cinquenta pessoas. Isso significa quarenta e oito passageiros, o motorista e eu. Vou dar o melhor de mim, sei que vou me sair bem. Quero dizer... Não pode ser mais cansativo do que morar com Lulu, cuidar das gêmeas ou fugir do Nikki. Pode?"

CAPÍTULO 8

Liguei para a companhia de táxi.

— Vinte e cinco libras por uma corrida até Victoria? — gritei, horrorizada. — Pelo menos o Dick Turpin[8] usava máscara! Isso é extorsão. É uma linha reta entre Balham e Clapham. Não vou me tornar uma vítima de sua desonestidade — me exaltei, ficando de pé.

— Você quer o táxi ou não, querida? — o controlador perguntou, desinteressado.

— É claro que não. Vai procurar outro idiota, seu ganancioso! — Eu o chamei de ladrão e ameacei denunciá-lo para o *Watchdog*[9]. Não me restava outra alternativa a não ser usar o metrô. Nem liguei, pois era uma questão de princípios. Afinal, eram vinte e cinco libras.

Conferi pela décima vez o visual no espelho. Usava meu *tailleur* azul-marinho da Karen Millen, com um comprimento um pouquinho acima do que usaria normalmente, minha blusa branca da Conrad, que Lulu dizia que tinha custado mais que nossa televisão, e as novís-

[8] Famoso assaltante de estradas inglês, do início do século XVIII. (N. T.)

[9] Programa investigativo da BBC. (N. T.)

simas sandálias de salto agulha que Lulu havia comprado na Russell & Bromley. Ela provavelmente iria procurá-las o fim de semana inteiro. Montanhas de cabelo castanho caíram pelas minhas costas. Bem, apenas um pouco abaixo de meus ombros, na verdade. Chelsea Girl *gloss* da Nars, sombra lilás-claro da Bobbi Brown, um toque suave de *blush* e uma leve camada de rímel completavam o visual. Encorajada por estar me aventurando em território desconhecido, por ter acordado sem ressaca e num dia em que comi pouco, mal podia esperar o que me aguardava.

Mordi o lábio inferior enquanto olhava para minha mala Samsonite. Era bem grande. Pensei que, com um pouco de habilidade, poderia colocar Nikki dentro dela; o lado positivo era que ela tinha rodinhas. Com dificuldade, consegui manobrá-la para fora do apartamento, arrastando-a atrás de mim pelo estreito corredor de saída do prédio. Mal tinha chegado ao portão e já estava exausta. Comecei a temer a penosa tarefa de arrastá-la pela rua até a estação de metrô. Pensando bem, pagar 25 libras por um táxi já não me parecia tão caro. Afinal, o que você pode comprar nesses dias com 25 libras? Além disso, o motorista de táxi podia ser o pai de três crianças famintas precisando de dinheiro. Que tipo de pessoa reclamaria do preço de um estojo de sombra da Benefit, se ela tivesse a oportunidade de alimentar uma família inteira?

"Espero que outra pessoa atenda ao telefone na companhia de táxi, senão vou fingir que sou americana." Larguei a alça da mala para procurar o celular na bolsa. Levei alguns segundos, talvez um pouquinho mais, para perceber que não havia nada pendurado em meu ombro. Apalpei peito, quadril, costas e coxas, de cima a baixo. Nada. Me senti péssima.

— Sem bolsa, sem bolsa — cantarolei. Meu coração despencou até alcançar os sapatos da Lulu. A bolsa que continha meu dinheiro, telefone, passaporte, chaves, lista de passageiros, guia de viagem e maquiagem estava sobre a cama. Meu coração disparou e meu ouvido começou a zumbir. Tentei respirar, sentindo que estava me afogando.

Chutei a porta de entrada do prédio e, como um demônio, comecei a tocar as três campainhas. As pessoas que esperavam o ônibus na frente do portão me encararam com os olhos arregalados.

— O que vocês estão olhando? — gritei, com os olhos injetados como se estivesse louca. Eles fugiram como ratos lutando por um assento no ônibus para Shepherd's Bush.

Os outros moradores do prédio são médicos residentes e, é claro, eles estavam salvando vidas ou dormindo, bêbados. E mesmo que eu consiga entrar no prédio, estarei trancada para fora do apartamento.

Joguei-me contra a porta e golpeei minha testa com os punhos. "Certo", pensei. "Tudo que preciso fazer é ir de Tooting para Paris. Não pode ser tão difícil assim." Dei uma risada nervosa. Não é como se tivesse de colocar três pontes de safena no coração de alguém. Sentei no muro do jardim e respirei profundamente. Na verdade, preferia fazer uma operação de ponte de safena. Levantei-me. "Seja positiva", pensei. "Eu posso fazer isso." Desabei de novo. "Não posso, não posso. Quero meu antigo emprego de volta." Pulei e me pus de pé. "Pelo amor de Deus, esse é o meu trabalho. Sou uma guia de turismo europeia", falei para mim mesma com convicção, minhas entranhas rosnando.

Arrastei, chutei e empurrei a mala pela rua até a estação Tooting Broadway.

— Preciso de ajuda! — gritei. — Preciso de ajuda! — Meus olhos examinaram a estação como um facho de luz num show do Black Eyed Peas. Localizei um guarda. Fui até ele e imprensei-o contra o guichê da bilheteria. Pam! Ele bateu as mãos e o rosto contra o vidro.

— Aaaiiii! — gemeu, preso entre meus seios e a porta do guichê. Virei-o de frente, agarrei sua lapela e puxei-o ao meu encontro.

— Tenho de chegar até Victoria...

— Não tenho bolsa...

— Nem dinheiro para a passagem...

— Nem passaporte...

Ele fez que sim com a cabeça, solidário, enquanto eu batia sua cabeça contra o vidro do guichê.

— Emprego novo...

Ele piscava ensandecido, seu queixo caiu e seus olhos se arregalaram ao compreender o que estava se passando. Limpei meu nariz gotejante em seu ombro.

— Minha conta furada em nove mil, preciso desse emprego, desesperadamente...

— Lulu vai adorar...

Eu continuava a bater sua cabeça contra o vidro ritmicamente, quando reparei que alguém nos observava.

— O que você está olhando? — gritei para um homem baixo, com uma cara impassível e dono de uma careca lustrosa.

Ele fugiu; o guarda fez o mesmo no minuto em que afrouxei a mão que segurava seu casaco. Estava prestes a agarrá-lo de novo quando ele deu um salto acrobático por sobre as catracas e abriu o portão. Joguei meu cabelo sobre o ombro e levantei a alça da mala.

— Que gentil! — falei, ofegante.

Passei pelo portão e desci a escada rolante, soluçando sem parar.

Quando cheguei ao vagão, havia um assento vazio e um homem elegantemente vestido se dirigia para lá. Segurei as costas de seu casaco e o empurrei para o meio do vagão. Sendo bem honesta, acho que ele apreciou a distância entre nós. Desabei no assento. Ninguém ousava me olhar. Faço a mesma coisa quando sobra um pedaço de bolo. Uma senhora de idade se sentou a meu lado. Ela olhou para minha mala e colocou a mão enrugada sobre a minha.

— Minha filha, os homens não servem mesmo para nada. Você fez bem em deixá-lo. Eu gostaria de ter tido essa coragem quando tinha sua idade. Mas as coisas eram diferentes na minha época. — Ela sorriu e fez um aceno positivo com a cabeça, pensativa.

Abracei a mim mesma, fungando ruidosamente. Balancei para frente e para trás, enquanto lágrimas escorriam copiosamente pelo meu rosto. Senti uma irresistível onda de alívio ao perceber que tinha tomado a decisão correta ao abandoná-lo.

— Fiz a coisa certa, fiz a coisa certa — repetia. Segurei suas mãos ossudas e procurei urgentemente seus olhos. — Será? Será mesmo? Fiz a coisa certa? — perguntei. Fechei meus olhos e tentei me lembrar de quem eu tinha abandonado.

— Você é linda, minha querida. Não vai ficar sozinha por muito tempo — ela disse, tentando livrar sua mão de meu aperto desesperado.

— Você acha — solucei — que vou encontrar logo outra pessoa? — Estava exaltada e delirante. Ela arrancou meus dedos de seus pulsos e se levantou, pronta para partir.

— Sim — falou sabiamente. — Com certeza.

— Não, não, não — gritei, enquanto ela se afastava. — Eu não vou deixá-lo! Lembrei agora. Não vá!

Ela foi embora e eu despejei toda a minha miserável história nos passageiros do vagão. E sabe o que aconteceu? Ninguém encontrou uma solução para meu problema.

Na estação Victoria, ergui e empurrei a mala para fora do trem e pela plataforma. Com os olhos injetados, cabelos desalinhados e parecendo uma louca, andei em direção ao guarda da catraca, com os braços estendidos, chorando e soluçando. Estava pensando como explicaria minha situação quando, sem precisar falar nada, ele se afastou de mim e abriu o portão.

Saí da estação carregando a mala, rumo a Bressenden Place. "Preciso achar o ônibus", suspirei. Achei que haveria apenas um me esperando, mas havia uma longa fila. "Merda!", xinguei com os olhos marejados.

O primeiro motorista com quem falei estava indo para Amsterdã, o segundo, para Paris, mas ele não era da Insignia Tours. Como era mesmo o nome da empresa de ônibus? Larguei a alça da minha mala e massageei as têmporas. "Pense... Começava com H ou D, não, com P... Acho que era Patterson's", pensei. "Sim, é isso mesmo: Excursões Patterson's. Não, não, começava com H. Harrison's."

Segui cambaleando, minha mala chiando atrás de mim, quando avistei três cintilantes ônibus marrons, alinhados orgulhosamente na curva, exibindo o logo dourado da Harrison's. Quase desmaiei, aliviada, quando o motorista do segundo ônibus me perguntou se eu me chamava Evie.

— Olá! — ele disse, com os olhos brilhantes me dando boas-vindas. — Que bom...

Joguei a mala no chão e tropecei em sua direção, com o queixo e lábios tremendo. Ele franziu a testa, preocupado. Escondi meu nariz no nó de sua gravata.

— Sem dinheiro. Sem passaporte.

Ele segurava meus braços com delicadeza.

— Sem maquiagem! — lamentava inconsolável.

— Tudo bem. Fique calma. Vamos dar um jeito — ele me consolou, esfregando minhas costas um pouco sem jeito. Limpei meu nariz em seu ombro. Ele segurou meu rosto. Seus olhos azul-escuros fixos nos meus. — Chorar não vai ajudar em nada — ele disse, sorrindo com os olhos. Bufei e comecei a choramingar sem parar. Ele pressionou os polegares na minha bochecha. — Não faça isso — falou, com um aceno encorajador. — Não faça isso — ele repetiu.

Olhei para ele com olhos bem abertos e, após alguns minutos de vagarosos acenos positivos com a cabeça e de ele me repetir o mantra consolador "fique calma, fique calma", parei de chorar.

— Assim é bem melhor — ele sussurrou suavemente.

Prendi a respiração. Ele ainda segurava meu rosto.

— Não se preocupe. Eu tenho dinheiro. Posso lhe comprar maquiagem. Isso não é o fim do mundo — ele me disse, com um sorriso confiante.

Eu funguei e solucei, e funguei e solucei mais um pouco. Estava começando a me sentir melhor.

— O único problema é o passaporte — ele falou, preocupado.

E como um motor de avião, eu acelerei.

— Não faça isso — ele me avisou.

Mordi os nós dos dedos. Ele observou meu rosto.

— Você trouxe sua carteira de motorista? — ele perguntou. Houve um breve silêncio.

— Não — tentei falar, mordendo os punhos babados. Ele segurou meu queixo como os dentes de uma armadilha.

— Preste atenção — falou com firmeza.

Eu era toda ouvidos. Afinal de contas, era a encarregada dessa viagem e ele era meu empregado.

— Quando chegarmos às docas de Dover, os passageiros têm de descer do ônibus para passar pelo controle de passaporte. Nós devemos permanecer a bordo e dirigir até o controle, onde entregamos os formulários com as declarações dos passageiros e onde nossos passaportes serão checados. Então, vamos fazer assim: enquanto você se esconde no banheiro do ônibus, eu passo os formulários e digo que estou trabalhando sozinho. Encontramos os passageiros na saída e embarcamos na balsa.

Um lampejo de esperança passou pelo meu peito, como acontece quando eu assisto ao sorteio da loteria pela TV, apertando meu cartão, excitada, animada, otimista.

— Você acha... Você acha que pode dar certo? — gemi.

— Por que não? — ele perguntou. — Os passageiros vão chegar em vinte minutos. Vou guardar sua mala e lhe pagar um café. — Suas mãos ainda seguravam o meu rosto.

— Você está apertando meu maxilar — reclamei.

— Estou? Me desculpe! — ele disse, dando um tapinha no meu ombro de um jeito masculino.

Alguns minutos depois, estávamos sentados numa mesa no fundo do café italiano da esquina, de frente para o ônibus. Ele me passou uma cópia da lista de passageiros, com sua prancheta e caneta.

— Você conhece bem Paris? — ele perguntou.

— Hummm, já estive lá quando eu tinha oito anos. Confesso que exagerei um pouco na entrevista — reconheci, embaraçada. Ele me lançou um olhar penetrante.

— Sei — ele interrompeu. — Há quanto tempo você trabalha como guia? — perguntou.

— Hum... há uma hora — admiti.

— Então você não conhece a cidade nem o trabalho? — ele perguntou num tom que não consegui identificar.

— Não, quer dizer... não.

— Certo — ele disse, acabando de tomar o café. — Certo — ele jogou a xícara vazia sobre o pires e se inclinou sobre a mesa, com os braços cruzados. — Quando os passageiros chegarem, confira os nomes na lista e peça para entregarem as malas para eu poder guardá-las no bagageiro. Me avise quando todos tiverem chegado. Depois, informe que a viagem até Dover levará duas horas e explique os procedimentos na alfândega e para o embarque na balsa. Seria bom você verificar também se todos estão confortáveis no ônibus. — Ele me deu um sorriso encorajador. — Entendeu? — Ele se inclinou um pouco mais para apertar minha mão. Fiz um aceno positivo com a cabeça.

— Entendi — disse, tentando sorrir.

— Boa garota. Vamos — ele se levantou.

— Como você se chama? — perguntei.

— Rob. E você é Evie, certo? — ele perguntou, sorrindo calorosamente.

Fiz um pequeno aceno de cabeça e apertei a prancheta contra o peito.

— Bem, Evie, hora de partir — ele disse, abrindo um sorriso amplo.

Senti uma pontada de pânico ao ouvir a palavra "partir". Ficaria mais feliz se pudesse permanecer sentada no café até segunda-feira à noite e, depois, voltar para casa e contar a Lulu sobre o fim de semana maravilhoso. Rob pousou delicadamente a mão sobre minhas costas e me guiou até a porta de saída.

Os passageiros foram chegando pouco a pouco durante a meia hora seguinte. Todo mundo estava animado, com aquela alegria própria de um feriado. Acabei me contagiando, até lembrar que não tinha nenhuma razão para me sentir assim. Provavelmente seria demitida dali a duas horas. Rob papeava com os passageiros, enquanto guardava suas malas. Para cada um, ele tinha uma palavra gentil ou calorosa de boas-vindas. De vez em quando, ele me olhava e me dava uma piscada encorajadora ou um sorriso solidário.

Com todos os passageiros a bordo, entrei no ônibus, fiz a contagem final e, depois, saí e fui até a lateral, onde Rob fechava o bagageiro.

— Estão todos aqui — falei, meu estômago se retorcendo, enquanto uma nova onda de pânico tomava conta de mim.

— Não se preocupe — ele disse, seguro de si. — Tudo vai dar certo. Confie em mim.

— Isso já aconteceu antes? Quero dizer, você já conseguiu contrabandear alguém com sucesso? — perguntei, esperando que ele respondesse "acontece toda semana".

— Não, nunca — admitiu. Fechou as últimas duas portas do bagageiro, enquanto eu mordia, ansiosa, meu polegar.

— Como você pode estar tão confiante?

Ele inspirou profundamente.

— A última coisa que gostaria, agora que a conheci, é passar um fim de semana em Paris sem você. — Sua voz era suave, enquanto prendia uma mecha solta de seu cabelo atrás da orelha. Ele colocou a mão nas minhas costas. — Vamos embora. Tudo vai dar certo.

Sentei-me ao lado de Rob e retirei o microfone do encosto de seu banco. O ônibus saiu do estacionamento, enquanto eu me dirigia, calma e segura, aos passageiros. Em meu antigo emprego, na agência de propaganda, precisava convencer os clientes. Na maioria das vezes, isso significava mentir ou exagerar. Então, para variar, era bom falar a verdade.

— Bom dia! Meu nome é Evie e nosso motorista, nesse fim de semana, é Rob. Nossa viagem até Dover vai durar cerca de duas horas. Para seu conforto, o banheiro fica no centro do ônibus, do lado esquerdo. Em algum momento da viagem, gostaria que vocês checassem se estão com os passaportes em suas bagagens de mão, prontos para a inspeção em Dover. Se vocês o deixaram em suas malas, por favor, me avisem. Por enquanto, tudo o que vocês precisam fazer é se recostar e relaxar — coloquei o microfone de volta e olhei, de relance e com cautela, para Rob. Ele me deu uma piscada *sexy*.

Em teoria, eu deveria estar querendo me matar, mas sabem do que mais? Senti uma onda de desejo que me deixou sem fôlego. Estudei Rob por um minuto. Ele tinha cabelos loiros escuros, com reflexos cor de cobre polido, olhos turquesa emoldurados por cílios longos, maçãs do rosto salientes e um maxilar que mais parecia esculpido, de tão benfeito. Ele estava maravilhoso vestindo o paletó azul com botões dourados e um pequeno adorno, também dourado, no bolso do peito.

Inclinei o pescoço para ter uma visão melhor. Suas pernas estavam abertas enquanto ele sentava confortavelmente de frente para o volante. Olhei para as coxas e minha boca se abriu involuntariamente. Elas eram grossas. Não gordas, não, não, nem um pouquinho gordas. Apenas grossas. A barriga era esbelta, provavelmente não devia beber muita cerveja. "Isso seria uma boa mudança", pensei. Sua franja teimava em cair na testa e uma pequena sombra se formava em sua face toda vez que piscava. Olhei, fascinada, quando ele casualmente soprou o cabelo para longe dos olhos, enquanto ajeitava o espelho retrovisor. "Hummmmmm", pensei, "provavelmente mede mais de um metro e oitenta e deve ter uns vinte e oito anos".

Sentei um pouco mais à frente e apertei o braço do assento para me equilibrar. Sem querer, meus olhos viajaram ao longo de sua gravata em direção à virilha. Deus, o que posso dizer? "Será que ele estava usando cuecas da Abercrombie?", pensei. "Elas costumam fazer volume dentro da calça, não? E podem enganar uma garota, aumentando um pouquinho os apetrechos masculinos". Inclinei-me para observar melhor.

— Evie — Rob falou alto.

— Aiiiiiiiiii! O que foi? — gritei de volta.

— Senta direito. Você vai acabar caindo da cadeira daqui a pouco se não tomar cuidado — me avisou. — Você está bem na ponta. O que você está fazendo?

— Ah, desculpe. Estava olhando... Estava olhando, hum, a vitrine da Army & Navy — menti, sem graça.

— Então, pare. Vai acabar caindo no chão. Coloque o cinto e sente-se direito.

— Certo. Desculpe. Vou colocar o cinto.

Consegui ir de Londres para Blackheath sem atrair mais atenção para a minha pessoa, mas estava inquieta. Quando entramos na rodovia, estava balançando para frente e para trás na cadeira. Algum cantor geriátrico estava se esgoelando pelo sistema de som. Acho que era o Barry Manilow.

— Vou checar se todo mundo está bem — falei para Rob. Ele concordou e me olhou encorajadoramente.

Subi com cuidado os três degraus até onde ficavam os passageiros. Grata por Rob não ter olhos atrás da cabeça, dei mais uma boa olhada na sua virilha. "Puxa vida, será que é tudo isso?", sorri, otimista. Eu disse "otimista"? Quer dizer... sorri automaticamente porque este é meu jeito de sorrir. Afinal de contas, acabei de conhecê-lo...

— Ok. Grite se precisar de ajuda — ele disse, educado, com os olhos voltados para a estrada.

Duas senhoras de idade, que tinham sido as primeiras a chegar, estavam sentadas na fileira da frente, logo atrás de mim.

— Olá — cumprimentei.

Um forte cheiro de lavanda penetrou minhas narinas.

— Olá, querida. Eu sou Doris e ela é Ellen — Doris disse, estendendo a mão.

— Você já esteve em Paris? — perguntei docemente.

— Nunca — Doris respondeu. Ela deu um tapinha no joelho de sua amiga. — E você, Helen?

— Nunca — Helen falou, colocando uma bala de limão na boca.

Elas carregavam enormes bolsas extravagantes, idênticas, e usavam o mesmo cabelo tingido de azul-claro. Continuei a conversa.

— Então será uma novidade para vocês.

— Com certeza — falaram em coro, concordando com um aceno de cabeça.

Doris apertou o cardigã, inclinou-se e falou em tom de conspiração:

— Me diga, querida, as poltronas giram?[10] — ela perguntou, séria.

Bem, o ônibus era muito confortável, provavelmente um dos melhores e mais modernos que eu já vira, mas esperar que as poltronas girassem era certamente um absurdo. Não estávamos dando uma volta nas xícaras gigantes de um parque de diversões. Revirei os olhos. Precisava lidar com essa questão da maneira mais educada e diplomática possível. Sorri tolerante.

— Não, Doris, infelizmente as poltronas não giram — respondi. — Mas elas reclinam — ofereci, como prêmio de consolação.

Doris olhou estupefata e franziu a testa. Pensei que sua expressão confusa podia ser devido à idade avançada. Provavelmente, ela esquecera o que tinha acabado de me perguntar. Ellen fazia a mesma expressão atordoada. Sorri tentando tranquilizá-las e deslizei majestosamente para conversar com o casal de trás. Achei que tinha lidado muito bem com a situação, apesar dessa ser apenas a minha opinião.

"Ah, parece que esses dois brigaram", pensei. "Quem sabe eu posso acalmar os ânimos?" Ele estava virado para o lado, olhando pela janela, enquanto ela tentava conversar, animada, com a lateral de sua cabeça. Ela se virou irritada quando percebeu que eu estava parada a seu lado.

— Olá, querida! Duncan está mal-humorado — ela acenou em direção ao marido.

— Ah, tenho certeza de que você está errada — eu disse alegremente.

— Não estou. Ele está sempre assim — ela o cutucou nas costelas. — Não é mesmo, Duncan?

[10] Trocadilho com a pergunta: "Do the seats rotate?". Tanto pode significar que as poltronas giram como também se os passageiros trocarão de lugar durante a viagem. (N. T.)

Duncan era um homem grande e musculoso, com uma massa de grossos cabelos vermelhos, sobrancelhas cerradas, olhos cinza-escuros e ombros largos. Ele grunhiu e continuou olhando pela janela.

— Que se dane! — ela perdeu a paciência, dando um soco em seu ombro. — De qualquer maneira, querida, estava esperando ansiosa por esse fim de semana. Já estive em Paris algumas vezes, mas ele resolveu estragar minha viagem. Se você pudesse arranjar alguém que o afogasse no Canal da Mancha, em algum lugar entre Dover e Calais, eu seria grata. Por falar nisso, me chamo Alice — disse, animada. Ela beliscou o joelho de Duncan, fazendo-o se contrair. — Duncan é de Inverness e eu, de Harrogate. Nos mudamos para o sul nos últimos dois anos porque ele é um oficial de treinamento do Exército. — Alice cutucou as costelas do marido. — Ele era da Gestapo, mas o expulsaram por crueldade — ela disse, caindo na gargalhada, encantada com sua tirada repleta de ironia.

— Não ligue para ela. É uma chata profissional — Duncan resmungou com um sotaque escocês. Ele me deu um sorriso de boas-vindas e se esticou sobre Alice para apertar minha mão. — Será que não sobrou nenhum lugar no bagageiro onde ela pudesse ficar? Só assim eu poderia tirar uma soneca até a balsa — ele brincou.

Alice agarrou sua mão, deu-lhe um beijo delicado no rosto e riu.

— Olha, querida, você operou um milagre. Ele está falando novamente.

Abri um grande sorriso e concordei com um aceno de cabeça. "Sou realmente boa nisso", pensei, "inteligente. Sim, definitivamente parece que estive fazendo isso durante toda a minha vida. Já estou acalmando senhoras idosas e resolvendo disputas matrimoniais."

Uma senhora ao lado de Alice estava em busca de minha atenção. Ela bateu de leve em meu braço e sussurrou timidamente.

— Evie, querida, estava pensando se poderia lhe fazer algumas perguntas.

Meu sorriso morreu na hora. Eu queria conduzir a conversa. Não queria uma sessão de perguntas e respostas pela simples razão de que havia um número limitado de perguntas a que eu sabia responder.

— É claro. — Sorri, desanimada.

Seu rosto franziu de preocupação.

— Nunca estive numa balsa antes. Devo trocar meu dinheiro depois do café da manhã ou será que a fila do banco estará menor antes do café? Será que o banco ficará sem dinheiro se eu esperar o final do café? E se eu trocar meu dinheiro antes, posso pagar meu café em euros ou você acha que será mais barato pagar em libras? Outra coisa, minha filha gostaria de me ligar no hotel. Você teria o número do telefone? E quanto tempo vai durar a travessia?

Ela se moveu até onde eu estava e, discretamente, olhou para a direita e para a esquerda, checando se alguém estava ouvindo. Senti vontade de fazer o mesmo. Abaixei minha cabeça na direção dela, que suavizou o tom da voz, e continuou cautelosamente, com seu hálito quente em meu rosto.

— Você sabe se alguma balsa inglesa já afundou e se há barcos salva-vidas suficientes para todos os passageiros? Eu vi *Titanic* — ela disse, com ar de sabedoria. Arrumou os cachos prateados. — Ah, eu me chamo Patricia.

— Ahhhh, me dá licença um momento, Patricia. O motorista quer falar comigo — virei-me e dei um tapinha no braço de Alice, que estava lendo uma revista. — Alice, você poderia conversar com essa senhora? Rob precisa de mim, e Patricia quer saber algumas coisas.

Alice sorriu radiante.

— É claro, querida. Vá atender seu motorista, que mais parece um Adônis. — Ela jogou a revista sobre o colo de Duncan e se inclinou até o outro lado do corredor, para conversar com Patricia.

Voltei correndo para o santuário da minha poltrona.

— Evie — Rob disse baixinho.

— Oi.

Ele fez um sinal com o dedo.

— Chega mais perto.

Debrucei-me até ele.

— Na verdade, aquela senhora perguntou se haveria troca de lugar. Isso costuma acontecer para dar a oportunidade de todos sentarem na frente — ele me deu uma piscada diabólica. — Não quer dizer que as poltronas realmente girem... — Ele desenhou um círculo com o polegar — assim.

Me encolhi.

— Obrigada por me contar — retruquei, envergonhada.

— Não precisa agradecer — ele disse, abrindo um grande sorriso.

Virei-me para olhar os meus quarenta e oito passageiros confortavelmente sentados. Doris e Ellen estavam segurando suas bolsas idênticas, cantando junto com Barry. Os outros estavam ruminando barras de cereais, fofocando, lendo jornal, fazendo palavras cruzadas ou jogando Sudoku. Meu coração se acelerou. As perguntas de Patricia tinham me tirado do sério. "O que estou fazendo aqui?", perguntei-me. Enquanto olhava para a paisagem bucólica de Kent, enfiei-me em meu assento e tentei esquecer a vontade de vomitar.

CAPÍTULO 9

Ao nos aproximarmos das docas de Dover, fui tomada por pontadas de terror. Olhei para Rob, preocupada porque, aparentemente, estava me ignorando. Então, pensei melhor. Ele estava dirigindo e não tinha um olho em sua orelha esquerda; talvez eu estivesse sendo paranoica. Estava sofrendo de terríveis cólicas estomacais. Rob entregou o bilhete para a balsa, pela janela, para o guarda. Ele verificou o bilhete e seguimos para a Imigração. Estava com falta de ar. Por alguma razão, parecia haver pouco suprimento de ar disponível. Massageei meu coração e tentei juntar um pouco de saliva na minha boca.

Paramos em frente ao prédio da Alfândega, onde os clientes saíram do ônibus em fila indiana, com os passaportes nas mãos, conversando, radiantes pelo fim de semana que chegava. Fiquei parada junto à porta do ônibus, com um sorriso forçado na boca, até que a última alma feliz desaparecesse pela porta. Rob agarrou meu cotovelo e me levou de volta, para dentro do ônibus.

— Não posso fazer isso — lamuriei.

Ele me empurrou pelo corredor do ônibus, golpeando minhas costas com suas chaves.

— Entre no banheiro — disse num tom pragmático.

Agarrei o descanso da poltrona e enterrei os saltos no chão. Ele trombou comigo.

— Vai se esconder no banheiro agora — ele se exaltou, nervoso. Soltou meus dedos da poltrona e me empurrou adiante.

— Vou vomitar — gemi, lançando um olhar assustador.

— Nem mais uma palavra. Esta é uma situação de emergência. — Subi os degraus até o banheiro e Rob fechou a porta. — Fique aqui até que eu venha buscá-la — avisou.

Abaixei a tampa do assento e sentei, desalentada, no escuro, imaginando se os criminosos no corredor da morte também se sentiam desse modo. Aposto como eles não se sentem tão mal assim. Eles têm meses, às vezes anos, para se acostumar com a situação, enquanto eu tinha esquecido minha bolsa em casa havia apenas algumas horas. Ninguém havia passado meras duas horas esperando para ser executado, não é mesmo? Não, isso era muito pior.

Subitamente, o ônibus seguiu em frente. Tive uma rápida conversa com Deus. Expliquei que o peso da Lulu não era mais um grande problema. Queria que ele mexesse os pauzinhos por aqui imediatamente. Estava listando uma série de promessas que não fazia o menor sentido: iria à igreja, pararia de xingar, levaria Lucsie para caminhar ao ar livre, eu...

Ouvi uma batida na porta.

— Está tudo bem. Pode sair.

Joguei-me contra a parede, aliviada. Para comemorar, fiz um rápido xixi.

— Vamos! — Rob gritou, batendo na porta. — Que diabos está fazendo aí dentro?

Terminei de lavar as mãos e tentei abrir desajeitadamente o trinco da porta.

— Rob, você é tão esperto! — disse, subindo as escadas. Meus olhos brilhavam com lágrimas de alívio.

Ele sorriu calorosamente.

— Não chore. Você não tem nenhuma razão para chorar, não é mesmo? Acabou. Vamos dar as boas-vindas aos passageiros que estão voltando para o ônibus — ele disse, batendo as mãos num gesto de "vamos colocar o pé na estrada!".

Funguei e pisquei.

— Não temos tempo para isso — ele disse suavemente, pegando minha mão. — Vamos, tudo vai dar certo.

— Certo, certo. Estou indo — concordei. — Você está absolutamente certo.

Nos dirigimos até o final do prédio da alfândega, onde o bando entrou alegremente de volta no ônibus. Todo mundo agitado e ocupado, procurando se sentar confortavelmente e, então, descemos vagarosamente a rampa para nos juntar à longa fila de ônibus que aguardava para embarcar na balsa.

Relaxada e mais calma, comecei a apreciar a beleza à minha volta, nessa manhã ensolarada de julho. Gaivotas voavam e arremetiam sobre o resplandecente canal, margeado pela surpreendente vista das Falésias Brancas de Dover, com sua flora abundante e montes verdejantes. Então me lembrei que estava sem maquiagem e pensei: "Esqueça a flora. Onde diabos estão as lojas?".

— Vamos comprar maquiagem na balsa — Rob me assegurou, enquanto a fila de ônibus se movia.

— Tem certeza? — falei, entrando em pânico. — Absoluta certeza?

— Certeza — ele repetiu.

Entramos na balsa e paramos na parte de baixo. Rob me pediu que me assegurasse de que todos tomassem nota do número de nossa plataforma e do local do estacionamento. Também deveria pedir que prestassem especial atenção aos anúncios feitos a bordo, quando da chegada à França, que detalhavam quando deveriam retornar ao ônibus. Graças a Deus que Rob estava comigo. Você até pode pensar que pedir para anotar o número da plataforma e o local do estacionamento era simples, mas devo dizer que era o tipo de coisa que não me passaria pela cabeça, e olha que sou uma pessoa sensata. Se estivesse sozinha, provavelmente teria perdido todas as 48 pessoas na balsa.

Finalmente todos desembarcaram e ficamos sozinhos.

— Você está com fome? — Rob perguntou.

Observei quando ele habilmente desligou alguns botões. O painel de controle parecia mais a cabine de uma aeronave pequena, nada parecida com meu Renault.

— Na verdade, estou — respondi, sorrindo.

Ele ficou em pé, junto ao espelho retrovisor, e endireitou a gravata.

— Assim é melhor! — ele disse, alegre.

— O que é melhor?

— Quando você sorri — ele pegou meu paletó, sacudiu e me passou, imitando um toureiro. — Vamos comer. Pegue minha pasta. Lá tem mapas e alguns folhetos que vão ajudá-la.

Ele me conduziu para fora do ônibus, pela plataforma e por uma estreita escada de serviço, até chegarmos ao restaurante reservado para guias e motoristas. Comemos rapidamente e, depois que recolheram nossos pratos, ele abriu um mapa sobre a mesa.

— Voilà, Paris! — Ele alisou o queixo com o polegar e o indicador, afrouxou a gravata e me olhou firme.

— Certo — falei. — Mostre-me o caminho até a cidade e onde fica nosso hotel.

Ele marcou o caminho no mapa, com extremo cuidado.

— Ótimo. Agora sei onde estamos e o que encontraremos pelo caminho, então vou saber o que falar — disse, agradecida, e anotei alguns detalhes sobre os pontos turísticos por onde passaríamos.

Rob me olhou, atento.

— Vamos chegar ao hotel aproximadamente às cinco e meia. Depois de fazer o check-in e desfazer as malas, estaremos prontos para sair às sete e meia. Conheço um bom restaurante para levar o pessoal. A tarifa especial para cada refeição é de trinta euros por pessoa, mas podemos cobrar até 55 – ele disse, casualmente. Ele me passou uma folha de papel, que detalhava as opções do menu. – No sábado à noite, vamos fazer um *tour* noturno pela cidade iluminada, com direito a uma parada no Quartier Latin para o jantar. Podemos cobrar trinta euros por pessoa e depois dividir entre nós.

Bem, não quero me gabar, mas sempre fui considerada um gênio em Matemática, especialmente no tocante a dinheiro. Sendo mais clara, meu dinheiro.

– Então – murmurei, impressionada, e já calculando a provável margem de lucro –, nós poderemos ganhar cerca de 2.500 euros se tivermos 100% de venda?

Ele deu uma risada abafada.

– É improvável que todos vão reservar lugares. Nunca conheci um guia que tenha conseguido vender para todo o grupo, e olha que me refiro a guias com muita experiência. – Ele deu um tapinha em minha mão. – É melhor pensar em 50% – acrescentou, sem rodeios.

"Que diabos o restante do grupo teria de melhor para fazer do que sair comigo?", pensei. "Afinal, sou sua guia e mentora."

No *free shop*, escolhi dois batons, rímel, um delineador, um trio de sombra para os olhos, *blush*, base, um vidro de Chanel Nº 5 e uma *nécessaire*.

– Obrigada! Depois lhe pago – disse para Rob, enquanto ele pegava a carteira no bolso interno do paletó. Meus olhos se arregalaram, confusos, quando ele deu para a vendedora uma nota de 50 libras. Perguntei-me brevemente se ele estava pensando em pagar cada item separadamente.

– Tudo bem. É um prazer – ele afirmou com a cabeça, mãos estendidas para receber o troco.

– Ahhhh – a vendedora falou para ele, tímida. – O total é de 149 libras e não 49 libras. – Ele ficou surpreso. Chocado, entregou o cartão Visa, enquanto lhe devolviam o dinheiro.

– Ainda bem que os produtos de cuidado para a pele estão na minha mala – comentei.

— Ainda bem... — ele disse.

— Ah, preciso de um guia de viagem — lembrei rapidamente, apontando para uma prateleira.

— Realmente você precisa — ele concordou, escolheu um e passou para a vendedora juntar à conta.

Ainda bem que Rob me levou de volta para o local onde estava o ônibus. Apesar de meu aviso aos passageiros, esqueci-me de anotar o número da plataforma e o local do estacionamento. As luzes ainda não tinham sido acesas, a plataforma estava escura. Precisei segurar as costas do paletó de Rob para não tropeçar nos cabos de ferro que seguravam os pneus dos ônibus no chão.

— Venha aqui — ofereceu. Ele segurou meu braço e me colocou na frente dele. — Acho que seus saltos não são adequados, não acha?

— É claro que não — resmunguei, prestando atenção em cada passo que dava.

De volta ao ônibus, joguei minha prancheta no painel de controle e tirei o paletó. Senti uma onda de emoção, aquela que acontece quando seu avião está prestes a pousar. Paris, estou chegando. Aplaudi mentalmente.

— Evie — Rob disse casualmente —, você ainda tem de passar pela alfândega francesa.

— Hein? — Virei-me para ficar de frente para ele.

Ele me olhou, preocupado.

— O quê? — gritei. — Você está me dizendo que tenho que passar por tudo isso de novo?

Ele suspirou.

— E que posso ser deportada? — choraminguei.

— Acho difícil isso acontecer — ele respondeu, calmo.

Cheguei mais perto.

— Por que você não me contou isso antes? Pensei que não precisava mais me preocupar.

Suas feições ficaram sombrias.

— Porque não queria preocupá-la ainda mais. Pensei que deveríamos pensar em uma coisa de cada vez — ele disse com firmeza.

— Dessa vez, todo mundo vai estar dentro do ônibus. Como vou me esconder? — cobri o rosto com as mãos.

Ele puxou meus pulsos e me forçou a olhar para ele.

— Não, você não vai.

Olhei para ele com olhos marejados.

— Não comece a chorar. Lágrimas não vão resolver a questão — ele me advertiu.

Pisquei, zangada.

— Então, o que devo fazeeeer?

Ele me levou até minha poltrona e se ajoelhou a meus pés.

— Ouça — ele disse com delicadeza. — Fale para a alfândega francesa que você esqueceu o passaporte na balsa. Eu vou confirmar. Depois, diga que precisa entrar na França porque é responsável pelo grupo. — Ele levantou as sobrancelhas, em dúvida. — Você fala francês?

— Ah, mais ou... menos — titubeei.

Ele suspirou, exasperado.

— Você já se deu conta da responsabilidade que está em suas mãos? Se alguém perder uma bolsa ou o passaporte, ou tiver um ataque do coração, cabe a você resolver essas questões. Você já pensou nisso? — ele perguntou, firme.

Fiquei confusa. Cá entre nós, seria fácil resolver questões de perda de objetos; quanto a acidentes e ataques do coração, bem... há serviços de emergência e funerárias para oferecer assistência e ajuda. Tudo isso me parecia muito simples de resolver. Mas cá estava eu, no fundo do poço e sem passaporte. Quantos guias tiveram de lidar com isso em sua primeira viagem?

Rob deu um tapinha em meu joelho.

— Olha, vamos dar um jeito — ele me encorajou suavemente. — Apenas faça o que eu digo. A alfândega vai parar o ônibus para checar nossos passaportes. Eles não são cuidadosos. Com sorte, vão olhar apenas metade deles. Vamos improvisar.

Meu lábio inferior estremeceu.

Ele deu um riso abafado.

— Seja justa. Foi você que mentiu para conseguir esse trabalho. Tem certeza de que pode fazer isso?

Funguei. Dito dessa maneira, achei que conseguiria.

Um pequeno barulho de porta se abrindo anunciou a chegada dos passageiros. Eles conversavam animadamente enquanto retornavam a bordo. Meu estômago rosnou de terror enquanto saíamos da balsa e nos dirigíamos para o Controle de Passaporte. Rob evitava me olhar a todo custo. Não podia culpá-lo. O que ele pensaria de mim? Não poderia ter estragado mais as coisas, nem se quisesse. Já podia ver dois funcionários franceses na frente do ônibus. Eles pareciam quase normais. Bem humanos, na verdade, não o tipo de pessoa que me levaria gritando e algemada. Atrás de mim, Doris e Ellen estavam discutindo.

— Quatro garrafas de gim para dividir entre nós duas e nem uma gota de tônica — Ellen resmungou.

Quatro garrafas! Elas eram piores que eu e Lulu.

— Se você não tivesse perdido tanto tempo olhando os perfumes, teríamos tido mais tempo para fazer compras no *free shop* — Ellen reclamou. — E, como sempre, você não comprou nada. Convenhamos, Doris, maquiagem na sua idade!

Coloquei minha sacola do *free shop* no colo.

Tive uma súbita inspiração. Maquiagem! Minha barriga se revolveu de excitação e meu coração deu um salto. Coloquei as mãos na cabeça e fiquei surpresa pela ideia não ter me ocorrido antes. Os dois funcionários estavam conversando enquanto desciam vagarosamente do ônibus da frente. Um deles tirou o chapéu e o colocou debaixo do braço.

— Feche as portas, Rob. Feche bem fechado — ordenei, apontando para os dois funcionários franceses.

Ele piscou sem entender nada.

— O quêêê? — arquejou, com os cotovelos apoiados preguiçosamente sobre o volante. — Você enlouqueceu?

Levantei como um bólido e apertei o botão vermelho no painel de controle. As portas se fecharam. Agarrei o microfone, cambaleando. Sorrindo, encarei minha plateia, com as costas voltadas para o para-brisa.

— Certo, pessoal. Temos uma longa fila pela frente e mais de vinte ônibus atrás de nós. Vocês poderiam segurar os passaportes, por favor? Dei uma demonstração acenando acima da minha cabeça. — Isso, assim mesmo — encorajei, enquanto cada um, obedientemente, levantava os passaportes. — Agora acenem para os funcionários para eles verem que todos temos um. Calma, Doris! Você não vai querer que seu braço caia — dei uma gargalhada.

Rob me olhou ansiosamente. Os dois funcionários estavam parados, em frente ao para-brisa. Eu sorri e soprei um beijo. Eles sorriram timidamente e um deles me mandou um beijo de volta. Eles podiam ver todos os passageiros acenando com seus passaportes na mão e comcçaram a rir. Eu também. Joguei minha cabeça para trás e cacarejei como uma bruxa malvada. Foram os nervos; na verdade eu pretendia dar apenas uma risada. Eles liberaram nossa passagem.

Rob soltou o freio, engatou a primeira marcha e atravessou a barreira em direção à saída. Afundei em minha poltrona, exausta.

— O que você tinha nas mãos enquanto acenava? O que era aquilo que mais parecia um passaporte? — Rob perguntou, num tom de crítica.

— Meu *blush* da Clarins.

— É mesmo? Você é bem esperta — ele disse, indiferente.

CAPÍTULO 10

ESTOU NA FRANÇA. Para falar a verdade, sabia desde o começo que isso aconteceria. Como Lulu tinha colocado tão bem, sou talentosa. Que tipo de guia eu seria se nem conseguisse passar pela Imigração? Não, nem por um segundo duvidei de minhas habilidades. E aqui estou eu, no comando. Tudo que tenho de fazer agora é despejar todo o meu conhecimento pelo microfone, estudar meu guia de viagem e me concentrar nos assuntos mais importantes, que são vender os passeios e coletar as generosas doações para a minha conta devedora. Antes, preciso cuidar de meu visual. Todos os gemidos e lamentações causaram danos. Parecia que estava morta fazia três dias. Ainda bem que a suspensão do ônibus era muito boa e pude aplicar, sem problemas, base, *blush* e sombra.

— Ahn, Rob, será que você poderia dirigir um pouco mais devagar para eu passar o rímel? — perguntei.

— De quanto tempo precisa?

— Não muito. Nada que faça atrasar nossa chegada a Paris.

— Hoje é seu dia de sorte. Vamos ficar parados por um tempo — ele disse, acenando para a luz vermelha do sinal.

Senti que algo roçava minha face. Estava prestes a afastar o que pensei que fosse uma vespa, quando Doris falou.

— Que bela cor, querida! Sua sombra... Posso olhar mais de perto?

— É claro. Me dê um segundo para finalizar o rímel e passar o batom. Preciso pegar um espelho — respondi.

— Adoro maquiagem. Sei que estou muito velha para usar, mas ainda adoro olhar o balcão de cosméticos — falou sonhadora, apoiando o queixo irritantemente em cima de minha cabeça.

— Doris — falei firme —, não há limite de idade no estojo de sombra. Se você quer usar, use.

— Ah, faz vinte anos que não me dou o trabalho. Tenho 82 anos agora. Nem me lembro como faz.

Virei-me e me ajoelhei na poltrona.

— Vou ajudá-la — ofereci.

— Então, tudo bem — ela disse, fechando os olhos e inclinando a cabeça.

Que droga! Não quis dizer agora. Quis dizer em algum outro momento no fim de semana, mas, quando olhei o rosto de Doris envolto por cabelos azul-claros macios, meu coração amoleceu.

— Certo, Doris. Encoste-se e dê a bolsa para Ellen.

E enquanto Rob tentava sair das docas, maquiei o rosto de Doris.

— Oh! — Ellen vibrou, enquanto examinava meu trabalho. — Também quero! Também quero!

Foi o que fiz.

— Sente-se — Rob reclamou. — Tudo o que consigo ver no espelho retrovisor é seu traseiro.

George, um velho camarada com uma longa barba branca, sentado atrás de Rob, e que viajava sozinho, riu entredentes.

— Estou tendo a mesma visão, filho — ele disse, dando uma risadinha discreta —, mas não estou reclamando.

— Seu devasso! — Doris o repreendeu, esticando-se pelo corredor até cutucar as costelas de George.

Rob me olhou com admiração.

— Não me entenda mal, estou gostando da vista — falou, sorridente. — Mas seria bom se pudesse enxergar a estrada.

— Terminou de passar a sombra? — Alice interrompeu. — Passe para mim, querida. Na verdade, passe tudo. Nunca usei nada da Clarins.

— Cimento e um cinzel é do que você precisa — Duncan gracejou.

Elaine, uma mulher de meia-idade que estava dois assentos atrás de Alice, veio até a frente da poltrona para admirar os novos visuais de Doris e Ellen.

— Oh, vocês estão adoráveis! — ela cumprimentou, sincera. — Lindas. De bom gosto e delicadas. — Bateu palmas e se sentou na poltrona vazia, ao lado de George.

Doris e Ellen ficaram radiantes e empertigaram seus bumbuns, satisfeitas, enquanto aceitavam o caloroso elogio de Elaine.

— Evie, você acha que teria um tempo para me maquiar também? — Elaine pediu, esperançosa.

— Eu tenho — Alice ofereceu. — Você está sentada atrás de mim, não está? Assim tenho alguma coisa para fazer.

— Vou mudar de lugar — Duncan disse, mal-humorado. Ele se levantou e foi se sentar ao lado do marido de Elaine.

"Bem, tenho outras coisas em que pensar. Agora que estou maquiada, me sinto mil vezes melhor." Ajeitei meus cabelos, alcancei o microfone e fiquei em pé no corredor, com uma boa visão geral da plateia.

— Boa tarde e sejam bem-vindos à França! Poderia ter um minuto de sua atenção?

Por incrível que pareça, 48 pessoas obedientemente pararam o que estavam fazendo e olharam para mim, paralisadas. "Sou boa nisso", pensei. Fabulosa. Poderosa. Sim, essa é a palavra certa: poderosa. Provavelmente, é assim que Paul McKenna deve se sentir quando hipnotiza a plateia, fazendo que as pessoas grunham como porcos, comam cebolas ou admitam que transaram com seus melhores amigos.

— Você poderia se sentar? — Rob pediu rispidamente.

Ignorei a pergunta, limpei a garganta e me vangloriei, com profissionalismo.

— Deveremos chegar ao hotel aproximadamente às cinco da tarde. O check-in não deverá levar mais do que trinta minutos. O restante da noite é livre para fazer o que quiserem.

Doris e Ellen disputavam silenciosamente um espelho de mão.

Rob puxou minha manga e me falou para sentar, em voz baixa. Eu torci sua orelha. Ele ganiu.

— Hoje à noite, eu e Rob vamos jantar num restaurante famoso. É nosso refúgio favorito em Paris. Ele é frequentado por nós faz anos e nem sonhamos em recomendar outro lugar. Fica atrás do Pantheon e os donos são nossos amigos queridos. O *chef*... — gaguejei momentaneamente, tentando pensar num nome francês — Pierre — escolhi rapidamente e continuei: — Pierre foi caçado e furtado diretamente do Ritz — anunciei. Estava apimentando o assunto. — É claro que Mohammed Al Fayed[11] ficou possesso. Mas hoje à noite ele vai cozinhar para nós.

Houve um rumor coletivo de excitação.

Rob tossiu.

Eu sorri, radiante.

— Tenho certeza de que Pierre também cozinhou para Tony e Cherie[12]. — Fiz um aceno positivo com a cabeça, observando, com os olhos bem abertos, enquanto a fofoca era espalhada.

“Por que não?”, pensei, “alguém deve ter cozinhado para a família Blair. Por que não o Pierre, do Ritz?”.

— Senta — Rob se exaltou.

Continuei, animada:

— Na nossa chegada, será servido champanhe como aperitivo. Teremos música ao vivo, serão servidos vinho finos de graça, com uma ampla seleção de cerveja francesa e uma refeição composta de quatro

[11] Empresário egípcio dono do hotel Ritz de Paris. (N. T.)
[12] Tony Blair, ex-primeiro ministro britânico (1997-2007), e sua mulher. (N. T.)

pratos de dar água na boca, incluindo perna de sapo ou caracóis para os mais audaciosos.

Doris, que continuava a se admirar no espelho, fez uma careta e cochichou para Ellen:

— Pernas de sapo?

— Vinhos de graça — Ellen repetiu, atenta e impassível.

Continuei:

— O menu consiste em coquetel de camarão, sopa de cebola francesa ou uma salada da casa para começar. Como entrada, salmão escaldado, filé-mignon, *coq au vin* ou costeleta de carneiro, seguidos por uma seleção deliciosa de sobremesas, e uma tábua de queijos com café e chocolates. O transporte para o restaurante e de volta para o hotel será providenciado, já que nosso bonito chofer irá nos levar.

Alice soltou um assovio que não faria feio num jogo entre o Chelsea e o Manchester United. Duncan olhou furiosamente para ela e retirou os dedos de sua boca.

— E — ronronei, rebolando ligeiramente o quadril — eu serei a acompanhante de vocês.

Duncan assoviou e Alice o encarou, furiosa.

Rob se inclinou e segurou meus pulsos.

— Senta agora — ele ordenou, zangado.

Oscilei nos degraus perigosamente.

— *Excusez-moi*, nosso motorista sarado e gentil me quer só para ele por um minuto — anunciei, abrindo um grande sorriso malicioso.

Houve uma risada geral e alguém sentado lá trás falou bem alto:

— Quem pode culpá-lo? — Sorri docemente e desci os degraus para falar com Rob.

— Cala a boca! Não vou me sentar. Quando estou vendendo, preciso olhar nos olhos deles. Afinal de contas, é uma forma de luta — cuspi, venenosa. Bati na sua mão com o microfone, com força, para ele soltar meu pulso, causando um som abafado que ecoou pelo ônibus, seguido pelo alto uivo de Rob. Voltei para a escada para encarar os passageiros.

— Desculpe — continuei. — Parece que estamos com um problema de retorno com o microfone. Onde eu parei? Já sei! Estávamos discutindo aonde ir nessa noite. É claro que há vários restaurantes em Paris, vocês não precisam nos acompanhar, mas, se decidirem sair sozinhos — interrompi, estremecendo —, quero que fiquem atentos aos batedores de carteira — adverti, levantando as sobrancelhas e sacudindo minha cabeça desesperada. — Não usem joias fáceis de serem roubadas, como colares. Não se esqueçam de levar os mapas para evitar que se percam. — Virei-me para Rob. — Nós nunca achamos aquelas senhoras que vieram de Bristol, não é mesmo, Rob?

— Hã? — ele resmungou.

Continuei com autoridade:

— Se vocês estiverem pensando em usar o metrô, por favor planejem sua viagem com cuidado antes de deixar o hotel, já que o metrô parisiense é bem confuso. Fiquem atentos ao atravessar a rua, pois os carros aparecem em alta velocidade pela esquerda e, é claro, tomem cuidado com gangues assustadoras de jovens que podem estar atrás de problemas. De qualquer maneira, tenho certeza de que a noite de vocês será agradável.

Houve um silêncio gélido.

— Ahhhhhhh! — Dei um grande suspiro cúmplice. — É uma selva urbana lá fora, como qualquer cidade desconhecida. O índice de criminalidade... — Comecei. — Não, não vamos falar disso. — Parei de falar e gesticulei com desdém. — Se permanecermos juntos, estaremos seguros.

Quarenta e oito pares de olhos arregalados concordaram em uníssono. Doris e Ellen se curvaram para a frente, preocupadas, agarrando suas bolsas, como se esperassem que lhes roubassem seus assentos VIPs. Elas bebericavam gim tônica em dois copos de cristal, com uma fatia de limão em cada um e, por incrível que pareça, gelo. Não seria surpresa se uma delas tirasse da bolsa uma luminária e a acendesse. Prossegui:

— No final da tarde de sábado, Rob e eu iremos jantar no Quartier Latin, onde há muitos bistrôs, cafés e restaurantes, muitos com uma vista espetacular da Notre Dame. O Quartier Latin tem pouco trânsito, é o lugar ideal para um passeio tranquilo. Nossa noite continua com o ponto alto do fim de semana: uma impressionante excursão por Paris à noite. Começaremos pelo Arco do Triunfo, depois passaremos pelo romântico Champs Elysées, uma parada na Place de la Concorde e, por último, vamos passar pelo pátio em frente do famoso Museu do Louvre para ver a pirâmide iluminada.

Interrompi por um breve momento para me certificar de que eles ainda estavam prestando atenção. Estavam.

— Também iremos levá-los até o "bairro da luz vermelha", o Quartier Pigalle, em frente ao Moulin Rouge, para ver as damas da noite. — Houve muitas risadinhas, um sorriso afetado da parte de Duncan e um arquejo horrorizado de Rob. — Ou — finalizei rapidamente, dando de ombros, indiferente — vocês podem sair sozinhos e pagar uma fortuna de táxi.

Olhei de relance para Ellen e a flagrei tentando esconder uma garrafa de gim com uma echarpe roxa, enquanto Doris cortava um limão, usando um chaveiro de aparência letal.

— Vou lhes dar um tempo para decidirem o que gostariam de fazer e, então, passar e recolher as reservas, o pagamento e responder a eventuais perguntas.

— O bairro da luz vermelha? — murmurou Rob, enquanto eu me esticava para pegar a prancheta no painel de controle.

— Bem, foi o que eu disse, não?

Ele cutucou meu quadril e me olhou com raiva.

— Não podemos levar 48 pessoas para o Quartier Pigalle.

— Por que não? Você prefere ir sozinho? — perguntei, irônica. Com a caneta apontada para a lista de passageiros, desenhei duas colunas, uma para cada excursão. Estava pronta para entrar em ação.

— Vamos discutir isso mais tarde — ele me repreendeu.

— Nem pensar — repliquei.

— Evie, querida — George a chamou animado —, nós vamos mesmo ao bairro da luz vermelha?

— É claro que sim — confirmei, imitando um locutor de jornal e me encaminhando até ele.

Rob bufou.

A mão ossuda de George agarrou a minha.

— Nós vamos descer do ônibus? — ele me perguntou, ansioso.

— George, você está enrolando. — Achei seu nome na minha lista. — Você vem ou não? Se apresse, George, ainda tenho que falar com 48 pessoas.

Passados vinte minutos, voltei apressada para a frente do ônibus, pisquei para Rob, agarrei minha sacola do *free shop* e corri para o corredor central. Gastei quase uma hora e meia fazendo reservas, batendo papo, espremendo dinheiro na minha bolsa e fofocando. Cynthia, uma das minhas 48 novas amigas, tocou delicadamente meu braço.

— Evie, o motorista quer falar com você — ela disse, devorando um enorme saco de batatas fritas.

— Obrigada! — respondi, feliz com a oportunidade de voltar para minha poltrona.

— Estamos adiantados. Vou entrar no próximo posto de serviço para uma parada de trinta minutos. Tudo bem para você? — Rob perguntou.

— Hum, tudo bem — confirmei. — Estava pensando a mesma coisa.

No posto de serviço, Rob sentou-se com os cotovelos apoiados no volante, o queixo descansando em seus punhos fechados. Ele suspirou.

— Você poderia me fazer um favor?

— É claro. O quê? — perguntei, animada.

— Você poderia parar de me perguntar se estamos quase chegando?

Virei-me para ele.

— Por quê?

— Bem, além de mim, você é a única pessoa no ônibus que deveria saber exatamente onde estamos, e que ainda *não* estamos perto. E você já me perguntou isso mais de quinze vezes.

Arrumei-me em frente a seu espelho retrovisor, dando um pouco de vida a meus cabelos.

— Certo — me exaltei —, não vou perguntar novamente!

Ele fez um sim com a cabeça.

— Agora é tarde demais para falar, mas mal posso acreditar que você se comprometeu a levar 48 pessoas, sendo mais de dois terços delas idosas, para o bairro da luz vermelha. Eu poderia matá-la — falou, zangado.

Encolhi os ombros, triste.

— Não sei por que você nunca levou ninguém lá antes. Todo mundo está animado e feliz de ir até lá.

Rob suspirou, exasperado.

— Eu inclusa — complementei rapidamente.

— Bem, estou certo de que um ou dois vão gostar — ele admitiu, relutante —, mas nosso trabalho é pensar em todos.

— Isso é fácil. Todo mundo está animado. Apenas você está resmungando — eu disse.

Ele desligou o motor, levantou-se, endireitou a gravata e pegou o paletó.

— Quantos vão ao restaurante essa noite? — perguntou, petulante.

Consultei a prancheta, apesar de já saber a resposta. Ele abriu a porta, pulou os degraus e se virou, para me ajudar a descer do ônibus.

— Quarenta e oito — informei, orgulhosa. — Na verdade, todos vão sair conosco nas duas noites — completei, convencida.

Ele me olhou com ironia.

— Bem, não estou surpreso.

— É mesmo? Por que não? Porque você tinha me falado para não esperar mais do que 50% de reservas?

— Hum — ele deu um riso forçado. — Isso foi antes de compreender que você é uma trapaceira.

— É isso que você acha de mim? — Fiz beicinho, fingindo que estava zangada. — Uma trapaceira?

— Sim — ele respondeu, agarrando minha mão e me arrastando para a entrada do posto de serviço. — Isso é exatamente o que você é.

UM POUCO ANTES dos passageiros retornarem para o ônibus, estava vasculhando a lamentável coleção de CDs do Rob em busca de algo para tocar na nossa última hora de viagem.

— Você teria pelo menos um CD em que o artista ainda estivesse vivo? — falei com ironia. — Realmente, Dean Martin, Frank Sinatra e o que é isso? — perguntei, brandindo uma capa de CD decorada com coelhos. Ele se sentou sobre o painel de controle, de costas para o para-brisa.

— Não me interesso por música moderna — murmurou, folheando um jornal.

Decidi que o rádio era a melhor opção. Comecei a passear pelas estações, quando os passageiros retornaram a bordo.

— Rob, você é incrível, desafiou sozinho aqueles mal-educados que tentaram entrar no ônibus — Elaine proclamou em voz alta. Ela pegou na sua mão: — Muito bem. — Ela deu um tapinha afetuoso no rosto dele. — Eu sei que estou segura a seu lado. Existe segurança enquanto permanecermos juntos — ela disse sobre o ombro, enquanto andava pelo corredor do ônibus.

Rob deu um sorriso forçado.

Duncan caminhou, decidido, em nossa direção e deu um tapa no braço de Rob.

— Fantástico — sua voz soava como um estrondo. — Você foi maravilhoso pegando aqueles batedores de carteira. Eu mesmo teria ido atrás deles — disse, acenando com aprovação.

George puxava sua barbicha.

— Rob, meu garoto, não há muitos por aí tão corajosos quanto você.

Depois de mais alguns cumprimentos pelo seu ato heroico, Rob me encarou, com o pescoço rosado e as faces vermelhas.

— Você saberia me dizer por que os passageiros pensam que sou uma espécie de super-herói?

Passei por ele e subi correndo os degraus.

— Evie! Quero falar com você — ele disse, com os dentes cerrados. — Venha até aqui!

— Mais tarde — murmurei. — Nós não estamos com pressa? — E com isso, rebolei pelo corredor para checar se todos já estavam no ônibus.

Um pouco depois das cinco, o ônibus desfilava pelas ruas de Paris, dirigindo-se para o hotel. Eu me remexia no assento, balbuciando alegremente. Lembrava-me de grande parte do que Rob havia me ensinado, sem falar do meu guia de viagem, mas, para falar a verdade, estava inventando a maior parte do que dizia.

— O que é aquele prédio à esquerda? — George perguntou.

— É o Ministério da Defesa — respondi com eloquência.

— Mas está escrito *Samaritaine*.

— Bem, George, pensei que você estava apontando para o prédio ao lado — menti alegremente.

Estou em Paris, a capital da França. Poderia ser melhor? Ao descermos em frente ao hotel, senti uma espécie de doce despreocupação. "Lar doce lar", pensei. "Cheguei. Até agora, tudo bem."

CAPÍTULO 11

— Todo mundo, preste atenção! — gritei, me dirigindo para a ralé no lobby do hotel, onde 48 pessoas se empurravam à minha volta. — Vocês já estão com as chaves dos quartos e suas malas serão entregues nos próximos vinte minutos. Vamos nos encontrar de novo aqui, às sete e quinze, prontos para partir para nossa excursão noturna.

Desabei sobre a mesa da recepção, sem ar, e limpei a testa com o dorso da mão. Fazia um calor danado em Paris e o check-in não havia sido tão fácil quanto eu pensara. Estava exausta, tinha passado a última meia hora berrando os nomes das pessoas e os números dos quartos, depois procurando, naquele mar de rostos, a pessoa dizendo: "Sou eu!". Para piorar, as pessoas continuavam conversando, o que me irritou profundamente, porque ninguém me ouvia. Estava prestes a ter um ataque de nervos. Fechei os olhos, mudei de posição e contei até dez. "Certo", disse a mim mesma, "todo trabalho tem seu lado chato. Obviamente, esta é a parte que todos os guias detestam."

Uma guia italiana metida desfilou graciosamente pelo lobby, com uma caixa com as chaves dos quartos debaixo do braço. Ela empurrou a porta giratória com a palma da mão, saltou para dentro do ônibus e pegou o microfone. Fervi de raiva. Por que não pensei em distribuir as chaves no ônibus? Por dentro, culpava Rob. Ele podia ter me passado essa dica. Afinal, nós éramos uma equipe.

Por fim, o lobby foi se esvaziando num alvoroço de cardigãs felpudos, saias da Jaeger e anáguas de tafetá se dirigindo para o elevador. Uma lufada de lavanda me atingiu como uma bola de futebol.

— Evie — Doris puxou a manga de minha blusa. — Onde podemos comprar água tônica?

— No minibar de seu quarto — respondi.

— Os preços no hotel são muito altos? —perguntou, preocupada. — Nós devemos algumas latas para George — ela arrumou os cabelos, distraída.

— Os preços costumam ser razoáveis.

Seu rosto se enrugou numa expressão ansiosa.

— Espere um pouco — disse. — Tenho uma ideia.

Ela olhou bem para mim. Dei meia-volta nos sapatos de salto alto e varri o lobby com os olhos.

— George! — gritei, quando avistei sua massa desarrumada de cabelos brancos e crespos. — Poderia vir até aqui um minuto?

Rob apareceu, depois de estacionar o ônibus. Eu não estava gostando muito do jeito que ele chutava minha mala pelo piso de mármore. Abri a boca para protestar, mas resolvi fechá-la quando percebi que poderia ser obrigada a carregá-la sozinha. Além disso, ele estava suado, zangado e estressado.

— Estou com sua chave. Vamos ficar um ao lado do outro — disse para ele.

Estendi o braço e lhe entreguei a chave; ele aceitou de má vontade.

George se materializou.

— George, quanto tempo você leva para se aprontar para o jantar? — perguntei.

Ele se mexeu desajeitado, tentando equilibrar um pacote de cerveja com o quadril.

— Dois minutos.

— Ótimo! Você iria até o supermercado comprar água tônica para Doris e Ellen?

— É claro que sim — respondeu, transferindo a cerveja para o outro lado do quadril.

Doris ficou vermelha.

— Aí está, Doris. Seu cavaleiro de armadura brilhante vai salvá-la. Em troca, ele espera que você o acompanhe nos drinques antes do jantar — Doris deu um risinho para George, que torceu sua barbicha, provocador.

Finalmente o lobby ficou vazio.

Robby e eu entramos juntos no elevador. Senti sua respiração junto à minha orelha quando ele se debruçou para puxar minha mala. No interior do elevador, ele parecia mais alto e maior. Depois que a porta se fechou, ele relaxou as costas contra a parede. Senti as faces queimarem quando nossos olhares se encontraram.

— Você gostaria de dar uma caminhada? — ele perguntou, com um amplo sorriso. — Fiquei sentado o dia inteiro. Preciso esticar as pernas.

Uma caminhada! Eu *nunca* caminho. Não vejo por quê. Sendo bem sincera, esperava que o destino fosse o bar que ficava no lobby.

— Hum... tudo bem. Adoraria — concordei, com um aceno de cabeça entusiasmado, como se ele tivesse bolado um plano mirabolante. — Seria bom. Adoro caminhar — me ouvi dizer.

— É mesmo?

Balancei a cabeça e sorri.

— É. Eu e minha companheira de apartamento costumamos dar longas caminhadas — Estendi a mão e apontei para os quatro cantos do elevador. — Você sabe, pela cidade.

O que era verdade. A Topshop na Oxford Street era enorme e, na última vez em que estivemos lá, os elevadores estavam parados, então, tecnicamente, além da caminhada, nós também escalamos.

Rob me olhou duvidando.

— Você *realmente* me surpreende.

O sorriso morreu em minha boca. Senti uma pontada de irritação. Ele tinha acabado de me chamar de mentirosa?

Chegamos a nosso andar. Saí calmamente do elevador.

— Tem certeza de que consegue carregar sua pequena bolsa de dinheiro e a sacola de maquiagem? — perguntou com sarcasmo.

Virei-me.

Enquanto se esticava e abaixava, ele estava prestes a ser imprensado pelas portas do elevador. Prestativa, apertei o botão que segurava a porta.

— Muito obrigado! — ele disse.

Meu quarto era iluminado e arejado, com amplas venezianas, cortinas esvoaçantes cor de limão e carpete creme. Havia uma cama de casal, com uma colcha amarela e cabeceira estofada de couro falso. O minibar ficava ao lado de uma mesa de madeira, com tomadas e adaptadores embutidos para usuários de laptop, que também servia de penteadeira. Nem bem tinha acabado de tomar banho quando ouvi uma leve batida na porta.

— Já estou indo — gritei. Entrei em minha calça de moletom rosa, estiquei a camiseta, fiz um rabo de cavalo e dei uma última olhada no visual.

Houve uma segunda batida, dessa vez mais urgente.

— Já vou! — berrei.

Fiz uma pose sensual no batente da porta, mordi o lábio para torná-lo suculento e sexy, então abri a porta.

— Oi — Rob disse, sorrindo animado.

Ele se encostava elegantemente à parede, parecendo lindo de morrer numa calça creme e uma camisa azul-clara. Sorri e fiquei de lado para Rob entrar. Enquanto entrava no quarto, rapidamente tirei o elástico do cabelo, sacudi até deixá-lo solto e desabotoei os dois primeiros botões da camiseta.

— Mudei de ideia — ele disse, com voz doce. Virou-se e ficou de frente para mim.

— É mesmo? — suspirei. "O que diabos ele quer fazer agora? Não pretendo concordar em fazer mais nenhuma coisa chata."

Ele se postou ao lado da cama, portando um sorriso misterioso.

— Pensei que a gente poderia ficar por aqui e tomar um drinque — ele sugeriu.

Bati a porta com um pouco de entusiasmo. Ele pulou, levando um susto. Tentei parecer indiferente.

— Um drinque — repeti. — Estava ansiosa para dar uma caminhada!

Ele mostrou uma garrafa de champanhe escondida atrás do corpo.

— Bom, acho que poderemos tomar nosso drinque numa próxima ocasião — disse num tom casual —, já que você prefere sair.

Balancei a cabeça e gesticulei desajeitadamente.

— Não, não. Pensando bem, meu *personal trainer* me disse que tenho me exercitado muito ultimamente — me gabei. — Ele chegou até a dizer que eu deveria relaxar.

— É mesmo? — ele respondeu, encaminhando-se lentamente para o minibar.

— Hummm, sim, eu, bem, tenho feito muita esteira — tagarelei para seus ombros largos e bem formados.

Enquanto Rob abria o champanhe e o despejava vagarosamente nos copos, admirei seu traseiro empinado. Mas, olha só, seu traseiro não era menor que o meu. Não, não, seu traseiro definitivamente *não* era menor que o meu. Lulu me disse que está mais do que comprovado cientificamente que um relacionamento pode não dar certo se o homem tiver menos dinheiro ou um traseiro menor do que a mulher. E eu acredito no que ela diz.

Uma incontrolável fagulha de desejo interrompeu minha respiração. Engoli em seco, sentei na beirada da cama, joelhos apertados, pés separados, braços esticados para trás, cabelo solto e seios ligeiramente empinados. Assim eu parecia mais magra. Sentia-me gostosa, nervosa, animada, excitada e, sendo bem honesta, estava com tanto tesão quanto uma cadela no cio.

— Você carrega champanhe na sua bagagem para ocasiões especiais? — perguntei, arrumando os cabelos como a Miss Piggy.

— Não — respondeu, despreocupado. Ele me passou o copo e sentou a meu lado.

Isso foi um pouco complicado: aceitar o copo e manter a pose de Marlene Dietrich. Mas consegui. Já tinha feito isso muitas vezes.

Seus olhos prenderam os meus.

— Comprei no bar do hotel — disse.

Ele ajeitou suavemente meus cabelos, enrolando uma longa mecha em volta do dedo indicador. Uma onda de excitação subiu pelo meu peito enquanto seu polegar traçou uma linha na minha mandíbula. Respirei fundo e cerrei os dentes, para evitar lamber sua mão. Eu queria *muito* lamber sua mão.

"O que está acontecendo comigo? Se controle, garota! Beba, beba, até o fim!" Dois goles e eu estava às voltas com um copo vazio. Rob não se fez de rogado. Espremi o nariz contra o copo e examinei Rob. Ele voltou e tocou meu rosto.

— Obrigada! — consegui falar.

Ele voltou a enrolar meu cabelo. Encostei a face na palma de sua mão.

— Obrigada por quê? — perguntou.

— Por trazer as pessoas até aqui — respondi.

Ele sorriu e balançou a cabeça, como se dissesse: "Não é necessário agradecer".

— O prazer foi meu. — Piscou os olhos azuis, divertido.

— Estou agradecida por toda a sua ajuda — gaguejei.

Seu sorriso aumentou. Ele se inclinou para trás, apoiou o cotovelo na cama e gentilmente me induziu a fazer o mesmo.

— Você tem namorado? — perguntou.

Parou de enrolar meu cabelo. Já fiquei com saudade. Percebi que meu copo estava vazio de novo. Seu nariz explorava meu pescoço enquanto se debruçava sobre mim para pegar a garrafa de champanhe.

Fechei o olhos e... bem, eu o cheirei. Apenas uma leve fungada, acho que ele nem percebeu.

— Não — respondi. — E você, tem namorada?

— Também não. Viajo muito. Quem quer um namorado que está sempre viajando nos fins de semana?

— Acho que vou passar a ter esse mesmo problema de agora em diante.

Rob colocou a mão sobre a minha. Olhei extasiada. Era uma mão bem bonita, grande e forte, coberta por um punhado de pelos dourados.

— A menos que você se envolva romanticamente com... vamos dizer, o gerente do hotel, aqui em Paris, ou o barman, ou, você sabe... — ele continuou, colocando o copo entre meus lábios. Bebi sem pensar, enquanto seu olhar queimava minhas faces. Percebi que ele mal tocara em sua bebida, mas era porque ia dirigir mais tarde. Ele tirou o copo de minha mão e colocou junto com o seu, na mesinha de cabeceira. — Você está bem? — ele perguntou.

Estava com os olhos bem abertos e muda.

Ele inclinou a cabeça e roçou os lábios contra os meus. Meu braço convenientemente fraquejou. Desmoronei de costas na cama e olhei para ele. Mordi meu lábio inferior, o coração martelando e a respiração entrecortada. Visto de perto, era ainda mais bonito. Ele passou o braço em volta de meu pescoço e me puxou para perto dele, e pressionou os lábios firmes contra os meus. Sua boca era terna, suave e familiar, era como se eu já o tivesse beijado antes, o que, é claro, nunca havia acontecido. Ele afastou meus cabelos e começou a mordiscar minha orelha. Pode ter sido o champanhe ou a loção pós-barba, ou porque era sexta à noite, ou talvez meu celibato forçado, mas eu sabia que precisava transar com ele *nesse momento*. Ele se deitou em cima de mim, apoiando-se nos cotovelos. Eu agarrei seu quadril e o puxei para mais perto de mim.

— Evie — ele murmurou. — Não quero sair da linha...

Ele segurou meu rosto, seus fortes polegares massageando minhas bochechas e me beijou com sofreguidão. Meu estômago se contraiu.

Sei que tínhamos acabado de nos conhecer, mas, se ele é *o cara*, então, tecnicamente, já esperei minha vida inteira, não é mesmo?

— Sei que não nos conhecemos muito bem... — ele sussurrou.

Ele me beijou mais um vez. Estava quase explodindo de desejo.

— Quero dizer, não faz muito tempo. Nós nos conhecemos hoje de manhã e ainda é cedo...

Mais um beijo, dessa vez com mais força e um pouquinho mais longo também. Tremi.

— E, bem, eu...

Interrompi, ofegante de desejo. Nunca gostei de preliminares longas.

— Não, não é nada cedo. Já são mais de seis e vamos sair às sete — falei.

Sua membro duro tocou minha virilha, o que acabou com toda a minha concentração. Quer dizer... eu só conseguia me concentrar na sua ereção, é claro.

— Tudo bem — ele levantou a sobrancelha. — Tudo bem, ótimo. Então... Podemos? Quer dizer, posso?

— Sim, sim — gemi, enquanto meus dedos lutavam para abrir sua camisa.

DEPOIS, DEITEI-ME na cama me sentindo muito bem. Me alonguei e suspirei, repleta de contentamento. Rob foi maravilhoso, absolutamente ma-ra-vi-lho-so, mas, sendo justa, eu também. E quanto ao volume escondido por baixo de suas cuecas da Abercrombie, ele era real. Não uma tromba de elefante, mas próximo. Examinei seu traseiro nu, enquanto ele caminhava até o banheiro para tomar um banho. Rapidamente peguei o celular e escrevi uma mensagem para Lexy e Lulu:

"Acabei de transar com meu motorista: dois orgasmos. Agora estou me aprontando para ir jantar. Preciso correr, o dever me chama. Não responda, não estou interessada em comentários invejosos e maldosos. Lulu, ha, ha, imagino que você tenha passado o dia limpando queixos e bundas geriátricas."

Coloquei a camisa do Rob e fui atrás dele.

Não estou brincando *nem* exagerando e, está certo, eu minto às vezes (OK, muitas vezes), mas juro por Deus, não estou mentindo agora: a visão de suas costas nuas era igual à de Brad Pitt em *Troia*. Sabe aquela cena em que Brad tira a saia de couro de guerreiro e exibe o bumbum? Bem, essa mesma perfeição estava diante de mim nesse exato momento. Era simplesmente perfeito. Eu até diria que seu traseiro é mais bonito que o rosto. Mordi meu polegar, extasiada, desejando que o celular estivesse comigo. Assim poderia mandar uma foto para Lulu e para Lexy. Elas teriam vomitado de inveja.

Ver Rob colocar uma boa porção de meu óleo para banho da Jo Malone na banheira me fez descer do planeta orgasmo.

— Você sabe quanto isso custa? — Perdi a paciência, pegando o frasco de volta. — Não costumo dividi-lo com ninguém, então se você está pensando em tomar banho comigo, considere-se honrado.

— Eu estou honrado. Levante os braços. Vou lhe comprar outro desses — ofereceu, sorrindo, enquanto tirava minha camisa.

Entramos na banheira e começamos a rir quando uma corrente de água espirrou para fora. Ele se encostou, relaxado, colocou-me entre suas pernas, envolveu-me em seus braços e inclinou minha cabeça ao encontro de seu ombro.

— Eu poderia dormir assim — ele disse, pensativo.

— Hum... eu também.

Ele me apertou com mais força e suspirou. Comecei a pensar em que tipo de conversa que teria com ele depois do sexo. Você sabe, é muito importante conversar depois do sexo. Todas as revistas afirmam isso. Decidi tentar uma nova abordagem.

— Rob, queria lhe contar uma coisa — gaguejei —, eu, hum... não costumo... quer dizer, não costumo ir tão depressa. As coisas aconteceram muito rápidas por aqui. Normalmente eu o conheceria melhor e, sabe, talvez conhecesse a sua família, veria se temos alguma coisa em comum. Geralmente costumo sair três vezes para jantar antes de... — interrompi.

— Nós tomamos café juntos essa manhã, depois café da manhã na balsa e, mais tarde, chá no posto de serviço — ele disse numa voz relaxada, mas séria. — Aí estão três encontros.

— Bem, certo — disse, com timidez —, mas eu, ah... me sinto...

Ele beijou minha bochecha ruidosamente.

— Sei o que você está querendo me dizer, mas não se preocupe. Sou um bom juiz de caráter e sei que tipo de garota você é. — Ele esticou as pernas e abriu a torneira de água quente com o dedo do pé.

— Certo — sorri, mais tranquila. Debrucei-me para esfregar minhas pernas, mas ele me puxou de volta e tirou o sabonete de minhas mãos.

— Fique aí, este é o meu trabalho.

Aparentemente o protocolo obrigava Rob a usar seu uniforme toda vez que estivesse dirigindo, então ele correu até o quarto para colocá-lo, o que me deu tempo suficiente para decidir o que usar. Me vesti com estilo: um vestido curto de seda branca, estilo frente única, com sandálias douradas, brincos de argolas também dourados e cabelos soltos. "Sim", pensei enquanto girava em frente ao espelho, "com certeza pareço uma sexy amante romana". Estava passando a terceira camada de rímel quando Rob bateu na porta.

Ele segurou meu rosto e me beijou suavemente.

— Você está linda.

— Você também — disse, mordiscando seu lábio.

— Não quero que carregue muito dinheiro na bolsa, me dê dinheiro suficiente para pagar o restaurante e deixe o que não vamos usar no cofre — ele disse.

Olhei para ele meio de lado, enquanto contava as notas. Ele olhava de cenho franzido para o quarto bagunçado. Bem, eu havia chegado havia apenas algumas horas, justifiquei para mim mesma. Tempo suficiente para desarrumar tudo.

— Aqui está — disse e lhe passei o dinheiro.

Ele colocou as notas no bolso do paletó.

— Obrigado — respondeu, ainda apreciando a bagunça.

CAPÍTULO 12

O LOBBY FERVILHAVA.

— Querida, estamos aqui! — Alice gritou do bar. — Venha beber um drinque antes de sair.

Ela parecia *très chic* em um vestido vermelho bem justo, com comprimento na altura do joelho, combinando com sapatos de tiras, de salto alto, e um bolero preto bordado com lantejoulas, complemento perfeito para seu cabelo preto curto.

Rob apertou meu ombro e sussurrou em meu ouvido.

— Estou estacionado na esquina. Vou trazer o ônibus até a entrada do hotel. Fique de olho na porta. *Não* me deixe esperando — ele ordenou.

Assenti sem prestar muita atenção, andando em direção a Alice.

— Querida, você está deslumbrante! Parece — ela acrescentou, com um risinho — que está apaixonada.

Fiquei vermelha.

— Ahaaaah, eu sabia! Vocês dois *estão* juntos. Eu disse para Duncan, e ele, como todo maldito homem burro e cheio de si, teimou que vocês tinham acabado de se conhecer.

Fiquei pálida.

— O que você gostaria de beber, querida?

— Gim tônica seria ótimo — respondi.

— Duncan, gim tônica para Evie e uma vodca com Coca para mim. Duplos! — ela gritou, com o queixo levantado, virando a cabeça para procurá-lo.

— Estou bem atrás de você, Alice — Duncan rosnou, enquanto dava um tapinha em seu ombro. Ele se virou para mim. — Boa noite, menina! Você está linda. — Ele fez um sinal para o garçom, que apareceu como do nada. — Cadê o Rob?

— Foi buscar o ônibus — expliquei.

— Oooiiiiii! — uma voz estridente e familiar vibrou pelo bar. Dei meia-volta.

— Oi, Doris. Você está deslumbrante! — elogiei, admirando seu conjunto azul-claro de cardigã e suéter, que combinava com os cabelos, e um colar de pérolas.

— Obrigada, querida! — ela disse, alegre. — Você trouxe a maquiagem?

Mostrei o *nécessaire*.

— Deus a abençoe. Você poderia me maquiar? — ela perguntou, ansiosa.

Duncan ergueu o drinque em minha direção. Doris tomou das mãos dele.

— O que é? — ela perguntou.

— Gim tônica.

— Muito obrigada, querido! — ela disse, engolindo avidamente.

Vi que Rob estacionou em frente à porta de entrada, então comecei a cacarejar pelo bar, reunindo a gangue e conduzindo todos pelo lobby. Um caleidoscópio de echarpes esvoaçantes, saias de tafetá farfalhantes e ternos de linho bem cortados passou por mim, em meio a um nevoeiro de sândalo e lavanda, enquanto todos marchavam para dentro do ônibus.

O passeio por Paris durou meia hora. Comecei minha descrição desconexa e logo me animei, cruzando e descruzando as pernas, jogando os cabelos de um lado para outro e introduzindo palavras francesas ao léu.

— Do lado direito — falei animada, apontando para o lado esquerdo —, vocês podem ver o, é, o... — gaguejei, esquecendo o que ia dizer. O que era? — O, bem, o... — bati com o microfone na minha face, refletindo profundamente.

— Champs Elysées — Rob falou, inexpressivo.

— Ah, sim! Le Champs Elysées — repeti, e ninguém viu nada porque estavam olhando para o lado errado.

— Ah, ah, ah, do lado direito, La Tour Eiffel — continuei.

— Linda! — Doris falou com entusiasmo, seguida por Ellen.

— Você é muito inteligente, querida — Ellen disse, inclinando-se sobre meu ombro. — Parece a Audrey Hepburn. Ninguém nunca disse isso para você? — ela girou o brinco de pérola. — Você é muito boa no que faz.

Imaginei quantos gins ela tinha tomado, mas, muitas vezes, confiança pressupõe inteligência e eu estava transbordando confiança. Como guia de turismo eu já me sentia como um peixe dentro d'água.

Rob fez um sinal com o dedo.

— Venha até aqui — ele sussurrou, confiante, enquanto passávamos pela Assembleia Nacional rumo ao Quartier Latin. Desliguei o microfone e me sentei no degrau, ao lado do assento do motorista.

— O que foi? — perguntei.

— Vou estacionar perto do Panthéon. É o mais perto do restaurante que posso chegar. Você terá de andar com o grupo o restante do trajeto. — Ele fez uma pausa. — É uma linha reta, depois entre na primeira à esquerda e o restaurante será a oitava porta do lado esquerdo.

— Perfeito — respondi, com um dar de ombros indiferente.

— Você *não* quer se perder junto com quarenta e oito pessoas — ele enfatizou com clareza.

Agora ele tinha toda a minha atenção.

— Certo. Entendi. É claro que você está certo. Eu não... Fale de novo, agora estou ouvindo — disse.

No restaurante, fui recebida por Delia, *le patron*. Ela era alta, magra e charmosa, com cabelos castanhos na altura da cintura; usava uma minissaia amarela, uma blusa preta justa e sapatos de salto agulha, dourados, superaltos. "Só nascendo na França para se dar bem se vestindo assim", pensei com inveja. Ela me abraçou e me beijou como se fôssemos velhas conhecidas. Bandejas com aperitivos haviam sido preparadas e todo foram encorajados a pegar o seu, antes de sentar. Peguei duas taças e rapidamente as derramei goela abaixo. Meu nervosismo desapareceu. No caminho, eu havia passado direto pelo restaurante e seguido até o final da ladeira. Quando voltávamos pelo meio da rua, uma motocicleta de uma pizzaria *delivery* quase matou George.

Com os clientes confortavelmente instalados, Delia me levou até uma mesa comprida, em torno da qual havia várias pessoas sentadas.

— *Tout le monde, je present Evie* — ela falou, fazendo um floreio com as mãos.

Os ocupantes da mesa sorriram de leve, oferecendo gestos de boas-vindas sem muito entusiasmo. Eram dois motoristas alemães, ambos grandes e com fartos bigodes escuros, e duas guias mulheres, também grandes e bigodudas. Acenei e sorri para eles, então sentei timidamente ao lado de uma das guias, que se apresentou como Katya. Delia colocou sobre a mesa uma garrafa de vinho branco feita de cerâmica e saiu correndo para atender os clientes.

O restaurante era informal e confortável, com chão de ardósia, mesas de pinho escuro, paredes de tijolos creme e uma variedade de fotografias coloridas da cidade decorando as paredes. Todas as mesas estavam ocupadas. Nosso grupo estava alinhado do lado esquerdo e um outro, do mesmo tamanho, formado por alemães, no direito. Um músico que mais parecia o Omar Sharif trançava pelas mesas, mexendo o quadril e tocando seu acordeão com ímpeto. Doris e Ellen, dedos entrelaçados sobre o peito, moviam-se ao som da melodia, cantarolando cada nota.

Rob chegou. Ele estava magnífico, alto, com ombros largos e cabelos recentemente penteados, os olhos cintilavam maliciosamente. Circulou pelas mesas, sorrindo e brincando com os clientes, abraçando o acordeonista, que ficou contente em vê-lo, e beijando Delia afetuosamente. Passou um braço em volta de meus ombros e roçou os lábios na minha testa, enquanto puxava uma cadeira.

— Então, você achou — ele brincou, apertando minha coxa sob a mesa.

Eu estava prestes a devolver o gesto, quando ele foi agarrado e teve o corpo guinchado da cadeira por "Frau Nádegas Retumbantes", Katya, que estava bisbilhotando a cesta de pão e não notou que ele tinha entrado no restaurante.

— Ya, Rob, é marrravilhozzo verrr você — ela o apertou, alisando afetuosamente seu bigode pela face dele. "Nádegas Retumbantes" se endireitou e, por um instante, pensei aterrorizada que ela cairia em cima de mim. Não querendo dar sopa para o azar, mergulhei em busca de um lugar seguro. Rápido como um raio, o habilidoso monstro peludo depositou Rob na cadeira que eu tinha deixado vazia, colocando-o entre nós duas.

Os motoristas alemães mal falavam inglês e, é claro, eu não falava alemão, então a conversa era limitada. Não conseguia imaginar que raios "Nádegas Retumbantes" tinha a dizer que despertasse algum interesse, mas, fosse o que fosse, havia capturado a atenção de Rob. Os alemães bebiam cerveja e Rob, suco de laranja; então, cabia a mim entornar toda a garrafa de vinho.

— Skol — grunhiu um dos motoristas.

— Skol — repeti, batendo minha taça de vinho contra sua enorme caneca.

Ele resolveu fazer um pouco de ginástica e emaranhou nossos braços, e eu acabei tomando sua cerveja. Segundos depois, Delia apareceu. Ela apoiou o minúsculo traseiro na beirada da mesa, depositando duas taças de cristal com champanhe entre nós.

— *Cherie, quarante-huit personnes! Mon dieu! E votre première visite! Fantastique!* — ela disse, encantada, batendo sua taça contra a minha.

— Saúde — balbuciei e arrotei enquanto bebia.

As entradas e os pratos principais estavam deliciosos. Notei que todos os pratos retornavam vazios para a cozinha, o que era um bom sinal. Rob continuava a conversar animadamente com NR, como eu a chamava agora, com carinho, o que me deixava solitária, entornando a segunda garrafa de vinho. Um guitarrista e um cantor se juntaram ao acordeonista e os três estavam girando e saltando em volta das mesas, flertando desavergonhadamente com os clientes. Ellen e Cynthia estavam constrangidas, mas, sendo justa com os músicos, o restaurante inteiro balançava ao som das batidas dos pés e do ya-ya-ya vindo dos alemães, além das entusiasmadas palmas e lá-lá-lá de nosso grupo. Eu mesma cantorolei um pouco.

— Evie.

Virei-me e vi Doris dançando atrás de mim.

— Lhe devo um gim tônica, querida — ela disse, passando-me um copo. — Estou num baile! E você? Ah, Evie querida, você não liga, né? — Ela se arriscou e roubou meu *nécessaire*, cambaleando até o banheiro.

Tomei o drinque e analisei a nuca de Rob, que conversava com NR. Franzi os olhos perto de seu ombro, hipnotizada pelo bigode de NR, e pensei se deveria contar para ela sobre a existência de uma coisa chamada depilação. Falando sério, se ela gosta de exibir os pelos faciais, imagino que também deva cultivar pelos nas axilas e uma vagina flácida. Eu solucei, solucei e solucei um pouco mais.

"Ok, garota, você está passando do limite", disse para mim mesma. "Melhor ir mais devagar com a bebida, a noite ainda é uma criança." Suspirei. Estava bêbada. Tinha pensado em permanecer sóbria por três razões: 1) estava trabalhando; 2) não consigo transar quando estou bêbada; 3) falo muita besteira e, depois, não consigo me lembrar de nada, o que potencialmente poderia significar o fim de minha carreira.

Levantei o copo, cambaleei ao me levantar e decidi dar uma volta pelo restaurante. Já que ninguém queria conversar comigo na minha mesa, então acharia alguém que quisesse. Andei em direção aos músicos e, ao cumprimentá-los, o cantor enfiou o bigode entre meus seios. Parece que havia muitos deles à minha volta, quer dizer, bigodes, não cantores. Ele me abraçou e me beijou; bem, na verdade ele me apalpou. Pensei por um momento se já o conhecia (será que já tinha transado com ele?), tamanha era sua familiaridade.

— Querida, faz muito tempo que não tenho uma noite como essa — Alice balbuciou, me livrando das garras de meu admirador, que mais parecia um pigmeu. — Duncan, deixe Evie sentar em seu lugar e sirva uma bebida para ela.

Duncan deixou sua cadeira e puxou outra da mesa ao lado.

— O prazer é todo meu, garota. Você fez muito bem em nos trazer até aqui. É uma pechincha, bebida à vontade, do jeito que a Alice gosta. Olha, garota, prove esse. — Ele me passou algo que se assemelhava a uma amostra de urina.

Cheirei o copo e o olhei, meio bêbada:

— O que é isso, Duncan?

— Calvados.

— O que é Calvados?

— Conhaque.

— Saúde — acenei e tomei de um gole só.

George apareceu. Agarrou meu braço e balbuciou algo de uma maneira amistosa. Sorri, bêbada, lutando para falar alguma coisa. "O que ele estava dizendo?" Bati no ouvido com a palma da mão.

— Você está se divertindo, Evie? — perguntou, gentil. — Desculpe, estava me exibindo, praticando meu alemão. Não é sempre que tenho chance. Pensei que fosse uma das línguas que você falasse.

Graças a Deus! Pensei que estava tão mamada que não entendia mais inglês.

— Hummm, obrigada, mas é você que está aqui para se divertir — respondi.

— Ah, estou amando tudo — ele disse e caminhou em direção ao banheiro.

"Droga, está muito quente aqui", pensei, desabando na cadeira ao lado de Rob. Sentia-me um pouco tonta. Nem parecia eu mesma.

Dobrei o cardápio em forma de leque e comecei a abanar o rosto. Estou tonta... sim... estou tonta. Que estranho! Quem sabe se eu relaxar uns instantes vou me sentir melhor. Cruzei os braços, fechei os olhos e deixei o queixo cair sobre o peito. "E se eu começar a roncar? É só se sacudir", falei para mim mesma. "Você não pode dormir aqui!" Endireitei os ombros e abri os cílios úmidos. O motorista alemão, sentado na minha frente, sorriu, mostrando todos os dentes. Ele balançava para frente e para trás, aproximando-se e se afastando de minha visão. Queria que ele se sentasse quieto. Lembrava que ele não era bonito, mas não que tivesse quatro olhos. Segurei a beira da mesa e o examinei com curiosidade. Com certeza, os quatro olhos lutavam por um espaço em sua testa. "Pobre coitado, que tipo de doença é essa?", pensei. À minha direita, Rob ainda estava de costas para mim, então virei para o outro lado e quase desmaiei de susto. Não havia mais dois grupos de cinquenta pessoas; havia agora centenas e centenas de pessoas, lutando por um espaço. Vinte, não, trinta pessoas espremidas em cada mesa, cabeças sobre cabeças. Monstros, todos eles, alguns com duas bocas, outros com muitos narizes. Podia ver duas Alices, as duas bêbadas. E três Ellens. Fiquei enjoada e em estado de choque. "Sim, estou em choque... Meu Deus! Boa noite, Cinderela!" Drogaram-me. É isso. Olhei com suspeita para o copo. "Não... não." Lembrei que bebi de livre e espontânea vontade. "Estou enlouquecendo?" Tremi, com medo.

— Socorro! — bali.

Nada aconteceu. Minha mão direita procurou Rob enquanto a esquerda segurava a beirada da mesa.

— Socorro... — coaxei.

Achei a mão de Rob e a apertei. Ele se virou de frente para mim, entrou em meu foco, segurou o meu queixo e levantou meu rosto.

— O que está acontecendo? — ele latiu.

O rosto de Rob se aproximou do meu. Ele tinha se transformado em um ogro com um olho. Encolhi-me para trás, horrorizada. "Eu nunca teria transado com alguém que tivesse um olho no centro da testa. Jamais. Tenho certeza. Nunca, muito menos o Shrek. É isso! Preciso de lentes de contato novas. Tudo vai dar certo. Não estou enlouquecendo."

Ele estava dizendo algo. Mas o quê? Para o que ele estava apontando? Ele enfiou um dedo em meu rosto. Minhas mãos tocaram a boca. "Há algo errado com minha boca?" Apertei o maxilar e não ouvi o som reconfortante de dentes se encontrando. Eles pareciam moles como um chiclete. Teriam todos os meus dentes caído? Enfiei os dedos na boca e, com certeza, havia apenas um imenso buraco.

— Fique em pé! — Rob gritou, zangado.

Cambaleei.

— *Chengiva.* — Solucei. — Sem *denches*? — Gemi.

— Se levante, agora!

— Meus dentes — balbuciei —, onde estão meus dentes?

— De pé!

"De pé, sim, que ótima ideia", pensei. "Mas como? Só preciso de um ou dois segundos... Ah, ah, estou me movendo."

Rob agarrou meus braços e me levantou. Colocou um braço em volta de meu ombro e me carregou até o fundo do restaurante, pela cozinha, até onde parecia ser o banheiro dos empregados.

— Abaixe-se! — Ele pressionou meus ombros para baixo e meus joelhos se dobraram.

— Não consigo. Não estou com nenhum desejo. Quem sabe mais tarde... — Funguei pesado. — Seu... Ahhhhhh! — Gemi quando meu traseiro encostou no piso gelado. Delia se aproximou, nervosa, da porta e deu um copo para Rob. "Será possível que ela ainda está bebendo?" Rob se ajoelhou a meu lado.

— Certo, beba isso! — ele ordenou, sério.

— Não, não. Não quero beber mais. Estou, estou cheia. Não quero... Aaaaaaggggghhh!

Ele segurou meu rosto, empurrou a cabeça para trás e me fez engolir um revoltante copo de água salgada morna.

— Engula tudo! — ele rugiu, abrindo de novo meu maxilar quando tentei fechá-lo.

Ele alcançou o vaso, abriu a tampa e, então, sem cerimônia, enrolou meus cabelos em volta do pulso e enfiou minha cabeça dentro do vaso. Uma rajada de champanhe, vinho branco, Calvados, gim, *coq au vin* e batata frita irrompeu adiante.

— Que desastre!...

— Irresponsável...

— Estou furioso com você!

Bem, também tinha algumas coisas para falar para ele, tão logo eu conseguisse. Foi ele quem me entupiu de champanhe tentando me seduzir. E ele conseguiu. Ele se aproveitou de mim, da minha vulnerabilidade, integridade e inocência. Eu confio demais, sou prestativa e me deixo intimidar. Então ele passou toda a noite babando em cima da perua alemã sexy, deixando que eu me virasse sozinha num país estrangeiro. Comecei a soluçar pela situação injusta. Como podia me tratar assim? Enchi os pulmões de ar duas vezes e estava pronta para lhe responder quando minha cabeça foi para trás e meu maxilar bateu, enquanto um dedo indicador e um polegar grandes abriram minha boca pela segunda vez. Sacudi a cabeça, atordoada, de um lado para outro.

— Beba! — Rob berrou.

— Nãoooooo! — gorgolejei, afogando-me, enquanto mais uma corrente de água salgada espirrou pelas minhas amígdalas. Lufada número dois...

Satisfeito porque meu corpo estava totalmente desprovido de álcool, Rob me puxou e fechou a tampa.

— Espere aqui — ordenou.

Caí, esgotada, sobre o chão do banheiro. O tempo passou, minutos ou horas, não saberia dizer. Acho que dormi. De repente, percebi que um membro carnudo se movia dentro de minha boca. Parecia que estava fazendo sexo oral. Tentei limpar minha mente por um minuto para me lembrar com quem. Estava acontecendo um considerável movimento em minha boca que não necessitava muito de minha participação. "Devo realmente gostar dele", pensei, "que garota não gostaria, ele é um atleta sexual". De repente, senti um gosto de hortelã. Uma cobertura de hortelã, que ótima ideia! Pensei se tinha sido minha.

— Olha pra mim — uma voz áspera ordenou, furiosa.

Sem pensar muito, abri os olhos. Rob, zangado, passava o dedo coberto com pasta de dente pela minha boca. Agarrou meus cotovelos e me levantou do chão.

— O que você tem a dizer a seu favor? — ele me desafiou, dando meia-volta para lavar as mãos na pia.

— O Milk Thistle — lamentei. — Ele protegeu meu fígado e toda a bebida foi desviada para minha cabeça.

Ele baixou os olhos para mim, segurou meu pulso e me carregou para fora do banheiro.

— Milk Thistle! — Ele perdeu a paciência, enraivecido. — Do que você está falando?

— Eu nunca vi os duendes do gim. De verdade, nunca, mas Lulu já. Ela os vê a todo o momento, mas eu nunca. Nunca.

Ele empurrou a porta da cozinha com a mão, puxando-me atrás dele.

— Você está falando bobagem. Vai ficar sentada aqui na cozinha e beber um bule de chá bem açucarado. Você precisa levar 48 pessoas sãs e salvas de volta ao hotel. — Ele me despejou numa cadeira, à mesa da cozinha.

Empalideci.

— Você vai dirigir, né?

— É claro que sim, mas você ainda tem de fazer sua parte.

Delia estava armada com um bule de chá amarelo-canário, o vapor saindo pelo bico numa espiral.

— Sim, sim. Um chá seria ótimo — menti. A única maneira de eu e Lulu consumirmos chá é quando subimos as paredes durante uma crise de cistite.

Abri a boca para falar, mas Rob se virou e caminhou de volta para o salão do restaurante. Dei de ombros e esqueci o que ia falar. Comecei a mexer na *nécessaire* enquanto bebia a xícara de chá preto adoçado. O líquido quente percorreu minhas veias em direção ao cérebro. Sentindo-me tonta, passei batom pelos lábios bem devagar.

— *Cherie*, isso já aconteceu comigo muitas vezes — Delia falou, com compaixão.

Não quero parecer má nem dizer que ela está mentindo, mas como ela espera que eu acredite que bebe tanto quanto eu e ainda usa uma microssaia tamanho 36? Fala sério!

Ela inclinou a cabeça e sorriu, bondosa.

— *Bien sûr* — cacarejou. — É verdade! — disse, derramando mais chá na xícara.

— Estou bem — falei, cansada. — Perfeitamente bem.

— Me chame se precisar, *oui*? — Ela disse apertando minha mão, antes de deslizar graciosamente da mesa e sair, requebrando pela porta vaivém.

Minha visão começava a clarear. Respirei profundamente e passei base sob os olhos. "Vou ficar um bom tempo sem beber, pode ter certeza disso."

— EVIE! — ROB GRITOU, voltando para a cozinha. — Você teve mais de uma hora para se refazer. Está na hora de ir. Como está se sentindo? Me escute: vá até o salão, reúna as pessoas e me encontre no mesmo lugar onde deixei vocês, ok? — Ele caminhou, decidido, em minha direção, pegou meu queixo e virou minha cabeça para ele. — Você está no planeta Terra, certo?

— É claro que estou no planeta Terra — respondi, ofendida. Levantei-me e arrumei meu vestido. Ele agarrou minha mão e beijou as pontas de meus dedos.

— Bom, já era tempo. Agora vamos — disse, girando e passando de volta pela porta vaivém.

No restaurante, o nevoeiro de sândalo e lavanda tinha se convertido numa nuvem formada por vapores de conhaque. De alguma maneira, consegui dizer que era hora de irmos embora e uma horda cambaleante de festeiros inebriados deu-se as mãos e formou uma fila desconjuntada até a porta.

— Ah, Alice, você se lembra onde deixamos o ônibus? — sussurrei, discreta, consciente do fato de que um bando de pessoas se amontoava atrás de mim.

Ela se agarrou ao batente da porta e deu uma olhada pela rua.

— Que ônibus, querida? — Ela soluçou.

— Temos de subir a ladeira. Já posso ver as luzes — George apontou, amável.

— Todos me sigam — instruí, ziguezagueando pela porta, acenando com um guardanapo. Já tinha visto outros guias acenarem com objetos, então pensei em experimentar.

O ar fresco me atingiu como um tijolo na nuca. Honestamente, não estava me sentindo muito bem. Apoiei-me pesadamente em George enquanto subíamos a ladeira. Nem me importei que ele tivesse mais de 80 anos e que ofegava mais que uma caldeira. O que eu precisava era de um andador; na falta de um, George quebrava o galho.

Achamos o ônibus. Rob estava sentado atrás do volante, esfregando as mãos.

— Você contou os passageiros? Estão todos aqui? — sua voz ecoou, sóbria.

Ele começou a mexer nos botões do painel de controle. Cambaleando um pouco, agarrei a prancheta.

Caminhei três vezes pelo corredor do ônibus, para cima e para baixo, mas acabei perdendo a conta. Tentei pela quarta vez, porém perdi a conta ao chegar ao dez, quando acabaram meus dedos.

Virei-me para Rob:

— Você não acha que também estou me fazendo as mesmas perguntas? — respondi bruscamente. — O que acha que estava fazendo nos últimos quinze minutos? Tente contar de cabeça quando as pessoas não param de se mexer.

— Evie! — Rob se exaltou. — Nós temos 48 passageiros e 50 lugares. Não é necessário contar as 48 pessoas. Veja se há duas poltronas vazias.

Olhei para ele, boquiaberta.

— Estava justamente indo fazer isso — atirei de volta.

Ele me olhou, duvidando.

Fui checar. Duas poltronas vazias... Por que não pensei nisso antes?

Quando voltei, vários minutos depois, desci com cuidado os três degraus até meu assento.

— Achei que você tinha se perdido. O que aconteceu? — Rob perguntou, ranzinza.

Segurei com firmeza no descanso da poltrona enquanto me sentava.

Ele suspirou, impaciente.

— Bem, nós temos 48 passageiros ou não? — perguntou.

— Sim — eu disse, cruzando as pernas, triunfante.

Doris apoiou seu queixo no alto de minha cabeça.

— Estou mamada — ela disse, exausta.

— Você está o quê? — perguntei.

— Mamada. Quer dizer ligeiramente bêbada, é um palavra nova. Meu neto me ensinou. Ele é um anjo, um bom garoto — disse, sonhadora. — Ele fez doze anos semana passada, abençoado por natureza.

— Também estou mamada — Ellen falou, meio grogue.

Dois minutos depois, ambas estavam desmaiadas. Sim, Doris e Ellen estavam bem e totalmente mamadas.

Três minutos depois, também desmaiei.

Rob me acordou quando chegamos ao hotel. Parece que estava roncando no microfone. Quer saber? Ele não tinha parado de gemer desde que o tinha conhecido.

Levantei o microfone.

— Pessoal — disse, pondo-me de pé com dificuldade —, vamos nos encontrar amanhã de manhã, no lobby, às nove horas.

Quarenta e oito pessoas grunhiram. Considerei a possibilidade de dormir até mais tarde. Quem sabe levantar lá pela hora do almoço? Cobri o microfone com a mão e me virei para Rob:

— Talvez um pouquinho mais tarde?

Suas narinas se inflamaram.

— Nossa guia local chega às nove — ele me avisou.

— É claro que sim — disse, tentando parecer profissional. Suspirei e continuei. — Então, boa noite a todos! Tivemos um longo dia, mas estou certa de que, depois de uma boa noite de sono, vamos nos sentir revigorados — consegui falar, sem convicção.

Ao olhar para Doris e Ellen, já não estava tão certa. Duncan levantou as irmãs da poltrona e as conduziu para o hotel. George os seguiu, obediente, com sua bolsa agora vazia de gim, e Alice valsava com um confuso porteiro pelo lobby. Finalmente sozinha, Rob fechou a porta do ônibus e deu um sinal com a seta.

— Para onde vamos? — perguntei.

— Não posso estacionar aqui. Estou fechando a saída.

— Me deixe sair e vá estacionar sozinho.

Ele me lançou um olhar magoado.

— Você vem comigo. A caminhada de volta vai lhe fazer bem. — Falando isso, deu a partida e foi ao encontro do trânsito.

— Nunca mais vou procurar um lugar para estacionar com você — gritei, depois de caminhar cinco minutos. Rob segurou meu ombro como os dentes de uma armadilha. — Vamos andar mais devagar. Meus pés estão me matando. Pra você, está tudo bem. Você não está usando um salto de dez centímetros.

Ele parou um pouco e agarrou minha mão, mas eu me soltei. Nós começamos a nos estapear com as mãos, de uma maneira infantil, até ele segurar firme meu pulso. Enquanto aguardávamos para atravessar a rua, ele transferia o peso de um pé para outro, impaciente.

— Me larga! Seu, seu bruto!

O sinal abriu e ele seguiu em frente, me puxando atrás dele.

— Romântico, não? Caminhando de mãos dadas. — Ele disparou sobre o ombro, testando sua voz contra o som das buzinas do tráfego noturno.

Chegando ao hotel, joguei-me contra a parede do elevador e espalhei as sandálias pelo chão. Rob se inclinou para pegá-las quando chegamos ao nosso andar.

— São suas?

Tomei de sua mão sem me dignar a falar uma palavra e segui para meu quarto. Não consegui responder. Não conseguia respirar, de tão cansada que estava. Rob pegou as chaves em minha bolsa, destrancou a porta e a deixou entreaberta.

— Entre, que volto em um minuto — ele disse, sorrindo.

Joguei as sandálias dentro do quarto. Uma sandália bateu na parede e outra acabou em cima da penteadeira. Limpei as pálpebras suadas com as mãos fechadas.

— Aonde você vai?

— Pegar minha mala e me mudar para seu quarto. Acho que há lugar no guarda-roupa, já que suas roupas estão espalhadas pelo chão.

Fiz um aceno desdenhoso e manquei para dentro do quarto.

— Faça o que achar melhor. Eu vou tomar banho. Não estou acostumada a dar conselhos — me queixei.

Ele beliscou minha bunda e riu.

— Não vou demorar.

— Não precisa se apressar — gritei enquanto ele se afastava.

No banheiro, me despi e coloquei uma touca de banho. Muito cansada para permanecer de pé, sentei-me com as pernas cruzadas na banheira e liguei o chuveiro. Inclinei para trás e me apoiei nas mãos, enquanto me deleitava debaixo dos jatos fortes de água bem quente. Era o paraíso. Relaxei, apoiada nos cotovelos, e fechei os olhos. "Bem que poderia me deitar", pensei. Adotei uma pose bem masculina: deitei de costas, com as mãos atrás da cabeça, pés juntos e joelhos afastados. A touca de banho cobriu meus olhos. Nem me dei ao trabalho de arrumá-la.

— Ok, para fora! Você não quer encolher ou se dissolver — Rob bradou.

Ele abriu a cortina.

— Ah, uma visão da mais pura elegância! — exclamou, alegre.

Ele me puxou para fora da banheira, enrolou-me com uma toalha, esfregou minhas costas e me virou em direção ao quarto.

— Hora de dormir — disse, puxando a colcha.

"Um verdadeiro paraíso", meditei, "estar na horizontal, e não na vertical e andando". Retirei a toalha, jogando-a no chão, e corri para a cama, cobrindo-me até o queixo. Estava exausta e sóbria. Bem, não 100% sóbria, mas não longe disso.

Rob se aconchegou a meu lado.

— Quer dormir abraçada? — ele perguntou.

Respondi grunhindo.

Ele me abraçou de lado, colocando minha cabeça sob seu queixo. Descansei a bunda em sua barriga e suspirei, contente. Estava alcançando um estado de semiconsciência.

— Rob — arrisquei, num tom meloso —, quando você percebeu que estava gostando de mim? Eu sabia desde o começo — suspirei, pensativa. — Pense no tempo que perdemos não sendo honestos um com outro. Você sabe, ao não expressarmos nossos sentimentos. — Virei-me para encará-lo e mordiscar seus lábios. — Ao não colocarmos as cartas na mesa.

— Do que você está falando?

— De *nós* — sorri. — Estou falando de nós.

— Eu a conheci às oito e meia da manhã e estava transando com você às seis. O único tempo que perdemos foi o tempo que dirigimos até aqui.

Eu titubeei, piscando surpresa.

— Essa manhã? Nós só nos conhecemos, hum, nessa manhã? — gaguejei. — Você tem certeza? Parece que o conheço há muito mais tempo!

Do que eu estava falando? Viu o que quero dizer? Falo um monte de besteira quando estou embriagada.

Rob pressionou seus lábios na minha testa.

— Mas agora que você tocou no assunto, você está certa. Não há razão para perdermos mais tempo, não acha? — ele disse, mergulhando dentro da coberta.

CAPÍTULO 13

Na manhã seguinte, houve um considerável número de portas batidas com mau humor e o barulho de gavetas sendo fechadas, enquanto Rob guardava suas coisas. Sentei-me em frente à penteadeira para secar os cabelos. Ele jogou nossas malas em cima do guarda-roupa. Lancei um olhar irritado para ele.

— Não sei por que precisamos guardar nossas coisas. Afinal, vamos ficar apenas mais duas noites! — resmunguei.

Seu rosto estava vermelho pelo esforço.

— Porque vai ficar impossível achar qualquer coisa.

Apontei para o quarto arrumado.

— Não vou conseguir achar nada agora.

Ele segurou meus ombros, levantou-me e me beijou, sem pressa. O secador caiu no chão enquanto envolvia seu pescoço com meus braços.

— Vestidos, casacos, blusas estão no guarda-roupa; calcinhas e sutiãs, nas gavetas; artigos de banho, no banheiro. — Seus olhos cintilaram de encontro aos meus. — Vou buscar o ônibus. Te vejo lá embaixo, em meia hora. Não se atrase! — disse sério, me beijando mais uma vez.

Envolvi sua cintura enquanto ele vestia o paletó.

— E... — ele começou.

— O quê?

— Arrume a penteadeira antes de sair.

Reconheci nossa guia local assim que entrei no vestíbulo do hotel. Não foi difícil. Estava escrito "Garota Parisiense Deslumbrante" nela toda. Ela era alta, elegante e muito atraente, com cabelos pretos curtos, olhos castanhos ovalados e lábios carnudos. Estava ao lado da recepção, com óculos multifocais de armação dourada empoleirados na ponta do nariz, contemplando o lobby. Seu nome era Carla.

— Qual é o itinerrrárrio? — ela perguntou, levantando as sobrancelhas pretas perfeitamente delineadas.

Franzi o cenho.

— O quê?

Carla suspirou profundamente.

— O itinerrrárrio — repetiu, mexendo na echarpe de seda presa na alça da bolsa.

Massageei as têmporas, confusa. Itinerário? É claro que ela sabia para onde estávamos indo. Ou será que eu teria de saber e fazer tudo?

— Você terrria alguma preferrrência de itinerrrárrio em nossa excurrrsão pela cidade? É clarrro que posso *fazerr* do jeito que você *acharr melhorr* — explicou, distraída, enquanto pintava seus lábios com um batom vermelho-vivo.

Senti um grande alívio. O itinerário, é claro. Tipo qual-é-o-melhor-caminho. Por um minuto apavorante pensei que tivesse de me localizar no mapa. Nós teríamos acabado na Bélgica.

— Não... bem... não... Apenas faça uma volta básica por Paris — disse, fazendo graça, desenhando um círculo na palma da mão.

— Uma volta pelos *arrredorres*? — ela repetiu, cabeça inclinada, em dúvida.

— Sim, você sabe, bem... uma que mostre todos os principais prédios e monumentos.

Sua face ficou sombria.

— *Mais bien, sûr* — ela retrucou, jogando o batom dentro da bolsa. — Serrrá que o motorrrista conhece bem a cidade? Isso nem semprrre acontece.

— Sim, ele conhece — respondi, com segurança. — Muito bem.

Ela me olhou em dúvida e deu um peteleco numa bolinha imaginária em sua saia.

— Vamos verrr — disse num tom cauteloso. Virou-se em direção ao toalete, equilibrando-se em suas sandálias de salto alto.

Senti que alguém tocava gentilmente meu ombro.

— *Bonjour, ça va*?

Virei o corpo. Um homem absolutamente lindo, com cabelos pretos ondulados e olhos cor de carvão, sorria para mim. Sorri de volta e estava prestes a oferecer alguma tirada sexy e coquete quando: a) me lembrei de que já estava dormindo com alguém, e b) ele passou, correndo, por mim e saltou atleticamente a escada central, desaparecendo dentro do elevador. A recepcionista do hotel se debruçou sobre o balcão e olhou para ele, sonhadora. Ela tocou a minha mão.

— O gerrrente.

— Muito simpático! — comentei, decidindo de antemão que Rob era mais atraente.

Ela deu um suspiro.

— E sexy, com cerrrteza.

— Realmente. — concordei, fazendo um aceno vigoroso com a cabeça. Afinal, assim é a vida.

Caminhei apressada pelo lobby até a porta de saída e me posicionei ao lado do ônibus, com a prancheta debaixo do braço e um sorriso de boas-vindas, enquanto todos subiam a bordo. Doris e Ellen chegaram discutindo.

— Estou dizendo, Ellen. Meu neto pegou um vírus do computador. Foi sim! Ouvi nossa Mavis contando para Larry. Não sei se apareceram manchas na pele ou outra coisa, mas definitivamente ele pegou um vírus — Doris insistiu, fazendo beicinho.

Ellen fungou, cética, colocando uma bala na boca.

— Espero que não seja a gripe suína — riu, dissimulada.

— Bom dia, meninas! Como vocês estão? — perguntei.

— Bem — responderam em uníssono.

— Que dia lindo, querida! — Doris continuou, virando o rosto para o sol e penteando seus cachos azuis.

Duncan arrastava os calcanhares enquanto Alice o seguia pela calçada. Ele sacudia a juba vermelha como um leão zangado.

— Nós já estivemos antes em Paris. Poderíamos ter perdido essa maldita excursão para dormir até mais tarde. Nada mudou nos últimos quatrocentos anos! Por que você acha que algo mudou desde a última vez que estivemos aqui?

— Bom dia, querida! — Alice saudou. — Você parece descansada. — Ela passou o braço sobre o meu e sussurrou em tom de conspiração. — Minha cabeça parece que vai estourar, mas não posso contar isso para Duncan. Mal consigo manter os olhos abertos. Provavelmente vou roncar durante toda a excursão. E, querida, juro por Deus, sei que bebi bastante, mas... — ela interrompeu quando vislumbrou Carla rebolando em nossa direção, seus óculos multifocais presos em cima da cabeça, lábios escarlate, os curtos cabelos pretos brilhando sob o sol da manhã, umbigo à mostra e minissaia justa como uma segunda pele.

— Olá — Carla saudou, enquanto subia a escada do ônibus com muita classe.

Alice afundou as unhas em meu braço e rosnou.

— Isso aqui está querendo chamar a atenção. — Ela apontou para o traseiro perfeito de Carla. — Muito magra. Minha mesa de jantar tem pernas mais bonitas.

Duncan deu uma risadinha discreta.

— Hum, Alice, achei que você tinha me dito que não existiam pessoas "muito magras", "muito ricas" ou que um seio não poderia ser "muito grande". Você está é com inveja.

Ela se aproximou dele, com os punhos fechados ao lado do corpo.

— Cala a boca, Duncan. Você simplesmente não deve desfilar por aí vestido como se estivesse indo para uma boate no meio do dia. *Não* estou com inveja.

— Está.

Ela subiu rapidamente as escadas do ônibus.

— Não estou.

— Está sim! — ele gritou, enquanto ela desaparecia.

Rindo, ele passou um braço em volta de meu ombro de uma maneira paternal. Sua barba roçou em meu ouvido enquanto ele falava.

— Ela está de ressaca, mas nunca vai admitir. Com certeza, vai roncar a viagem inteira. Como está se sentindo esta manhã, garota?

— Estou com um pouco de dor de cabeça e morrendo de fome, mas me sinto melhor do que deveria. Rob me levou para dar uma volta ontem à noite. Acho que ajudou.

— Certo, bem, você deveria ter levado Alice — ele confidenciou, enquanto entrava no ônibus.

Carla conduziria a excursão sentada em minha poltrona. Então fui ejetada temporariamente para um dos assentos que sobraram, no meio do ônibus. Enquanto andava pelo corredor, podia ouvi-la flertando com Rob.

— Uh, lá, lá, acho que vamos trabalharrr muito bem juntos! — ela cantarolou, com o olhar faminto passeando por Rob.

— Com certeza! — ele concordou, deslealmente.

O ônibus se moveu pela avenida Champs Elysées, ladeada por árvores frondosas que ofereciam um bem-vindo abrigo para uma multidão de parisienses que desfrutavam seu café da manhã ao ar livre. Nós passamos em frente ao Petit e ao Grand Palais, e continuamos até a Place de la Concorde, onde circulamos o Obelisco de Luxor. Escrevia tudo o que Carla falava, enquanto passávamos pelas margens do Sena. Fazer notas de seu discurso ensaiado parecia mais fácil que estudar um guia de viagens chato. Devo admitir que ela era esperta e certamente tinha muito orgulho de sua cidade. Ela era espirituosa, interessante e contava muitos fatos históricos, com personagens fascinantes, acompanhando as notícias locais e regionais. Ela tinha também uma voz reconfortante e musical, eu respeitava seu profissionalismo e... *espera um pouco*! Bati com a caneta na prancheta. Por que eu tinha de anotar tudo isso? O que ela estava fazendo? Ela estava calada fazia um bom tempo.

Dobrei o pescoço e inspecionei o que se passava no fim do corredor. Vi aquela piranha manipuladora mover sorrateiramente a mão e segurar o joelho de Rob. Gemi silenciosamente e apertei os dentes enquanto suas mãos viajavam pela coxa dele. Alice olhou para Carla, remexeu-se zangada na poltrona e virou-se para me encarar.

— Vagabunda esquelética — ela murmurou.

Apontei o queixo para Rob.

— Ele não é melhor do que ela — falei, com desprezo.

Alice estava prestes a concordar quando uma mala que estava na prateleira acima de sua poltrona caiu sobre sua cabeça. Ela deu um grito assustado e derramou a limonada na blusa. Duncan olhou para seus seios empinados, molhados, deu uma risadinha e voltou a estudar o mapa de Paris.

Alice o cercou:

— Do que você está rindo? — ela desafiou.

— De nada. Você está imaginando coisas. Eu não ri — ele mentiu.

— Riu sim.

— Não ri.

— Você riu — ela falou, enfurecida, jogando o que restava de sua bebida na camisa dele.

— *Fan-tas-ti-que chaffeur* — Carla bradou.

Olhei para cima. Podia ver o reflexo de Rob no espelho retrovisor, as faces vermelhas, prestes a explodir, enquanto engolia o elogio. Carla apertou seu braço. Sentei com a caneta imóvel sobre a prancheta. Rob olhou bem em meus olhos, me deu uma piscada sexy e soprou um beijo. Retorci os lábios num meio sorriso. Carla virou a cabeça, seguindo o olhar de Rob. Ela limpou a garganta, encarou-me como se tivesse entendido tudo e, sem perda de tempo, continuou com a excursão.

Paramos por pouco tempo na Notre Dame, para uma visita guiada. Rapidamente me dirigi para frente, empurrando a multidão, tomando meu lugar na dianteira do grupo para me certificar de que poderia ouvir cada palavra. Depois, seguimos pela margem direita, passando por La Conciergerie e Les Invalides rumo à Torre Eiffel, onde eu e Alice tomamos uma rápida xícara de café, comemos um cachorro quente, duas Beroccas[13] e um paracetamol, um croissant de chocolate com amêndoas, uma barra de chocolate, um picolé e dividimos um saco grande de batatas fritas. Carla finalizou a excursão na Madeleine, onde um hippie esguio e cheio de espinhas estava esperando por ela num Peugeot 207, novinho em folha. Espiei por detrás da cortina e vi quando se abraçaram. Ou ele é um herdeiro de uma dinastia multimilionária da Champagne ou lhe deram a receita errada para seus óculos multifocais, concluí.

— Ele parece uma doninha — Doris observou apuradamente, espiando atrás da mesma cortina.

Fomos até a Ópera de Paris, estacionando em frente à Galeria Lafayette, uma das maiores lojas de departamento da cidade. Confortavelmente reinstalada em minha poltrona, percebi que tinha sentido saudade do som de minha voz. Retirei o microfone do encosto e me levantei, para encarar a plateia. Quarenta e oito pares de olhos piscavam com expectativa.

— Certo, pessoal. A tarde é livre para fazer o que quiserem. Saboreiem seu almoço. Façam compras — cantarolei. — Ou façam uma nova visita aos monumentos que vimos hoje cedo. Tenho uma seleção de mapas da cidade reunidos na prancheta, portanto, se quiserem examiná-los, fiquem à vontade. Tenham uma tarde *fan-tas-ti-que*, como nossa querida guia local, Carla, diria. Estou ansiosa para vê-los à noite, às sete e meia, no vestíbulo do hotel, prontos para partirem na maravilhosa excursão pela noite parisiente.

Houve alguns resmungos mal-humorados, ninguém parecia disposto a deixar o ônibus. Doris e Ellen se remexeram e George parecia desconfortável.

[13] Multivitamina e suplemento mineral. (N. T.)

— O que aconteceu? — perguntei, despreocupada, com o microfone balançando na mão.

Doris se aproximou com o corpo curvado, segurando os joelhos de uma forma protetora.

— Nós estávamos conversando — ela disse, apontando para os outros passageiros — sobre as coisas ruins que aconteceram com as outras pessoas.

Houve um murmúrio coletivo de assentimento. Meus olhos se arregalaram, enquanto inspecionava aquele mar de rostos ansiosos. Rob limpou a garganta, encostou-se em seu assento, cruzou os braços e esticou uma perna na direção do primeiro degrau, que dava no pavimento dos passageiros.

— Bem, não é tão perigoso durante o dia. É a noite que vocês têm de ser cuidadosos — aconselhei com firmeza.

— Certo, querida, mas podemos nos perder — Helen falou, aflita. Ela prendeu um cacho de seu cabelo azul atrás da orelha. — Ou, ou sermos roubados... ou, ou pior.

Havia um silêncio incerto. Rob bufou, baixinho.

— Certo. Não há problema — eu disse, alegre, passando os olhos pelas duas longas fileiras de olhos amedrontados. — Vamos pegá-los aqui em exatas três horas. Isso dará bastante tempo para vocês almoçarem e fazerem compras. O que acham?

Dois minutos depois, quarenta e oito turistas felizes, num amontoado de câmeras, sacolas, bengalas e mapas, saíram em fila do ônibus, impacientes, deixando-me sozinha com um motorista mal-humorado.

— Você cavou seu próprio túmulo ao inventar aquelas histórias horripilantes — Rob resmungou.

Fiquei em pé ao lado do painel de controle, arrumando as anotações.

— Não me importo em voltar daqui a três horas. O que podemos fazer?

— Bem, posso pensar em uma porção de coisas para fazer, mas nenhuma delas aqui na cidade. Com dois passos resolutos, ele se postou atrás de mim. Estremeci quando duas mãos fortes massagearam suavemente, mas com firmeza, meu pescoço e ombros. Ele me puxou ao encontro de seu peito e esfregou o queixo ao longo de minha bochecha. — Vamos voltar para o hotel — ele disse num tom frágil, com sua voz aquecendo minha orelha.

— Preciso comprar uma bolsa — disse para ele, fazendo um não com a cabeça. — Não consigo viver sem uma. Ainda não posso acreditar que deixei a minha em casa. — Também estava planejando visitar o Louvre. Acho que deveria ver a *Mona Lisa*. Afinal de contas, estou me esforçando para ser uma guia de turismo europeia culta e prendada, e, como tal, tenho de começar a adquirir um amplo conhecimento de história da arte, política europeia, assuntos atuais e, bem, realmente tudo. Mas se você pudesse escolher entre se arrastar em meio à multidão num museu escaldante, olhando para velhos quadros empoeirados de pessoas mortas, ou passar uma tarde transando com um pedaço de mau caminho, o que você faria?

Rob levantou meu braço e me virou até ficarmos frente a frente. Cobriu minha boca com a sua, insinuando provocadoramente a língua entre meus dentes. Abracei sua cintura e me aconcheguei. Ele deu um pequeno sorriso enquanto me beijava e remexeu o quadril contra o meu. Enfiei minha mão por trás, pelo cós de sua calça, até alcançar a sua cueca, e massageei seu traseiro. Seu corpo deu um solavanco e ele gemeu. Estremeci quando ele...

— Evie, você sabe onde fica o banheiro mais próximo?

Rob pulou para trás como um gato escaldado, deixando que eu ficasse beijando sonhadoramente o ar fresco.

Doris estava parada, aos pés da escada do ônibus, contorcendo-se perigosamente com as pernas cruzadas. Ela puxou a barra de minha saia. Segurei o braço de Rob em busca de equilíbrio.

— Estou desesperada — ela gritou.

— Tem um banheiro no bar da esquina — Rob lhe disse, fazendo um movimento com a cabeça para lhe mostrar a direção.

— Obrigada, queridos. Desculpe! — ela gritou. Doris andava como um pinguim, com Ellen seguindo logo atrás.

Rob levantou meu queixo e deu um beijinho na ponta de meu nariz.

— Onde estávamos... — seu olhar desceu até meu decote — antes de sermos rudemente interrompidos?

— Preciso realmente comprar uma bolsa e planejei também visitar o Louvre.

Ele prendeu minhas mãos nas suas e beijou os nós dos meus dedos.

— Vamos correr, comprar a bolsa, comer um sanduíche rápido — ele disse com pressa. — Se nos apressarmos, conseguiremos voltar ao hotel e ter uma hora e meia só para nós, e dane-se o Louvre... Bem, pelo menos por essa semana. Iremos na semana que vem, se você quiser. — Ele agarrou meus ombros e me beijou na testa. — Certo?

— Ok — me ouvi dizer. "Eu posso olhar a Mona na internet a qualquer momento", pensei. "Não há necessidade de conhecê-la pessoalmente."

Rob trancou o ônibus e segurou minha mão. Tentamos atravessar a rua duas vezes, sem sucesso, e quase fomos atropelados por um carro de polícia até que se abrisse uma brecha no tráfego para cruzarmos para o outro lado da rua. Rob, seguido por mim, abria nosso caminho com os cotovelos, através da multidão, fazendo malabarismos até alcançar a esquina e correr pela calçada em direção à Galeria Lafayette. Lá dentro, soltei minha mão da dele, caminhei sem ar pelo corredor e me recostei, respirando com dificuldade, em uma coluna. Estava tonta. Rob estava em pé, com as mãos fechadas atrás da cabeça, examinando a loja.

— Então, estamos procurando uma bolsa? — ele perguntou.

Minha respiração era curta e descontrolada. Precisei me sentar. Meus pulmões pareciam que estavam pegando fogo e minhas pernas, bambas. Inspirei e expirei devagar, para dentro e para fora, para dentro e para fora. Comecei a procurar um lugar para sentar.

Meu Deus! Meu peito estufou e de repente a luz se fez. Senti-me leve, flutuante e alegre. Estava parada em frente à *mais* impressionante coleção de joias que já tinha visto em toda a vida. Bati palmas, animada, enquanto um caleidoscópio de gemas cintilantes dançava e reluzia na frente de meus olhos.

— Vamos! — Rob perdeu a paciência. Ele segurou meu ombro e me empurrou pelo piso de mármore da galeria.

Eu queria tocar aquela vitrine iluminada. Minha cabeça se virou repentinamente enquanto passávamos pela mais maravilhosa coleção de sapatos do mundo. Rob parou por um minuto.

— Bolsas, bolsas, bolsas — cantarolou, dando pulinhos de impaciência.

Fiquei de pé, paralisada e sem palavras, olhando admirada para a majestosa cúpula de vidro colorido neobizantina que estava em minha frente. E, para falar a verdade, fiquei emocionada, com os lábios tremendo e os olhos lacrimejantes; a mesma reação de quando ouvimos o Hino Nacional e ficamos sentimentais, sonhadores e orgulhosos de sermos britânicos. E, por alguns momentos, você se esquece de que mora numa ilha pequena e gelada, no meio do Mar do Norte, onde cigarro, bebida e gasolina custam o olho da cara.

Uma garra de aço segurou meu pulso.

— Vamos. Estamos aqui para comprar uma bolsa. E nada mais! Eu vi algumas — Rob disse, acelerando nossa marcha.

Então percebi que estava havendo uma liquidação e me senti um pouco deprimida. Está bem, vou ser honesta: estava quase em lágrimas porque não estava com meus cartões de crédito. E não havia jeito de abrir um crediário. Minha situação era desesperadora. Tudo estava com 50% de desconto. Imagine só! Eu poderia ter economizado, em tese, milhares de libras, porque havia muitas coisas aqui de que eu estava realmente precisando.

Nós paramos em frente ao banheiro. Rob acenou com a cabeça em direção a alguns milhões de euros em forma de uma montanha de bolsas Louis Vuitton, Gucci, Prada e qualquer marca famosa que você possa imaginar. Ele bateu no relógio vigorosamente.

— Você tem, no máximo, dez minutos. Estou morrendo de fome. E com tesão — ele adicionou. — Compre logo uma bolsa. Preciso mijar. Não demoro. — Ele coçou o saco e desapareceu pela porta do banheiro.

Segui a multidão de compradores. “Que se dane ele”, pensei. “Se ele tem tempo de mijar, então eu tenho tempo de olhar em volta." Na seção de cosméticos, um "sargento" que atendia no balcão da Lancôme me jogou numa cadeira. Ela colocou um avental preto em volta de meu pescoço, deu um laço e começou a tirar a maquiagem de meu rosto com um lenço úmido. Senti uma pontada de emoção. Adoro transformações. Sargento Lancôme papeava alegremente. Suas inúmeras pulseiras douradas chacoalhavam, enquanto ela passava uma base perfumada em meu rosto. Olhei novamente para a bela cúpula de vidro e me acomodei confortavelmente no couro macio da cadeira. "Estou sendo paga para fazer isso", pensei, fechando os olhos. "Não é o máximo?" Encolhi as bochechas enquanto ela aplicava o blush. "Melhor emprego que já tive na vida", decidi, tentando me lembrar de alguns exercícios de relaxamento que aprendi numa aula de ioga que Lulu e eu tínhamos frequentado, mas, para ser honesta, eu dormi logo no começo e não me lembrava de nenhum. Não importava, porque já me sentia relaxada, mimada, privilegiada e feliz. Acomodei-me ainda melhor na cadeira de couro macia. E radiante e...

— O que você está fazendo?

Quase caí da cadeira de susto. Meus olhos se abriram. Rob estava na minha frente, parecendo o Anticristo.

— Não vai demorar — murmurei.

— Você está certa. Não vai mesmo. Estou faminto. — Ele se exaltou. Levantou o avental que eu vestia e olhou por baixo dele. — Cadê sua bolsa?

— Não comprei ainda — falei com dificuldade, enquanto aplicavam um maravilhoso *gloss* coral em meus lábios.

— Estou puto!

— Estou vendo.

— Vamos embora.

— Só mais um minuto. Como você pode ver, estou ocupada.

Ele retirou o avental e o jogou sem cuidado em cima da Sargento Lancôme, que o pegou com um floreio experiente. Ela me deu um sorriso conspiratório enquanto Rob levantava meu braço.

— Ok, estou indo — eu disse.

— Sim, você está — ele retrucou, já se dirigindo para a porta.

— Errr..., precisamos comprar a bolsa.

— Você pode se virar sem ela.

— Mas...

— Não tem mais nem menos — ele me lançou um olhar apavorante. — Você não tem ideia de quanto odeio fazer compras.

— Ah, acho que tenho uma ligeira ideia.

Ele empurrou a porta giratória com a mão para nos levar até a rua. De repente, fomos levados à força, de volta, por dois robustos guardas de segurança com olhar ameaçador. Rob, pensando que estávamos sendo roubados, galantemente me protegeu encostando-me em seu peito, agarrou o colarinho de um dos guardas e o puxou para dentro da porta, para mais uma volta. Apareceram mais dois guardas, que colocaram algemas nos pulsos de Rob. Eu me contraí.

— O que está acontecendo? — ele gritou, com as narinas fumegando.

— Er... — tentei dizer, enquanto eu passava, nas pontas dos pés, por ele, escoltado por três. Fui atrás, acompanhada por um guarda bem bonito.

Tudo fora um grande engano. Rob não teve tempo de pagar os cosméticos que eu tinha escolhido. Ainda bem que os registros das câmeras de segurança, com a minha efetiva e sedutora representação, fizeram com que fôssemos libertados sem acusação. Infelizmente, todo esse processo durou quase duas horas. Agora, pressionada pela falta de tempo, catei uma bolsa jeans numa barraca na frente da loja, a qual, sendo franca, não me agradou muito. Então, comemos rapidamente nossas baguetes e chegamos de volta ao ônibus com quinze minutos de atraso.

Loucura seria a palavra perfeita para descrever a cena que encontramos. Quarenta e oito turistas confusos estavam sendo espremidos de encontro ao Crédit Lyonnais por guardas de trânsito montados. Garanhões pretos suados, bufando e relinchando, estavam acossando e arrebanhando as pessoas. Alice fazia sinais com as sacolas.

— Olá, querida!

Dobrada em dois, consegui acenar de volta. Tínhamos corrido por todo o caminho de volta e meus pulmões estavam em chamas.

— Comprei quatro vestidos — ela gritou acima do barulho das buzinas dos carros e dos apitos da polícia. — O que você comprou, querida? Aaaahhhhhhh! — Um cavalo abanou o rabo em sua face, ela cambaleou cega e bateu a cabeça num poste. Aproveitou e caiu em cima de Patricia, que foi jogada de encontro a Ellen. Ellen, que estava olhando dentro da bolsa, distraída, caiu como uma peça de dominó em cima de Elaine, que perdeu o equilíbrio e acabou com o nariz enfiado no pênis do cavalo. Doris abria caminho com os cotovelos para assegurar seu lugar na frente do ônibus. Seus olhos se arregalaram quando Duncan agarrou um punhado de seu cabelo azul e a puxou para trás dele, salvando-a, por pouco, de um coice mortal.

Rob apertou meus braços com os dedos.

— Eu nunca, nunca me atrasei antes. Isso é totalmente antiprofissional — ele disse num tom duro e contido.

Senti uma pontada de irritação. Não estávamos *tão* atrasados assim.

Envergonhado e murmurando desculpas, Rob abriu a porta do ônibus e deixou que todos subissem a bordo. Eu, pra variar, fui deixada para trás, para lidar e pacificar a polícia. E, devo dizer, meu francês estava para lá de bom, considerando que não o usava desde a escola. Algumas palavras aqui e acolá com a Sargento Lancôme haviam me dado confiança para negociar, e eu estava negociando muito bem. Adorei a conversa. Na verdade, todo mundo já estava sentado no ônibus quando Rob gritou, pela porta, perguntando quanto tempo ainda ia levar. Dei tchau para Pierre, Jean Paul e Maurice, meus novos amigos policiais, e subi as escadas.

Rob ligou a seta e, devagar, conduziu o ônibus em meio à multidão de compradores camicazes apressados. Dei um último e alegre tchauzinho para meus companheiros da cavalaria e liguei o microfone.

— Desculpe o atraso — falei, pesarosa —, mas... infelizmente roubaram a carteira de Rob e tivemos que ir até a delegacia, para comunicar o roubo, por causa do seguro.

Houve uma explosão de comentários indignados. Bem, já esperava por isso, não é mesmo?

— Ainda bem que levávamos pouco dinheiro.

O ônibus fez a curva enquanto quarenta e oito pessoas expeliam profundos suspiros de alívio.

— Mas a carteira tinha grande valor sentimental.

Houve declamações audíveis de profunda simpatia e comiseração. As narinas de Rob se alargaram, e uma mancha rosa viajou pelo seu pescoço até as bochechas.

— Então, como estava dizendo, nós queremos pedir sinceras desculpas por tê-los feito esperar. É imperdoável, eu sei, e nós...

Fui interrompida veementemente por todos, que negaram que houvesse tido algum inconveniente. Que irritante! Eu estava prestes a enfeitar um pouco a história, acrescentando, talvez, uma carta romântica da pessoa amada, morta, à lista de itens roubados. Imagina só, uma antiga namorada, ou a tia favorita, teria escrito a carta no leito de morte, sabendo que nada mais poderia ser feito por ela. Que corajosa! Funguei ruidosamente, sentindo-me triste e chorosa. Funguei mais uma vez. Doris se inclinou, apertou meu ombro e me passou um lenço de papel. Assoei o nariz.

Rob levantou as sobrancelhas, preocupado.

— O que aconteceu? — perguntou.

Então me lembrei de que nada tinha realmente acontecido.

— Nada, alguma coisa entrou em meu olho — falei com leveza, penteando os cílios com o lenço de papel.

— Eles deveriam colocar esses bandidos no tronco — Doris disse vigorosamente.

— Sim — concordei, não entendendo o que as árvores tinham a ver com a história.

Tudo resolvido, folheei a *Vogue Paris* e mordi minha baguete de queijo, enquanto Rob lutava contra o tráfego da tarde.

De volta ao hotel, transamos que nem coelhos. Isso o deixou calado. Pode ter certeza.

CAPÍTULO 14

À NOITE, TODOS SERPENTEARAM para dentro do ônibus, barulhentos, prontos para mais uma noite na cidade. Sorri para Rob e me sentei.

— Você está ótima! — ele me cumprimentou com um sorriso, que fez meu coração disparar.

— Você também — respondi. Realmente ele estava deslumbrante. O sol apareceu por trás de uma nuvem, salpicando seu cabelo loiro com mechas cor de cobre, e uma sombra dançou pelo seu queixo fortemente esculpido, enquanto ele piscava. "Ele é tão lindo!", pensei, me derretendo toda.

Doris apertou meu ombro.

— Ele tem uma bela figura, querida — ela cumprimentou, acenando a cabeça na direção de Rob.

— Hummmm — Ellen concordou. — Ele parece o... Qual é o nome dele? — Ela tamborilou o dedo no queixo. — Errol Flynn!

— Não parece não! — Doris protestou. — Ele é a imagem do... Como ele se chama? — Ela tentou puxar o fio da memória. — Flash Gordon! Olha só para a testa e o queixo.

Rob enrubesceu.

— Flash Gordon era o garanhão em seu tempo? — perguntei.

— Com certeza — elas responderam.

Sorri para elas e me virei para voltar ao trabalho. "Preciso me lembrar de procurar o Flash Gordon na internet quando tiver tempo." Já sabia o que fazer com relação à excursão noturna. Tinha lido o guia de viagem do começo ao fim, enquanto Rob tomava banho. Era minha primeira chance de me exibir e mal podia esperar. Liguei o microfone com um movimento teatral dos punhos.

Doris empurrou meus ombros.

— Lobo em pele de cordeiro — ela disse, apontando para uma dama parada na esquina.

— Melhor que lobo vestido de lobo, se você quiser saber — Ellen retrucou, dando uma risada estridente.

Doris ouviu meu suspiro exasperado.

— Desculpe, querida. Continue — ela disse, batendo com a mão no microfone que eu tinha que desligar *toda vez* que ela se reclinava sobre o meu encosto. Respirei profundamente e comecei.

— *Bon soir tout le monde* — disse numa voz melodiosa. — Devo dizer que todos estão incrivelmente chiques. Parece que saíram das páginas da *Vogue*. É claro que andaram fazendo compras, mas quem pode resistir a tantas pechinchas e roupas bonitas?

— Duncan consegue resistir, querida — Alice gritou. — Ele esconde o dinheiro no bolso, envolto numa ratoeira.

Suspirei silenciosamente. Será que eu teria alguma chance de falar?

— Certo, Alice. É verdade — Duncan zombou.

Doris se virou para olhar para Alice.

— É mesmo verdade? Que boa ideia! Prenderia os dedos dos batedores de carteira, não é mesmo? Assim! — Ela bateu palmas para mostrar.

— Sim, mas isso não seria tudo que ele prenderia, não é mesmo? — Duncan retrucou com rudeza, medindo Doris com os olhos.

O queixo de Doris caiu.

— Ah — ela chiou. — Não, eu... eu acho que não — ela concordou, afundando-se na poltrona, de boca fechada pela primeira vez. Ellen lhe lançou um olhar reprovador.

— Cof, cof — tossi e bati no microfone, pedindo silêncio.

Doris deu uma guinada para a frente.

— Desculpe, querida, você estava dizendo... — ela se desculpou, acariciando meus cabelos.

Continuei.

— Hoje é nosso segundo dia na Cidade dos Amantes.

George imediatamente se levantou.

— Onde? — ele rugiu.

Revirei os olhos. "Dê-me forças", pedi.

Ellen empinou os seios quando cruzou os braços.

— Ele estava dormindo — ela me disse em tom confidencial.

George ficou em pé no centro do corredor. Quarenta e sete pessoas olharam para ele, ansiosas.

— Já chegamos? Não me diga que já passamos por lá — ele falou, em pânico.

Encostei-me de volta na poltrona.

— Passamos por onde? — exaltei-me, cheia de impaciência. Estava tentando fazer um discurso, um que fosse bem dinâmico.

— O bairro da luz vermelha? — ele perguntou, ansioso.

— Não, George, ainda não fomos lá. Iremos depois do jantar. Agora posso falar? — implorei.

— Desculpe — ele disse, massageando o coração. — Desculpem — repetiu, se dirigindo ao restante do grupo.

Quarenta e sete pares de olhos contemplavam o teto num silêncio reprovador.

Ele suspirou aliviado e voltei a se sentar.

Eu tinha esquecido o que ia dizer. O que era mesmo? Vi uma garota na calçada gritando no celular e me dei conta: fazia mais de trinta e seis horas que estava sem telefone. Engoli em seco. Lulu e eu corríamos pelo porão da Sellfridges ou dentro da Harrods procurando um bom sinal. É angustiante, mas pelo menos é por pouco tempo.

“Estou incomunicável”, pensei. Como isso não tinha me ocorrido antes? O que estive fazendo? Trabalhando que nem uma louca, é isso que estive fazendo. Que tipo de trabalho é esse em que não tenho um maldito minuto nem para mim mesma? Ninguém tem notícias minhas, nem eu dos outros, tudo porque estive muito ocupada fazendo a vontade de todas essas pessoas, eu...

— Evie! O que você estava dizendo? — Rob me interrompeu.

— Hum? Sim, sim. Eu estava, não é mesmo? Sim, ok. — Procurei o microfone, que tinha derrubado no colo. — Hoje vamos visitar o Quartier Latin, chamado assim por causa dos intelectuais e acadêmicos que estudaram por lá e que falavam latim, em vez de francês. O Quartier Latin é dominado pela imponente Catedral de Notre Dame, uma obra-prima da arquitetura gótica construída no século XII. Hoje turistas se aglomeram pelas suas ruas de pedra, margeadas por casas com varandas fechadas, boates com toldos na frente e lindas lojas enfileiradas. Eles vão assistir às mulheres fazendo a dança do ventre, músicos, malabaristas e mímicos ou frequentar um dos numerosos bistrôs da moda, cafés lotados e restaurantes estrelados do *Guia Michelin*.

Doris se debruçou. Assim, seu queixo ficava na mesma altura que o meu. Ela passou os dedos por baixo das alças de minha blusa e deu um pequeno puxão.

— Elas estão muito apertadas — sussurrou. — Eu as deixaria mais soltas.

Ellen apareceu do outro lado do meu rosto.

— Eu ajudo — ela ofereceu, mastigando uma bala. — Continue, querida.

Fechei os olhos, suplicando por paciência, e continuei.

— Vocês terão duas horas para explorar a área como quiserem, antes de nos reunirmos no ônibus. Ao anoitecer, Paris se transforma na Cidade das Luzes, deslumbrante e sedutora. Vocês descobrirão, por si mesmos, por que a mágica capital francesa é considerada a cidade mais romântica do mundo.

Doris fungou em meu ouvido.

— Você faz com que pareça uma história de amor — ela disse, nostálgica.

— É mesmo — Ellen concordou.

— Gosto dos seus brincos de argola, querida — Doris cumprimentou, girando uma delas.

— Eu também — Ellen concordou, mexendo na outra.

"Que se dane", decidi, arremessando o microfone de volta ao painel de controle. "Posso me exibir depois."

Estacionamos ao lado da Notre Dame e todos saíram do ônibus, passeando pela praça da catedral em animados grupos, vestidos para matar.

— Está com fome, minha princesa parisiense? — Rob perguntou, olhando-me, divertido.

— Sim.

Estava pensando num jantar íntimo, apenas nós dois. Sim, apenas nós dois na Cidade dos Amantes. Não é romântico?

Rob ficou em pé na calçada.

— Ótimo. Você gosta de bife com fritas?

— Adoro.

— Então vamos. — Ele estendeu os braços e me levantou dos degraus do ônibus. Ri enquanto aterrissava no chão de pedras. Rob colocou os braços à minha volta, agarrou meu traseiro e me puxou para perto dele. — Conheço o lugar perfeito — ele disse, travesso, e zarpamos.

"Velas, champanhe, luzes suaves e música", pensei. Uma onda de excitação subiu pelo meu corpo.

Alguns minutos depois, entramos no restaurante.

— Mesa para dois — Rob falou, alto.

O lugar estava lotado. O garçom grunhiu, assentindo, e se adiantou, com a cabeça abaixada, gesticulando para que o seguíssemos. Rob abriu caminho pela multidão, puxando-me atrás dele. O garçom nos mostrou a mesa, que era do tamanho de um descanso de *mouse*. Puxou a cadeira e uma das pernas caiu no chão.

— *Pas de problème*! — ele insistiu com malícia e, com um ruído abafado, colocou a perna de volta. — *Voilà* — sua voz ribombou e ele bateu a cadeira contra minhas pernas. Meus joelhos fraquejaram e eu caí na cadeira com um baque.

Rob pediu dois bifes com batatas fritas, antes de tirar o *blazer*.

— Isso vai apressar um pouco as coisas. Nada de folhear o menu — ele disse, alegre. Avaliou a multidão barulhenta, esfregou as mãos e se sentou pesadamente na cadeira. — Boa pedida! — disse, olhando para os lados.

Eu me remexi. A cadeira bamboleou. Boa pedida?

— Rob, aqui é muito barulhento! — gritei, tentando me fazer ouvir em meio ao estrondoso burburinho que vinha de um grupo de homens aglomerados em volta do bar.

Ele concordou com a cabeça, acalmando-me.

— Vai dar tudo certo quando o jogo começar — ele berrou, sorrindo. — Aqui se comem os melhores filés de Paris.

Franzi os olhos contra a fumaça. Jogo?

— E que jogo é esse? — perguntei.

Estávamos sentados tão perto que nossos narizes praticamente se tocavam. Ele esticou o pescoço e me beijou. Uma garrafa de vinho, um copo com suco de laranja e uma jarra com um conteúdo vermelho desconhecido foram jogados sem a menor cerimônia sobre a mesa.

— França contra Itália — ele me informou, com os olhos fixos na tela da TV atrás dele. E essa, eu juro, foi a última coisa que ele disse antes de me levar embora, duas horas depois.

Ele colocou o braço em volta de meus ombros e me abraçou, tirando meus pés do chão.

— Grande jogo. Pena que a França perdeu — ele disse, com irreverência.

Enfiei meu cotovelo em suas costelas.

— Preferia ter saído para jantar com Doris e Ellen — me exaltei.

— Você não pode estar falando sério — ele disse, gargalhando.

— Estou!

— Não está. — Ele escorregou a mão até a parte traseira de meu jeans e puxou a calcinha para fora.

— Na verdade, estou — gritei, estapeando sua mão.

Ele me empurrou até a frente de uma loja, abriu o zíper do meu jeans e galantemente arrumou minha calcinha.

— Não está — ele disse, me beijando com força.

Caminhamos de volta para o ônibus. Todos já estavam a bordo, alegres por causa da bebida, fedendo a alho e ansiosos para ir embora. Enquanto deixávamos a ilha, apontei para a Notre Dame magnificamente iluminada e para o Hotel de Ville, ladeado por chafarizes jorrando jatos de água prateada pelo ar.

— Que lindo! — Doris suspirou, apertando a bolsa contra o peito.

Dirigindo para o norte, em direção a Pigalle, pedi a Rob que virasse à esquerda, na rua St. Denis.

Ele arregalou os olhos, zangado.

— Não podemos levar os passageiros até lá — falou, horrorizado. — Não à St. Denis.

— Por que não? — Encolhi os ombros, indiferente. — É um lugar de grande interesse histórico. Você sabe, St. Denis data do século I. Nós devíamos ir. Afinal de contas, era a antiga estrada romana para Rouen.

— Você sabe muito bem por que não podemos ir. St Denis é cheia de prostitutas — ele continuou, tenso. — Mal posso acreditar que aceitei ir até Pigalle, com seus clubes de *striptease* e *sex shops*, mas St. Denis é dez vezes pior.

— Ai, Rob, não seja tão careta!

Ele apontou um dedo, me alertando.

— Não. É minha decisão final.

Desabei na poltrona, mal-humorada.

George, que tinha escutado nossa conversa, disse:

— Então, se você não vai me levar até lá, eu vou andando.

— Nós gostaríamos de ir até lá — Doris pediu.

Alice balançou a cabeça, desaprovando, e suspirou profundamente.

— Rob querido, não seja frio — ela disse, ligeira.

— Fria, sei, quem dera! Você é uma mala — Duncan resmungou, enquanto dormia.

Alice deu o bote.

— Não disse que eu era fria! Estava falando de Rob.

Duncan se sentou e deu uma boa olhada em Rob.

— Não sou frio — Rob se defendeu.

— Ele não é — concordei, com lealdade.

— Realmente, ficaria surpresa — Doris acrescentou com franqueza.

— Eu também — Ellen concordou.

— Vamos, Rob — pedi.

George se debruçou sobre o ombro de Rob.

— Filho, tenho 82 anos. Se vou ter um ataque do coração, quero que seja agora, aqui, nessa noite.

Os ombros de Rob desmoronaram, desesperados. Ele suspirou, diminuiu a marcha e sinalizou que viraria à esquerda. Um rugido alegre se fez ouvir quando o ônibus, desajeitadamente, fez a curva, saindo do Boulevard Sebastopol e entrando na rua St. Denis.

Contorci-me animada na poltrona, com os olhos arregalados e atentos. Três garotas faziam pose à esquerda, vestidas como prostitutas. Bem, é o que elas deveriam fazer, me lembrei, porque são prostitutas. Então imagino que elas estejam vestidas para o trabalho. Uma delas acenou para o octogenário George. Olhei para ela, sem acreditar, e depois olhei de soslaio para George. Provavelmente ele morreria se transasse com ela, não é mesmo?

— Não é bom provocar um homem na minha idade, querida. Primeiro, eu teria de achá-lo, depois fazê-lo funcionar. — George brincou, com a barbicha branca se torcendo de alegria.

Dei uma gargalhada.

— Faça funcionar — repeti e ri mais uma vez. — Faça funcionar! Ha, ha, hilário!

Doris concordou, com ar de entendida.

— Existe um remédio que pode ajudar — ela aconselhou. — *Loose Women*[14] tem uma linha aberta para ajudar pessoas como você.

— Não preciso de ajuda — George insistiu. — Preciso é de um transplante.

Doris se inclinou até alcançar o outro lado do corredor e deu um tapinha em seu joelho.

— Vale a pena, confie em mim — ela advertiu.

Minha testa se enrugou, pensativa. Ainda poderia esperar ansiosa por sessenta anos de transas pela frente ou será que Doris estava gozando da minha cara? É claro que ela não estava mais fazendo isso, né?

Ouvimos um forte toc toc toc na janela do motorista. Uma das garotas lutava para chamar a atenção de Rob, fazendo um gesto expressivo: levantou a blusa e mostrou os seios para ele. Engoli em seco; Doris e Ellen hiperventilaram, surpresas e excitadas; Alice bateu palmas, enlouquecida; Duncan rugiu numa gargalhada, assim como todos sentados atrás dele; George ofegou e agarrou o peito, com os olhos fora das órbitas; e Rob, bem, Rob continuou a olhar para frente, mudo.

Ele me lançou um olhar ameaçador. Enfiei o punho na boca para que ele não ouvisse minha risada. Podia dizer, pela expressão de seu rosto, que comentários engraçadinhos não seriam bem-vindos, mas o ônibus estava em polvorosa. Um grande número de gracejos espirituosos ponteava à minha volta, o humor estava se elevando, para falar a verdade, disparando. Estava sorrindo como uma idiota até notar uma lista de preços numa vitrine.

— Ei, Rob, vai devagar! Não tão rápido. — Levantei o traseiro da poltrona para olhar mais de perto.

[14] Programa diário da TV britânica em que quatro apresentadores fazem entrevistas e discutem temas atuais. (N. T.)

— O que está errado, querida? — Doris perguntou.

— Quero saber quanto as meninas cobram.

Doris procurou os óculos na bolsa.

— Uma fortuna! Estou sentada sobre uma fortuna! — Alice gritou, jubilante.

Duncan gargalhou:

— Você está sentada sobre uma massa de celulite, isso sim.

— Meu Deus! — Doris disse, dando uma risadinha. — Certamente vale a pena, não é mesmo? E pensar que durante todo o meu casamento com Alistair eu fazia de graça.

— De graça — repeti, pensativa. — Estou fazendo de graça! — Deixei escapar.

Rob acelerou fundo e aumentou o volume do CD player. *I love Paris in the springtime* explodia pelos alto-falantes.

— Um bom assunto para se pensar, não é mesmo, querida? — Doris cacarejou.

Deixamos St. Denis e subimos em direção a Pigalle, onde eu apontei para o famoso moinho vermelho, a marca do Moulin Rouge. O motorista rodou devagar pelos numerosos *sex shops* e boates deslumbrantes.

— Que cores lindas! — Doris disse aleatoriamente.

— Maravilhosas — Ellen concordou. Ela se inclinou e apontou, por cima de meu ombro, para uma vitrine cheia de vibradores. — O que é isso, querida? — ela perguntou, com a feição intrigada.

Uma expressão maliciosa apareceu no rosto de Rob. Ele levantou as sobrancelhas, com ar divertido.

— Sim, Evie, conta pra gente. Que diabo é isso? — ele perguntou, num tom mais alto que o necessário.

Senti que uma rajada de sangue corria pelo meu rosto. Duncan riu entredentes, Alice suspirou e a cabeça de George desapareceu dentro do colarinho. Eu podia ouvir risadinhas até no fundo do ônibus. Acenei com a mão, vagamente.

— É... eles... é... bem... são suportes para joias — disse e fiz um sinal com a cabeça confirmando.

Ellen assentiu com a cabeça.

— Ah, entendo. Você coloca as pulseiras em cima e os brincos na garra lateral. Acho que vou comprar um para mim. Um marrom para combinar com o paninho de crochê que fica em cima de minha penteadeira.

Contorci-me, com os olhos arregalados, e George fez o mesmo. Alice rugiu de rir, lágrimas escorrendo pela face. Ela apertou o braço de Duncan, bufou e gargalhou até chegar ao hotel.

— Acho que Alice é alcoólatra — Doris confidenciou para Ellen.

No final da noite, todos desceram, alegres, do ônibus, concordando que havia sido uma noite maravilhosa.

— Tudo deu certo — me vangloriei para Rob.

Ele marchou abruptamente pelo lobby, com a mão em minhas costas.

— Hummm, parece que sim — concordou a contragosto.

Alguns mais valentes se apoiavam sobre o balcão do bar. Doris nos viu e parou de beber.

— Evie, quer uma birita? — ela balbuciou, brindando a ninguém em particular.

Dirigi-me para o bar.

— Quero sim, por favor. Um gim tônica.

— Não, obrigado! — Rob retrucou, me rodopiando em direção ao elevador.

CAPÍTULO 15

NOSSO ALARME tocou às oito horas. Aconcheguei-me embaixo do cobertor, encostando o bumbum na barriga de Rob.

— Bom dia — sussurrei.

Ele riu entre os meus cabelos e me abraçou.

— Bom dia — ele disse, ainda grogue de sono. Acariciei os pelos loiros e macios de seu braço.

— Você sonhou? —perguntei.

— Sim.

— Com o quê?

Ele mordiscou meu ombro.

— Você e café da manhã.

Virei-me para olhar para ele. Algo estava me incomodando. Geralmente um encontro dura não mais que quatro a cinco horas, no máximo uma noite toda se você resolver dormir fora. Mas isso era diferente. Hoje era nosso aniversário de três dias. Ninguém vai a um encontro que dura três dias inteiros. Nós estávamos praticamente morando juntos. Ok, eu sei que é apenas um quarto de hotel, mas, mesmo assim, parece coisa séria. Nós tomamos banho juntos. Ele já me viu em situações constrangedoras: chorando copiosamente, pior ainda, totalmente embriagada, e, mil vezes pior, sem maquiagem. Atingimos um nível elevado de intimidade, maior do que apenas um *simples namoro*. Meu Deus, somos quase *um casal*, considerando a seriedade de meu compromisso ao longo desse fim de semana! E a meu favor, devo dizer que não corri atrás do maravilhoso gerente do hotel, não é mesmo? Aninhando-me nos ombros de Rob, massageei seu peito com a mão. O que me incomodava é que sabia muito pouco sobre ele. Na realidade, não sabia porcaria alguma, a não ser que era bom de cama.

— Posso lhe perguntar uma coisa? — arrisquei.

Ele puxou o cobertor sobre meus ombros.

— É claro, querida. O que quer saber?

— Qual seu sobrenome?

— Harrison.

Suspirei, pensativa. Senhora Harrison. Tudo bem. Quase gosto mais do que de Dexter. Sim, Evie Harrison. Lady Harrison... Ele pode ser nomeado cavalheiro. Acho até que existe o prêmio de Melhor Motorista do Ano. Sim, Harrison combina bem, decidi.

— Você tem irmãos e irmãs?

— Não, sou filho único.

Preciso me lembrar de procurar, mais tarde, por síndromes de filhos mimados.

— Mora sozinho?

— Sim.

— Onde?

— Birmingham.

Birmingham, ótimo. Há um shopping absolutamente maravilhoso por lá.

— Você já teve alguma doença sexualmente transmissível? — continuei.

— Não, nunca tive!

"Tudo bem", pensei, "só queria saber".

— Sabe cozinhar?

— Sim.

Maravilha!

— Você está endividado?

— É claro que não! — retrucou, bruscamente.

Qual é o problema? Não há nada de errado com isso!

— Você está com tesão?

— Sim — respondeu, me agarrando.

Saímos em disparada pelo lobby, dez minutos antes da hora marcada para nossa saída de domingo de manhã, para Versalhes. Ainda bem que o ônibus estava parado em frente ao hotel, do outro lado da rua. Escoltado por buzinadas ensurdecedoras, Rob manobrou o ônibus e estacionou na entrada principal. O bando alegre saracoteou ordeiramente até o veículo, armado com pacotes de balas, jornais de domingo, palavras-cruzadas, croissants e pães doces que haviam roubado do restaurante do hotel. Acenei para dois mendigos, sentados na frente de uma loja. Eles me responderam com um aceno elegante e saudaram com suas garrafas de vinho, de maneira teatral. Os franceses são realmente um povo cordial.

Todos sentados confortavelmente, passamos por várias feiras de rua e dirigimos rumo ao norte, saindo de Paris em direção a Versalhes. Era um dia gostoso, bonito, para falar a verdade. Estiquei as pernas e olhei com afeto para Rob. Ele me deu uma piscada sexy, soprei um beijo e me virei para olhar pelo corredor. Alguns passageiros me cumprimentaram e eu respondi. A atmosfera era de paz e tranquilidade. "Tenho feito grandes amigos aqui", pensei. Além disso, estou com um namorado bem bonito e um ônibus cheio de turistas joviais, e estamos nos dirigindo para Versalhes. Senti-me feliz com aquele formigamento de depois do sexo e...

Versalhes! Meus Deus! Estamos indo para Versalhes! Senti uma onda de pânico. A compreensão de que eu sabia muito pouco — não, eu não sabia nada — sobre o palácio ou a cidade caiu como uma bomba sobre minha cabeça. Havia me matado de estudar Paris e acabei me esquecendo de Versalhes. De repente, o silêncio era desolador. Quarenta e oito pessoas esperavam que eu dissesse alguma coisa. Olhei para Rob. Estava tudo bem com ele. O ônibus quase podia se mover sozinho, além disso, todo mundo sabe dirigir, até Lulu. Tenho certeza de que poderia dirigir um ônibus tranquilamente. O trabalho dele é o mais fácil de todos. Mordi a caneta. O que poderia dizer? Doris estava cantarolando irritantemente. Nem o cientista mais inteligente do mundo conseguiria se concentrar com alguém cantarolando em seu ouvido durante o dia todo. Como eu poderia pensar desse jeito? Dei um tapa na testa. Pense, pense! A melodia se intensificou. Tive vontade de arrebentar o cérebro dela. Só precisava de dois minutos... Apenas dois minutos para pensar!

— Uma tragédia, uma grande tragédia. Que desperdício! — Ellen disse.

Doris parou de cantarolar.

— O que você está dizendo? O que aconteceu?

Ellen amassou as páginas da revista vigorosamente.

— Rock Hudson era gay.

Doris arquejou.

— Não era, não.

— Era sim.

— Não era.

— Era.

— Não era.

— Era.

— Me dê essa revista! — Doris ordenou.

— Não, compre uma para você.

— Mas fui eu que comprei!

Doris deu um bote, tentando pegar a revista. Houve um curto e violento farfalhar de anáguas engomadas e saias de *tweed* antes de Ellen gritar:

— Fique com ela!

Ah, já sei! Poderia acontecer uma falha técnica. Isso acontece o tempo todo em shows. Agarrei o microfone, afundei na poltrona, aproximei-me da janela e dei uma olhada de lado para ver se estava fora da linha de visão de Doris. Ótimo, ela não estava olhando. Melhor, Ellen e Doris ainda estavam discutindo se Rock Hudson era gay.

— Bom dia! — disse, animada, e fui premiada com um coro de vozes melodiosas me saudando de volta. — Hoje vamos visitar o maravilhoso Palácio de Versalhes e...

Thwap, thwap, thwap. Um som horrível ecoou pelo ônibus, enquanto eu golpeava brutalmente o microfone contra a janela. Afundei-me mais e arranhei o vidro com o salto da sandália. Screech, screech.

— Ah... vocês... podem... me... ouvir? — perguntei, ansiosa.

Meu rosto bateu no vidro da janela quando Rob fez uma curva perigosa à esquerda. Mais duas pancadas. Thwap, thwap. Eu me encolhi diante de seu olhar inquiridor, mas é preciso fazer o que é preciso fazer. Screech... screeeeeech.

— Hum... testando... um, dois, três — tagarelei, para a crescente surpresa de Rob.

Thwap, thwap... screech... thwap... Meus joelhos estavam queimando de ficar ajoelhada no degrau. "Mais duas batidas apenas, para garantir", pensei. Thwap, thwap. Coloquei o microfone de volta no painel e me levantei para encarar todos. Franzi o cenho, consternada, e balancei a cabeça.

— Eu sinto muito. Aparentemente estamos com um problema no sistema de som. — Suspirei com cuidado, apertei a garganta e comecei a tossir pesadamente. — Não quero gritar todo o caminho até Versalhes. Vou ficar rouca, mas preciso tentar — respirei profundamente e engoli com dificuldade. — O Palácio de Vers..

Doris jogou a revista na cara de Ellen, levantou-se da poltrona e arremessou seu um metro e meio de altura até o centro do corredor.

— É claro que não pode, querida. Você vai ficar doente! — Puxou meu braço. — Sente-se agora! — Ela se dirigiu para o restante do ônibus: — Ela é muito consciênciosa, um cordeirinho manso é o que ela é.

Não precisou de mais nada. Quarenta e sete pessoas, muitas massageando os ouvidos que zumbiam, foram unânimes em concordar que eu era mesmo um cordeirinho manso consciencioso e que, de maneira alguma, deveria forçar minha garganta e ficar rouca. Então, não me restava mais nada a não ser ficar sentada, obediente, e folhear as páginas da revista *Hello!* até o fim de nossa viagem, enquanto chupava uma bala de limão que Doris havia enfiado em minha boca.

Quando chegamos a Versalhes, resolvi deixar o grupo à vontade para fazer o que bem quisesse e fui em direção às lojas, procurar um guia de viagem. Corri para o palácio e grudei num grupo de americanos que havia contratado um guia particular. Honestamente, achei o guia bem sem graça. De qualquer maneira, no final da excursão, sabia mais sobre Versalhes do que pela manhã.

Andei de volta para onde o ônibus estava estacionado. Rob estava sentado num café, lendo *The Independent*. Acho que ele deve ser seu único leitor. Nunca tinha visto ninguém comprar esse jornal.

Dei um soco no jornal.

— Boo, voltei! — falei, animada, dando-lhe um grande beijo.

Ele me olhou com desaprovação.

— Você poderia ter quebrado o microfone.

— Quebrei?

Ele dobrou o jornal.

— Não — admitiu sem entusiasmo.

— Então pare de reclamar.

Ele deu de ombros.

— Você não poderia ter contado que nunca esteve em Versalhes? Não teria sido mais fácil que ajoelhar no degrau e massacrar o microfone contra a janela? Com a saia levantada até a cintura, um dos pés descalços, arranhando o salto na janela e deixando uma marca escura que eu levei meia hora para limpar?

Lancei um sorriso apaziguador e me sentei a seu lado.

— Já passou da hora do almoço. Me peça uma taça de vinho.

Mais tarde, enquanto dirigíamos de volta para Paris, sugeri que aproveitássemos as maravilhosas instalações disponíveis no hotel. Falei que eles deveriam visitar o *spa*, quem sabe jantar em um dos três restaurantes do hotel ou dar uma tranquila caminhada noturna. O consenso parecia ser: "Vamos todos nos encontrar no bar".

— Você nos uniu, Evie — Ellen elogiou. — Sei a diferença entre um guia que se preocupa e outro que mal pode esperar para voltar para casa. Os dois jovens se unirão a nós?

— Oh, não sei. Temos de preencher uma papelada — menti. Talvez estivesse falando a verdade. Eu acho que precisava preencher alguns formulários, os quais estavam empoeirando em casa.

Ellen concordou, com simpatia.

— Você nunca para, não é mesmo, querida? Deve haver sempre muito o que fazer nos bastidores.

Nessa noite, Rob e eu pedimos dois *club sandwiches* ao serviço de quarto, abrimos uma garrafa de vinho e caímos na cama. Ajeitamos os travesseiros e nos recostamos na cabeceira.

— Estou curiosa... — falei, erguendo as sobrancelhas.

Ele me estudou por cima da borda do copo.

— Curiosa sobre o quê?

— Bem... — parei, um pouco hesitante. — Você parece ter um suprimento inesgotável de camisinhas, daí pensei se... er... se essa situação, essa situação de "dormir com a guia de turismo"... bem, isso acontece sempre? Ou você compra em grande quantidade e joga as caixas na mala, como um escoteiro que deseja estar preparado para qualquer situação?

— Oh! — Rob deu uma risadinha. — Bem, você é a terceira guia em oito anos, então não posso considerar que isso aconteça sempre. E eu não sou escoteiro. Comprei na balsa — admitiu.

— Na balsa? — levantei a voz. — Por que fez isso?

Ele sorriu maliciosamente.

— Estava com esperança. E otimista. E com tesão. E gostei loucamente de você.

Dei um tapa em sua coxa.

— E safado — disse com altivez. — Então, enquanto eu estava em estado de choque e sob ameaça de ser deportada, você estava pensando em transar comigo?

Ele sorriu.

— Sim, pra ser bem honesto, estava.

— Muito bem — eu o congratulei. — Ainda sobrou alguma?

CAPÍTULO 16

Segunda-feira de manhã e o lobby do hotel parecia a estação de Waterloo, com três grupos fechando as contas ao mesmo tempo. Levei dez segundos para entender que deveria ter avisado a todos para fazerem isso na noite anterior, antes de irem para os quartos. Os grupos italiano e alemão jogaram as chaves dos quartos no balcão da recepção e marcharam, elegantemente, para a saída. Contrastando, meu bando lutava para ser atendido, brandindo euros e cartões de crédito, e não conseguia chamar a atenção dos funcionários.

Do lado de fora, Rob estava encostado no ônibus, esperando, impaciente, com o bagageiro aberto.

— Você deveria ter falado para todo mundo fechar a conta ontem à noite — ele disse.

— Cala a boca! Eu sei.

O ônibus estava lotado até o topo. De onde veio toda essa bagagem extra, não faço a menor ideia. Saímos chacoalhando do estacionamento, rodamos para fora de Paris, pegamos a autoestrada e viajamos em direção ao Eurotúnel.

Passei fácil pelo controle de passaportes, tanto quando saí da França como quando entrei na Inglaterra, explicando que tinha deixado meu passaporte no hotel em Paris e que ele seria enviado pelo correio para mim. O tempo passou rapidamente e já estávamos saindo de Folkestone e nos encaminhando para Londres. Estava rabiscando fervorosamente algumas palavras, tentando compor, sem sucesso, um discurso de despedida. A lixeira estava repleta de tentativas fracassadas.

"Rob e eu..." Não, isso é péssimo! Pareço a rainha.

"Chegou a hora de dizer adeus..." Não, isso também é ruim.

Surgiu na minha mente a imagem do padre no funeral de meu avô. Mordi a caneta. "Como isso é difícil!", pensei, com a testa enrugada. Um pequeno peteleco na minha bochecha quebrou minha concentração.

— O que você está fazendo, querida?

— Escrevendo um discurso de despedida.

Doris afagou meu ombro com afeto.

— Não ligue. Encontros e despedidas vêm do coração.

Virei-me para olhar para ela.

— É mesmo?

Seus olhos se arregalaram.

— Sim, e, além disso, você não tem mais tempo. Acabamos de chegar a Victoria.

Joguei minha última tentativa na lixeira, levantei o microfone e subi o degrau até o nível dos passageiros. Estava nervosa e apreensiva, tímida até, o que era um absurdo, considerando que tinha tagarelado como uma palhaça com essas pessoas durante todo o fim de semana. Noventa e seis olhos piscavam, ansiosos. E lá estava eu de pé e com as faces em fogo.

— Aqui estamos, de volta ao ponto inicial — consegui falar suavemente. Olhei ansiosa para Doris, que estava empoleirada na quina da poltrona, com as pernas curtas balançando no corredor central. Ela sorriu e me encorajou, com um aceno de cabeça. — Gostaria de dizer que foi um prazer conhecer todos vocês e queria agradecer por terem tornado esse fim de semana tão agradável!

Ellen, com os olhos flamejantes de emoção, jogou as mãos para cima, mostrando que compreendia.

Alice suspirou.

— Ahhhh, que amor você é, querida! — E me deu um sorriso radiante. — Ela não é um amor? — Cutucou o braço de Duncan. — Você é surdo? Eu fiz uma pergunta! — Ela o desafiou, virando-se para ele.

Duncan deu um tapinha em sua perna.

— Cala a boca, Alice! Sim, ela é um amor. Agora deixa a garota terminar de falar.

Apertei o microfone, tensa.

— Rob e eu adoramos cada minuto, e nós... interrompi, piscando furiosamente e com os lábios tremendo. — Nós vamos... nós vamos... vamos sentir, nós vamos sentir falta... de vocêêêssss.

E caí no choro. Não foram fungadas discretas ou um choramingar sutil. Não, nada disso. Isso teria sido ótimo. O choro veio do âmago e meus ombros tremiam enquanto eu soluçava. Ajudada pelo microfone, eu soava como uma morsa transando. Começou a desordem. Duas colunas de rostos, até agora felizes, retesaram-se de preocupação. Doris e Ellen gritaram horrorizadas, pularam da poltrona e jogaram os braços em torno de mim.

— Ohhhh! — arquejei, em busca de ar.

Alice saltou, de barriga, sobre duas poltronas. Ela caminhava engatinhando sobre os encostos das poltronas. Agarrou o ombro de Ellen para se equilibrar e se esticou para afagar minha cabeça.

— Hu, hu, hu, hu... — eu soluçava.

— Ah, querida, não fique assim, não fique assim! — Alice ofegava com falta de ar, espalhada sobre três assentos, com Duncan abraçando suas pernas para evitar que mergulhasse de nariz no chão. Ela oscilava porque Ellen, em quem Alice se apoiava, procurava algo na bolsa, até achar uma bala cheia de pelos que empurrou para dentro de minha boca.

— Você precisa de açúcar — ela falou, aflita.

— Rob, pare esse ônibus agora! — Doris mandou.

Formou-se uma "ola" mexicana enquanto lenços de papel passavam rapidamente pelo corredor. Ellen agarrou um monte deles da mão de Elaine e, enlouquecida, levou desajeitadamente um deles até meu nariz.

— Assoe, querida!

Obedeci.

Alice oscilou mais uma vez.

— Duncan, eu vou cair. Me seguuureee!

Rob parou o ônibus.

Eu continuei uivando.

Com um suspiro tenso e indulgente, Rob me separou de Doris e Ellen e me levou, tropeçando, para fora do ônibus. Quando alcancei o chão, virei-me e escondi o rosto em seu peito, joguei meus braços em volta do seu pescoço e solucei de novo.

— Você tem as chaves do bagageiro, meu filho? — Duncan perguntou, envergonhado. — Você cuida de Evie e eu vou descarregar as malas. — Ele apertou meu ombro com compaixão.

Rob retirou as chaves do bolso e deu para Duncan.

— Shhh, vamos lá — murmurou com afeto, entre os dentes cerrados. Os soluços diminuíram um pouco, enquanto eu assoava o nariz. Um suspiro profundo e lá estava eu de novo. Rob tentou me consolar, abraçando-me amorosamente.

Os passageiros, depois de Duncan e George entregarem suas malas, caminhavam atordoados e tristes. Como pessoas que participassem de um funeral, eles se moveram para oferecer as condolências a Rob, apertando sua mão e dando tapinhas nas costas.

Finalmente, eu estremeci e me calei, exausta. Agarrei o braço de Rob, acenando trêmulos adeus com o lencinho branco.

Alice enfiou um cartão com seu endereço em meu bolso.

— Vamos continuar nos falando — ela disse, calma.

— Sim. — Solucei. — Vamos.

Seu braço enlaçou meu pescoço.

— Eu sei que todo mundo fala isso — ela sussurrou em meu ouvido —, mas estou falando sério. Tive um fim de semana fantástico e quero encontrá-la “fora do trabalho”, como eles dizem. Você gostaria?

Fiquei comovida com sua sinceridade.

— Vou adorar — respondi, sincera.

Ela riu, deliciada.

— Ou então posso surpreendê-la e aparecer quando você menos esperar.

— Vou gostar disso também — eu disse, sorrindo.

Doris afagou minha bochecha.

— Nós vamos sempre nos lembrar de você — ela disse, com os olhos cheios de lágrimas.

— Eu também.

— Até nosso próximo encontro — Ellen sussurrou, fungando forte.

— Combinado — funguei de volta.

Por fim, eu e Rob ficamos sozinhos. Eu assoei o nariz em seu lenço marcado com um monograma e o devolvi para ele.

— Não vou aguentar. Vou sentir tanta falta deles! Vai ser assim toda semana? A preocupação, a tristeza, a despedida? — lamentei.

— Pode ser diferente. Entre no ônibus! — ele ordenou, me empurrando. — Não vou dirigir até Birmingham. Estou morto de cansado, então estou me convidando para ir à sua casa. Tooting, não é mesmo?

Sentei-me, trêmula, na poltrona.

— Aqui, conte isso — ele disse, jogando alguma coisa em minha mão. Era um pacote gordo de dinheiro.

— O que é isso? — perguntei, surpresa.

— Gorjetas — ele sorriu, triunfante.

— O quê?

— As gorjetas que os passageiros deixaram para nós — ele riu. — Mudei de ideia. A sua *performance* não tem preço. Se você puder repeti-la toda semana, vamos nos aposentar aos trinta e cinco anos.

Olhei estupefata para o imenso pacote sobre meu colo, limpei o nariz com a manga da blusa, fiz um leque com as notas e sorri animada. Deus do céu, Selfridges, aqui vou eu! Não, Harrods! O que estou dizendo? Galeria Lafayette, é claro.

Com a cabeça inclinada, comecei a olhar para as notas.

— Vinte, trinta, trinta e cinco, quarenta, cinquenta...

— Duncan foi prestativo — Rob afirmou, enquanto sinalizava que entraria na avenida.

— ... noventa, cem... — Enruguei a testa. — Duncan? Quem é ele?

CAPÍTULO 17

Depois de passar cinco minutos martelando a campainha e o que pareceu um agonizante e longo tempo batendo na janela da sala, finalmente cheguei à temida conclusão de que Lulu não estava em casa.

Rob cutucava minhas costas.

— Quer dizer que você não tomou nenhuma providência para pegar de volta sua chave? Mesmo sabendo que estava trancada para fora?

— Achei que ela estaria em casa — falei, na defensiva. — Ela sempre está em casa na segunda-feira.

— É mesmo? Mas não essa noite — disse, como se explicasse algo muito simples para algum débil mental. Ele se encostou na parede, com os braços cruzados, vigilante. — Então — ele falou arrastado — você não teria, por acaso, um Plano B?

"Vou matar Lulu", pensei. "Onde diabos ela estava?" Mordi o lábio, frustrada.

— E então? — ele desafiou.

Fiquei zangada.

— Estou pensando. Cala a boca.

Bati meu dedo no batente da porta e comecei a contemplar uma estratégia genial quando...

— Evie, Lulu me pediu para lhe entregar isso.

Rodopiei e vi Harry, vestido com seu pijama listrado de azul e branco, carregando Lucsie. Ele balançou as chaves na minha frente e eu as tomei de sua mão estendida.

— Muito obrigada, Harry! — eu disse, enquanto ele ia desaparecendo pelo corredor.

Marchei resoluta pela entrada e para dentro do apartamento, deixando Rob lutar com as malas. Entrei no quarto, onde o conteúdo de minha bolsa estava espalhado em cima da cama. Peguei correndo o celular.

— Argh! — praguejei. Estava mortinho da silva, como minha tataravó. Meus olhos escanearam o quarto à procura do carregador. Caí de joelhos, engatinhei até a penteadeira e me atrapalhei tentando ligá-lo. Engatinhando de volta, recolhi dois pares de calcinhas e um biscoito de chocolate cheio de pelos, e gritei quando esbarrei em Rob. Apoiei em suas pernas para ficar de pé e olhei para ele.

Se já não o conhecesse, pensaria que ele estava dormindo em pé ou meditando, mas não era o caso. Ele apenas estava chocado com a bagunça. Confesso que a coisa estava feia, mesmo para os meus padrões, mas, sendo justa, eu tinha saído correndo e Lulu obviamente deve ter passado o fim de semana entrando em casa e saindo dela. Lexy também esteve aqui para pegar emprestado minha jaqueta da Whistles e provavelmente as gêmeas ficaram brincando com minha maquiagem.

Deixei-o fazendo sua reflexão silenciosa e valsei até a sala. Ele veio se encontrar comigo alguns minutos depois, ainda chocado. A luz piscava na secretária eletrônica. "Ótimo, mensagens! Estou de volta!" Apertei o botão animada. Dink, dink, dink. Um dink apenas teria sido suficiente, mas, como eu disse, estava animada.

Beep.

— Aqui é a Lulu. Estou fazendo um curso em Bracknell. O Serviço Nacional de Saúde é tão pão-duro que me reservou um quarto num hotel infestado de ratos. — Abaixando a voz, continuou, apressada: — David está aqui. Eu não gosto mais dele, nem um pouquinho, não mesmo, e nem é porque ele me deve dois orgasmos. Ontem ele usou um suéter com algum tipo de animal na frente. Acho que era um guaxinim. Ele ficou parecendo um idiota... Vou tomar uma margarita!... Estamos tomando alguns drinques... É claro que eu quero gelo. Sinceramente, a Louise é muito burra. Onde está o gelo?... Ha! Aposto que você transou com o motorista, não foi? — ela guinchou.

Corri para a secretária, mas Rob foi mais rápido e me dominou pelas costas.

— Não tão rápido — ele riu, prendendo meus braços ao lado do corpo.

Rangi os dentes.

— Acho que você teve sorte de não ter conseguido um emprego de astronauta, não é? Ha, ha! Você não teria conseguido tirar a calcinha tão rapidamente se estivesse flutuando numa cápsula, teria? Oh! Desculpe a bagunça em seu quarto, mas houve um pequeno ataque. Por um minuto, fiquei preocupada que você tivesse sido sequestrada, porque sua bolsa Louis Vuitton estava no chão e ela esteve grudada em seu ombro desde que você a comprou. Entããããoo... Eu a peguei emprestado! Bom, nos vemos amanhã. — Depois, pensando melhor, ela acrescentou: — Você roubou meu sapato azul? Você deveria ter perguntado antes!

Beep.

— Evie, aqui é Nikki. Você vai trabalhar no bar na próxima quinta? Papai quer tirar o dia de folga e preciso de você aqui na hora do almoço, até as oito da noite. Mas acho que a vejo antes disso.

Beep.

— Minha amada irmã, me ligue. Me ligue no minuto que você chegar. De preferência, um segundo depois. É urgente.

Pressionei o número de Lexy na discagem rápida.

— Sou eu — anunciei sem preâmbulos. — Qual é a questão de vida ou morte?

— Você voltou. Fantástico! Eu, bem, estou feliz que você tenha voltado. Sim, está em casa e, bem, sã e salva... — Lexy balbuciava num tom estridente. — Não se preocupe! Não é nada. Preciso correr. — Ela desligou.

"Que estranho!", refleti. "Ela é estranha, então essa explicação já basta."

Rob estava atrás de mim, massageando meus ombros e mordiscando minha orelha.

— Então sua colega é clarividente? — ele perguntou.

— Por quê?

— Se ela não é médium, ou ela estava escondida debaixo de nossa cama de hotel (e francamente acho que teria notado) ou você tem uma boca do tamanho do Túnel Dartford.

Livrei-me dele.

— Não seja bobo! Todo mundo faz fofoca. Leve as malas para o quarto enquanto eu abro uma garrafa de vinho. Que tal um drinque rápido, um longo banho e cama?

Seu rosto se iluminou.

— Perfeito.

Pelo menos a sala estava arrumada e não havia louça na pia, pensei, enquanto andava pela cozinha. Abri a porta da geladeira à procura de um deliciosa travessa com frutos do mar frescos ou algo do gênero. Não tive sorte. De repente, vislumbrei algo dourado na gaveta de vegetais, entre um pepino e um maço de rúcula. Ah, o que é isso? Em júbilo, escavei uma solitária garrafa de champanhe. "Deve ter sido um presente da Lulu por eu lhe ter emprestado minha Louis Vuitton durante o fim de semana", disse para mim mesma. Arranquei duas taças do armário e cambaleei pelo corredor, carregando o balde de gelo. Rob estava sexy deitado no sofá, tendo tirado os sapatos, o paletó e a gravata.

— Deixe-me ajudá-la — Rob falou, levantando-se para ajudar. Ele depositou com cuidado o balde em cima da mesa de centro e olhou para a marca da garrafa. — Muito bom. O que estamos celebrando?

Sorri.

— Nossa volta para casa.

Aconcheguei-me no sofá e observei enquanto ele abria a garrafa. Sem nenhuma sombra de dúvida, ele tinha o traseiro mais bonito que eu já havia visto. Não era muito roliço nem muito achatado. Era grande, parecia..., parecia... uma manga grande. Franzi o cenho e me inclinei para o outro lado do sofá para conseguir uma visão melhor. "Sim definitivamente , esse traseiro é..."

— Já lhe perguntei três vezes!

Pulei.

— Ahn, o quê? Desculpe.

— Por que tem onze revistas sobre pesca em cima da mesa? — ele perguntou, me passando a taça.

— Ah, não sei. Devem ser da Lulu.

— Ela pesca?

— Por Deus, não! Por que ela faria isso? Tem muito peixe em Sainsbury, se ela precisar de algum.

Ele rolou os olhos para o teto.

— Pensei que ela fosse apaixonada por pesca, depois de ter visto tanto interesse literário, e que ela mesma fosse uma pescadora. Quem sabe ela está pensando em fazer isso?

Ri tanto que quase perdi o fôlego imaginando Lulu, com um batom numa das mãos e uma vara de pescar na outra, sendo tragada para dentro do rio por um peixe.

— Ela compra todo tipo de besteira. Confie em mim, é mais fácil ela fazer bruxaria do que pescar.

Ele se abaixou lentamente, para se sentar a meu lado, e estendeu o braço atrás do sofá.

— É adorável. Muito aconchegante, parece muito, bem, muito com você — ele disse, baixinho, elogiando a sala.

Depositei minha taça na mesa com cuidado e deslizei, sedutora, até a janela, para fechar a cortina.

— Então... — suspirei, rodopiando graciosamente em direção a Rob. — Finalmente sós.

Ele passou os dedos pelos cabelos louros espessos e deu um tapinha no lugar a seu lado.

— Vem cá — convidou, com voz sedutora, me puxando.

Caí em cima de seu colo.

— Melhor ainda — ele disse, apertando os braços a meu redor.

Olhei bem para seus olhos azul-escuros. Ele mordiscou a ponta de meu nariz. Quando falou, sua voz estava rouca e suave:

— Você fez um trabalho brilhante! — ele disse, abrindo um grande sorriso. — Mas um pouco não convencional.

— Ah, não foi nada — me gabei, encolhendo o ombros como se não ligasse. — E... o que você quer dizer com não convencional?

— Não estou falando isso porque você esqueceu seu passaporte, ficou bêbada como um gambá, foi detida por suspeita de roubo, levou os passageiros para a zona de prostituição, ou pelo fato de mentir toda vez que lhe dá na telha — ele repreendeu. — Nem estou falando sobre o fato de que você quase esmigalhou a janela do ônibus e quebrou o microfone.

Engoli minha irritação. Francamente, houve momentos, durante o fim de semana, em que pensei se não teria feito um trabalho melhor se dirigisse aquele ônibus sozinha! Ok, sei que não sou boa em andar de ré, mas, pelo que eu me lembre, ele também não andou.

Rob me puxou para perto, colocando com firmeza minha cabeça sob seu queixo.

— O que estou querendo dizer é, bem... — Ele hesitou. — Você fez amigos. Você se deu ao trabalho de conhecer todas as pessoas. Nunca havia trabalhado com um guia que se interessasse em aprender os nomes dos passageiros. E admito que eu também nunca tentei. Não via nenhuma necessidade de fazer isso. Você fica com eles por pouco tempo, faz seu trabalho e adeus. Mas você, bem, você os uniu.

Sorri e fiquei vermelha. Estava a ponto de dizer quão excelente motorista ele era quando... ding-dong, a campainha soou. Levantei do seu colo.

— Vou me livrar de quem quer que seja. Não vai levar nem um minuto. Fique à vontade — eu disse, deslizando meu dedo pelo seu queixo.

— Eu estou à vontade.

Inclinei os seios em direção a seu rosto.

— Use sua imaginação para ficar ainda mais à vontade — falei com uma voz rouca, cheia de desejo, e pisquei, sedutora.

"Estranho!", pensei, enquanto andava em direção à entrada do prédio. "Não consigo ver ninguém pela porta de vidro." Penei para abrir o trinco, mas, com um último puxão, ela se abriu. Coloquei minha cabeça para fora e vi... nada.

— Oláááááá.

Com certeza, era a voz de Lexy. Procurei à direita, sobre o muro do jardim, pensando que talvez ela estivesse estacionando o carro.

— Oiiiiiiii.

"Ah, cá está ela, saindo de um táxi preto. Merda, ela deixou o Graeme de novo!" Toda vez que ela deixa o Graeme, ela chega de táxi. A mais nova mãe solteira, a mais sensacional e melodramática, cambaleando para fora de um táxi, com duas crianças embaixo do braço, carrinho de bebê, sacolas e malas jogadas de qualquer maneira na calçada, enquanto ela chora e tenta encontrar moedas na bolsa. Parece *Kramer versus Kramer* e, geralmente, me custa uma pequena fortuna em vinho e *delivery*. Suspirei e desejei, não pela primeira vez, ser filha única. Teria adorado!

— Desculpe! Volto logo! — ela gritou, sentada confortavelmente dentro do táxi. Fechou a janela, bateu no vidro que separava o passageiro do motorista e o táxi partiu. Abracei a porta e me inclinei para a frente, vendo o carro disparar, até desaparecer no horizonte.

Estremeci. Não tinha tempo para ela. Rob estava me esperando... Senti que alguém puxava a barra de minha saia. Olhei para baixo. *As gêmeas*. Abafei um grito. Lauren, minha garotinha, e Beckey, o demônio, estavam na minha frente, uma ao lado da outra, vestindo camiseta branca, macacão de brim azul e tênis rosa brilhante. As duas carregavam uma mochila na forma de um coala marrom e empurravam uma mala da Barbie, que rangia bastante. Fiquei enjoada.

— Para você — Becky disse, com orgulho, e me passou uma caixa de cereais de chocolate. Ela cruzou os braços, triunfante. — Nós agora moramos aqui — ela anunciou.

Meu coração disparou. As gêmeas, ela me deixou com as gêmeas. O que eu fiz para merecer isso?

Lauren segurava uma boneca, embalando-a amorosamente. A cabeça do coala que era sua mochila ficava balançando à medida que ela embalava, com energia, a boneca de um lado para outro, e Becky fumava um grissini de queijo, o que não era incomum.

— Você fuma? — ela me perguntou.

— Não, eu não fumo — me exaltei e enfiei a caixa de cereal debaixo do braço.

— Eu fumo — ela retrucou. — Eu fumo há anos.

Entreabri a porta e as coloquei para dentro. As rodinhas do par de malas da Barbie rangiam enquanto passavam pelo corredor de entrada: Lauren balançando a boneca e Becky comendo o grissini. Aproximei-me do apartamento e, com a palma da mão, abri a porta e fiz uma mesura, um gesto em arco, convidando-as para entrar.

Lá estava Rob, maravilhosamente estendido em frente à lareira, cotovelo apoiado no chão, a mão segurando o queixo, sorrindo e pelado. Uma expressão de terror apareceu em seus olhos e seu queixo esculpido caiu, enquanto ele lutava para se cobrir com uma de nossas novas almofadas creme. Lauren deu um grito horripilante e agarrou minha perna, escondendo o rosto em meu quadril. Becky, ao contrário, encostou-se no batente da porta, braços cruzados, acenando a cabeça em aprovação.

— Quem é ele? — ela perguntou, jogando o grissini no carpete e, depois, pisando-o com o tênis cintilante.

— Evie! — Rob falou, num tom estridente.

Manquei até o sofá — foi tudo o que pude fazer, já que Lauren estava grudada em minha perna — e peguei suas roupas. Arremessei-as em sua direção, por sobre a mesa de centro, e apressei as crianças para irem até o quarto guardar suas roupas.

Estava desmoronada contra a parede do quarto.

— Para onde foi a mãe de vocês? — perguntei, esperando, aterrorizada, pela resposta.

— Para Viena comprar brinquedos. — Becky me informou.

Empalideci. Viena!

— Por quanto tempo? — perguntei, cautelosa.

— Dois anos — Becky anunciou, escalando a cama.

Meu estômago se contorceu de ansiedade.

— Dois dias — Lauren corrigiu, com a boneca agora pendendo frouxa da sua mão.

Becky se ajoelhou como um pequeno gnomo e colocou as mãos entre as coxas. Seus olhos avaliaram minha penteadeira.

— Quero ficar aqui para sempre. Feliz para sempre, se eu gostar — declarou, animada.

Rob, já vestido, surgiu à porta. Olhei para ele e acenei, convidando-o para entrar.

— Ei... venha conhecer minhas sobrinhas. Essa é a Becky — apontei — e essa é a Lauren.

— Que. Bom. Conhecer. Vocês — ele pontuou, como se elas sofressem de algum problema auditivo ou não entendessem inglês.

Apontei para Rob.

— Esse é, esse é... o meu namorado — apresentei.

Lauren olhou para ele com olhos arregalados e a boca aberta.

— Outro? — Becky franziu o cenho. — Papai diz que você tem vários.

Chutei o carpete, enfurecida.

— É mesmo? Tenho certeza de que ele estava falando de outra pessoa — disse, brava.

A dúvida estava estampada nos olhos dela.

Rob bufou ruidosamente.

— Vários — ele repetiu.

— Bem — tentei mudar de assunto —, que legal, estamos os quatro juntos. Vamos ver televisão? — sugeri, com o coração pesado e dando um grande suspiro.

Alguns minutos depois, Rob e eu sentávamos desanimados nas pontas do sofá, com as crianças no meio. Lexy, é claro, não atendia a seu telefone. Quer dizer, o do marido. Sem surpresas até aqui. Lancei meu celular em cima da cadeira e enfiei a champanhe goela abaixo.

Nós assistimos a *Operação Cupido*. Rob olhava fascinado para Becky, enquanto ela voltava nove vezes a cena em que a namorada do pai tem um lagarto andando pelos cabelos, e a sua risada se tornava cada vez mais satânica e mais alta. Enfim, Becky deslizou do sofá para o chão, deitou de bruços, com as faces vermelhas e falta de ar de tanto dar risada. Lauren, por outro lado, espiava com horror por detrás da almofada. No final do filme, levantei-me, dei um grande bocejo e me arrastei para pegar a cama dobrável que estava no armário do corredor. Rob permaneceu de pé na sala, atrás do sofá, enquanto eu lutava para vestir o pijama nas crianças.

— Você está domindo com ele? — Becky perguntou, alto apontando com a cabeça na direção de Rob.

— Sim, estou — respondi, forçando seu braço sem muita paciência pela manga.

— Posso dormir com você também?

— Não, não pode — disparei de volta. — Você tem uma cama confortável aí — disse, colocando-a em cima da cama. Ela era alongada, com uma rede em volta do colchão, que minha irmã teve a brilhante ideia de me trazer no Natal do ano passado. As gêmeas se aconchegaram: Lauren abraçando sua boneca e Becky ninando seu vampiro.

— Durmam — murmurei baixinho e caminhei, na ponta dos pés, porta afora.

Chegando a meu quarto, levantei o cobertor e caí na cama.

— Sua irmã é muito cara de pau — Rob disse, socando o travesseiro. — Quero dizer, ela se manda por dois dias e deixa as filhas. Sem pensar duas vezes — estalou os dedos.

— Você está usando aquela sua cueca samba-canção? — perguntei, entorpecida.

— Não, é claro que não.

— Então coloque.

— Por quê?

— Por precaução.

— Contra o quê?

Uma hora depois, estávamos deitados, em profunda melancolia, quer dizer, nós quatro. Becky e Lauren pareciam um par de lesmas mortas entre nós, enquanto eu e Rob nos equilibrávamos perigosamente de cada lado da cama.

— Elas estão, bem... — ele interrompeu e depois continuou: — Elas fazem xixi na cama?

Sorri, cansada.

— Quase a vida toda — contei.

Ele arquejou, assustado.

— Mas agora não fazem mais.

Rob soltou o ar, aliviado.

— Muito bem. Acho que vou colocar minha mão esquerda no chão para me equilibrar melhor — ele resmungou.

Becky soltou um pum.

— Foi você? — ele perguntou, sabendo perfeitamente que não tinha sido.

Lauren também soltou.

— Você está superempolgada. Fique calma — ele me disse.

Rob colocou o despertador para seis da manhã, falando que precisava pegar a estrada antes da hora do rush. Rastejando pelo quarto, arrumou a mala, me beijou e fugiu na primeira luz da manhã, deixando-

-me sozinha com Lauren e a Criança do Milharal[15]. Acordei às dez, com elas me espreitando como um par de urubus. Becky tentava abrir meus olhos com o curvador de cílios. Cada uma usava uma das minhas blusas da All Saints e maquiagem completa. Os cabelos estavam penteados para trás, duros de *hairspray*, e elas cheiravam a Agent Provocateur, meu perfume.

— Ela está morta? — Becky perguntou, sem emoção.

— Ela *não* está morta — Lauren falou com voz estridente, passando a mão em minha sobrancelha.

— Se ela estiver, quero ficar com a bolsinha de maquiagem — Becky declarou, animada.

Movi-me para trás, para me apoiar na cabeceira, e apontei o dedo para Becky.

— Não estou morta e, quando eu morrer, você *não* vai ficar com minha bolsinha de maquiagem.

Seu queixo desapareceu dentro do pescoço, enquanto ela dava de ombros.

— Qual é o nome de seu vampiro? — perguntei, acenando com a cabeça na direção do boneco que ela carregava debaixo do braço.

— Evie, igual a você — ela me informou com orgulho.

— Que amor!

Cambaleei para fora da cama e as meninas me seguiram até a cozinha. Enchi duas tigelas com cereal e leite e falei para se sentarem no chão — uma tática de redução de danos. Elas se aconchegaram perto da geladeira, com as pernas formando um triângulo aberto, brincando de "uma colherada para você, outra colherada para mim". Decidi que elas eram nojentas. Puxei uma toalha da pia e esfreguei o chão; na falta de outro pano, usei a mesma toalha para limpar suas bochechas ensopadas. Chequei o relógio e suspirei. Estava acordada fazia apenas vinte minutos. Olhava abatida

15 Referência ao conto de Stephen King *Children of the corn*, no qual se baseou o filme *A colheita maldita*. (N. T.)

através da janela, com as mãos segurando o balcão da pia. Meu celular apitou. Era uma mensagem de Lexy. Atrapalhei-me para abri-la:

"Volto quarta à tarde. Muito obrigada, você é a melhor! Graeme e eu estamos transando agora. Com certeza você não está ressentida, né?"

Eu estava.

Depois do café da manhã, as gêmeas decidiram brincar. Lauren se pavoneava pela sala, vestida de Cinderela, cambaleando perigosamente em cima de meus sapatos. Suas sete Barbies estavam acampadas em meu sofá. Becky estava vestida de bruxa. Uma família de ogros malvados flutuava de cabeça para baixo numa bacia cheia d'água, sobre a mesa de centro. Ela disse que queria lavá-los, mas, como sempre, preferiu afogá-los.

Olhei para o relógio pela centésima vez. Inicialmente, a perspectiva de sair com elas sem um carrinho, graças a um esquecimento da Lexy, dava-me uma ligeira palpitação. Mas uma combinação de nervos em frangalhos, onda de calor sufocante e vontade de tomar uma taça de vinho às onze da manhã me forçou a sair de casa.

Fomos parar as três no *pet shop* do final da minha rua. Entre sonoros *oohs* e *aaahs*, Becky gostou das cobras e Lauren, dos hamsters.

— Onde elas estão? — murmurei, procurando pela loja. Vi o que estava procurando e corri atrás.

— Posso comprar esse rato preto grande, por favor? — Becky pediu.

— Não, não pode, porque se Lucsie pegá-lo, ele vai comê-lo — expliquei.

Os olhos dela brilharam diante da possibilidade.

— De almoço? — ela perguntou, animada. — Com batata frita?

Peguei duas coleiras de cachorro e duas correias da prateleira. "É melhor comprar rosa, para combinar com as camisetas", decidi. "Nunca é tarde para instilar um mínimo de bom gosto. Afinal de contas, elas são sangue do meu sangue", pensei lealmente.

Para desgosto do vendedor com cara de furão, fechei as coleiras nos pulsos das gêmeas, prendi a correia e comecei a rebocá-las pela loja. "Deve funcionar", pensei, otimista, enquanto as gêmeas tropeçavam atrás de mim. "Não é o ideal, eu sei, mas pelo menos elas não podem fugir e eu não vou perdê-las."

Mais animada e me parabenizando pela iniciativa, me aventurei pela rua e as levei até o supermercado. Na sessão de peixes, Becky babou ao vê-los mortos e com os olhos espantados.

— Gosto deles mortos — ela disse alegremente.

Com certeza!

Comprei para ela um par de trutas, porque ela prometeu brincar com elas por uma hora quando chegássemos em casa. "Faço tudo por um pouco de sossego", decidi. Abrimos caminho até uma loja de "Tudo por 1 libra", onde consegui ler a revista *OK!* do início ao fim, enquanto as crianças devoraram avidamente quase tudo que estava no balcão de balas. "Inspirador", pensei, "agora não preciso preparar o almoço." Nos arrastamos até a Threshers, onde comprei uma garrafa de gim para mim, uma de champanhe para Lulu, para repor a que tinha bebido, e uma barra enorme de chocolate Galaxy para cada criança. "Maravilhoso", refleti, "o jantar está pronto e servido." Três horas mais tarde, voltamos para o apartamento.

Lulu estava em casa. Algo não estava certo. Ela estava sentada no sofá, girando o brinco de argola, balançando-se para frente e para trás. Havia uma garrafa cintilante de Prosecco em pé, dentro do balde de gelo, e uma vazia a seus pés. Ela fungou ruidosamente e, com olhos lacrimejantes, contemplava silenciosamente uma mancha no carpete. As meninas subiram na poltrona e se sentaram espremidas, lado a lado. Lauren, pressentindo uma desgraça iminente, olhou preocupada para Lulu e para mim. Becky, também pressentindo uma desgraça iminente, chiou e se contorceu animada. Apoiei um cotovelo sobre a lareira e esperei, descansando o queixo nas mãos, porque, quando Lulu está nesse estado, tudo o que se pode fazer é esperar. Ela sempre se veste de acordo com o estado de espírito e, julgando pelo seu traje, seu humor era o de uma maníaca suicida. Ela vestia um par de meias do Arsenal — nem posso imaginar onde ela tinha conseguido essas meias de futebol – e meu robe branco, que ela deve ter encontrado no fundo do cesto de roupa suja. A frente do robe estava decorada com milk-shake de banana, havia uma mancha de café na manga e uma nuvem de ketchup no bolso. Seus cabelos estavam presos com uma meia-calça arrastão e seu rímel e batom, borrados. Ela balançava como um demônio, mastigando a unha verde. Ela apertou os punhos contra os olhos.

– Gostou? – ela falou, brava, lançando seu braço a esmo.

Arrisquei um sorriso.

– Gostei do quê?

Lulu falava para o teto, com os olhos esbugalhados.

– A *chaise longue*, é claro! – ela gritou.

Olhei em volta da sala e, a menos que estivesse enganada, não havia ali nenhuma *chaise longue* George IV, cerca de 1825, decorada com volutas folheadas. Levantei as sobrancelhas, confusa.

– Está no seu quarto? Você jogou fora sua cama? – perguntei suavemente.

Ela virou a cabeça em direção à janela.

– Está ali!

Ela se abaixou e puxou a meia do Arsenal até acima do joelhos. Arrancou o copo da mesa e tomou um grande gole de vinho. Franzi o cenho e lancei meu olhar até a familiar mesa de jantar, perto da janela.

– Lá está! – ela gritou, levantando o copo e brindando à mesa de jantar.

– Er... – desconversei – Você está... quero dizer, quantos copos você tomou?

– Não o suficiente.

Ela se obrigou a ficar de pé, dirigiu-se até a janela e arrebatou uma pequena caixa branca que estava sobre a mesa. Seus olhos se estreitaram e brilharam, furiosos. Ela jogou a caixa contra meu peito.

Becky bateu palmas, animada.

– Um rato? – ela grunhiu. – Vamos chamá-lo de Mickey.

Lauren massageou os pequenos joelhos.

— Um periquito? — Foi seu palpite esperançoso.

Abri a caixa pouco à vontade. Dentro dela, estava uma linda miniatura de uma *chaise longue* creme. Levantei-a para mostrar às gêmeas. Elas trocaram um olhar desapontado, desceram da poltrona e correram pelo corredor em direção ao banheiro, carregando o pacote com a truta que tínhamos comprado mais cedo.

Lulu bateu a porta quando elas saíram.

— É para uma maldita casa de boneca! — falou, furiosa. — Fui roubada, trapaceada, ludibriada. Na tela, ela parecia grande, e o vendedor desapareceu. Bem, que surpresa! — Lulu andava de um lado para outro, balançando a garrafa de vinho. Seus cabelos, presos pela meia-calça, começavam a se soltar.

— Oh! — Eu me compadeci, mordendo o pulso para parar de rir. — Eles não informaram as medidas? — consegui falar entre as mordidas.

Ela bateu com violência a garrafa de vinho na mesa de centro, depois agarrou meu queixo.

— Fale a verdade! Quem, em sã consciência, pagaria 300 libras por um móvel para uma casa de boneca? Que tipo de cabeça oca faria isso? Er... me diga que tipo de lunático desvairado compraria uma antiguidade para uma casa de boneca? — perguntou, irada. Ela desmoronou sobre a lareira, com os braços largados ao longo do corpo e os punhos fechados.

Eu poderia ter dito "Você!", mas não falei nada. Levei-a até o sofá, fiz com que se sentasse e coloquei meu braço em torno de seus ombros.

— Que tal a gente se presentear com um frango ao curry?

Ela fungou desinteressada e apontou para a pequena *chaise longue*.

— Você compra um monte de merda — eu disse.

Ela fungou de novo.

— O que vou fazer com isso? — ela lamentou, virando-a sobre a palma da mão.

— Coloque o vibrador sobre ela — sugeri.

Ela tentou sorrir.

— É muito pequena até para isso.

Nós nos aninhamos para estudar a miniatura.

— Ah! — ela arquejou, tomada por súbita inspiração. — Já sei. Sim, já sei! Merda, é claro. Como não pensei nisso antes? — Ela se virou para mim, com olhos brilhantes: — Vou comprar uma casa de bonecas antiga, colecionar todos os móveis e levar para aquele programa *The Antiques Roadshow*, quando eles vierem para Tooting. Estarei na tela da TV e eles vão perguntar: "Quanto você pagou por essa coleção maravilhosa?". E vou responder: "Cerca de duas mil libras". E acenarei, desdenhosa, como se duas mil não fossem nada. E eles dirão: "Que interessante!". Então, todo mundo vai se reunir a meu redor, prendendo a respiração com expectativa, e eu também. Aí eles vão dizer: "Você fez uma compra excepcional e inteligente, porque hoje, no leilão, pode esperar que ganhará facilmente mais de 15 mil". — Pulou do sofá e agarrou a garrafa de vinho. — Pegue uma taça. Nós vamos celebrar. — O robe se abriu. Ela estava resplandecente, totalmente nua, a não ser pelas meias do Arsenal. Depositou a pequena *chaise longue* em cima da TV. — Tenha cuidado para não a derrubar quando estiver limpando o pó — advertiu.

Resolvemos ficar em casa para uma "noite das meninas". Precisei tirar meu copo das mãos de Becky mais de dez vezes. No final, Lulu e eu subimos na cama das meninas, carregando duas travessas de frango ao curry e o balde de gelo com gim e tônica dentro. Uma ideia brilhante! Minha, é claro. Como a cama era alta, as meninas conseguiam descer dela, mas não eram altas o suficiente para subir nela. Cansadas de tentarem escalar, as duas se espalharam sobre um cobertor de piquenique — também ideia minha —, comendo um sanduíche de pão naan, com frango e chocolate Galaxy, enquanto assistiam ao Canal de Compras.

Joguei alguns cubos de gelo em nossos copos.

— E todas aquelas revistas de pesca na sala? — perguntei quando sentamos, com as pernas cruzadas.

— Bem, é que Vic é biólogo marinho e eu não sei nada sobre peixe. — Lulu relaxou, recostando-se na rede em volta da cama. — Quero fazer algumas observações inteligentes enquanto conversamos.

Concordei com a cabeça.

— Estava pensando em comprar um aquário. Ele tem um Aston Martin, sabe, e transa muito bem — ela se vangloriou.

— Oh, esse é o cara com quem você saiu na última quinta-feira?

— Mmmm... — ela confirmou, levando à boca um garfo cheio de curry.

— Então foram três noites de jantares requintados e vinhos finos? — perguntei.

Ela balançou a cabeça, tensa, e levantou o garfo.

— Não — respondeu. — Mudei de ideia e reduzi para três pratos, pedi uma sobremesa na quinta à noite e transei com ele no sábado, após ele ter comido uma tigela de amendoins que eu havia colocado sobre a mesa. Ele foi ótimo. Acho que estou apaixonada.

Ela ama todos eles.

Lulu se moveu para perto de mim.

— Me conte sobre seu homem — ela deu uma risadinha. — Seu motorista.

Então eu contei, sem esconder nada.

CAPÍTULO 18

Lexy tocou a campainha pontualmente às duas e meia de quarta-feira. Eu pulei da cama, onde estava tomando café e sonhando de olhos abertos com Rob, e corri para abrir a porta. Quase me joguei em seus braços para lhe dar as boas-vindas, quando me lembrei de que não estava falando com ela. Puxei-a de encontro ao batente da porta.

— Aiiii — ela se contraiu.

— Pegue suas filhas e vá embora — falei de supetão.

— Mil vezes obrigada por ter ficado com as meninas — ela disse, afetada. Apertou meu braço com afeto e saracoteou pela porta, passando por mim.

— Não quero vê-la nunca mais — gritei, olhando para ela.

— Nós nos divertimos muito, obrigada! — ela disse, animada, sobre o ombro.

Dei um soco em suas costas.

— Nem o Graeme. Eu odeio ele tanto quanto odeio você.

Ela se virou e sorriu, sonhadora.

— Ele também se divertiu.

— Eu posso denunciar vocês dois para... para... o Serviço Social — ameacei.

Ela me olhou, pensativa.

— Foi fantástico, maravilhoso e, sim, Viena é linda.

Alcançamos a porta do apartamento ao mesmo tempo e entramos uma ao lado da outra.

— Não me peça mais nada. Favores, roupas, nada — ameacei, passando por ela.

— Você é a melhor irmã do mundo — ela elogiou.

— Odeio você — disse, furiosa, dirigindo-me apressada para o corredor.

— Comprei para você uma carteira vermelha da Mulberry e um chaveiro.

Parei na hora. Ela me deu um encontrão. Virei o corpo.

— É mesmo?

Seus olhos castanhos brilharam, ardentes. Ela confirmou com a cabeça.

— Sim. Me ajude a pegar as crianças e todas as coisas. Depois vamos tomar um rápido café e lhe darei seus presentes.

— Ah, ok. Vou pegar o bule — me animei.

— As crianças estão bem? — ela me perguntou num tom maternal.

— Melhor não poderiam estar — contei.

Por incrível que pareça, a quinta-feira passou bem devagar. Senti muita falta de Rob. Mal podia esperar para voltar a trabalhar na sexta, para vê-lo de novo. Depilei, esfoliei, arranquei, esfreguei e me pintei até a exaustão. Pouco antes das seis, pulei para dentro do carro e dirigi pela Garrett Lane até chegar a Wimbledon, onde esmaguei uma vendedora contra a parede quando ela não me deixou entrar na Anne Summers. Espremi me através de um cantinho da porta e gastei 150 libras em cinco minutos, comprando lindos sutiãs e calcinhas. "Meu novo uniforme para meu novo trabalho", falei para mim mesma.

Fui cedo para a cama, dizendo para mim mesma que, dormindo, sentiria menos falta de Rob do que acordada. Também substituí Brad Pitt por Rob em minhas fantasias noturnas. Isso era sério. Até agora nunca tinha me permitido transar com uma não celebridade em meus sonhos. Exceção feita a meu viking, é claro.

NA SEXTA-FEIRA DE MANHÃ, minhas sandálias de salto agulha riscaram o meio-fio quando o táxi parou ruidosamente na estação Victoria.

— Tudo certo, querida? — o motorista perguntou.

Saí do carro tropeçando e joguei um punhado de notas pela janela do motorista.

— Sim, sim, fique com o troco — ofereci, generosa. Mal podia esperar para ver Rob. Acordei duas vezes no meio da noite sonhando com ele.

Ele estava parado ao lado do ônibus, os ombros largos, pés ligeiramente afastados, cabelos loiros emaranhados e as mãos apoiadas no quadril. Estava perfeito. Empurrei a mala pela calçada e caminhei até ele. "Merda", pensei, enquanto cambaleava, "essa mala está pesando toneladas, mesmo com rodinhas!" De repente, meu salto ficou preso entre duas pedras na calçada. Deixei a mala de lado e ajoelhei para resgatar o pé. Olhei para ele ajoelhada na calçada. Ele acenou. Sorri e acenei de volta, lutando para me levantar e massageando os ombros doloridos. "Olhe só para ele, ainda mais maravilhoso." Bem, tão maravilhoso quanto da última vez que o vi. Manquei rapidamente em frente, tomando cuidado com os buracos da calçada.

— Aiiiiiii! — Senti uma dor lancinante na perna quando meu salto ficou preso pela segunda vez. Rob se esticou e apoiou uma mão na lateral do ônibus, deu-me uma piscada sedutora e afastou a franja da testa, num gesto calmo já repetido muitas vezes. Tropecei e parei de novo, deixei cair o puxador da mala e ajeitei a alça da bolsa sobre o ombro. "Espere só um pouquinho", pensei. Ali está ele, parado como um maldito imperador romano, observando-me quase quebrar duas vezes a perna e arrastar essa mala do tamanho de um caixão atrás de mim.

— Venha até aqui.

Ele jogou as mãos para cima, como se estivesse surpreso de não haver pensado antes em me ajudar, e correu até onde eu estava.

— Desculpe, querida. Desculpe, estava olhando para você — ele se desculpou e se inclinou para me beijar.

Apontei para a mala, zangada.

— O quê? Me olhando enquanto eu carregava isso? — gritei.

Ele riu e me virou sem fazer esforço.

— Senti sua falta — ele disse. — Três dias inteiros. Me comportei como um monge — ele jurou.

— E eu como uma freira — falei, abrindo um grande sorriso.

Ele piscou.

— E de agora em diante?

Os primeiros passageiros a chegarem no ônibus foi um grupo de oito senhoras, acho que tinham por volta de 70 anos. Elas andaram em minha direção, ladeadas por sacolas de tapeçaria estufadas até a borda com lã, agulhas de tricô e exemplares de *Woman, Woman's Own* e *Woman's Realm*, as quais, devo admitir, não combinavam muito com seus sapatos, bolsas e malas Louis Vuitton.

— Bom dia! — disse, sorrindo.

— Bom dia! — elas responderam de volta e continuaram a andar até a entrada do ônibus, envoltas numa nuvem de Coco Chanel.

A última da fila girou sua Louis Vuitton e recitou, com fluência, a apresentação:

— Hazel, Kitty, Freya, Meg, Kelly, Amy, Dora — sorriu, estendendo a mão. — E eu sou Elise.

— Certo. — Gracejei. — Na verdade, preciso de seus sobrenomes — informei, com a caneta parada sobre a prancheta.

Com pressa, ela arrancou a caneta de minha mão e conferiu, com eficiência, os nomes de seu grupo.

Olhei de lado para a janela do ônibus. Um bando de cardigãs de cashmere e traseiros vestidos com roupas da Jaeger se instalou nas poltronas da frente. Decidi não falar nada sobre a troca de assentos. Estava muito assustada para mudá-las de lugar.

— Todo mundo já chegou? — Rob perguntou, quando o bagageiro estava quase cheio.

Debrucei-me e ajeitei sua gravata.

— Sim — respondi, sorrindo.

— Tenho uma surpresa para você — ele me provocou, circulando meu quadril com os polegares.

— Oh... O que é?

Ele sorriu e passou os lábios de leve sobre os meus.

— Logo vai saber.

— Mal posso esperar — eu disse num tom sedutor.

Ele deve ter me comprado alguma coisa. "Que outro tipo de surpresa pode existir?", pensei, excitada, e flutuei pela escada, sonhando acordada, agarrada à prancheta.

Meu discurso para vender alguns itens da excursão não foi tão difícil quanto na semana anterior, embora deva admitir que falei algumas mentirinhas que não fariam mal a ninguém. Para dizer a verdade, confesso que contei uma mentira deslavada: disse para todos que Doris havia sido assaltada.

Uma vez fora de Londres, deslizei pelo corredor do ônibus, fazendo as reservas.

— Suas joias ou seu dinheiro — disse, e não estava inteiramente brincando.

Quando chegamos ao terminal do Eurotúnel em Folkestone, estava empoleirada, feliz, na beira da minha poltrona, separando o dinheiro em dois montes, "eles" e "nós", com a sutileza de um contador da Máfia. O restaurante era "eles" e o restante, "nós". "O que eu preciso", pensei, "é de um desses dedais de borracha para contar as notas". Todos fizeram reservas, como na outra excursão. Vangloriei-me triunfante, pensando se teria sido um assaltante de estradas numa vida passada. Enfiei o dinheiro na bolsa, passei *gloss* nos lábios e um pente nos cabelos. Nós nos juntamos à fila de ônibus para o check-in e nos dirigimos devagar para o serviço de comboio, que nos transportaria ao longo do túnel.

— Fantástico! — falei entusiasmada para Rob. — Um feito surpreendente da engenharia, você não acha? Um túnel submarino ligando a Inglaterra e a França. Maravilhoso! Apesar de a balsa ter também suas vantagens — senti-me obrigada a acrescentar.

Rob me lançou um olhar de desaprovação.

— Doris não foi assaltada — ele me repreendeu.

— O quê? — Enruguei a testa. Nem me lembrava do que tinha acabado de falar.

— Você e suas mentiras — ele me criticou.

— Ah, cala a boca! Todo mundo mente.

— Não com tanta naturalidade como você. E nós voltamos pelo túnel na semana passada. Você não me pareceu impressionada.

— Estava ocupada escrevendo meu discurso de despedida.

Ele bufou.

— Então aquilo foi um discurso?

Trinta e cinco minutos depois, saímos do túnel, passamos pela Imigração francesa e entramos na autoestrada para Paris. Sacolas enormes cheias de novelos de lã bloqueavam o corredor central, enquanto as agulhas de tricô trabalhavam sem parar. A fofoca corria solta. Eu não sei quem é Agnes, mas tudo indica que ela precisa entrar nos Vigilantes do Peso, usar mais desodorante, ir mais ao cabeleireiro e se divorciar do marido. Ela também deveria enfiar um frasco de xampu no traseiro de seu cachorro e comprar um novo carpete para a sala de estar.

Na estrada entre Calais e Paris, uma luz começou a piscar no painel. Franzindo o cenho, Rob parou no acostamento, lançou-me um olhar perplexo e saltou do ônibus para investigar o que tinha acontecido. O ricochetear das agulhas aumentou.

Depois de alguns minutos, comecei a me sentir tensa e ansiosa. Folheei as páginas de minha revista como louca. Se o ônibus quebrasse, atrasaríamos a chegada a Paris. Entrei em pânico quando pensei que poderíamos perder o jantar, e eu teria de devolver o dinheiro. Estremeci. Não poderia fazer isso. Devolver o dinheiro era impensável. Senti vontade de chorar. Só de pensar nessa possibilidade já ficava inquieta. Levantei-me e sorri, acanhada, para as duas longas filas de rostos inquiridores.

— Tenho certeza de que não aconteceu nada de errado — insisti, sem convicção.

Quarenta e cinco faces incrédulas tentaram fingir que nada de errado estava acontecendo.

— Logo vamos partir — assegurei, temendo o contrário.

Sentei-me de novo e tamborilei com os dedos no encosto da poltrona. Que diabo estava acontecendo? Eu ruminava. Abri a bolsa e toquei no dinheiro da excursão. Meu telefone apitou, mostrando que havia chegado uma mensagem de texto. Era de Rob:

“Saia. Um problema.”

Meu estômago se contraiu. Disparei pela porta do ônibus e desci correndo a escada, quer dizer, o tanto que me permitiam os saltos altos e a saia justa, para encontrar Rob. Ele estava inclinado calmamente na lateral do ônibus, com os braços cruzados, um sorriso afetado no rosto e a porta do bagageiro aberta.

Fiquei na sua frente, com os punhos cerrados.

— O que aconteceu e por que diabos você está sorrindo? Se chegarmos tarde a Paris, não poderemos ir ao restaurante e teremos de devolver todo o dinheiro — falei, enfurecida.

Ele se aproximou, agarrou meus pulsos, puxou-me em sua direção e plantou um vigoroso beijo em minha testa.

Eu o examinei, exasperada.

— Está perdendo tempo — falei, tentando me soltar.

— Olha aqui dentro — ele disse. Ele me virou, agarrou o cós da minha saia e me empurrou para dentro do bagageiro. Seguiu atrás, virou-me de costas e colocou meu corpo no meio de suas pernas.

— Rob, para com isso! — Dei uma risadinha, tentando sair de lá. — Você ficou louco?

— Não estou louco, mas excitado — ele respondeu, colocando algo grande e macio sob a minha cabeça.

— O que você está fazendo?

— Tentando seduzi-la. Não posso esperar até chegarmos ao hotel — ele disse, com os dedos tentando abrir seu cinto. — Não posso esperar nem dez minutos, quanto mais outras três horas. — *Click*. Seu cinto se abriu.

Meu coração deu um pulo excitado.

— Aqui? — ofeguei, olhando para as fileiras de malas arrumadas. *Vup*. Ele abaixou seu zíper. Meus olhos se abriram, para falar a verdade, giraram nas órbitas. — Alguém pode ver... — Comecei, mas, pensando bem, quem? Quem poderia ver? E eu estava ligando?

Ele cobriu minha boca com a sua, ao mesmo tempo que levantava a minha saia. — Ninguém vai ver — murmurou, ainda me beijando. — Estamos no acostamento da estrada. Você está vendo alguém espionando por aqui? Além disso, tranquei a porta do ônibus com o meu controle. Ninguém pode sair.

Meus olhos se mexeram para a direita e para a esquerda. Ele estava absolutamente certo. Nós éramos as únicas pessoas dentro do bagageiro, não havia a menor dúvida.

— Não — admiti, a saia agora levantada até a cintura. — Não vejo ninguém por aqui. — eu fraquejava — Mas, Rob, você não pode esperar? — disse sem entusiasmo.

— Não! Não posso — murmurou no meu pescoço, antes de abaixar a cabeça lutando desajeitadamente para colocar a camisinha.

Eu o observava.

— Eu também tenho de esperar, não é mesmo? — tentei de novo, ainda o observando.

— Não é verdade. Você não precisa esperar. Não quero falar desse assunto — ele insistiu, generoso.

Olhei para o travesseiro. Era a lã das velhinhas.

— Argh! — gritei. — Não vou transar sobre a lã das velhinhas!

— Lã não fala — Rob disse, rindo. Deitou sobre mim, apoiando o peso nos cotovelos. Senti borboletas no estômago quando meus olhos encontraram os dele. Ele beijou de leve a ponta de meu nariz. Quando ele falou, a voz estava rouca e sexy. — Vamos?

Minhas costas se arquearam e meus braços envolveram seu pescoço. Puxei sua cabeça e o beijei vigorosamente. Ele sorriu. Espiei por sobre seu ombro para obter uma visão panorâmica do seu traseiro nu e atrevido.

— Evie — ele murmurou, tremendo de excitação. — Enrole as pernas em volta do meu quadril. Não temos muito tempo. Vamos ter de ser rápidos. Não temos tempo para "um pouquinho para a direita, Rob; um pouquinho mais para a esquerda". Minha regra é "as damas primeiro" e não quero quebrá-la.

— Sem dúvida, insisto que você mantenha a regra de "Primeiro as damas".

Depois, ele abotoou rapidamente minha blusa, antes que eu cambaleasse para fora do bagageiro carregando nossos sapatos.

— Arrume o cabelo, querida! Você está pior que um espantalho. E feche a boca, seu queixo caiu. — Ele pegou o pente no bolso de trás e me passou. — Vire-se de costas que vou ajeitar sua saia.

Tomei o pente de sua mão estendida e me virei de costas para ele.

— Isso é tão, bem, tão inapropriado e antiprofissional, não acha? Rob, prometa que não vai contar pra ninguém.

— Contar o quê?

— Que nós, bem, fizemos com todo mundo a bordo — respondi, sem graça.

Ele me virou até ficarmos de frente um para o outro.

— Contar para quem? Por quem você me toma? — falou, ofendido.

— Você promete que não vai contar pra ninguém?

— É claro que não vou. Nossa vida sexual não é da conta de ninguém.

— Também penso assim — disse —, mas alguns homens não são tão discretos.

— Bem, não sou um deles — ele insistiu, indignado.

Subi nos sapatos enquanto ele fechava a porta do bagageiro e, como se voltássemos da igreja, segurou meu cotovelo e caminhou vagarosamente até a porta do ônibus. Subiu a escada saltando de dois em dois degraus, deixando-me sozinha e nervosa, para arrumar os cabelos, endireitar o sutiã e checar se os botões da blusa estavam fechados. Rob deslizou confortavelmente para trás do volante, enquanto eu subia os degraus correndo, com as faces coradas.

— Qual é o problema? — uma das senhoras perguntou. Ela mexeu o cotovelo com destreza, fazendo com que o novelo de lã se desenrolasse e dançasse em cima de seu colo.

— Ah, apenas um disjuntor na porta principal do bagageiro. É um dispositivo de segurança para garantir que a bagagem não caia quando o ônibus estiver em movimento. Eu já consertei. — Rob se gabou.

Estava revirando a bolsa à procura de minha base.

— E, Evie — Rob falou casualmente, colocando a primeira marcha —, esta era a sua surpresa.

CAPÍTULO 19

DESSA VEZ O CHECK-IN no hotel foi muito mais organizado. Recitei os nomes e os números dos quartos pelo microfone. A tarefa foi cumprida num piscar de olhos e logo estava ouvindo o som de meus saltos estalando pelo lobby, rumo ao elevador, para encontrar Rob no nosso quarto.

Rob fez a besteira de encher a jacuzzi com banho de espuma, então precisamos passar vinte minutos secando o chão com toalhas e removendo braçadas de espuma do chão para a pia.

— Se você quiser trabalhar como faxineiro...

— Engraçadinha! — ele ofegou, dirigindo-se para a pia pela quarta vez.

Eu caminhei pé ante pé e me sentei, nua, dentro da banheira, fazendo com que uma avalanche de bolhas escorresse pela borda. Ele deu um suspiro exasperado, à medida que um rio de bolhas de espuma se espalhava sobre seu pé e escorria para fora do banheiro.

— Deixe pra lá. As bolhas estouram. — Apontei o dedo. — Venha. Entre aqui.

Ele obedeceu.

Mais tarde, Rob fez a barba, vestiu-se e saiu correndo para reabastecer o ônibus.

Rapidamente tomei conta do quarto, arrumei minha roupa, examinei o rosto, penteei os cabelos e corri para o lobby com meia hora de antecedência antes de sairmos para o restaurante.

— *Bonjour, chérie*! — O garçom me saudou enquanto eu desfilava pelo bar. Ele apoiou duas mãos gordinhas e peludas no balcão, inclinou-se e, cheirando a alho, plantou um beijo em cada bochecha.

— *Bonjour*! — Fiz uma careta.

— *Voilà*! — ele cantou, animado, e deslizou um grande copo de gim tônica em minha direção.

Mergulhando com certa elegância, consegui pegar o copo antes que caísse no chão.

— Este é porrrr conta da casa — ele falou calmamente.

— Evie, querida, junte-se a nós.

Virei-me e franzi o cenho, não reconhecendo imediatamente a senhora alta, glamorosa e bem-vestida que vinha em minha direção.

— Elise — eu disse —, você parece muito diferente sem o seu tricô.

Ela vestia um casaco de veludo cor de jade na altura do quadril, com mangas bufantes como no tempo de Anna Bolena, fazendo par com calças de seda justas. Olhei com inveja para o diamante do tamanho de uma bola de golfe que estava em seu dedo. Ele reluzia e cintilava, enquanto Elise passava a mão pelos cabelos grisalhos, presos num elegante coque. Ela cambaleou em seus saltos de oito centímetros até onde eu estava.

— Muito ousado, senhorita! — Brincou por sobre a borda de seu copo. — Venha até aqui. Você está ótima, absolutamente maravilhosa, minha querida — ela titubeou, passando o dedo pelo decote de meu vestido curto, de linho preto, encaixando seu braço no meu.

Fui levada com muito zelo para o meio do grupo do tricô. Elas conversavam harmoniosamente enquanto tomavam champanhe. Olhei com discrição e rapidamente para seus enfeites e adornos, e calculei que, juntos, eles teriam pago a dívida do Terceiro Mundo, sem mencionar as roupas de grife. A mão de Meg, coberta de anéis com pedras preciosas, tirou a garrafa de champanhe do balde de gelo.

— Você deve — falou com um trinado e me passou uma taça cheia de champanhe até a borda. Muito educada para recusar, bebi todo o gim e aceitei a taça.

— Então, querida... — Elise arriscou. — Nosso motorista é bem atraente, não acha? E você saberia, não é mesmo?

Amy arregalou os olhos, deu um risinho e cutucou meu cotovelo, divertida.

— Sim, ele é — concordei, ainda meio hipnotizada pelo estilo elegante e brilhante.

— Ele serve por hora — Elise disse.

— O que você quer dizer com “por hora”?

A bola brilhante no dedo projetou um caleidoscópio de luzes por todo o bar, enquanto ela tirava um pontinho de poeira imaginária de seu ombro.

— Querida, na sua idade, tudo o que se deseja é fazer um sexo incrível de proporções olímpicas, alguém que pague sua bebida, a conta do restaurante e a leve para viajar nos finais de semana. Ah! — ela acrescentou: — E, é claro, lhe dê uma joia de presente de aniversário.

Bem, eu não iria contradizê-la, afinal, ela estava com a palavra. Ela tinha mais ou menos descrito a personificação do homem perfeito.

— Então — perguntei, curiosa —, na sua idade, o que procura num homem?

A voz de Elise se suavizou.

— Essa é fácil. Na minha idade, você pede que ele esteja morto — ela disse, resoluta, com os olhos grandes e firmes.

Amy concordou com a cabeça.

— Fundamental — ela afirmou, cintilando os olhos em direção ao céu.

Eu tomei um bom gole de champanhe, maior do que desejei.

— Morto? Você prefere que eles estejam mortos? — vacilei, arrotando baixinho. Isso era novidade para mim, e olha que me orgulho de ter uma mente razoavelmente aberta.

— Todas nós somos viúvas — Amy explicou, animada.

— Sim — Elise confirmou. — Maravilhoso, não é mesmo?

Enrubesci.

— Todos eles, quer dizer, os maridos, morreram juntos? — perguntei. — Hummm, num acidente de avião ou qualquer outra coisa?

— Deus, não! Isso teria sido ótimo, mas pena que não aconteceu — Elise lamentou. Ela aninhou seu copo na curva do braço e começou a contar com os dedos. — Fui casada durante vinte anos. Amy, vinte e três. Já Meg, eu não me lembro. — Ela balançou a cabeça se desculpando e continuou. — Dora teve mais sorte, foram apenas dez anos. Mas a coitada da Kelly, bem, ela serviu mais de trinta anos.

Amy e Elise suspiraram juntas, com compaixão.

— Pobre Kelly! — Amy disse. — Mas isso é passado. Ele já se foi.

Não sabendo como parabenizar alguém pela morte do marido e, ao mesmo tempo, me compadecer pelo tempo excessivo em que ele estivera vivo, tudo o que pude pensar em dizer foi:

— Que terrível!

Elise segurou minha mão e me olhou com urgência.

— Sim, terrível — ela repetiu.

Subitamente, um vento forte de Chanel Nº 5, de prender a respiração, soprou pelo bar.

— Queridas! — Freya cantarolou. — Atrasada como sempre. — Ela gingou em nossa direção, com os braços esticados nos saudando com uma bolsa de pele de crocodilo muito cara balançando em seu pulso. Muito elegante com sua echarpe esvoaçante de pele de leopardo, deslizou em volta da mesa, beijando o ar em vez das bochechas. — Estava brigando com meu *babyliss*. Telefonei desesperada para Henry; ele ligou para o ministro francês de Energia, que, aparentemente, confirmou que a voltagem aqui na França é compatível, então festejei um pouco, liguei o aparelho e... deu tudo certo — Ela sorriu, alisando os curtos cabelos brancos, à Meg Ryan.

— Quem é Henry? — tive de perguntar.

— Meu garoto — Freya respondeu.

— Ele é vice-primeiro ministro — Meg logo acrescentou.

— Atenção, todos! — Freya falou, animada. Ela bateu palmas com alegria. — Confirmaram nosso cruzeiro. Setenta gloriosos dias em mar aberto. Vamos deixar Southampton em 10 de novembro. Nosso agente acabou de me enviar uma mensagem pelo celular.

Houve uma exclamação única de deleite, muitos tinidos de taças e conversas animadas e divertidas, enquanto elas matraqueavam sobre o itinerário do cruzeiro e começavam a planejar as compras que fariam antes. Na hora que subimos no ônibus, eu estava enjoada como um porco e verde de inveja por não ter um marido morto. Ao mesmo tempo, estava inquieta com a perspectiva dos anos que precisaria ficar casada para ganhar um.

Quando chegamos ao restaurante, fui saudada como um herói de guerra que retornava para casa. Delia me deu um abraço que quase quebrou meus ossos.

— *Quarante-cinq personnes. Mon Dieu. Superbe*! — ela exclamou, conduzindo os passageiros para seus assentos.

— Não beba muito! — Rob advertiu, enquanto me conduzia para a mesa da tripulação, na parte de trás do salão. — Lembre-se de que você está trabalhando. Não é sua festa de aniversário — ele reclamou, puxando minha cadeira.

No começo, pensei que o restaurante seria todo nosso pela noite inteira, mas um pequeno grupo de ingleses entrou, logo depois das oito horas. Rob se levantou para cumprimentar a guia e o motorista.

— Evie, essa é Helen — ele nos apresentou. — Ela trabalha para nossa agência. — Dei-lhe um sorriso de boas-vindas e recebi de volta uma careta azeda. Por outro lado, seu motorista era um cara jovial, gordinho, com o rosto vermelho e se chamava Ralph. Apertou minha mão com energia, embora com dificuldade, por causa do tamanho de sua barriga, que o afastava consideravelmente da mesa. Os botões e as casas de sua camisa lutavam para se encontrar, e alguns pelos vermelhos da barriga se projetavam entre os buracos formados entre um botão e outro. Sempre me perguntei por que homens gordos não se conformavam com sua aparência e passavam a comprar roupas adequadas a seu tamanho.

Helen estava ninando uma taça de vinho tinto.

— Onde você esteve? — ela perguntou a Rob.

Ele apontou para mim.

— Evie e eu tiramos alguns dias de folga.

Ela olhou para ele como um gato olha para um rato, seu dedo circulando lentamente a borda da taça.

— É mesmo? — ela retrucou, com uma das sobrancelhas levantadas. — Não faço isso faz tempo. Que chato! Nós passamos toda a semana na Itália, estivemos na Suíça ontem à noite, duas noites aqui em Paris e, depois, voltaremos para Londres. — Ela acenou com a cabeça em direção a seu grupo. — Mal posso esperar para me livrar deles, alguns são mais velhos que Moisés. Se um deles tivesse morrido em Veneza, teria de preencher uma papelada enorme. É mais fácil quando morre um casal, você pode empacotá-los para o mesmo lugar, em vez de colocar um num caixão e outro num voo de volta. Faça as honras da casa, querida — ela sorriu com afetação, olhando para a garrafa de vinho tinto.

Eu a examinei. “Que pessoa horrível!”, pensei.

— Faz muito barulho aqui — Helen continuou, prendendo os óculos bifocais de armação lilás na ponta do nariz. Enterrou o rosto no cardápio. — Nada muda também. Garçoooommm, *s’il vous plait* — gritou, estalando os dedos no alto.

Quando o garçom chegou, ela latiu seu pedido, lançou o cardápio contra o peito dele e serpenteou o braço para dentro da bolsa, para pegar o celular que tocava. Rob, que estava entretido conversando com Ralph, colocou a mão sobre a minha, distraído, e a apertou levemente. Helen percebeu a troca de carinho e deu uma bufada cínica. Na falta de algo melhor para fazer, sentei-me, engolindo o vinho. Quando Rob e Ralph terminaram de analisar o Campeonato Europeu, já tinha entornado mais de meia garrafa. Ainda bem, considerando a companhia...

Rob beijou a palma de minha mão.

— Desculpe, querida! Sei que não lhe dei a devida atenção, mas fazia tempo que não via Ralph.

— Zuzzzo bem — disse, soltando o ar ruidosamente.

A conversa telefônica de Helen acabou com um apaixonado "Ciao, ciao, querido". Ela perscrutou a sala:

— O que temos aqui? — ela perguntou, descansando o olhar sobre as senhoras do tricô. — Uma mesa de *drag queens*?

Realmente, ela era uma companhia insuportável.

— Com licença — eu disse, impaciente. — Acho que vou ver meu grupo. — Levantei-me, puxando a cadeira.

Helen batucou suas garras laranjas sobre a mesa e levantou os olhos para o céu.

— Por quê? — perguntou, com frieza. — Você vai apenas ouvir reclamações.

Comecei a caminhar até onde as pessoas estavam, mas Delia me emboscou. Ela cruzou seu braço no meu e me puxou para detrás do bar.

— Terrível, não? — ela sussurrou, num tom de intriga, olhando para Helen. — *Cochon*.

— Só um pouco — concordei, pegando uma taça de vinho da bandeja de um garçom que passava.

Delia segurou meus ombros e me puxou ainda mais para dentro. Seus olhos se arregalaram ainda mais.

— Um tempo atrás, Helen ficou com Rob. *Oui, oui*, ela me contou — ela me confidenciou, fazendo sim com a cabeça, sem parar. — Ela foi para *a cama* com ele.

Lancei um olhar venenoso para a mesa da tripulação. Helen e Rob conversavam animadamente, com as cabeças tão próximas que os cabelos quase se tocavam.

— É mesmo? — respondi, distante, mas confesso que senti um verme de olhos verdes circular pelo meu estômago. Então balancei a cabeça, querendo ser justa. Tudo mundo tem um passado e eu não sou uma mulher ciumenta. Nunca fui. Homens vêm e vão, só os amigos permanecem. Além disso, o cabelo de Helen é desarrumado, ela não tem seios, portanto, não há razão para sentir ciúme. "Ela também é muito magra", decidi, olhando para seu quadril ossudo.

Delia concordou com a cabeça, como se tivesse lido meu pensamento, e foi embora, equilibrando a bandeja de bebidas nas pontas dos dedos e balançando os cabelos escuros atrás de si. Não estava muito entusiasmada com a perspectiva de me juntar aos colegas, então decidi continuar em direção às senhoras do tricô. Pelo caminho, topei com Arthur, um cara esbelto e esperto de uns oitenta anos. Arthur tinha se comportado mal por todo o dia, paquerando--me sem dó. Até me perseguiu pelo corredor do ônibus quando paramos em um posto de gasolina. Ele apontou um dedo ossudo para meus seios.

— Se eu fosse dez anos mais jovem... — sorriu maliciosamente.

— Dez!? — exclamei. — Não seriam 55?

Ele gargalhou e espremeu meu ombro.

— Ok, talvez vinte anos mais jovem — cedeu, abrindo um grande sorriso. — Que noite maravilhosa, minha querida! A comida deliciosa, os vinhos fabulosos, o local elegante e o serviço perfeito.

"Ah", pensei, culpada, "ele é um cara legal, não um velho safado e lascivo. Devo tê-lo julgado mal." Sorri.

— Quanto às tricotadeiras... — ele se entusiasmou quase sem ar, olhando para o grupo de senhoras.

Meu sorriso desapareceu.

— Que visão ofuscante! — ele sorriu desdenhosamente, mostrando os dentes. Andou todo pomposo em direção ao banheiro, parou, deu meia-volta, inclinou-se e beliscou meu traseiro. Gritei, mas deixei-o ir embora. "É meu último gesto de caridade", pensei.

Para onde eu estava indo? Ah, sim, as tricotadeiras. Procurei pela multidão. Elas estavam convenientemente sentadas perto da porta e na direção certa, já que logo iríamos embora.

O cantor, com o acordeão preso ao peito, caminhava entre as mesas, cantando com vigor. Ele dançou para trás quando me avistou e me obrigou a ouvir uma pequena serenata. Eu saracoteava e balançava ao mesmo tempo, para manter a forma. "Pensando bem, acho que vou aprender a tocar acordeão. Estava querendo estudar algum instrumento musical e, pelo que posso ver, é uma simples questão de espremer a caixa para dentro e para fora. Vai ser ótimo para o meu peitoral."

— Sente-se! — Meg gritou ao me avistar.

Houve um ligeiro arrastar e arranhar de madeira enquanto lutávamos para fazer caber nove cadeiras em volta de uma mesa de oito lugares. As tricotadeiras estavam rugindo, e sua mesa estava coberta de garrafas de champanhe vazias, um bom sinal de que eu poderia ser feliz por aqui.

Nós nos divertimos pra valer. Fiquei quase histérica. Champanhe eleva meu humor. Tudo que eu quero é falar, falar e falar mais um pouco. Quando Rob veio me dizer que era hora de ir embora, estava exausta de tanto rir. Nós cacarejamos sem parar. Estava abraçando minha barriga, assim como Meg. Freya estava ofegante e enxugando os olhos com a ponta da toalha de mesa. Kitty e Amy uivavam histericamente. Rob estava de pé, à cabeceira da mesa, sorrindo com paciência forçada.

— O que é tão engraçado? — Ele parecia confuso.

Todas as cabeças se viraram em sua direção e imediatamente os berros estridentes triplicaram de volume. Meus olhos pareciam travessas de vidro molhadas. Sem ar, batia repetidamente minha mão sobre a mesa. Rob segurou meu braço e me levantou. Oscilei e me dobrei de tanto rir, preocupada em não derramar minha bebida.

— Elas, elas... — arfei — não acreditaram em mim.

Seus olhos percorreram a mesa.

— Mas agora acreditam — arquejei, acenando com a cabeça exageradamente.

As sobrancelhas dele se encontraram e depois se levantaram.

— Acreditaram no quê?

— Que nós transamos dentro do bagageiro, em cima de seus casacos e malas. — Morri de rir de novo. Nossa, muito engraçado!

Oito rostos se enrijeceram quando Rob, morto de vergonha, agarrou meu braço e levantou meu cotovelo na altura da orelha. Ele girou os calcanhares e me dirigiu para a porta de saída.

— Rob, seu diabinho sexy! — Alguém gritou, e eu pensei que explodiria de novo. Cá entre nós, isso não era hilário?

— Oh... Oh... muito rápido. Muito rápido. Mais devagar! — pedi, enquanto saíamos para a rua.

Ele colocou um dedo debaixo de meu queixo e levantou meu rosto.

— A KGB não precisaria torturá-la em busca de informação, não é mesmo? Bastariam alguns drinques e você falaria tudo o que ela quisesse saber.

Ele deu um suspiro exasperado.

— Reúna o grupo e me encontre no ônibus — disse com rispidez.

Na volta para o hotel, as tricotadeiras eram a alma da festa.

— Vamos cantar? — Meg sugeriu.

"Todo mundo está alegre, inclusive eu. Por que não?", pensei.

— Evie Rob falou entredentes —, não acho que cantar na sua condição seja uma boa ideia.

Olhei para ele. Na minha condição? Que condição seria essa? "Que ele se dane!"

— O que vamos cantar? — Elise perguntou.

— Dwiwa — Freya gemeu de maneira ininteligível.

Houve um murmúrio confuso. Elise atacou, com um grampo, seu coque desarrumado, sem conseguir acertar o alvo.

— O quê? — ela perguntou.

— Dewiwa — Freya repetiu, oscilando de um lado para outro.

— Delilah — traduzi, depois de um lampejo de compreensão.

— Um, doooiis, três — Dora contou.

Mas ninguém conseguiu se lembrar de como a canção começava. Ainda bem que eu sabia um pedaço: "My, my, my Delilah, why, why why, Delilah, my, my...".

E todos cantaram juntos. Bem, todos, exceto Rob. E nós gritamos, gritamos durante todo o caminho de volta, o que é normal acontecer numa excursão.

Procurei o abajur na cabeceira da cama e caí dela, morrendo de sede. Liguei a luz do banheiro e me olhei no espelho. Um fantasma maquiado, de 74 anos de idade, olhou de volta para mim. Fui atrás de um pedaço de algodão e do removedor de maquiagem. Ouvia a batida de um bongô em algum lugar perto de mim. Não merecia me sentir tão mal. Nem tinha bebido muito. Rob entrou no banheiro, levantou o assento do vaso e começou a fazer xixi.

— Você não acha que tem muitas luzes acesas? Você se deu conta de que são só três horas da manhã?

— Estou doente — crocitei, esfregando o rosto.

— De jeito nenhum. Você acha que está com sarampo ou algo do tipo? — Ele lavou as mãos, pegou a *nécessaire* da prateleira e mergulhou duas pastilhas num copo, encheu-o com água e o passou para mim.

— O que é isso?

— Solpadeine.

Olhei com cautela para o copo de água borbulhante.

— Aqui tem quantas calorias?

— Por quê?

— Bem, se tiver mais de 200 calorias, prefiro permanecer doente.

Ele se aproximou, todo saudável, e descansou uma mão na parede.

— Se eu fosse você, não me preocuparia com isso — falou, balançando a cabeça. — Se eu estivesse como você está agora, aceitaria toda a ajuda possível.

De repente, lembrei-me do que Delia tinha dito sobre Helen e Rob. Fiz uma careta e engoli o líquido efervescente. "Acho que não tem problema", pensei. "Ele está comigo agora e isso é tudo que importa. Conquistas anteriores são irrelevantes. Não é como se eu mesma não tivesse um passado. Deus do céu, nunca fui santa e ele tem direito à privacidade. Nem pensaria em perguntar para ele. Não quero que ele pense que sou obcecada, ou possessiva, ou ciumenta. Tenho meu orgulho. Não perguntaria para ele sobre ela nem que a sobrevivência da raça humana dependesse disso!" Bati com força o copo na pia e arremessei o algodão na privada. "Verdade seja dita, não estou nem aí."

Acertei-o no peito usando o pote do removedor de maquiagem.

— Você transou com aquela pi... garota, a Helen? — gritei, hesitante. Consegui consertar e falar "garota", quando, na verdade, queria dizer "piranha".

— Quando? Hoje? — ele perguntou, com sarcasmo.

Passei por ele. Ele agarrou meus ombros, jogou-me na cama e puxou o cobertor sobre nós.

— Sim — ele admitiu. — Transei cinco anos atrás. Trabalhávamos juntos na Itália por uma semana, nós...

Dei um tapa em sua boca para silenciá-lo.

— Não é da minha conta. A Delia me contou e eu estava curiosa, mas é claro que você não precisa me contar nada — disse, desembaraçada. — Nós dois temos um passado. É claro que sim, e francamente não estou nem um pouco interessada. Pra falar a verdade, nem sei por que perguntei — me pavoneei, soquei o travesseiro e me contorci até a beirada da cama, para ficar o mais longe possível dele. Virei-me para encará-lo. — Uma semana na Itália! Uma semana inteira na Itália! Seu vagabundo! — gritei.

Ele explodiu numa grande risada e suas mãos fortes me deitaram de costas. Subiu em cima de mim e nossos olhares se cruzaram.

— Você está me esmagando — ofeguei.

Ele colocou o peso sobre os cotovelos.

— Fazia três anos que eu não a via — contou, inocente. — Bem, que tal agora discutir sobre os homens com quem você transou nos últimos cinco anos?

Limpei a garganta.

— Apague a luz — disse para ele.

CAPÍTULO 20

DEVO DIZER A MEU FAVOR que consegui levantar da cama no sábado de manhã. Para simular uma saúde perfeita, dei um grande show cantando *Like a virgin* enquanto secava os cabelos. Mas para ser honesta, me sentia horrível. Culpei as tricotadeiras. "Nunca mais vou beber de novo. Eu não combino com champanhe, e, pensando bem, não comi muito ontem à noite."

Andei pelo lobby e me debrucei sobre o balcão da recepção. Carla, nossa guia, chegou pela entrada principal e desfilou até onde eu estava, arrumando os cabelos pretos e brilhantes com uma mão que acabara de sair da manicure. Ela estava deslumbrante numa saia curta, de linho vermelho, e uma blusa de renda branca. Seus pulsos estavam repletos de pulseiras douradas que chacoalhavam, e um maravilhoso pingente de cristal em formato de coração enfeitava seu decote. Senti-me enjoada, gorda, deselegante e com cento e oitenta anos de idade perto dela.

— *Bonjour, ça va?* — ela gorjeou.

— Bem, obrigada — menti, desanimada, mas logo me alegrei quando percebi uma espinha enorme e pulsante em seu queixo. Resolvi expulsá-la da conversa e me dirigir à sua espinha pelo restante do dia.

A atmosfera dentro do ônibus era de profundo desânimo, para dizer o mínimo. Carla fez o possível, realmente, mas, quando tudo acabou, ela teve a sorte de não ser vaiada. O balanço do ônibus e as guinadas abruptas fizeram com que todos, exceto Carla e Rob, tivessem vontade de vomitar. Elise era uma sombra cor de baunilha e Kelly tinha uma aparência verde pálida. Cutuquei duas vezes o braço de Arthur, para me certificar de que ele ainda estava vivo, o que não parecia. No final da excursão, todos saltaram em frente à Ópera de Paris e se dirigiram para o Café de la Paix.

Permaneci em transe, sentada na poltrona.

— O Louvre? Não era aonde você queria ir nessa semana? — Rob perguntou, dando sinal que entraria na avenida.

Agarrei os descansos da poltrona e fechei os olhos. A visão de carros zunindo ao passar pelo ônibus me deixava tonta.

— Er... Bem, sabe do que mais? Não estou reclamando. Hoje está muito, hum, muito quente — engoli em seco. — Talvez na próxima semana. — Minhas pálpebras suavam. Pisquei devagar, como um bebê sonolento.

— Não, não. Promessa é promessa. E eu prometi levá-la, então é exatamente o que iremos fazer — ele insistiu. — Vamos parar o ônibus em Rivoli e andar até o Louvre.

Ele pisou no freio. Meu estômago se remexeu.

— Isso é que é sorte — disse, com um sorriso triunfante —, achar um lugar vago tão rapidamente.

Bebi avidamente o restante da minha garrafa de dois litros, já quase vazia, de água mineral.

— Vamos! — Rob falou, batendo palmas. — Vamos sair. — Ele já estava de pé. Eu temia fazer o mesmo. — Não seja preguiçosa — disse, segurando meu cotovelo.

— Não... er... OK, Rob! — Estava de pé. Pelo menos era um começo. Ele cutucou minhas costas para me fazer descer do ônibus mais depressa. — Posso andar sem você ficar me empurrando — reclamei.

Com o braço em volta dos meus ombros para me manter de pé, Rob marchou, resoluto, pelas calçadas parisienses.

— Que cidade linda! — ele exclamou e me deu um abraço, que quase esmagou meus ossos. Cravei os olhos na calçada para supervisionar a complicada tarefa de colocar um pé na frente do outro. Tive de imitar o andar de Max Wall[16] para conseguir acompanhá-lo. O calor era quase insuportável, meus cabelos estavam grudados no pescoço, meus pés pulsavam e, olha, ainda não tínhamos chegado ao Louvre. E eu estava arrotando champanhe.

— Você está quieta, querida.

Afinal, chegamos ao museu. Nós e outras milhares de pessoas.

— Um *tour* — Rob anunciou, animado, e me arrastou, tentando seguir a sóbria e atraente guia japonesa.

A guia divagava.

— Mona Lisa está pendurada numa sala privada. A modelo do quadro mais famoso da história da arte provavelmente era uma garota italiana chamada Lisa Gherardini del Giocondo. A pintura foi vendida por Leonardo Da Vinci para o rei francês Francisco e está guardada no Louvre há mais de duzentos anos.

As sobrancelhas de Rob se arquearam.

— Que interessante! Você sabia disso?

Eu estava cochilando, apoiada na parede.

— Está tudo bem? — perguntou, me sacudindo. — Acorda! Vamos nos apressar e ouvir o que ela tem a dizer. — Ele agarrou minha mão e me puxou, quase passando por cima da multidão que estava em sua frente. — Melhor ficarmos perto da guia, pois não queremos perder nada — ele disse, com olhar ávido. — Eu sei o quanto você gosta de ver e apreciar pinturas antigas. Estou aqui só por sua causa.

Olhei para ele.

— Acho que vou vomitar — disse numa voz rouca, quase inaudível.

Ele cruzou os braços, triunfante. Seu cenho se enrugou enquanto ele fingia que pensava profundamente.

[16] Referência ao comediante inglês Max Wall (1908-1990), que tinha como marca pessoal uma marcha bizarra muito característica, com a qual costumava fazer a saída de seus espetáculos. (N. E.)

— Você acha que pode ter sido algo que comeu?

Coloquei a mão na boca.

Seu sorriso diminuiu, depois desapareceu. Ele esquadrinhou a sala à procura de um banheiro.

— Não se atreva — advertiu. — Vamos logo! — Ele agarrou minha mão e me apressou na direção dos toaletes, empurrando-me porta adentro. Não havia um segundo a perder. Cheguei na hora certa. Consegui.

Quinze minutos depois, nos encaminhamos para a saída. Eu me sentia ótima. Quer dizer, não exatamente ótima, mas melhor. Era uma nova pessoa e havia certa vivacidade em meus passos.

— Estou me sentindo bem — disse para Rob, animada.

Ele me lançou um olhar desconfiado.

— Estou me sentindo bem melhor — assegurei. — Estou até com fome. Gostaria de comer um sanduíche. E você? Está um dia quente. Vamos procurar uma sorveteria? — Vasculhei minha bolsa atrás do batom. — Pensando melhor, é exatamente isso que eu quero, duas bolas de sorvete de menta com pedaços de chocolate — disse, lambendo os lábios.

Mas a saída ficava a 288 quilômetros do banheiro das mulheres. E o calor dentro do museu causaria queimaduras até no traseiro de um camelo. Passei meu braço pelo braço de Rob. Meus pulmões ardiam, minha boca estava seca como o Deserto de Gobi, minhas pernas bambas e meus pés estavam me matando. Entrei mancando no pátio do Louvre, banhado pelo sol, inclinei-me, dobrando meu corpo em dois.

— Não posso andar mais. — Solucei. — Sapatos novos. — Lamentei.

— Pode sim.

— Não posso nem quero. — Tropecei e segurei seu braço com mais força. — Olha! — Solucei e apontei para meus pés, onde duas enormes berinjelas se projetavam para fora das sandálias Prada. Parei e me curvei. — Me carregue — pedi.

— Carregar você? Está brincando?

— Foi você quem me trouxe aqui.

Rob suspirou, exasperado:

— Vamos caminhar até a Praça da Concórdia. Você me espera enquanto vou buscar o ônibus — ele disse com firmeza.

— Não posso. Não posso andar por todo o Jardim das Tulherias, também não posso tirar minhas sandálias, porque não posso andar descalça pelo pavimento e a grama fica longe — falei, levantando o tom de voz.

Ele jogou as mãos para o alto, contrariado:

— O lugar mais perto para trazer o ônibus é a Praça da Concórdia.

— Compre sandálias de dedo para mim.

— Oh, certo! Que tamanho e cor? — Ele colocou as mãos sobre os olhos, imitando a aba de um boné, fingindo que procurava pelo pátio do museu. — Onde? Por acaso você vê alguma loja de sandálias no meio do Louvre?

Oscilei e agarrei seu cinto.

— Estou sentindo muita dor — choraminguei. — Estou... — Parei meu choro na metade.

Interrupção divina...

Um mendigo estava dormindo, desmoronado na parede atrás de nós, usando um confortável par de sandálias de dedo de couro. Acho que ele calçava 42, eu, 36, então serviria perfeitamente em meus pés inchados. Que sorte!

— Pegue para mim — mandei, apontando na direção dele.

Rob alongou seu 1,87 metro.

— Você quer — ele disse, incrédulo — que eu roube um par de sandálias de um bêbado inconsciente? Não vou fazer isso.

Balancei a cabeça, ainda segurando seu cinto em busca de apoio.

— Não, é claro que não. Acorde ele e compre as sandálias.

Seus olhos azuis mais pareciam as chamas de um fósforo.

— Ou então me carregue — disse numa voz inexpressiva.

Dez minutos depois, andava cinco passos atrás de Rob, que cambaleava de tanto rir.

— Não foi tão engraçado assim! — gritei para sua nuca.

— Foi sim — ele insistiu.

— Me espera!

— Tenho mesmo?

— Sim.

Ele segurou a barriga e inclinou-se para frente, sem ar, enquanto uma nova onda de riso o atingia.

— Se você não parar de rir, vou fazer greve de sexo. — Apontei meu dedo, ameaçadora. — Não vou transar com você pelo restante do fim de semana.

Ele gargalhou ainda mais alto.

— Você fazendo greve de sexo? Você não conseguiria fazer isso, assim como não consegue andar com suas sandálias brancas.

— É o que você pensa! — Sorri desdenhosamente. Continuei caminhando, com os braços balançando para obter mais velocidade. Até passei por ele. — É claro que eu posso fazer isso. E não se engane, eu falei sério. É uma questão de princípio. — Encaminhei-me para as escadas laterais, segurando o corrimão com ambas as mãos. Estava totalmente exausta. — Saiba que não faço ameaças vãs! — Ofeguei.

Nós discutimos e falamos alto durante todo o caminho até o hotel, onde tivemos a melhor transa de todas. Depois nos preparamos para a excursão noturna por Paris.

Um pouco antes de sairmos, sentei na beirada da cama, com os pés mergulhados em dois baldes de gelo, o controle da TV na mão e passeei pelos canais. Rob saiu do banho com a toalha enrolada na cintura, com o peito nu e a face coberta com espuma para barbear.

— Você vai ficar sentada aí a noite inteira? — ele perguntou, brandindo uma lâmina mortal.

— Não. Meu pé desinchou e voltou a seu tamanho natural — respondi, aliviada. — Estou pronta. Tenho apenas que colocar o vestido.

Ele riu.

— Ótimo.

Depois de deixar o grupo em Notre Dame para ir jantar, Rob e eu encontramos um típico e agitado restaurante italiano do outro lado da praça da catedral. O garçom nos levou até uma mesa discreta, perto da janela, e jogou dois cardápios na nossa frente. Desapareceu e retornou trinta segundos depois, com uma garrafa de vinho tinto. Ele mal conseguiu ficar parado tempo suficiente para anotar nosso pedido, e logo se foi, com a caneta escrevendo sem parar.

— Posso ficar com você em Londres na segunda e na terça-feira? — Rob perguntou, enquanto me servia o vinho.

O garçom reapareceu e jogou uma cesta de pão, que aterrissou na mesa como um disco voador, deu uma olhada em meu decote, piscou maliciosamente para Rob e se mandou.

— É claro que sim. Vou apresentar você para minha irmã e Lulu, que está ansiosa pra conhecê-lo.

— Estarei ocupado na quarta — ele disse, pegando um pedaço de pão.

— Fazendo o quê? — perguntei.

Dois pratos de massa bem quentes giraram e chacoalharam em nossa frente.

— Estou pensando em comprar quatro novos ônibus, mas antes quero me certificar de que terei contratos fechados para cobrir os custos. Vou visitar algumas operadoras de turismo em Londres na quarta, depois vou para Birmingham, fazer também alguns contatos por lá.

Meu garfo congelou enquanto se dirigia para minha boca. Ele disse que ia comprar ônibus? Comprar? É claro que motoristas de ônibus não aparecem para gastar centenas de milhares de libras em, bem, em ônibus. Quer dizer, nunca cheguei nem perto de poder comprar minha própria agência de propaganda.

Ele cercava a sua massa.

Senti uma pontada de animação.

— Hum, comprar ônibus? — Disfarcei, com uma risada desinteressada.

Ele fez que sim com a cabeça, levando o garfo cheio de comida até a boca. Tomei um gole de vinho e o estudei por sobre a borda da taça.

— Acho que chegou a hora de expandir — ele disse, com um sorriso cauteloso.

"Expandir pode significar muitas coisas", pensei. Ele acabou de comer a cesta inteira de pão.

— Expandir o quê? — perguntei.

— Minha frota — respondeu, limpando a boca com um guardanapo.

— Frota? — grunhi.

— Sim.

"Sua frota? É claro. É claro que é a sua frota. Ele se chama Robert Harrison e, surpresa, acorda, Evie!" De cada lado do ônibus, há, pintado, um grande logo dourado, em que se lê "Harrison". Agora estava começando a entender.

— Quanto custa cada ônibus?

— Cerca de 300 mil libras.

Meu queixo caiu.

— O quê?! — gaguejei. — E você vai comprar quatro?

Escondi meu júbilo com dificuldade. Dinheiro, ele tinha dinheiro. Então eu também teria, porque o que era dele seria meu e o que era meu... Bem, agora que estava pensando no assunto, ele poderia ficar com qualquer coisa minha, porque eu não tinha nada. Mas o que vale é a intenção. Sentia vontade de levantar e deslizar em volta da mesa. *Tenho um namorado rico! Tenho um namorado rico!* O estresse foi embora, minha conta estourada será parte do passado. Por falar nisso, que conta estourada? Na verdade, foi um pequeno problema causado pelo fim de meu salário mensal.

— Se você não quer comer a massa, passe para cá — ele interrompeu.

Passei meu prato para ele com o entusiasmo de um campeão mundial de hóquei de mesa. Perdi a fome. Ele pode me comprar o bracelete dourado da Links com seus vinte talismãs. Não, isso é muito cafona. Dez talismãs bastam, e uma bolsa vermelha da Mulberry e Jimmy Choos e mais um montão de coisas. "Vou fazer uma lista", decidi. Assim ele saberá do que eu preciso. Não quero que desperdice seu dinheiro num monte de besteiras. E ele poderia me levar para passar o Natal no Caribe. E me pagar um *mega hair*.

Franzi o cenho. "Tenho que me controlar", pensei. Não estou com ele por causa do dinheiro. Definitivamente. Coisas materiais nada significam para mim. Gosto das pessoas pelo que elas são. Tanto faz que sejam ricas ou pobres. Engoli meu vinho com avidez. Não, não me importaria nem um pouco se ele não tivesse um centavo. Não me interessa quanto dinheiro ele tem. Não vou bisbilhotar. Seus negócios não me dizem respeito. Ele pode ter uma ideia errada e achar que sou interesseira.

— Essa massa está deliciosa. O que aconteceu, querida? Não está se sentindo bem?

— Então... — Suspirei, mordi os lábios e continuei: — Quantos ônibus você tem? Você tem sócio? Todos os veículos já foram pagos? Você é dono de seu escritório? A empresa é bem-sucedida? — Debrucei-me sobre a mesa. — Como você tem tempo para perambular por Paris? Por que não está em casa mandando em todo mundo, como fazem os patrões?

Os ombros de Rob balançavam enquanto ele ria.

— Dez ônibus e, logo, serão catorze. Não tenho sócio. Só os ônibus novos terão financiamento parcial. Sou dono de meu escritório e as coisas não vão mal. Meus pais administram o negócio, e eu comando todos por e-mail e mensagens de texto pelo celular. Isso responde a todas as suas perguntas?

Pedi um pedaço de bolo de chocolate. De repente, estava morrendo de fome.

De volta ao ônibus, iniciamos nossa excursão noturna por Paris. Quando chegamos a Pigalle, um porteiro alto e bonito acenou para Elise, da calçada em frente a um clube de *striptease*. Ela gorjeou, hesitou e balançou seu traseiro, antes de pular audaciosamente da poltrona.

— Certo, garotas, vamos! — ela falou, decidida.

Sete rostos se enrugaram num silêncio incerto.

— Fomos convidadas, queridas — ela acrescentou, com um sorriso jubilante. Acenou para o abominável homem das neves, vestido com um terno, que estava embaixo do toldo, na entrada no clube.

Ninguém se manifestou.

Elise levantou a mão como um guarda de trânsito.

— Rob, pare o ônibus! Pare! — ela gritou.

Ele estacionou e me lançou um olhar inquiridor. Eu dei de ombros.

— Meninas, o que temos a perder? Nunca fui a um clube de *striptease* e isto está na minha lista de coisas a fazer antes que eu encontre o Matthew de novo — ela proclamou, levantando os olhos em direção ao céu. Ajeitou a bolsa e começou a passar batom.

— Quer que eu tente negociar uma taxa para o grupo? — ofereci.

Ela sorriu, seu lábio inferior agora estava pintado de vermelho.

— Querida — ela disse —, isso vai muito além de suas obrigações. Muito obrigada!

Rob bufou, contrariado.

Desci do ônibus e andei até o clube. O nome do gostoso de plantão era Lorenzo. Ele era de Nápoles e vivia em Paris havia dezoito anos. No final da negociação, viramos "melhores amigos". Voltei para o ônibus, satisfeita comigo mesma.

— Duas entradas pelo preço de uma — me gabei, orgulhosamente. — Vai começar um show de *striptease* masculino em meia hora e os dois primeiros drinques são por conta da casa.

Elise pulou da poltrona.

— Fabuloso! — Sorriu, radiante.

— *Strip* masculino! — Amy e Kelly falaram ao mesmo tempo, animadas.

Todas as sete tricotadeiras se levantaram.

— Er... — interrompi. — O clube insiste que o grupo tenha pelo menos dez pessoas... — Houve um certo pânico. — Então... — anunciei no microfone —, estamos em busca de dois voluntários para o show de *striptease* masculino.

Arthur pulou da poltrona.

— Contem comigo — ele gritou.

— Se é bom para elas — gorjeou uma vovozinha de Bristol, apontando para as tricotadeiras —, também é bom para mim.

Ela apertou as compras contra o peito e cutucou seu atônito marido.

— Cyril, levante-se!

Como já era esperado, Cyril saltou da poltrona como se seu traseiro estivesse pegando fogo.

Gracie e Sarah, duas irmãs de Glasgow, levantaram-se numa agitação de echarpes e capas de chuva.

— Nós vamos, mas apenas para completar o grupo — ofereceram-se, caridosas.

— Muito obrigada! — disse para elas.

Seguiu-se um pequeno êxodo. Na verdade, permaneceram apenas sete casais desanimados a bordo. Apressei todo mundo para dentro do clube, fiz o pagamento e me arrastei de volta para o ônibus.

— Rob, acho que devo me certificar de que todos voltem sãos e salvos para o ônibus, não é mesmo?

— Não. Entre aqui e vamos terminar a excursão. — Rob levantou o queixo em direção ao Lorenzo. — Ele lhe ofereceu um incentivo para ficar?

— Na verdade, ele me ofereceu um emprego — admiti, sentando, desanimada, na minha poltrona.

— Um emprego? — Ele riu, ligando a ignição. — Vou mantê-la ocupada quando chegarmos ao hotel.

— Fazendo o quê? — desafiei.

— Comprei aquele suporte de joias para você, enquanto estava no clube. Então talvez você queira experimentar para ver como fica na sua penteadeira... — Ele me deu um sorriso safado. — E é claro que vou ajudá-la.

CAPÍTULO 21

Levantei da cama no domingo de manhã totalmente sóbria. Senti-me ótima. “Acho que devo parar de beber”, pensei. Imagine poder acenar com a mão levianamente e dizer: “Não, obrigada!”, quando alguém me oferecer uma bebida. As pessoas olharão para mim com respeito, admiração e inveja e pensarão: “Como ela consegue fazer isso?”. Elas vão se sentir inferiores e eu estarei seis quilos mais magra. “Sim, acho que vou tentar. Mas vou ter que esperar até que eu e Lulu acabemos com o vinho que compramos no Tesco, e até que passe a pressão desse novo emprego.” Olhei para Rob. Um braço forte e bronzeado me procurou cegamente pela cama. Ele se sentou, cabelos emaranhados e olhos sonolentos.

— Volte pra cama.

— Por quê?

— Minhas costas estão geladas.

— As suas costas estão geladas nesse calor sufocante?

— Tá certo, na verdade eu quero transar com você. — ele admitiu.

— Você consegue pensar em alguma outra coisa na vida?

— Como o quê? — ele perguntou.

Dei de ombros. Não conseguia pensar em mais nada também.

SENDO BEM HONESTA, estava me exibindo em nossa excursão matinal para Versalhes. Parecia David Attenborough.[17]

— Versalhes foi a residência dos reis franceses de 1682 a 1790. O palácio, originalmente construído para ser um pequeno abrigo para caçadores, foi ampliado ao longo dos anos por quase todos os monarcas. A beleza da arquitetura francesa clássica foi acentuada com a criação dos jardins e a instalação da deslumbrante Fonte de Latona. Acho que seria justo dizer que lançou uma tendência entre a realeza europeia: pátios de mármores, mobília luxuosa e confortável e obras de arte caras.

Inclinei-me sobre a lateral da minha poltrona e perscrutei o corredor do ônibus. Todos me olhavam com o queixo caído, concordando, atentos, com a cabeça, obviamente gostando da minha narrativa repleta de informações. Todos, menos Arthur, que estava olhando sobre a poltrona na sua frente para o decote de duas senhoras peitudas, ocupadas comendo bombons de licor de uma caixa.

Eu continuei.

— Com uma história tão importante, acho que o melhor a fazer para apreciar a sua estada seria contratar uma das visitas guiadas, conduzidas por um dos funcionários do palácio. — Coloquei com cuidado o microfone de volta no painel.

— Você engoliu um livro? — Rob perguntou, com sarcasmo.

Dirigindo pelo frondoso subúrbio de St. Cloud, de repente Rob sinalizou e parou.

— O que aconteceu? — perguntei.

— Espere e verá — ele retrucou.

Elise, que estava sentada atrás de mim, inclinou-se e murmurou baixinho:

[17] David Attenborough é um famoso narrador de documentários sobre história natural do canal de televisão britânico BBC. (N. E.)

— Espero que não vá acontecer de novo — ela disse, fazendo minhas faces queimarem.

Virei-me e levantei as sobrancelhas. *E daí?*

Rob apertou o botão no painel para abrir a porta, apertou meu joelho enquanto descia os degraus, dois a dois. Repousei as mãos sobre meu colo enquanto sentia uma pontada de irritação. O que ele estava planejando? Não podia simplesmente estacionar no acostamento, com um ônibus repleto de passageiros, quando tivesse vontade. Estava quase descendo do ônibus para lhe dizer isso, quando ele voltou, carregando nos braços um farfalhante buquê de flores lindas. Tive que me levantar para ele poder passar. Com um movimento um pouco desajeitado e um rosto sonhador, ele me deu um enorme abraço.

— Para você — disse, abaixando a cabeça para beijar minha testa. — Porque você merece — acrescentou, feliz com sua ideia.

Houve uma explosão de alegria, uma grande saudação e uma rodada de aplausos. Então, para a diversão de Rob, uma fila de maridos serpenteou para fora do ônibus para fazer o mesmo. E Arthur, o devasso, trouxe uma rosa para cada tricotadeira e recebeu oito beijos em troca. Vinte minutos depois, uma florista, encantada, acenou para nós ao lado de sua barraca, enquanto partíamos.

Quando chegamos a Versalhes, Rob limpou o ônibus e eu perambulei pela cidade. Quase todas as lojas vendiam bolos e doces; então, a menos que meu objetivo fosse pesar 120 quilos, não havia quase nada para comprar. Caminhei de volta para o palácio e fiquei tomando sol, deitada sobre a grama por uma hora. Com calor, incomodada, entediada e intrometida, voltei para o ônibus e remexi os trabalhos das tricotadeiras, que, sendo bem honesta, era um monte de lixo. Não sou nenhuma *expert*, mas com certeza as mangas não deveriam ser quadradas e os pontos deveriam ser uniformes, não esticados ou com buracos do tamanho de uma bolha. Tenho quase certeza de que elas só tricotavam quando estavam sóbrias. Estava quase chamando Rob para ver, quando observei todas as oito caminhando garbosamente para o estacionamento. Guardei tudo de volta nas sacolas e saí apressada do ônibus.

— Querida, que experiência fantástica! Coitada da Maria Antonieta. Que história triste, ela foi tão incompreendida! — Kelly lamentou, com sinceridade.

— Sim, muito triste — concordei. Quem não concordaria? Ela teve sua maldita cabeça cortada.

As oito se acomodaram e pegaram as agulhas. Tinha de dizer algo. Com muito tato, é claro.

Cruzei os braços.

— Então estão sempre tricotando, não é mesmo? — perguntei, dando uma olhada para as sacolas de lã, no centro do corredor.

Amy riu:

— Não, não, não. Meu Deus, querida, quase não temos tempo. Mas acontece que Kelly estava conversando com o padre, após o funeral de seu marido, e ele lhe perguntou se ela poderia ajudar num de seus projetos — ela explicou.

Ela levantou uma enorme meia cor de limão, que estava pendurada sobre uma agulha grossa. Acho que deveria ter sido arrematada dois dias atrás, em algum lugar entre Calais e Paris, a menos que ela estivesse fazendo um par de meias para a Estátua da Liberdade.

Ela olhou para a meia com orgulho.

— Todas essas peças serão doadas para o bazar de Natal da igreja.

Muita gentileza de vocês! — comentei, sentindo pena de quem recebesse os trabalhos.

Ela sorriu.

— Cada um faz o que pode.

Essa noite, andamos do nosso hotel, que ficava atrás de St. Lazare, até o Champs Elysées, onde tivemos um jantar delicioso e compartilhamos uma garrafa de vinho, num café com mesas na calçada. Sentamos numa mesa para dois, de mãos dadas, sob a luz vacilante de uma vela. Por um tempo, não falamos nada. Apenas bebemos nosso vinho e sorrimos num silêncio para lá de romântico. Poderia ter ficado ali para sempre. Quando nos levantamos para ir embora, Rob segurou meus braços e me puxou para perto de si. Senti seu coração bater contra meu queixo e aconcheguei meu rosto em seu peito.

— Você é linda, Evie! — ele murmurou.

— Você também — disse para ele.

No dia seguinte, abordei a cerimônia de adeus de um jeito mais digno e profissional. Agradeci a todos por terem escolhido viajar conosco e disse que eram o grupo mais simpático e interessante com que já havia trabalhado. Tudo deu tão certo e nossas gorjetas foram tão fabulosas (novamente), que decidi fazer o mesmo discurso toda semana. Por que não?

CAPÍTULO 22

Lulu e Vic, seu biólogo marinho, estavam saindo do apartamento para jantar fora quando eu e Rob chegamos. Vic é sul-africano. Ele tem um pescoço grosso e cabelos loiros quase brancos, grandes olhos castanhos, emoldurados por sobrancelhas brancas grossas, e cílios também brancos. Ele parece um filhote de foca. A seu favor, contam um bronzeado fabuloso e um carro Aston Martin.

Lulu me sequestrou e me levou até o banheiro. Ela estava maravilhosa em seu jeans branco boca de sino e uma blusa transpassada rosa-choque. Sua mão se movimentava aflita, mexendo nas várias correntes de prata que decoravam seu decote de causar inveja.

— O que você acha? — ela perguntou, ansiosa, com os lábios se abrindo num sorriso. — Na primeira vez, você não conseguiu olhar direito, não é mesmo? — Ela fez um biquinho, de frente para o espelho, e passou em seus lábios um batom cor de morango.

— Simpático — respondi, inexpressiva.

Ela começou a andar pelo banheiro.

— Simpático... — ela repetiu. — É tudo o que você tem a dizer?

— Ele tem, bem, há um excesso de branco em volta dos olhos e nas extremidades.

Ela levantou o batom.

— Branco em volta dos olhos? — Lulu se exaltou. — O que você quer dizer com isso?

— Bem, ele parece um pouco com Papai Noel.

— Papai Noel? — gritou.

Sorri, amistosa:

— Sim, Papai Noel.

Ela colocou a tampa no batom.

— É claro que eu sei quem é Papai Noel e ele não se parece nada com ele! Tem mais uma coisa: o bilau dele é do tamanho de uma mangueira de jardim.

Olhei para ela, duvidando, e tirei o batom de sua mão.

— O que você achou do Rob? — perguntei, sorrindo radiante para o espelho.

Ela ajeitou sua juba cor de baunilha e cruzou os braços.

— Ele é legal, mas me lembra Bruce Forsyth[18] — revidou.

Arquejei, horrorizada.

— Bruce Forsyth! Ele não se parece nada com ele! — Estiquei meus lábios e os circulei com o batom.

Ela virou bruscamente a cabeça.

— Parece sim. Principalmente o paletó velho — disse.

— É um uniforme — corrigi, jogando o batom em sua mão estendida.

— Que pena que ele não usa uniforme de piloto, não é mesmo? Ele é apenas um motorista de ônibus.

— Saiba apenas que ele é o dono da companhia.

Ela deu um soco em meu ombro.

— Saiba apenas que Vic se formou em Oxford.

Chega! Seu soco me tirou do sério:

[18] Bruce Forsyth é um apresentador de TV britânico, famoso desde os anos 1950. (N. E.)

— Vic é um médico de peixes! Nada muito complicado, não é? Seus pacientes nunca vão se queixar se ele fizer algo de errado. Na verdade, vi alguns deles sobre o gelo no supermercado Sainsbury's.

Ela abriu a porta do banheiro de maneira dramática.

— Você é uma vaca despeitada! — xingou por sobre o ombro. — Vou sair e passar a noite com Vic. Você e o Carteiro Pat[19] podem ficar por aqui. — Saiu batendo o pé e quase derrubou a porta.

Lulu e eu *nunca* paqueramos o mesmo tipo de homem.

LIGUEI PARA LEXY na terça-feira e falei que estava passando na casa dela. Não falei que Rob iria comigo. Queria surpreendê-la.

— Você vai amar minha irmã — falei para ele, tocando a campainha. — Ela fala um pouquinho demais, então você não precisa entretê-la.

— Se ela se parecer com você, tenho certeza de que vou gostar dela — Ele agarrou minha cintura, me puxou em sua direção e me beijou. — As crianças estarão lá? — ele perguntou, rindo contra a minha testa.

— Não — respondi, agradecendo secretamente a Jesus e aos doze apóstolos. — Elas estão na creche.

Esperamos calmamente em frente à porta da casa.

— Ela está sem pressa — ele disse, e estava absolutamente certo: ela não estava com *nenhuma* pressa.

Enfiei o dedo na campainha e gritei: "Sou eu!" pela caixa de correio. Ouvi passos se aproximarem pelo piso de madeira. Lexy abriu a porta, virou de costas para nós, ajeitou a saia e voltou apressada pelo corredor. Marchei atrás dela, segurando a mão de Rob. Ela atravessou a cozinha, desviou da mesa e subiu na pia. Ajoelhou-se, inclinou-se para a frente e espiou através das persianas de madeira.

Surpreso, Rob levantou as sobrancelhas.

— Tive uma manhã maravilhosa. Estamos cortando algumas árvores. No meu jardim, estão alguns dos homens mais gostosos que já vi.

[19] O Carteiro Pat é o personagem de uma série infantil da TV britânica em animação *stop-motion*. (N. E.)

Lenhadores! — ela falou, aturdida e ofegante. — A palavra "lenhador" já me dá tesão. Vejam, é um colírio para os olhos! Olhem para esses peitos fabulosos, suados, sem camisa. Dá vontade de comer. — Ela lambeu os lábios, excitada, e continuou apressada: — Observem os cintos de couro enormes que carregam em volta da cintura. E olhem a maneira como carregam as pesadas serras, apenas numa mão. O nome correto é motosserra? Acho que sim. Eles a carregam como se não pesasse mais do que um batedor de claras. E aquele cara lá no alto — ela apontou através da cortina — pulou de uma árvore para outra. Ele é maravilhoso. Minha vontade é correr até lá, arrastá-los à força até o meio do jardim e transar com todos ao mesmo tempo. Precisei fechar as persianas para eles não perceberem que estou espionando. Já servi quatro cafés para eles e levei três vezes canecas com a minha deliciosa limonada caseira. Eles amaram.

Ela se apressou e bateu com a mão no balcão da pia.

— Venha sentar aqui. Você não pode ver droga nenhuma aí embaixo. Meu Deus, um deles está... olha... Ah, olhe só para isso. Seus olhos estão fechados contra o sol e ele está coçando o bilau com o cabo da motosserra. Como pode fazer isso sem cair da árvore? Sabe o que mais? Graeme nunca poderia fazer isso. E ele só vai chegar em casa às seis. — Ela respirou profundamente. — Não posso esperar tanto tempo! — lamentou.

Limpei minha garganta.

— Lexy, este é Rob.

— Huh? — Ela se virou, perdeu o equilíbrio e caiu no chão como uma árvore sendo derrubada. Muito estranho! Rob a ajudou a se levantar.

Houve um silêncio constrangedor.

Ela me encarou, soltando farpas pelos olhos.

— Você não me disse que estava trazendo alguém — ela conseguiu murmurar entredentes, alisando a saia.

A campainha tocou.

— Com licença! — disse numa voz estridente, precipitando-se em direção ao hall de entrada. Os olhos de Rob a seguiram, atônitos.

Ela cambaleou de volta para a cozinha, equilibrando uma bandeja prateada com sanduíches e outra com um salmão pochê de dar água na boca.

— Pedi alguns aperitivos para os... os... trabalhadores — ela disse, enrubescida.

— Muito simpático de sua parte. Não me lembro de você fazendo o mesmo para Alf e Eddie quando consertaram seu banheiro.

Ela me lançou um olhar gélido.

— Bem, Rob, muito prazer em conhecê-lo — ela disse, oferecendo-lhe a bandeja de sanduíches. — Você está com fome?

Ela apoiou as bandejas sobre a mesa e, virando-se com elegância, dirigiu-se até o fogão e pegou o bule.

— Graeme tentou aparar as árvores nesse fim de semana, mas acabou cortando o fio da serra elétrica e levou um choque horrível. Voou pelo jardim e acabou mergulhando no lago. Achei que estivesse morto. As crianças também. Graças a Deus ele estava, mas Becky sugeriu que o enterrássemos assim mesmo.

"Este é exatamente o tipo de situação que reforça minhas suspeitas com relação a essa criança" — pensei.

— Então achamos melhor recrutar alguns profissionais para terminar o trabalho — ela concluiu, rindo como se quisesse se assegurar de que sabíamos sobre o que ela estava falando. Rob concordou com a cabeça, educado, entrando no jardim.

Lexy me empurrou contra a parede:

— Que vergonha! Você deveria ter me interrompido. O que ele deve estar pensando? Ele é maravilhoso. Agora entendo por que você está gostando de seu trabalho, diz para ele que eu...

Rob voltou para dentro.

— Rob, leite e açúcar? — ela perguntou.

E sabe o que mais? Ela não estava planejando compartilhar o salmão com a gente. Tagarelou sobre querer servi-lo inteiro e como a apresentação de um prato era importante. Em vez de nos oferecer o salmão, tentou me estufar de sanduíches e me disse que meus olhos eram maiores que a barriga. Ela me afastou da mesa e se esticou sobre a travessa de salmão. Então puxei seu cabelo, enquanto pegava um pedacinho do centro, com a colher de chá, o que a tirou do sério. Fomos em direção ao hall, onde ela gritou, trazendo de volta todas as discussões anteriores. Fora isso, passamos uma tarde muito agradável. Parece que ela e Rob se deram muito bem.

Rob e eu voltamos para o apartamento quase cinco horas da tarde. Lulu estava espalhada no sofá, mal-humorada, com os pés na mesa de centro, folheando uma revista sobre pesca. Ela acendeu um Marlboro e colocou um chiclete Nicorette na boca. Um coelho marrom enorme estava sentado na poltrona. Sentei silenciosamente a seu lado no sofá. Rob permaneceu de pé, perto da porta, olhando hipnotizado para o coelho, que estava fazendo cocô em cima da almofada inteira.

— Pensei que você tivesse parado de fumar — disse, impassível, observando o coelho.

Ela arrancou a bebida da mesa e me espiou sobre a borda do copo.

— Tinha, mas hoje não foi um bom dia. Tenho que me desestressar.

— Isso é um coelho? — perguntei, apontando o queixo na direção dele.

Ela deu uma longa tragada.

— É claro que sim — confirmou e soprou vários aros de fumaça perfeitos.

O coelho pulou do sofá, foi até a janela, apoiou as patas dianteiras no vidro e olhou para a rua. Lulu se aproximou da mesa e derramou o que sobrou do vinho em sua taça. O coelho começou a morder a cortina.

— Esse coelho é seu? — perguntei, temendo pela resposta. Espero que não. Parecia do tamanho de um Yorkshire terrier.

Ela mastigava o Nicorette.

— Só até amanhã.

— Por quê?

Lulu bateu a cinza na garrafa vazia de vinho, antes de tragar mais uma vez. Houve um minuto de silêncio até ela falar de novo.

— Lembra quando a pequena Charlotte, que mora no apartamento ao lado, perguntou se eu poderia tomar conta de seu coelho, enquanto ela participava de uma excursão da escola?

— Mmmm...

— E que eu gentilmente concordei?

— Mmmm...

E acrescentou, sob mais alguns anéis de fumaça.

— Estive tomando conta dele durante o fim de semana, mas, mas... — ela vacilou, puxando o laço do robe. — Bem, ele está morto — falou, apressada.

— Morto? — repeti, sentindo um súbito alarme. — Você o matou?

Ela tomou um gole de vinho.

— Pode-se dizer que sim — admitiu.

— O que você fez?

Ela golpeou, nervosa, a almofada.

— Eu quebrei a fechadura da gaiola. O coelho deve ter prestado atenção e se deu conta de que poderia sair. Ele escapou, saltou pelo portão e foi de encontro ao ônibus 155 que vai para Clapham, que, como você sabe, está sempre atrasado, mas hoje, por algum milagre, chegou na hora. Então, precisamente à uma hora da tarde... — ela interrompeu, sentindo-se péssima.

Meu estômago se contraiu, ansioso, e minhas mãos viajaram até a boca.

— Não me diga! — exclamei, assustada. — Não me diga!

Ela examinou os dedos do pé.

— Passei a tarde dirigindo por todo o sudeste de Londres, para cima e para baixo, procurando um coelho, mas essa porcaria de *pet shop* no final da rua só vende animais que fazem mal à saúde.

— Mas o coelho da Charlotte não era pequeno e macio e branco e fofinho?

Ela fungou.

— É claro que sim.

Olhei para o coelho.

— Mas essa coisa é enorme e marrom.

Seus olhos brilharam.

— Aha, mas pelo menos está vivo — disse num tom prático. — E isso é o mais importante.

O coelho saltou sobre a mesa, derrubou a vela e voltou para a poltrona de couro. Ouvimos uma risada rouca e abafada atrás de nós. Viramos e lançamos um olhar malévolo em direção a Rob.

— Vocês se importam se eu pegar uma cerveja? — ele perguntou e voou para fora da sala, sem esperar a resposta.

— Traga outra garrafa de vinho! — Lulu gritou. — Dane-se — ela disse, animada, acenando com o cigarro. — Vou contar para Charlotte que ele engordou e que seu pelo de bebê caiu. Ela vai acreditar. É burra como uma porta. Vamos pedir comida chinesa?

— Evie — Rob sussurrou, mais tarde, enquanto estávamos deitados, abraçados, na cama.

— O quê?

— Você diria que hoje foi um dia normal, tipo "não houve nada de anormal no comportamento de meus amigos e familiares?" — ele perguntou.

— É claro que foi normal. O que está sugerindo? — desafiei.

Ele encaixou minha cabeça sob seu queixo e passou os braços a minha volta.

— Nada, querida. Nada — ele enfatizou, retirando o que disse mais do que depressa.

Na quarta-feira de manhã, a empresa de ônibus enviou um chofer, numa limusine, para recolher Rob. Imagino que compense mandar uma limusine para uma pessoa que está prestes a assinar um cheque de mais de um milhão de libras.

Tomei conta do coelho durante todo o dia, enquanto Harry marretava seus instrumentos freneticamente, tentando consertar a fechadura da gaiola. Ele bufou, ofegou, suou e entrava e saía a cada dois minutos para tomar cerveja, água, comer um salgadinho, uma paradinha para o chá e para ver o telejornal, na hora do almoço. Fiz uma caminha para o coelho, com o cachecol da Gucci de cashmere branco da Lulu, uma tirada espetacular. Depois participei de uma aula on-line de francês, que eu amei.

À noite, Lulu se arrepiava só de pensar que teria de entregar o coelho para a Charlotte. Ela acabou o entregando como se fosse a cabeça de um porco-do-mato sobre uma travessa de prata, e Charlotte ficou encantada ao saber que seu coelho tinha crescido e trocado o pelo. Para comemorar, Lulu e eu bebemos meio litro de gim e nos presenteamos com um bônus de 250 libras, cada uma, para gastar em roupas no site Topshop.

Na quinta, fui trabalhar no Bar Thea. Nikki tinha me dito para usar calças pretas e uma blusa branca, que eu incrementei com um sutiã cor de rosa-choque. Prendi os cabelos num rabo de cavalo e minha caneta no elástico. Ensaiei algumas vezes o gesto de pegar a caneta e, devo dizer, parecia que fazia anos que era garçonete. Nikki amarrou um avental branco em minha cintura, que ficou um pouco acima dos tornozelos, e colocou uma gravata dourada em meu pescoço. Estava absolutamente maravilhosa. Uma verdadeira profissional. Nasci para fazer isso.

Dei uma topada com o dedão do pé. Perdi um troco de quarenta libras. Queimei o dedo numa travessa de fajitas. Deixei o pessoal de uma mesa sair sem pagar. Dei um tapa em Costas por ter me deixado sozinha enquanto fazia suas apostas. Recebi um tapa de Nikki porque fui flagrada comendo as batatas *chips* do prato do cliente. O chef deu um tapa em Nikki por ter me batido. Derrubei um prato de chilli nos pés de Nikki e abri, de repente, a gaveta de dinheiro enquanto ele passava, atingindo-o em cheio, em suas bolas. Chorei trancada no banheiro porque Nikki gritara comigo. Arranquei o cordão que acendia a luz do teto do banheiro das mulheres num acesso de raiva, mas ninguém desconfia da autoria. Vi o namorado de minha cabeleireira beijando outra mulher; então liguei para ela, para contar tudo. Ela veio até o bar e bateu na cabeça dele com uma frigideira, e Nikki gritou comigo por eu ter me metido na vida alheia, o que, sinceramente, me surpreendeu. É claro que era da *minha* conta. Ela é *minha* cabeleireira.

Vou trabalhar no bar de novo na próxima quinta-feira.

CAPÍTULO 23

Na sexta de manhã, fiquei surpresa e encantada ao encontrar Alice de novo na estação Victoria. Nós trocamos algumas mensagens, mas ela não havia me contado que estava participando de uma nova excursão para Paris. A princípio, eu não a reconheci. Ela usava botas bege da Ugg, um vestido de babados, cor de berinjela, que ia até o tornozelo, com a barra em pontas, e um cinto solto, feito de grandes contas de vidro roxas. Sua maquiagem estava fabulosa. As maçãs do rosto estavam sutilmente ressaltadas por um sopro de *blush* cor de ameixa. Um *gloss* transparente em seus lábios fazia com que parecessem mais cheios, e uma sombra cor de carvão e um delineador preto deixaram seus olhos como se fossem janelas de vidro esfumaçadas. O efeito geral era elegante, de um estilo boêmio, o contrário da maneira como se vestia na primeira vez em que a vi, quando mais parecia Miss Moneypenny. Ela prendeu os cabelos curtos atrás da orelha e correu em minha direção, com as pulseiras pretas de madeira chacoalhando nos braços estendidos.

— Você está maravilhosa! — eu disse com os olhos arregalados de admiração. Toquei a cruz celta ao redor de seu pescoço. — Você abandonou Duncan e passou por uma transformação?

Ela me abraçou.

— Não, querida. Duncan me chama de Rupert, o Urso[20] quando eu calço essas botas — ela disse, mostrando o pé e dando uma risadinha. — A última vez que as calcei, ele cuspiu em seu polegar e borrou meu rímel, dizendo: "Aí está, bem melhor. Vamos ver se encontramos uma gravata borboleta e um paletó quadriculado" — ela imitou, contemplando as unhas pintadas recentemente de preto. — Ele tem ideias bem rígidas de como uma mulher deve se vestir. Sabe como ele é... um grande idiota, mandão e chauvinista.

Eu abri um grande sorriso.

— Você o chama de idiota bem no meio da cara? — perguntei, duvidando.

— Não tanto quanto o chamo de idiota pelas costas.

Alice apresentou sua amiga, Shirley, um clone de Morticia Addams.

— Esta mítica criatura vai nos acompanhar? — ela perguntou, acenando com a cabeça para Rob.

Alice entrelaçou seu braço ao de Shirley.

— Vai sim, mas a boa-nova termina aqui, porque ele mora com ela — ela respondeu, olhando-me com aprovação.

— Mas é meu aniversário! — Shirley lamentou. — Não poso ficar com ele por pelo menos uma hora?

— Não — Alice retrucou. — Nós concordamos em passar um fim de semana sem homens, não é verdade? E é exatamente isso o que vamos fazer. E Shirl, não estou bebendo. Engordei três quilos na última vez que Duncan e eu fomos para Paris.

Shirley concordou.

— Estava pensando a mesma coisa. Não quero ganhar peso de novo.

Mais tarde, enquanto circulávamos pelas ruas de Paris, fiquei maravilhada com a elegância deslumbrante das mulheres parisienses.

[20] Rupert, o Urso é um personagem de desenho animado criado por Mary Tourtel na década de 1920. É um urso branco que usa calças e cachecol amarelo listrado, botas brancas e uma blusa vermelha.

Com sua dieta de pão e cigarro, elas deveriam estar acima do peso, rosto inchado de bebida e dentes amarelados. E, a cada segundo, aparecia uma carregando um poodle debaixo do braço, então por que suas bolsas não estavam infestadas de pulgas e cheirando a cocô de cachorro? Uma pontada de inveja começou a tremular dentro de mim, quando meu olhar deslizou e parou ao ver uma morena alta e elegante. Ela carregava uma bolsa Chanel na dobra do seu braço bronzeado, dentro da qual balançava uma cabecinha preta peluda com uma coleira rosa de diamantes. Seu cachorro estava brigando com outro cachorro, no semáforo. Fiz uma careta. E se meu poodle rosnasse, latisse e mastigasse minhas mangas? Eu já começava a odiar toda essa porcaria.

— Evie! — Rob falou, invadindo meus pensamentos. — Chegamos. Você vai pegar as chaves dos quartos ou não?

Em nosso quarto, Rob estava checando os e-mails. Ele se sentou à penteadeira, olhando fixamente para o laptop e trabalhando sem parar. Dei uma olhadela no relógio. Nós estávamos no quarto havia dez minutos e ele ainda não tinha tentado me seduzir. Sentei na cama, girando meu anel cor-de-rosa e chutando a mesa de cabeceira, sem nada melhor para fazer. Era a primeira vez que isso acontecia. A debandada para o quarto do hotel, tropeçando com as bagagens, casacos e pastas, geralmente antecedia uma correria insana para tirarmos as roupas. Essa demonstração de indiferença era um péssimo sinal, um mau agouro. Sentia-me triste. Deprimida. Deitei na cama e fiquei olhando para o teto. Então era isso? Era isso que acontecia? Ele achava que não precisava mais fazer nenhum esforço? Estudei seu perfil. Ele sorria com afetação. Estava dando um risinho para o laptop e martelando as teclas com a delicadeza de Neil Sedaka[21]. Sentei-me rapidamente. Deprimida? Não, não estou deprimida. Na verdade, estou furiosa, porque, se ele não está transando comigo, com quem está transando? O vagabundo! Vou ter uma conversinha com ele.

[21] Neil Sedaka é um cantor e pianista norte-americano. (N. E.)

— Tem um presente para você dentro do meu bolso — ele disse, gesticulando em direção ao blazer, pendurado na porta do banheiro.

Caí da cama e, em duas passadas determinadas, já estava revistando os bolsos. Meus olhos se arredondaram como dois discos quando desencavei a caixa de veludo da Chopard. Estava tremendo, com os olhos lacrimejantes e excitada. Meu coração disparou enquanto abria a caixa. Dentro dela, havia um pingente em formato de coração, de ouro branco e diamantes. A visão me causou lágrimas. Rob estava na minha frente. Meus olhos piscavam entre ele e o pingente na palma de minha mão.

— É nosso aniversário de três semanas— ele disse, levantando o colar. — Sei que não é uma data importante, mas, para mim, é. É que eu entendi que só sou realmente feliz quando estou com você. — Ele escorregou as mãos entre meus cabelos e prendeu a corrente. — Então eu comprei Diamantes Felizes para você. É assim que eles se chamam — acrescentou baixinho.

Meu estômago fez um *looping*, enquanto eu olhava para seus olhos azuis calorosos, arrebatada por tanta consideração. Ele abaixou o rosto e me beijou, enquanto passava os dedos indicadores pelos meus braços, o que lançou uma corrente elétrica pela minha espinha. Sem a menor sombra de dúvida, é o homem perfeito. Não o trocaria por todo o dinheiro do mundo. Ele é maravilhoso.

Mais tarde, entrei no bar, balançando a bolsa, despreocupada. "É muito fácil sair com as pessoas na sexta-feira à noite", pensei. Tudo o que tenho de fazer é aparecer e me divertir, e todos se comportam como se eu fosse uma espécie de famosa planejadora de casamentos. Nada poderia ser mais fácil.

Alice e Shirley já estavam no bar, oscilando, bêbadas. Olhei para elas, estupefata. Alice ainda estava usando seu traje roxo, então, percebi que não haviam trocado de roupa. Meus olhos deslizaram para suas malas, que estavam apoiadas contra a parede. Elas ainda nem haviam entrado no quarto. Vi Shirley cambalear cacarejando, tentando encurtar a distância entre ela e Alice, sorrindo.

Antes de deixarmos o bar do hotel:

Alice... falou inglês com sotaque francês; ficou de quatro, engatinhando pelo bar à procura de sua cruz celta, que estava pendurada em suas costas; perdeu a bolsa; foi até a ponta do bar, caçando sua vodca com Coca, e foi de encontro a um armário de vinho que ia do chão ao teto. Não quero falar do caos e da confusão que ela causou. Ela entrou no ônibus cantando "New York, New York" e dando chutes, como um lutador de tae kwon do.

Shirley... passou batom dos lábios até a orelha e não me deixava consertar; perguntou para o barman se ele poderia afastar os móveis do bar para abrir uma pista de dança, apesar de ainda serem seis horas e quarenta e cinco minutos; começou a cantar "I Will Survive" usando um absorvente íntimo como microfone.

No restaurante:

Alice... arrancou o acordeão do pescoço do músico e nos submeteu a uma performance que, sinceramente, não conseguiria nem começar a descrever; não conseguia sair de seu cubículo no banheiro feminino, então precisei escalar o cubículo ao lado para abrir a porta; vomitou na bolsa de Shirley; no final da noite, entrou num ônibus cheio de turistas japoneses e se recusou a sair, porque teimava que estava no ônibus certo. Enfurecido até o topo, Rob a rebocou do ônibus, puxando-a pelo cinto de contas; ela perdeu os sapatos.

Shirley... dormiu como um tronco.

Rob... reclamou como um louco e me culpou por tudo, gritando que eu deveria ter deixado Alice e Shirley no hotel.

Eu estava... tão sóbria quanto um maldito juiz, cansada e pronta para matar Alice e Shirley.

Delia... me confessou que estava tendo um caso e me perguntou se poderia me usar como álibi. Ela estava indo para Salzburgo por alguns dias, com um motorista alemão, e tinha dito para o marido que estava me visitando em Londres. Será que eu poderia ajudá-la? Que escolha me restava? Não sou nenhuma traidora.

O marido de Delia... pediu o telefone de minha casa. Eu dei o do Rob.

Na cama às duas da manhã:

O telefone toca. Era Duncan:

— Me desculpe acordá-la, garota, mas é uma emergência. Estava falando ao telefone com Alice e ela está bêbada e perdida. Pelo que entendi, está no hotel ao lado, mas não consegui fazê-la compreender que tudo que precisa fazer é caminhar alguns metros. Você pode ir buscá-la?

Rob... Bem, não temos outra escolha senão pegá-la, não é mesmo?

Eu estava... desatinada, exausta, ainda sóbria e começando a detestar Alice.

Alice e Shirley... estavam esparramadas e roncando no sofá do lobby do Holiday Plaza. Rob, nada gentil, agarrou as duas pelos braços e as arrastou até nosso hotel. Eu segui atrás, balançando a prancheta. Nem sei por que estava com ela. Quer dizer, que diabos estava pensando? Estremeci quando Alice começou a berrar e pedir para chamar seu advogado, até que Rob bateu a porta do quarto atrás de si.

Na cama às três da manhã:

Rob rolou para cima de mim...

— Se esse telefone tocar, *não* atenda! — mandou, enfurecido.

No sábado de manhã, eu e Rob tínhamos acabado de voltar ao hotel de uma excursão pela cidade, que, como era de se esperar, não contou com a presença de Alice e Shirley, quando o telefone tocou.

— Você é a representante da Insignia Tours? — perguntou uma voz afetada.

Senti uma onda de excitação. Quem sabe eu ganhei alguma coisa!

— Sim, eu sou — respondi, ansiosa, dando um soco animado no ar.

— Aqui é da Embaixada Britânica. Infelizmente tenho de informar que um de seus clientes, o senhor Harold Henderson, foi hospitalizado. Suspeita de enfarte. Ele está no Hertford British Hospital.

Olhei atônita para Rob enquanto lutava para me acalmar. Sentia que também estava tendo um ataque cardíaco.

— A administração do hospital nos notificou a sua admissão. Agora está em suas mãos. O número do caso é 8-9-3-8. — Escrevi o número no caderno na mesa de cabeceira. — Bom dia para você! — A voz afetada encerrou num tom gélido e desligou.

Agora estava nas minhas mãos? Exatamente o quê? Entrei em pânico. Repeti a conversa para Rob, que acenou com a cabeça afirmativamente.

— Um ataque cardíaco! — gritei, massageando meu peito. — O que eu posso fazer? Sou uma guia de turismo, não uma cardiologista.

— É melhor a gente ir — Rob disse, ligando para a recepção, para pedir um táxi.

Henderson, Harold. Harold Henderson. Merda, quem é ele? Não conseguia me lembrar de jeito nenhum. Chequei a lista de passageiros. O nome de sua esposa era Ena. Quem é Ena? Tentei visualizar todos sentados no ônibus, mas passei tanto tempo cuidando de Alice e Shirley que não tive oportunidade de conhecer mais ninguém. Andei de um lado para outro do quarto. Rob estava sentado calmamente, cutucando os dentes com seu cartão Visa. Aproximei-me dele.

— Você quer parar de fazer isso? Harold está morrendo e você está palitando os dentes? — gritei. — Há hora e lugar para tudo. Agora não é hora de palitar os dentes.

Harold e Ena precisavam de mim. O telefone tocou. Dei um pulo. Era a recepção avisando que o motorista de táxi estava esperando no lobby.

CAPÍTULO 24

Eu irrompi pela porta vaivém do setor de emergência como um demônio, cabelos emaranhados, olhos movendo-se da esquerda para a direita, procurando por Ena. Rob precisou correr para me alcançar. Eu a avistei imediatamente. Ela estava sentada numa cadeira de plástico, curvada e infeliz, no final do corredor, perto da máquina de café.

Ena era enorme. Não estou sendo indelicada, mas verdadeira. Ela tinha cabelos castanhos, com cachos parecendo dois enrolados de salsicha em cada lado de seu rosto redondo, bochechas rosadas e olhos verdes. “Ela deve facilmente pesar mais de cem quilos”, pensei. E agora que a vi, lembrei-me de Harold. Era um homem magro, cerca de três centímetros mais baixo que Ena, careca, com um rosto vermelho como um carro de bombeiros. Eu os tinha apelidado de Pequeno e Extra Large. Meu Deus do céu! Pequeno estava doente e Extra Large precisava de mim!

Ena sorriu, pálida, quando me viu. Corri até ela e caí de joelhos entre as duas colunas coríntias que eram as suas pernas. Coloquei, o máximo que consegui, meus braços em volta dela.

— Deixe por minha conta — me ouvi dizer. Eu? Estava falando sério? — Deixe comigo — repeti, com firmeza, para suas duas barrigas.

Peguei dois ou três queixos seus nas minhas mãos e beijei sua testa.

— Tudo vai dar certo, confie em mim — pontuei, com os olhos arregalados e confiantes.

Comecei prontamente a agir. Por pura sorte, *ER* era um de meus programas prediletos. "Vou falar com, bem, falar com... um médico", pensei. "É isso o que vou fazer."

— Rob, compre um chocolate quente para Ena — ordenei com firmeza e marchei pelas portas de vidro até a recepção.

Um maravilhoso médico francês, com cabelos castanho-escuros, olhos ardentes cor de avelã, lábios vermelhos e barba por fazer me assegurou que Harold ficaria bem, absolutamente bem. Ele não teve um enfarte, apenas desmaiou. Mas, de acordo com Ena, isso havia acontecido antes, então, por causa do calor escaldante (Paris estava fervendo) e pelo fato de Harold sofrer de pressão alta, o médico achou melhor mantê-lo no hospital por alguns dias. Ele enlaçou meu braço no seu e me conduziu, nossas cabeças juntas como se estivéssemos fazendo uma conferência, pelo corredor até sua sala e me ofereceu gentilmente um copo de água mineral. Uma sombra cruzou a sala quando Rob apareceu na porta.

— O que você está fazendo? — ele perguntou.

Devo acrescentar que não foi minha ideia, e sim de Gregory, o médico, que estava retirando o aparelho de medir pressão de meu braço.

— Ah, já estou indo — falei com voz macia. — Gregory, o doutor... — franzi o cenho para ler seu crachá — Lacroix estava me dizendo que parecia que eu estava muito nervosa.

Rob soltou o ar ruidosamente e suas sobrancelhas loiras se encontraram quando franziu o cenho. Ele se inclinou contra o batente da porta e cruzou os braços.

— Acho que vou colocá-la embaixo de uma ducha gelada e mantê-la lá por um tempo quando voltarmos para o hotel — ele sugeriu. — Com certeza, isso vai acalmá-la.

Minha confiança voltou.

Rob e eu sentamos, lado a lado, na sala de espera, enquanto Ena passava alguns minutos com Harold. Tinha dito para Rob que não poderia deixar Ena sozinha e que deveria permanecer no hospital com ela pelo menos por essa noite.

— Você terá de fazer sozinho o *tour* por Paris à noite — eu disse, com firmeza. — Use seu fone de ouvido, pois assim poderá falar e dirigir ao mesmo tempo.

— Não posso — ele falou —, de maneira alguma.

— Por que não? Outros motoristas fazem isso.

— Já fiz isso antes — ele bateu no peito num gesto de autoapreciação —, mas não posso fazer o que você faz — acrescentou, desanimado.

— Do que você está falando? É claro que pode!

Ele se curvou, com os cotovelos nos joelhos, dedos apontados para cima, a voz baixa.

— Não posso nem quero. Se você vai ficar por aqui, vamos cancelar a excursão.

Dei um soco em seu joelho.

— Não vamos devolver mais de mil euros — insisti bruscamente. — Você vai conseguir.

Ele virou os olhos incrédulos em minha direção.

— Não vou — exaltou-se.

Olhei, triste, para o relógio. Pensei que deveria mudar de tática, então acariciei o joelho que tinha acabado de socar.

— Rob — tentei convencê-lo —, não é pelo dinheiro. Você sabe o quanto as pessoas apreciam essa excursão.

Ele suspirou.

— Eu sei, mas é de você que elas gostam. As suas piadas, suas fofocas sobre a imperatriz Josefina, quando você fala que ela era uma viciada em compras, ou que a madame Tussauds mandava fazer máscaras de cera das cabeças decapitadas durante a Revolução. — Levantou as mãos para demonstrar o que estava falando. — E todas as outras coisas que só você parece saber! — Ele fez uma expressão de admiração. — Onde você consegue todas essas informações?

Tentei não me gabar, mas, na realidade, sou muito boa em fazer gracinhas durante a excursão. Inventei algumas histórias fabulosas. Ok, estou num ponto em que não sei mais o que é verdade e o que inventei, e não saberia nem dizer se Napoleão nasceu nos últimos cem anos, mas, honestamente, ninguém está nem aí. Minhas histórias são românticas e excitantes, algumas vezes picantes e obcenas, meio Mills & Boon[22], com um toque de *As aventuras de Sharpe*[23]. Todos amam as histórias, inclusive eu. E se alguém me pergunta algo que não sei responder, olho fixamente para a pessoa, de maneira ameaçadora, e digo: "Já falei sobre esse assunto", e a acuso de não prestar atenção. Geralmente ela fica envergonhada, depois finge que está tentando se lembrar e, então, balança a cabeça, pensativa, e diz: "Ah, sim, você já falou sobre isso".

— Tenho lido muito — disse para Rob, desdenhosa. — Você faria a excursão se eu ligasse para Carla e pedisse para ela o acompanhar? — perguntei, dando tapinhas em sua mão, tentando encorajá-lo.

Ele soltou o ar, mal-humorado, e chutou o copo de papel que estava no chão perto dele.

— Se você acha que devo ir... — respondeu, chateado.

— Você deve — insisti.

Depois da excursão noturna, Rob chegou ao hospital de táxi para nos dar uma carona até o hotel. Entrelacei meu braço no de Ena, enquanto nos arrastávamos exaustas pelo lobby silencioso do hotel.

— Em trinta e cinco anos, esta é a primeira noite que durmo sem Harold — Ena disse.

— Se você quiser, posso ficar em seu quarto — ofereci —, se não quiser ficar sozinha.

22 Editora britânica, líder no mercado de livros para mulheres. (N. T.)

23 Série de novelas, escritas por Bernard Cornwell, que se passa no tempo das guerras napoleônicas. (N. T.)

Rob, que também estava ao lado de Ena, ficou branco e examinou meu rosto, preocupado.

— Ena, se você preferir que eu passe a noite com você, posso fazer isso — ofereci mais uma vez.

Rob arfou, parou de caminhar e depois teve de correr para nos alcançar.

Ena apertou minha mão enquanto gingávamos em direção ao elevador.

— Não precisa, querida, você foi fabulosa. Gostei da comida, da conversa na cantina. Eu quase esqueci o que estávamos fazendo ali, e você conseguiu animar Harold. Honestamente, não sei o que teria feito sem você. Não teria conseguido ligar para nossos garotos e lidar com a situação como você fez. Estou tão agradecida por você ter reservado as passagens para eles virem até aqui e ficar comigo no hotel! E Harold está encantado com o quarto particular que arrumou para ele. Ele quer ficar por lá. — Ela beliscou minha bochecha com afeto. Doeu.

— Te vejo amanhã — ela disse, tentando entrar no elevador. — Harold está em boas mãos e eu vou dormir sossegada com esse pensamento — acrescentou, com um olhar distante. Acenei-lhe, desejando boa-noite, enquanto a porta do elevador fechava.

Rob apertou meu ombro.

— Essa foi por pouco. E se ela tivesse aceitado? — Ele brincou, enquanto caminhávamos pelo corredor. — Essa — ele repetiu com olhos assustados — passou por pouco.

CAPÍTULO 25

No domingo de manhã, Alice e Shirley estavam apropriadamente mortificadas quando as encontrei no lobby, pronta para partir para Versalhes.

— Mil desculpas, querida! — Alice disse. — Estou me sentindo fraca até agora. Você pode acreditar?

Com certeza.

No domingo à tarde, Rob e eu fomos visitar Harold, que estava bem melhor. Ena e seus dois filhos, tão grandes quanto ela, estavam com ele. Consegui que a estada de Ena no hotel fosse estendida, um quarto duplo para os garotos, acertei com a companhia de seguros para reservar voos para eles, de volta a Londres, e tomei conta das despesas do hospital. À noite, Rob e eu fizemos uma refeição leve e compartilhamos uma garrafa de vinho, num café perto do hotel.

— Preciso pegar minha prancheta no ônibus — falei para Rob. — Tem um formulário do seguro que preciso deixar no hotel para cobrir as despesas com o quarto de Ena.

Ele assentiu, pegou o último pedaço de omelete do meu prato e o colocou na boca.

O ônibus estava silencioso, sombrio e um pouco assustador. Era quase meia-noite e o habitual tráfego intenso e caótico de Paris havia diminuído; agora só se ouviam o ruído ocasional de uma moto e o de um Peugeot 206 passando em alta velocidade. Dobrei os papéis do seguro e coloquei dentro da bolsa.

— Tudo resolvido — suspirei, cansada. — Vamos embora.

Rob olhou para mim com olhos brilhantes e ávidos.

— Não tão depressa — protestou, com firmeza, pegando minha mão e me levando para o fundo do ônibus.

— Rob, o que pretende fazer? Estou morta de cansaço — disse, tropeçando atrás dele.

— Senta — ele disse com suavidade. Colocou um dedo sobre meus lábios e abaixou o tom de voz de uma maneira acolhedora. — Sem mais perguntas. Tenha paciência.

Sentei na última poltrona, enfiei as mãos embaixo do bumbum e olhei fascinada para a extensão do corredor central. Observei sua figura alta, não muito visível na escuridão, descendo os degraus. Ele reapareceu dois minutos depois segurando um cobertor grande. Andou vagarosamente em minha direção, com os lábios curvados num grande sorriso, de orelha a orelha. Espalhou o cobertor pelo chão, segurou minha mão e me persuadiu a ficar de pé.

Senti que o sangue corria pela minha face e uma ponta de excitação apertou meu peito, enquanto eu tropeçava, sorrindo, em sua direção. Ele deslizou as mãos fortes seguindo a linha de meu pescoço, levantou meu queixo de uma maneira rude com os polegares e cobriu minha boca com a sua. Seus lábios exploradores atacaram os meus. Sorrindo enquanto me beijava, ele emaranhou os dedos em meus cabelos, segurou meu rosto, massageando delicadamente o pescoço. Relaxei encostada a ele, coloquei meus braços em volta de sua cintura e comecei a explorar sua mandíbula com meu nariz. Por um momento, balançamos sem falar nada.

— Senta — ele disse, com a voz rouca — no chão. Segurou minhas mãos e, devagar, juntos, olhos nos olhos, nos ajoelhamos. — Você está feliz? — ele perguntou.

Fiz que sim com a cabeça.

— E você?

Seu sorriso aumentou ainda mais.

— Não poderia estar mais feliz.

Meu estômago se revirou. Ele se deitou de costas, me puxou para perto e acariciou suavemente meus cabelos. Uma sirene soou distante.

— Há uma diferença entre fazer sexo e fazer amor. Algumas vezes, sinto que não importa o que eu faça, não consigo me aproximar o suficiente de você — ele disse, com a voz calma, mas um pouco trêmula.

— O que quer dizer com isso? — sussurrei

Ele se mexeu um pouco, desconfortável.

— Não consigo explicar. O que quero dizer é que não estou contente em ter apenas seu corpo. — Ele levantou meu queixo, me forçando a olhar para ele. — Quero sua mente e também seu coração. — Tinha um olhar distante, como se estivesse ouvindo atentamente algo falado lá longe. — E... — Ele me deu um sorriso de lado e começou a traçar a linha dos meus lábios com o dedo indicador. — Eu vou conseguir. Vou ter tudo.

Aconcheguei-me ainda mais. Seu pescoço estava encostado em minha face.

— Você vai? — perguntei, acariciando sua barriga.

Ele gemeu de encontro a minha bochecha.

— Sim — ele disse —, eu vou.

Quando voltamos para Londres, Duncan estava esperando Alice. Ele estava muito elegante, numa camisa branca Ralph Lauren e um paletó azul-marinho. Seus ombros largos e cabelos vermelhos rebeldes eclipsaram o sol, que ainda podia ser visto nesse começo de noite, enquanto ele andava a passos largos até nós, com as mãos enfiadas nos bolsos da calça bege.

— Olhe para ele — Alice disse, entrelaçando seu braço no meu. — Parece o boneco Honey Monster[24].

— Alice, ele é maravilhoso! — Minha voz saiu rouca.

Ela deu uma risada, orgulhosa.

— Para um homem velho — acrescentei.

Duncan nos beijou e se virou para Alice.

— Você é mesmo uma desgraça — criticou.

— É mesmo — concordei.

Ele olhou rapidamente para mim e, depois, para Alice.

— Você é a bêbada da cidade.

— Ela também é isso — aumentei o tom de voz —, e ela usou as botas do Urso Rupert durante todo o fim de semana.

Ele balançou a juba vermelha e fez um som de desaprovação.

— Entre no carro! — ele disse para ela, acenando com a cabeça em direção a um elegante veículo de quatro portas.

Alice beijou meu rosto.

— Vamos continuar nos falando.

Eu a abracei.

— É claro que sim.

Quando Rob e eu chegamos em casa, começamos a ouvir um metódico thump, thump, thump reverberando pelo chão. No começo, achei que Lulu tinha chamado os pedreiros, mas para fazer o quê?

Paramos na porta para ver Lulu bater o pé, pular, agachar-se e se levantar na sala. Ela tinha comprado um tapete de dança. Seus olhos estavam grudados na televisão, e ela movia os braços enquanto os pés batiam no ritmo da música. Calçava suas meias do Arsenal, vestia um short jeans e uma camiseta que dizia "Estou pronta para malhar". Tudo o que posso dizer é que o tapete de dança deveria vir

[24] Honey Monster é o mascote da marca de cereais matinais Sugar Puffs. É um monstro de aparência simpática, inteiramente coberto por longos pelos amarelos escorridos. (N. E.)

acompanhado de um top decente. Nós fechamos a porta e a deixamos sozinha.

— Venham... se... juntar... a... mim — ela conseguiu falar. — Aaaaaaggggghhh! — ela gritou, desabando sobre a mesa de centro.

NA QUINTA-FEIRA, Rob viajou para Birmingham, para fechar o contrato de financiamento dos novos ônibus e eu fui trabalhar no Bar Thea. Comentei com Nikki que nossa rua ficava cheia entre as três da tarde e a hora do jantar, mas que seu bar estava sempre vazio. Sugeri que ele investisse nas pessoas da terceira idade, que lotavam a lanchonete do outro lado da rua, oferecendo-lhes licores de avelã e de baunilha, uma seleção de xícaras coloridas de café e uma vitrine decorada com bolos variados. Ele disse: "Se vira!". Também sugeri que ele começasse um *happy hour*, entre as cinco e as sete da noite, oferecendo batata assada e um coquetel do dia, para capturar as pessoas que saíam do trabalho e se dirigiam para a estação de metrô. Ele também disse: "Se vira!". Então, eu me virei.

CAPÍTULO 26

Rob e eu trabalhamos em Paris em todos os fins de semana de agosto e de setembro. Os sábados e domingos eram preenchidos com nossos itinerários habituais, mas tínhamos as tardes e noites de domingo para nós. Sempre discordávamos sobre o que fazer no tempo livre. Rob queria se empanturrar durante o almoço, tomar alguns drinques, correr para o hotel, transar como um casal de atores de filme pornô, tirar uma soneca, ver Sky Sports, sair para tomar uma cerveja e comer um sanduíche, e então terminar a noite zapeando pela televisão. Bem, "comigo não, violão!".

Fomos ao Museu d'Orsay, onde *gostei tanto* da exposição sobre impressionismo que convenci Rob a pegar um trem para Giverny, para visitarmos a antiga casa de Claude Monet. Ela era fabulosa, especialmente os jardins, mas Rob acabou caindo no lago de lírios quando tentava evitar que eu caísse ali, e isso estragou o restante do dia, já que tivemos de voltar para o hotel por ele estar encharcado.

Visitamos também o Arco do Triunfo, onde tivemos nossa maior briga. Rob concordou em ir lá porque lhe assegurei que haveria um elevador. Francamente, você acha que eu teria ido lá se soubesse que teria de subir 234 degraus? Ainda por cima, calçando uma sandália de salto agulha! Implorei duas vezes para pararmos. Queria parar uma terceira, mas ele se recusou e continuou subindo; quando meu salto ficou preso e eu caí, ele me levantou pelo cotovelo sem perder o passo, fazendo-me morder a língua. Chorei de absoluto desespero, exausta e desidratada. No final, conseguimos chegar até o topo, e eu parei de chorar. Era muiiiito romântico! Rob me deu um lenço para assoar o nariz e passou seu braço pelos meus ombros. Não conseguíamos parar de admirar aquela vista espetacular dos Champs Elysées, passando pela Praça da Concórdia até chegar ao Louvre.

Fomos fazer um cruzeiro noturno no Bateau Mouche, com seu teto de vidro. Sentados em nossa mesa de jantar, iluminada pela luz de velas, demos as mãos e nos olhamos, enquanto deslizávamos por debaixo das pontes da cidade. O cruzeiro era maravilhoso, mas Rob passou mal do estômago. Bem, como isso foi acontecer? Comi onze ostras e ele, uma. Estava nas nuvens, e ele ficou verde, cambaleou da cadeira e desabou no chão, sofrendo de um tipo quase mortal de envenenamento por comida. O maître precisou chamar os paramédicos. Bem, pelo menos agora sabemos que as ostras não gostam dele.

E visitamos o mercado das pulgas. Eu amei e Rob detestou, porque duas crianças ciganas acertaram um tomate em sua nuca quando ele não quis dar dinheiro para elas.

Viajamos até a Euro Disney, o que foi um desastre, porque nos perdemos um do outro e lá não havia sinal de celular. Mesmo assim, resolvi aproveitar o dia. Fui em vários brinquedos, assisti à parada da Disney e gastei uma fortuna em compras para as gêmeas. Mas Rob me esperou durante três horas no local de encontro de pessoas perdidas, que estava cheio de crianças gritando. Eu disse: “Se você tivesse feito como eu, teria se divertido também”, o que era a mais pura verdade, mas, como um bebê grande, ficou emburrado e não falou comigo por todo o caminho até Paris. Mais tarde, nós fizemos as pazes, porque eu tinha comprado uma roupa de dança do ventre de chiffon e me recusei a vesti-la enquanto ele não me pedisse "desculpas" cinco vezes, beijasse minha mão e me chamasse de rainha.

Andamos pelos esgotos de Paris, que eram repletos de túneis góticos e arcos secretos. Também pegamos o trem para Fontainebleau e subimos até o alto da Torre Eiffel, e passamos uma tarde vagando pela Basílica de Sacré Couer. Visitamos a Ópera Nacional de Paris e o Centro Georges Pompidou.

Nós andamos, andamos e andamos, e Rob reclamou, reclamou e reclamou, mas admitiu ter aprendido mais sobre Paris nesses dois meses do que em oito anos. Meu francês estava fabuloso agora, às vezes eu até pensava em francês. Rob não servia para nada, ele nem sequer tentava. Ele apontava ou grunhia para mostrar o que queria ou, então, eu falava por ele.

De segunda a quarta-feira, ficávamos na cosmopolitana Tooting, enquanto às quintas, Rob viajava para Birmingham, para checar como estavam as coisas no escritório. Isso funcionava porque, nas quintas-feiras, eu estava sempre trabalhando no Bar Thea.

Nós nos tornamos inseparáveis. Nossa vida era romântica, apaixonada e cercada de felicidade. Éramos incrivelmente felizes. Não conseguia acreditar no que fazia com meu tempo antes de conhecê-lo. Parecia que eu o conhecia a minha vida inteira e ele sentia o mesmo. Precisava apenas olhar para ele, para que se acendesse uma chama de desejo que queimava dentro de mim. Ele fazia com que me sentisse gostosa, *sexy* e num contínuo estado de excitação. Eu não ficava inibida com Rob. Faria qualquer coisa para ele ou com ele, se entende o que quero dizer.

Na semana passada, ele disse que me amava e eu respondi que também o amava. Embora, naquele momento, só tenha dito porque ele falou primeiro, desde então compreendi que realmente o amava. Amar não é encontrar uma pessoa com quem você queira viver junto. É entender que encontrou uma pessoa e que não pode viver sem ela. E Rob era perfeito. Ele era charmoso, engraçado e inteligente, além disso, tinha me comprado, sem motivo algum, uma bolsa vermelha da Mulberry e uma mala para acompanhar. E ele sabia cozinhar, passar roupa, estava sempre com tesão, tinha um bilau considerável e colocava o lixo para fora.

Uma parte de meu guarda-roupa estava tomada com as roupas dele. Por causa disso, o espaço debaixo da cama estava lotado. Chutei uma das minhas sandálias para lá e ela voltou como um bumerangue. Preciso fazer uma limpeza de primavera, mas é claro que não vou conseguir até março, já que não posso fazer uma limpeza de primavera no outono. De qualquer maneira, não conseguiria viver sem ele.

O país está num estado de completa agitação. A Inglaterra se classificou para a final da Eurocopa e vai jogar contra a Itália. De repente, é como se todos os habitantes tivessem tomado anfetamina.

Os londrinos estão perguntando amigavelmente para outros camaradas londrinos: "Quais são seus planos para o dia do jogo?" e sorrindo ao mesmo tempo, o que é absolutamente chocante, porque normalmente nós praticamos, toda as manhãs, algumas caretas diante do espelho, para nos certificar de que somos assustadores e suficientemente infelizes para irmos em frente e sobreviver à condução para chegar ao trabalho. Mas agora, no metrô, cidadãos estão sentados, com as cabeças próximas umas das outras, lendo seus jornais e trocando informações sobre futebol. O índice de criminalidade também caiu. De acordo com o jornalista Trevor McDonald, ladrões e assassinos não estão a fim de roubar e assassinar pessoas quando estão se sentindo tão bem-humorados. Bandeiras da Inglaterra estão espalhadas pelas janelas das casas e esvoaçando em cima dos carros, e há fantásticas promoções por toda parte. Em lojas, no metrô, pubs, até os dentistas estão vendendo escovas de dente vermelhas e brancas. Comprei uma camiseta de alcinhas com as cores do Reino Unido, uma pantufa vermelha e branca bem macia e um conjunto de sutiã e calcinha com os leões vermelhos do brasão da Inglaterra. Quando usava o traje completo, eu mais parecia uma mistura de namorada de jogador de futebol com um membro da banda Black Lace.

Rob quer assistir ao jogo aqui em casa. Eu sugeri que víssemos no pub, mas ele queria uma imagem perfeita. Sabe o que aconteceu? Ele comprou uma TV de 42 polegadas e a instalou sobre a lareira. Ficou fabuloso!

Chegou o grande dia. Rob balançava para frente e para trás no sofá, abraçando-se.

— Vamos lá, pessoal! — eu torcia. — Aqui vamos nós, aqui vamos nós, aqui vamos nós — cantarolei em voz alta.

Joguei-me no sofá, perto de Rob, que deu um soco entusiasmado no ar. Por incrível que pareça, estava esperando ansiosa por esse dia. Geralmente odeio futebol, mas agora era diferente. Era como se a história estivesse acontecendo na minha frente. Uma experiência que ocorre apenas uma vez na vida, e eu, ao menos dessa vez, estava determinada a saborear cada minuto e me divertir.

— Oooops! — falei e me levantei. — Rob, levante-se. É o Hino Nacional. — Cutuquei seu braço e ele cambaleou, de má vontade. Fiquei em pé, empinada, braços esticados ao longo do corpo e queixo apontando para o alto.

Deus salve nossa graciosa rainha! — gritei com orgulho.

— Baixei o hino no meu iPod — disse para ele, jogando os ombros para trás.

— Na, na, na, na... — enrolei, porque tinha esquecido a letra.

Rob mordeu a unha do polegar e olhou em transe para a tela.

Eu arrumei minha camiseta listrada para destacar o sutiã da Inglaterra e me contorci dentro do short, para exibir a calcinha, da Inglaterra também.

— Vamos lá, Inglaterra! — gritei.

Examinei as minhas calcinhas e decidi que não precisava do short. Apoiei-me no braço de Rob e, bamboleando um pouco, arranquei o short e joguei em seu rosto.

— Assim está melhor — disse, admirando meus trajes provocantes.

Olhei para Rob e enruguei a testa.

— Você poderia ter comprado um cachecol para usar durante o jogo — falei abruptamente.

Eu pelo menos tinha tentado, com minhas pantufas macias, camiseta com as cores do Reino Unido e meu conjunto de sutiã e calcinha audaciosos. Parecia a mascote do time. Já Rob estava paralisado diante da tela e esfregava as coxas com violência, mas logo se sentou, para continuar a balançar para frente e para trás.

O jogo começou.

— Hora do piquenique — falei, apresentando, de maneira teatral, um prato repleto de doces de chocolate. — Eu mesma fiz. Sei que parecem que foram comprados, mas eu fiz com as minhas mãos. — Passei o prato por debaixo de seu nariz e o coloquei sobre a mesa de centro. — Você não acredita em mim, não é mesmo? — continuei. — Tudo bem. Vou lhe contar como fiz tudo, então você terá de acreditar em mim. — Cruzei os braços e comecei a pensar. — Primeiro, você abre um pedaço de massa e esfrega um pouco de Nutella, então...

Ele roubou uma bomba de chocolate do prato e enfiou inteira na boca.

— Acredito em você — falou, com a boca cheia, espirrando massa pelo carpete.

Cravei meus olhos nele. Era revoltante. Peguei uma tortinha de chocolate, mordisquei com delicadeza e estudei seu perfil. Decidi não falar nada agora, mas, com certeza, íamos discutir o assunto mais tarde. Ajoelhei-me em sua frente para pegar os farelos, e ele empurrou minha cabeça para baixo, quase batendo meu nariz na mesinha de centro.

— Cuidado! — falei, zangada, dando um tapa em seu braço. Coloquei os farelos no prato e me arrumei a seu lado, com os braços e pernas cruzadas, fazendo pose de torcedora atenta. Estiquei as pernas para admirar as pantufas. — Essas pantufas fazem meus pés parecerem enormes, não é mesmo? — resmunguei.

Ele nem prestou atenção.

— Elas custaram apenas dez libras — confidenciei.

Ele me ignorou mais uma vez.

— Qual é o placar? — perguntei.

Nenhuma resposta à vista.

A minha calcinha parecia mais uma tanga. E, para falar a verdade, isso não me entusiasma muito. Deslizei a mão pelo meu bumbum, apertei e sorri. Era *realmente* uma tanga.

Estava um pouco desapontada, porque, bem, parecia um jogo como outro qualquer. Começara havia três minutos e eu já estava morta de tédio; não sabia como sobreviveria aos 87 minutos restantes. Estiquei os braços e examinei as mãos. "Eu quero um estojo com unhas postiças", decidi. Já tive um antes, mas não conseguia colocar nem tirar as lentes de contato, então precisei abandoná-las. "Acho que vou tentar de novo e perseverar; quem sabe, dessa vez, tento me virar sem as lentes. É isso mesmo, não tinha pensando nisso antes. Quem sabe esse desejo súbito por um adorável estojo de unhas postiças seja um incentivo para eu exercitar minha visão!" Olhei para Rob, que estava sentado como se estivesse em transe. Acenei minha mão na frente de seu rosto e ele nem piscou. Apertei seu joelho.

— Volto num minuto! — disse.

— Me traga uma cerveja! — ele berrou, embora eu ainda estivesse sentada a seu lado.

Nem um maldito "por favor". Muito menos um maldito "obrigado". Quando joguei a cerveja em seu peito, tudo que consegui foi um grunhido. Caminhei bufando até o quarto.

"Acho que vou fazer alguma coisa de útil durante o primeiro tempo", pensei, "e saborear esse evento histórico no segundo tempo." Decidi arrumar os sapatos. Precisava desesperadamente de mais prateleiras, então tive de ser implacável. Contei cinco pares de sapatos vermelhos e franzi o nariz. Não gosto muito de vermelho. Odeio três deles, então me restam dois. Experimentei um sapato estilo boneca, sem saltos, e um com salto de dez centímetros. Estudei os pés. Não conseguia me decidir. Então manquei até a sala.

— Rob, de qual você gosta mais? — perguntei. Cambaleei pela poltrona, passei em frente à TV e fui até a janela. Thump, dink, thump, dink, thump, dink.

— Uhhhh! — ele grunhiu.

— De qual você gosta mais? — repeti, voltando da janela, passando pela TV até chegar a poltrona.

— Não sei — ele disse, distraído. — Experimente outro par.

Caminhei furiosa pela sala, batendo o pé, com meu ombro esquerdo dez centímetros mais alto que o direito. Poltrona, TV, janela, janela, janela, TV, poltrona, poltrona, TV, janela. Thump, dink, thump, dink, thump, dink.

Parei na sua frente e estendi os braços, dramática.

— Isso não é um par. São dois sapatos completamente diferentes.

Seu olhar se desviou de mim.

— Um par de sapatos não teria uma diferença de dez centímetros de um salto para outro, teria?

— Gosto deles — ele falou para a televisão.

Arfei com impaciência e manquei até o quarto. Ele era insuportável. Não sei por que o aguentava. Vou ficar com os dois, decidi. Trabalhei como uma louca e, quando terminei, havia separado dezoito pares de sapatos para a caridade. Deixei-os, por enquanto, embaixo da cama, e decidi olhar o que tinha para comer na geladeira. Rob estava parado no corredor, com os braços levantados, palmas encostadas na parede, assistindo à partida por uma pequena abertura na porta.

Cutuquei sua omoplata.

— O que você está fazendo? — perguntei.

— Está zero a zero e faltam dois minutos pra terminar o primeiro tempo — ele disse, sem expressão.

— Por que você não está sentado no sofá?

— Estou muito nervoso — ele passou a mão trêmula pelos cabelos.

— Por que você fica menos nervoso aqui no corredor?

Ele agarrou a nuca com as duas mãos e balançou sobre os calcanhares.

— Não sei. Prefiro aqui. — Sua testa desabou batendo na porta.

— Por quê?

— Quer calar a boca? Ou vou lhe dar uma surra!

Estava segurando uma toalha de rosto e bati com ela em suas costas.

— Como você *ousa* falar comigo desse jeito? Não admito. Você é...

Tocou o apito anunciando o intervalo.

Rob deu meia-volta.

— Ok, sua pestinha, sou todo seu. Ele me apressou para ir até o quarto e me jogou sobre a cama. Estava rindo enquanto ele sentava sobre mim e prendia meus braços acima da cabeça, abaixando sua boca até a minha. Ele chupou meu lábio inferior, com força.

— Você confia em mim? — Era uma pergunta. Sua língua explorava meu pescoço.

— É claro — dei uma risadinha. — Com a minha vida — acrescentei, com lealdade.

— Bom — ele suspirou. Ele alcançou a gaveta da mesinha de cabeceira e puxou algumas meias de seda. — Vou amarrá-la.

Ri alto. Ele é tão criativo e inventivo, um verdadeiro empreendedor! Sempre pensa em coisas diferentes. É o melhor amante que já tive. Fingi que lutava... Ele mordiscou minha orelha enquanto amarrava meus pulsos à cabeceira da cama, fazendo meu coração disparar e minhas faces queimarem de excitação. Foi descendo pelo meu corpo até o quadril, soprou um beijo em meu umbigo e esfregou seu queixo com barba por fazer pela extensão das minhas coxas até o joelho, antes de amarrar meus tornozelos aos pés da cama.

Eu só consegui levantar a cabeça um pouquinho, joguei a cabeça para trás e remexi o quadril contra sua virilha. Seus olhos viraram de prazer. Dei um risinho ao ver o efeito que meu gesto causou. Sua face se acendeu com um sorriso de orelha a orelha, como se dissesse: "Eu quero você mais do que qualquer coisa". "Ele não consegue resistir", pensei. "Tenho apenas que mostrar meu ombro nu e ele só pensa naquilo." E admito que também não consigo resistir.

— Tudo bem, querida? — ele perguntou, com os olhos contraídos de desejo. Desceu o dedo entre meus seios, fazendo com que os pelos de meu pescoço se arrepiassem e minhas narinas se abrissem e ardessem pelo esforço que eu fazia para acalmar minha respiração.

— Tenho certeza de que sim — consegui responder. — O que vai fazer agora, garotão? — falei arrastado, de um jeito sexy. Francamente, estava pronta para explodir. Ele subiu em cima de mim, apoiando as mãos ao lado de minha cabeça. Levantei a cabeça para encontrar seus lábios e beijei com desejo a linha do seu queixo. Estava chupando sua orelha quando ele parou de repente, levantou-se e deu um tapinha em minha coxa. Meu coração murchou.

— Bom, agora... vou assistir ao segundo tempo do jogo, e você vai ficar bem aqui, até o apito final — ele me informou, com firmeza.

Meus olhos cintilaram, confusos. Pisquei com força e abri a boca. Minhas mandíbulas se contraíram, mas não saiu som algum. Tentei de novo e nada. Rob colocou um travesseiro sob minha cabeça e, rindo sinistramente como o vilão de uma pantomima, beijou minha bochecha.

Balancei a cabeça.

— Ahn... Como é que é? — gaguejei, levantando as sobrancelhas, sem entender.

— Você ouviu — ele respondeu, sem expressão.

Com certeza.

— Me desamarre, seu desgraçado, ou vou gritar até não poder mais!

Levantei a cabeça. Ele estava parado ao pé da cama, entre minhas pernas. Ele se inclinou e baixou o tom em um sussurro amedrontador. — Vou fechar a porta do quarto e da sala e, se ainda puder ouvi-la, volto para amordaçá-la — ameaçou e foi embora.

— Espero que a Itália ganhe por 100 a 0 — gritei. — Eu te odeio! Está tudo terminado, você me ouviu? Terminado! Estou terminando com você. — Eu gritei e gritei e gritei. — É isso. *Nós* terminamos! — Mas a TV estava ligada a todo volume e eu estava exausta, devo ter pegado no sono porque, quando acordei, Rob estava deitado nu, em cima de mim.

— A Itália ganhou por 2 a 1 — ele murmurou, enquanto me beijava.

— O quêêêê? — consegui falar. Tinha me esquecido do jogo.

Estava chateada com a derrota da Inglaterra, mas pelo menos não fiquei estressada assistindo a uma decisão de campeonato.

Rob reviveu toda a partida enquanto dormia. Ele me chutou duas vezes; eu queria matá-lo. Louca de sono e exaustão, levantei às duas da manhã para cortar suas unhas do pé. Por outro lado, ele levantou às cinco da manhã para ir a Birmingham, então pude ter a cama só para mim até a hora do almoço, quando fui trabalhar no bar.

CAPÍTULO 27

Em todas as quintas-feiras, o bar fervia. Foi fácil atrair a terceira idade. Anunciamos, na lousa que ficava do lado de fora, que estávamos distribuindo toucas de banho de graça. Com isso, choveram carrinhos de supermercado e bengalas apareceram porta adentro. Sadie, que trabalhava na padaria do outro lado da rua, estava mais do que feliz porque agora passava suas quintas-feiras desviando do trânsito, carregando apressada bandejas de bolinhos de chocolate com calda de caramelo. As toucas de banho acabaram rapidamente, então, resolvemos distribuir uma coisa diferente a cada semana. A montanha de besteira que Lulu guardava em nosso banheiro foi diminuindo aos poucos. A loção pós-banho desapareceu, assim como as caixas de lenços de papel.

— As pessoas gostam dessas promoções — disse para Nikki, enquanto jogava caixas de paracetamol para os fregueses numa manhã de quinta-feira.

— Com certeza — ele assentiu, olhando impressionado para os pequenos pacotes com comprimidos.

Às cinco horas em ponto, a brigada da terceira idade ia embora, andando até a Legião Britânica, que oferecia dois jantares pelo preço de um, entre as cinco e meia e sete horas da noite. Isso era perfeito para nós, porque nossa *happy hour* também estava fazendo sucesso. Às oito, Nikki estava contando o dinheiro na gaveta e cantando uma ópera grega.

Mas tínhamos um grande problema de recursos humanos nas mãos. Nikki estava animado com o sucesso, mas Costas e o outro garçom preguiçoso, Pepi, estavam furiosos. Não há nada pior para uma pessoa preguiçosa do que ter de trabalhar, porém, sendo justa, agora eles estavam sobrecarregados. Eram frequentes as discussões em altos brados no bar e na cozinha, algumas vezes eles chegavam às vias de fato. Semana passada, Nikki agarrou Pepi contra a porta de incêndio e ameaçou ferver sua cabeça como uma batata. Ele foi preciso e detalhista em sua descrição. Fiquei amargamente desapontada quando a discussão não deu em nada, porque não sou fã de Pepi e estava ansiosa para ver sua cabeça fervendo dentro na panela. Até pegaria meu celular para tirar uma fotografia. O resultado da briga foi que Nikki admitiu que não conseguia dar conta do negócio, então, convocou sua mãe e duas tias para ajudá-lo no bar, entre duas e quatro e meia da tarde.

A mãe de Nikki é a pessoa mais irritante do universo. Quando não está comendo, apressada, bolinhos de chocolate com calda de caramelo, passando *gloss* nos lábios ou brigando com as irmãs, ela está penteando meus cabelos. Ela lambe o polegar e alisa minhas sobrancelhas com uma mistura de cuspe e chocolate, sempre me dizendo como os homens gregos são viris, enquanto me cutuca o tempo todo, olhando significativamente para Nikki. Uma vez ela comprou uma fita métrica, passou em volta de meu quadril e me disse que eu poderia facilmente produzir um bebê de cinco quilos, como se fosse uma coisa que eu estivesse ansiosa para fazer. E ela está ameaçando me ensinar a usar uma máquina de costura. Mas, de vez em quando, ela bate em Nikki, o que é divertido, porque ele tem o corpo de um gladiador e ela, o de um cofre em forma de porquinho. Está certo, eu não ia admitir, mas conto histórias sobre ele e algumas vezes invento mentiras espalhafatosas para ela lhe dar um beijo. É hilário.

A equipe que trabalha na cozinha é composta pelo tio de Nikki, Spiros, Bufê Spiros e Lavador Spiros. Tio Spiros é o chef. Com um queixo quadrado e bonito, ele é um pedaço de homem, com cabelos grisalhos até a altura dos ombros presos num rabo de cavalo, olhos profundos cor de carvão, longos cílios pretos, ombros largos e um peito orgulhoso, mais parecendo um barril. Bufê Spiros trabalha no bufê (obviamente), fazendo as saladas frias, sobremesas e acompanhamentos. Ele é baixinho, careca, gordo e parece um Humpty Dumpty[25]. Lavador Spiros é pequeno, magro e franzino, com uma pesada cabeleira preta, a palidez de um cadáver e olhos cinzentos que nunca piscam. Parece uma caricatura de si mesmo.

Tio Spiros é um psicopata de olhos selvagens, um lunático delirante com o temperamento de um escorpião que ferroa o próprio traseiro. Se Costas ou Pepi se confundem com um pedido, como pedir batata frita em vez de assada ou um bife bem-passado em vez de ao ponto, ele arremessa o que estiver na mão, e nunca erra, ou bate suas cabeças contra a parede, ou os acerta com sua espingarda de ar comprimido, que ele guarda carregada, perto da porta dos fundos.

Ainda bem que ele me adora. Por causa disso, mantenho um lucrativo negócio paralelo. Para levar a comida de volta para a cozinha, cobro cinco libras de Costas e Pepi. O garçom culpado da vez pede, implora e encosta o prato rejeitado em meu peito. Finjo desinteresse e tento passar por ele, até que as cinco libras sejam pagas. O dinheiro é normalmente jogado em cima de mim, com um pisão no meu pé ou uma sacudida brutal em meu ombro. Lentamente seguro a nota contra a luz, para me certificar de que não é falsa. Esse tempo perdido faz o culpado ficar enlouquecido, especialmente quando me recuso a dar o troco se ele só tem uma nota de dez.

[25] Humpty Dumpty é um personagem de uma canção infantil inglesa. É simplesmente uma criatura em forma de ovo, com rosto, braços e pernas.

Quando percebo que o humor vai passar de furioso a assassino, arrebato a comida, corro até a cozinha, sorrio e peço desculpas para tio Spiros, explicando o *meu* erro. Ele escuta atentamente, apesar de seu inglês ser apenas um pouco melhor que o meu grego. Acho que ele gosta do som da minha voz, então algumas vezes falo besteiras sem parar. Meto o pau em minha irmã ou digo que Costas e Pepi são dois idiotas, enquanto aponto para as batatas chips ou pego um bife da geladeira. Ele me olha babando e com olhos úmidos, acaricia a minha bochecha, segura minha mão, beija-a e me abraça. Então, *ena, thia, dria*, um, dois, três, nós valsamos pela cozinha enquanto esperamos que a batata frita ou o bife ou o que ele esteja fazendo fique pronto. Algumas vezes, ele coloca um CD para dançarmos ao som de uma música. Isso faz com que Nikki venha correndo até a cozinha, gritando como um urso, porque a música tocada na cozinha encobre a que é tocada no bar, forçando os clientes a escutarem a cafona música grega de salão do tio Spiros. Então eu levo o prato até o bar, onde ficam os agora inocentes garçons, que o pegam de minha mão e correm até o cliente. Faço isso pela brincadeira, não pelo dinheiro. Considero-me uma justiceira, porque esses garçons gregos com quem trabalho são campeões em levar foras da população feminina de Londres de uma maneira inacreditável.

CAPÍTULO 28

O COMEÇO DO OUTONO em Paris é uma visão mais confortável que a do verão. Para começar, não é úmido e quente como um deserto, e há apenas algumas centenas, e não milhares, de ônibus com turistas. Rob e eu estávamos tomando café *au lait* ao ar livre, enquanto Carla passeava com o grupo em Notre Dame. Estávamos sentados com nossas cabeças próximas, com o laptop entre nós. Eu estava fazendo um rascunho, calculando as diárias que ele deveria cobrar para cobrir o financiamento dos novos veículos.

— Parece bom. — Ele encostou na cadeira, relaxado, e colocou as mãos atrás da nuca. — Sua fórmula é maravilhosa. É fácil de entender. Você é brilhante! — Ele se inclinou ainda mais para trás, até quase deitar. — É claro que chegaria às mesmas conclusões, mas teria dado uma volta imensa antes de conseguir isso.

— Oh, não é nada! Você me conhece: piranha no quarto e chef na cozinha.

Ele inclinou a cabeça, divertido. Sentou-se direito e me abraçou, esfregando delicadamente o seu queixo na minha bochecha.

— Você é a minha vida — ele sussurrou.

Meu coração se comprimiu dentro do peito.

— E você é a minha — disse para ele.

— Os ônibus novos ficarão prontos na próxima semana — ele falou, objetivamente. — Três motoristas da minha empresa e eu voaremos até Bruxelas para trazê-los e então... — ele cruzou os dedos, para mostrar que estava esperançoso — eles estarão na estrada dois dias depois da entrega.

Eu segurei seu rosto. Nós nos olhamos em silêncio.

— Fantástico!

— Vamos pedir a conta? — ele perguntou.

Eu concordei e lhe dei um beijo.

Ele se levantou, ajeitou a gravata, deu-me uma piscadela atrevida e entrou no café. Terminei meu café, peguei minha bolsa e ziguezagueei pelas mesas, para esperar Rob na calçada. Abracei o laptop ao peito, ergui meu rosto para o céu sem nuvens e me recostei na coluna da entrada do café. “Paris é divina!”, pensei, fechando os olhos contra o sol, “é tão vibrante e agitada e...”.

Senti um forte puxão no braço, que me pegou totalmente desprevenida. Instintivamente, recuei. Uma motocicleta parou fazendo um forte ruído. O motor roncou e eu gritei, agoniada, quando uma explosão violenta vinda do cano de descarga queimou minha perna. Uma mão forte prendeu meus braços enquanto outra rasgava a minha bolsa, puxando-me para a frente. O passageiro de trás lutou para arrancar o laptop de meus braços e esmagou minha têmpora com brutalidade, com o capacete de segurança. Minha cabeça voou para trás, batendo na pilastra de concreto do café. Minha visão ficou branca e minhas mãos e pés adormeceram. Eu caí na calçada. A moto saiu em disparada e eu ouvi alguém gritar. Um caleidoscópio de sapatos e sandálias coloridas entrava e saía do meu foco. Deitei-me de costas. A última coisa que vi foi o rosto pálido e atormentado de Rob, enquanto se ajoelhava sobre mim. Eu segurei seu pulso.

— Querida... — ele murmurou e tudo escureceu.

Acordei quando estava sendo carregada numa maca, pelo corredor do hospital, com Rob andando rapidamente a meu lado, segurando minha mão. Ele parecia aterrorizado.

— Tudo vai ficar bem, querida — ele retirou o cabelo de minha face com delicadeza. — Você está com dor? — perguntou, ansioso.

— Não — consegui falar, e não estava mesmo. O choque é obviamente uma grande armadura contra a dor.

Em algum momento durante a noite, acordei de novo. Minha cabeça latejava na altura da têmpora e na base do crânio, e a dor em meu ombro direito e pulso era quase insuportável. Eu gemi. Houve um farfalhar de roupa de cama e a voz confortadora de Rob apareceu. Sua respiração morna tocava minha face.

— Estou aqui — ele me consolou, dando um tapinha em minha mão. — Você vai ficar bem — ele disse, com uma voz tensa e cansada.

Uma porção de luz vinda do corredor lançou uma sombra sobre sua face. Ele parecia tenso e perturbado, a fronte, enrugada, e os olhos azuis, cansados e úmidos. Uma enfermeira apareceu e me aplicou uma injeção.

— Minha bolsa? — murmurei.

Seus olhos procuraram os meus.

— Segura como o Banco da Inglaterra.

— O laptop?

Ele segurou meu rosto.

— Também. Você deveria ter largado ele.

Adormeci.

Passei três dias no hospital. Rob nunca saiu do meu lado. Ele parecia um homem das cavernas, com a face peluda e faminto. Levei onze pontos acima do olho direito, onde o capacete bateu, meu pulso foi quebrado e estava com uma queimadura feia na perna, um ombro deslocado e dezoito pontos atrás da orelha direita, cortada quando caí contra o pilar de concreto. Estava num hospital particular bem luxuoso, cortesia da Insignia Tours. Em diferentes circunstâncias, acho que teria gostado de minha estada aqui.

Sentei na cama, examinando meu reflexo num espelho de mão. Uma faixa larga de gaze branca estava presa à minha têmpora, manchas amarelas de iodo se espalhavam pela minha bochecha e eu tinha um adorável olho roxo. Outra faixa de gaze estava presa na base de meu crânio, atrás da orelha direita. Virei o pescoço lentamente para a esquerda e inclinei o espelho para a direita, delicadamente ajustei a bandagem para ver quanto cabelo havia sido cortado. Era um pedaço do tamanho de uma bolacha de cerveja grande. Meu coração afundou. Movi o espelho para o lado, para ampliar o que via, e me contraí quando vi o quanto estava feia. Arremessei o espelho em direção ao pé da cama.

Tina, do escritório de Londres, veio me visitar. Ela voou para Paris com um motorista da agência para tomar conta do grupo.

— Você receberá seu salário integral até ficar boa. — Ela colocou uma prancheta na minha frente e uma caneta em minha mão esquerda. — Assine aqui. — Ela acenou com a cabeça na direção de Rob. — Esse gato trabalha para nós? — ela suspirou, empolgada. — Nunca tenho tempo de conhecer os motoristas. Imagino que você esteja transando com ele?

Minha mãe e meu pai ligaram. Será que eles deveriam voltar da Austrália, onde estavam visitando tia Ruth? Definitivamente, não. Fui firme. Eles pouparam durante dois anos para fazer essa viagem e só deveriam voltar em fevereiro. E indo direto ao ponto: minha mãe é uma verdadeira hipocondríaca. Só Deus sabe que tipo de doenças desenvolveria só de olhar para mim. Não estava com disposição para isso.

Lexy e Graeme chegaram. Lexy entrou no quarto de supetão, com os braços estendidos, segurando um lenço de papel e vestindo meu terninho novo da All Saints.

— Parece que você fez um filme de terror — ela soluçou, num tom estrangulado. — Olhe para a sua cabeça. Eles rasparam seus cabelos — ela mordeu a mão, ansiosa. — Você acha que vai precisar de um transplante de cabelo? — Sua fronte se contraiu com a dúvida. — Como o Elton John?

Suspirei. “Ah, Lexy e sua franja vulcana”, pensei.

Lulu chegou um pouco depois, entrando pelo quarto como se fosse a primeira da fila da liquidação da Harrods. Estava animada. E usando minha sandália nova da Hobbs.

— Da, da, da, da... Chegueeeiiii — cantarolou. Abriu os braços, fez uma reverência e jogou os cabelos loiros sobre os ombros. — Fantástico! Viagem de graça, hotel de graça e comida de graça — ela falou. — Evie, retiro toda a merda que falei sobre a companhia em que você trabalha. Espero que não se importe, mas insinuei que era sua parceira, deve ser por isso que resolveram pagar tudo. — Cambaleou até parar ao lado da cama. Seu queixo caiu e ela começou a chorar. Passou-me um buquê murcho de rosas. — Cirurgia plástica é sempre uma opção. — Ela soluçou.

Rob, Graeme, Lexy, Lulu e meu médico, que mais parecia o Jack Nicholson em *O iluminado*, circulavam confusos pelo quarto. Começou uma longa e embaraçosa discussão com o médico, interrompida por Lulu a cada dez segundos. Finalmente, o médico conseguiu falar uma frase sem ser interrompido. Ele disse que eu me recuperaria, mas que precisaria de ajuda por muitas semanas.

Lexy repetiu as palavras do médico como um papagaio.

— Você vai se recuperar. — Ela meneou a cabeça, solenemente, e se abaixou para beijar minha testa.

Lulu estava de pé ao lado da cama, passando a mão na minha perna.

— Odeio ver você desse jeito — falou, aflita.

— Lulu odeia vê-la assim — Lexy se sentiu obrigada a repetir, como se o inglês não fosse minha primeira língua.

Lulu levantou os olhos e olhou em volta do quarto com apreciação.

— De qualquer maneira, você arrumou um bom lar aqui. É como se fosse uma suíte de hotel — acrescentou. Algo lhe chamou a atenção e ela foi até a mesinha de cabeceira. — Deus do céu! — ela exclamou, pegando um cartão branco apoiado contra o abajur.

— Lulu disse que parece uma suíte de hotel — Lexy repetiu, mais uma vez, dando um tapinha na minha mão boa.

— Um cardápio e uma lista de vinhos! — Lulu anunciou.

Lexy desviou os olhos solidários de mim e correu ao redor da cama.

— Parece que Evie tirou umas pequenas férias. — Ela tirou o cartão das mãos da Lulu. — É sim — ela disse, com os olhos arregalados.

As cabeças se juntaram e desapareceram atrás do cardápio.

— Acho que a gente poderia pedir alguma coisa — Lulu disse, estalando a língua.

— A comida do avião era muito ruim — Lexy resmungou.

Lulu mordeu os lábios, pensativa:

— Sim, vamos escolher algum aperitivo para começar.

— Eles mostram quantas calorias tem cada prato? — Lexy perguntou.

Lulu lançou um olhar incrédulo.

— Dane-se! Nós estamos de férias.

E quinze minutos depois, chegou um banquete.

Rob estava na porta do banheiro da suíte. Aproveitou o fato de que eu tinha companhia para se barbear, tomar um longo banho e trocar de roupa. Ele vestiu jeans e uma camisa branca, e secou o cabelo com a toalha. Lulu e Lexy sentaram, uma em cada lado da cama, com os cotovelos apoiados, segurando os queixos e tamborilando com os dedos. Elas estavam bêbadas. Rob olhou para as duas, com cautela.

— Eles vendem viiinho *nos hozpintais* na Inglaterra? — Lexy falou, com voz pastosa.

Rob afundou o rosto na toalha e balançou a cabeça.

— Eu acho que izzo não acontece — Lulu respondeu. Suas sobrancelhas enrugadas formavam vincos. — Ah, sim, sim, *ashvezes* — ela disse, mostrando um dedo para reforçar.

Graeme, que passara a última meia hora marchando pelo corredor para cima e para baixo, rosnando em seu BlackBerry, voltou para o quarto. Lulu e Lexy olharam para ele meio zonzas.

— Então... — Graeme começou, seguro de si. — Quando Evie for liberada, vamos levá-la para nossa casa. Como o médico falou, ela não vai conseguir se cuidar sozinha. – Seu celular tocou. – Com licença – ele se desculpou e saiu pela porta, gritando: "Olá, meu chapa!" ao telefone.

Lulu levantou a mão.

– Licença... mas eu *zou* enfermeira e também moro com Evie – ela proclamou em voz alta. – Ela deveria ir para casa comigo.

Permaneci imóvel. Preferia ser cuidada pelo doutor Crippen.

Lexy ficou de pé, brandindo seu copo de Prosecco.

– *Zou* zua irmã e vou tomar conta dela – ela insistiu.

Rob pendurou a toalha no pé da cama, passou uma mão irritada pelos cabelos molhados e se endireitou. De pés afastados e punhos fechados apoiados nos quadris, limpou a garganta.

– É claro que, com o ombro atado e o pulso quebrado, ela não será capaz de pegar nada – ele ponderou, preocupado.

Lexy se afundou ainda mais na cadeira e concordou. Lulu relaxou, cruzou os braços com exagerada precisão e inclinou a cabeça, com ar de entendida.

– Então, vai precisar que sua comida seja preparada e cortada, e de ajuda para se vestir e tirar a roupa – ele acrescentou.

Lexy e Lulu trocaram um olhar silencioso de avaliação.

– Tomar banho sozinha também está completamente fora de questão – Rob declarou solenemente.

Houve uma pausa reflexiva.

– E é claro que alguém terá de lavar seus cabelos.

Graeme voltou apressado para o quarto.

– Desculpe, mana – ele disse, apertando de leve meu pé.

Houve um minuto de silêncio. Lexy perscrutava Graeme sobre a borda de sua taça. Lulu estudava as unhas.

– Estava pensando em me mudar para o apartamento dela. Em tempo integral. – Rob anunciou, com sensatez. – E vou ficar por aqui até ela receber alta.

Lulu cruzou uma perna sobre a outra, sorriu com um ar abobado e ergueu os dois polegares para Rob.

— Ideia brilhaaante! — Lexy se contorceu sobre o assento. — Então, tá tudo *arranchado*.

Meu ombro latejava, uma forte pontada atingia periodicamente a têmpora até o olho, e uma dor aguda martelava minha nuca. Cataventos vermelhos apareceram na minha frente.

— Rob, estou me sentindo mal — eu disse, grogue.

Ele correu para a cama, colocou uma bacia de metal embaixo de meu queixo e o braço com firmeza em minhas costas.

— Vamos lá, querida! — Ele me consolou.

Lexy pôs a mão sobre a boca, ficou em pé e correu para abrir a janela. Seu torso desapareceu e suas pernas ficaram no ar enquanto ela se pendurava no umbral, engolindo enormes golpes de ar.

— Uhhh, não vomiiite! Você me conhece.

Eu vomitei violentamente, enchendo a bacia pela quarta vez nesse dia com uma bílis verde e pegajosa.

— Melhorou? — Rob perguntou, quando enterrei o rosto em seus ombros.

Lulu agitou o braço a esmo.

— Vochê shabe que vômito não me incomoda — ela disse num tom de desprezo. — Vezzo izzo o tempo todo. — Ela se mexeu para a beira da cadeira e se sentou, ereta.

Rob colocou um copo de água entre meus lábios.

Graeme esfregou as mãos com firmeza.

— Bem, então já vamos. Temos que voltar para casa, para cuidar das crianças. Elas estão com minha mãe, em nossa casa. As meninas deixam minha mãe louca! Na última vez, Becky prendeu a toalha da mesa na barra da saia dela com uma máquina de costura. — Ele se contraiu. — Uma terrível confusão.

Lulu e Lexy arremeteram em minha direção como um par de cisnes levantando voo, beijando dramaticamente a parte ilesa de meu rosto.

— Nossas passagens são abertas, mas quero marcá-las para hoje à noite — Graeme disse, pressionando a mão de Rob e dando um tapa em seu braço, de um jeito masculino. — Vejo que você já tem tudo sob controle.

Rob concordou.

— Espero levar Evie para casa na quarta-feira — ele respondeu, devolvendo o tapa.

— *Pocho* pegar *vochê* no aeroporto — Lulu ofereceu, cambaleando perigosamente.

Lexy deu uma topada, perdendo o equilíbrio.

— Deixa que eu pego ela. *Zou zua* irmã.

Lulu enfiou o dedo na cara de Lexy.

— Não, *vochê* não vai. Eu *moooro* com ela.

— Não, eu vou.

Lulu bateu no peito com o punho fechado.

— Eu vou.

Graeme as empurrou em direção à porta.

— Vamos todos pegar você — Lexy gritou, virando-se para olhar sobre o ombro de Graeme. — Vamosss *chuntos*. Vai ser ótimo.

A porta se fechou atrás deles.

TIVE UM SONO AGITADO essa noite e acordei com a cabeça latejando. Rob estava deitado desajeitadamente numa cama de armar, ao lado da janela. Suas costas esguias e musculosas se levantavam cada vez que ele respirava suavemente, enchendo o quarto com o som da sua respiração regular. Sentei-me na lateral da cama e me esforcei para ficar de pé; então caminhei silenciosamente até o banheiro. Abri a torneira e me sentei, desanimada, na beirada da banheira, encarando a água que corria. Uma sombra caiu sobre minha face. Rob, vestindo cuecas samba-canção e um grande sorriso, entrou no banheiro e se ajoelhou diante de mim. Ele apoiou a bochecha no alto de minha cabeça.

— Vou prender seus cabelos. O médico pediu para não lavá-los por uns dias.

— O quê? — Dei um puxão em meus cabelos. — Eles mais parecem rabo de rato. Tenho de lavá-los.

Ele balançou a cabeça, emburrado.

— E vão ter que ficar parecendo rabo de rato.

Rob me ajudou a entrar na banheira, devagar. Que visão elegante a minha, definhando entre bolhas de sabão! Na falta de uma presilha, Rob prendeu meus cabelos com uma de suas meias sujas. Eu sabia que estava suja porque podia sentir o cheiro. Estava com medo de apoiar minha perna direita na água, por causa da queimadura na panturrilha, então me equilibrei na nádega esquerda e coloquei a perna direita do lado de fora da banheira. Meu ombro direito estava preso a meu peito e meu pulso, engessado, e ambos tinham de permanecer secos, então, meu cotovelo direito (com uma habilidade engenhosa) seguiu minha perna direita sobre a borda. Como se já não parecesse ridícula o bastante, uma faixa de gaze, do tamanho de um papel higiênico estava presa em minha testa e outra, na nuca.

— Relaxe, querida! — Rob disse, me provocando. — Coloquei sua espuma de banho da Jo Malone na água para você desfrutar esse banho.

Suspirei. Eu duvidava.

Rapidamente entendi que eu me sentia milhões de vezes melhor toda vez que a enfermeira me dava uma das que ela chamava de suas "pílulas da felicidade". Suspeito que eram membros vitalícias da "dinastia morfina". Elas me faziam sentir tonta e alegre. Faziam-me sonhar quando estava acordada e eu meio que podia escolher e controlar o sonho. Eram fabulosos. E admito que me comportava mal em alguns deles.

Nesse momento, estava pulando por um campo apinhado de flores silvestres. Meu *viking* apareceu, carregando uma bolsa da Topshop, e eu era magra, muito magra. Usava um traje esvoaçante, como se saída do *Strictly Come Dancing*[26], e meus cabelos haviam crescido miraculosamente, chegavam até a cintura. Eu admirava meu reflexo num lago quando uma voz me interrompeu rudemente, o que me aborreceu, no início, mas, enquanto continuava a escutar, percebi imediatamente que eu tinha que largar o sonho e me concentrar no que ela falava.

[26] Strictly Come Dancing é um programa de televisão britânico em que celebridades são treinadas por dançarinos profissionais para participar de uma competição de dança de salão. (N. E.)

— Estou bem ciente disso. — Uma voz agitada disse de maneira brusca.

Houve uma pausa.

— Tão logo quanto puder!

Outra pausa.

— Eu sei, eu sei — a voz agitada acrescentou, num tom silencioso e apressado. — Olha, ninguém está mais ansioso do que eu para resolver isso, mas, como já expliquei, não vai acontecer nas próximas semanas... Você não precisa me lembrar do que está em jogo.

Eu forcei os olhos a se abrirem. Rob estava de costas, inclinado, olhando pela janela. Os músculos de suas costas largas estavam flexionados enquanto ele remexia na persiana. Estava ao telefone.

— Eu sei — ele perdeu a paciência. Olhou por cima dos ombros, capturou meu olhar e sorriu, cansado. — Te ligo de volta — sua voz falhou de maneira estranha. — Sim, logo. — Fechou o telefone e colocou no bolso da calça. — Bela Adormecida! — ele disse, caminhando na direção da cama.

— O que está acontecendo? — perguntei.

Seus olhos azuis se contraíram, formando triângulos, enquanto forçava um sorriso. Ele percorreu com o dedo indicador a minha bochecha e os meus lábios.

— Nada — disse, beijando a ponta de meu nariz.

Inclinei-me sobre meu cotovelo bom.

Ele me olhou, despreocupado.

— Rob, está claro que aconteceu alguma coisa.

Um músculo de sua mandíbula se mexeu de modo suspeito.

— Não era importante. Você está com fome, querida?

De repente me lembrei.

— Os ônibus! Você deveria estar na Bélgica.

Ele balançou a cabeça.

— Olha só pra você. Como poderia?

— Rob, não estou morrendo. Levei uma pancada na cabeça e estou me sentindo imensamente desconfortável, e sim, preciso de ajuda, mas você sabe que vou dar um jeito. Esses quatro ônibus estão lhe custando dez mil por mês. Vá até lá buscá-los. Você tem de colocá-los para trabalhar.

Ele caiu, exausto, sobre a cadeira ao lado de minha cama e massageou as têmporas com a palma da mão. Suspirou.

— Vá, Rob! Você precisa — insisti.

Ele sacudiu a cabeça desesperadamente.

— De jeito nenhum. Não vou deixar você nesse estado.

— Como vai fazer os pagamentos se os ônibus não estiverem na estrada?

— Estou tentando pensar em alguma coisa, estou procurando...

— Vá!

— Não.

— Sim! Discutir com você está me dando dor de cabeça — falei, com impaciência.

Depois de muita discussão, estava decidido. Nós iríamos voar juntos para Londres. Lexy me apanharia no aeroporto e Rob pegaria uma conexão para Bruxelas. Ele ficaria fora por uma semana e, para pagar meus pecados, teria de ficar com Lexy, Graeme e as crianças até ele voltar. Lulu reservou férias de três semanas na África do Sul com o Vic, o clone de Papai Noel. Ela disse que meu acidente foi um choque terrível e que ela precisava muito de umas férias, um tempo para se recuperar. Sempre uma amiga atenciosa, ela arranjou para que Harry, o vizinho, tomasse conta de mim, se necessário. Bem, hello!!!!!!

CAPÍTULO 29

O SALÃO DE DESEMBARQUE do aeroporto Heathrow estava lotado.

— Já estou com nossa bagagem. Vamos embora — Rob disse, levantando minha mala da esteira. Enlacei meu braço no dele e me arrastei a seu lado, enquanto caminhávamos lentamente pela alfândega.

Bateu-me um desespero quando vi meu comitê de boas-vindas. Graeme ficara retido no trabalho, então Lexy, argumentando que não poderia achar o caminho até o aeroporto sozinha, ligou para Nikki, para pedir que ele a levasse, e ele gentilmente concordara. Mas por que diabos a mãe de Nikki estava esperando com uma caixa enorme de primeiros socorros debaixo do braço, eu não saberia dizer. Seu queixo e lábios se retorceram e seus olhos da cor de chocolate se encheram de lágrimas não derramadas quando me avistou. Ela começou a cantar em grego, entregou a caixa de primeiros socorros para Nikki e veio em minha direção, com os braços estendidos.

— Evie! — gritou, assustando todos. Ela se inclinou, fechou os olhos e entrelaçou os braços ao redor de minha cintura. Automaticamente, balancei com ela e afaguei seu cabelo cheio de laquê com minha mão esquerda. — Gggggggg... hhhhhhh — ela cantava sem parar.

Lexy estava atrás dela. Usava uma blusa pink bem apertada e decotada, jeans com cintura baixa e sandálias de salto alto. Estava fabulosa. Quase morri de inveja. Rob tinha me obrigado a usar um short, por causa da perna enfaixada, sandálias de dedo, por serem mais confortáveis, e uma de suas camisas, porque nenhuma das minhas cobria a faixa em meu ombro. Ele colocou minha maquiagem na mala e se recusou a pegá-la de volta, dizendo-me que eu ficava bem melhor sem ela, enquanto eu tinha certeza de que parecia um cadáver. Lexy procurou um lenço de papel na bolsa.

— Você parece um cadáver de quatro dias. — Ela fungou, limpando cuidadosamente as lágrimas. — Coitadinha... parece o Papa-Léguas, de olhos arregalados e assombrada — sentiu-se na obrigação de dizer.

Sem maior esforço, Nikki tirou, do carrinho que Rob empurrava, minha mala. Estranhamente, eles não haviam se encontrado antes. Trocaram um breve cumprimento antes de Rob se virar e, com tato, desvencilhar-me do abraço da mãe de Nikki. Ele envolveu meu rosto em suas mãos. Comecei a piscar sem parar. Não queria que ele me deixasse, não por uma semana inteira.

— Basta me ligar, você sabe disso, querida. Você vai ficar bem.

Eu o abracei com meu braço bom. Nós estivemos juntos por três meses e nunca nos separamos mais do que duas noites.

— Quando estiver melhor, vamos sair de férias.

Eu não queria férias, queria que ele ficasse comigo. Ele passou os polegares ao longo das minhas faces.

— Vamos para onde você quiser. Qualquer lugar, não importa aonde. Ao Extremo Oriente — ele me beijou —, ao Caribe —, ele me beijou mais uma vez —, ou à Austrália. Aonde quiser. — Ele me tranquilizou.

Eu funguei e tentei exibir um sorriso, mas não consegui, porque: a) estava me sentindo péssima; b) Rob estava esmagando minhas bochechas, fazendo com que meus lábios formassem um beiço; e c) minha roupa estava ridícula.

— Vou lhe comprar um presente em Bruxelas.

Eu me animei um pouco.

— Que tipo de presente? — perguntei.

Seu peito se levantou e balançou, enquanto dava uma risada.

— Espere e verá.

Meu comitê de recepção diplomaticamente começou a estudar o anúncio de chegadas de voos, para que Rob e eu pudéssemos nos despedir apropriadamente.

— Uma semana. É pouco tempo e nós vamos nos falar todos os dias — ele disse. Seu tom de voz baixou alguns decibéis. — E você estará com sua irmã — ele me consolou sem muita convicção. Olhou de lado para Lexy, que estava mexendo sem parar na disposição das gravatas expostas nos trilhos da Tie Rack. — Então eu sei que você estará em boas mãos — acrescentou com um sorriso forçado.

Mais um longo beijo de tirar o fôlego, e ele foi embora.

Nikki carregou minha mala, apesar de ela ter rodinhas, e colocou gentilmente a outra mão em minhas costas.

— Vamos, Evie. O carro está no primeiro andar, então não será uma caminhada longa.

Eu concordei solenemente. Lexy rebolou em volta de Nikki e se postou a meu lado.

— Pedi para as crianças não a incomodarem, mas elas provaram seus trajes de enfermeira ontem à noite — ela suspirou. Becky destruiu seu ursinho de pelúcia com um garfo durante uma operação e Lauren perguntou se poderia trazer os amigos para ver suas ataduras. Graeme teve de conversar seriamente com Becky, porque ela contou para a professora que você visitaria a enfermaria para mostrar para todas as crianças sua cabeça raspada e — ela tossiu tensa e sem graça — Becky quer dormir com você. É claro que falei para ela que isso seria impossível, mas ela está muito desapontada e, francamente, nós não confiamos nela; então, para sua proteção, vou colocar uma tranca na porta do quarto de hóspedes. — Ela deu um tapinha em meu ombro bom. — Mas eu gravei uma antologia do *X Factor* e comprei duas trufas de cereja e um kit spa da Boots — ela deslizou a mão até a minha. — Você vai ficar bem.

Eu duvidava. A visão de Becky em seu uniforme de enfermeira fez com que um arrepio descesse pela minha coluna. Suspirei, desolada. Além disso, odeio trufas de cereja. E não estou nem aí para a antologia do *X Factor*.

Bem, não consigo me lembrar do que foi dito no carro ao sairmos do aeroporto, portanto não sei de onde surgiu a ideia, e eu estava muito cansada para ligar ou protestar e a mãe de Nikki não gosta de ser contrariada. E Becky era aterrorizante e, para ser justa com Lexy, ela já tinha de lidar com muita coisa, e Nikki também não admite ser contrariado. Ok, isso não é verdade, mas não quando estou com dor, desconfortável e chorosa. De alguma maneira, todos concordaram que eu deveria me mudar para o apartamento de Nikki em cima do bar, e que Nikki, sua mãe e sua tia cuidariam de mim. Deixamos Lexy em Hampton. Eu me encolhi no assento, enquanto ela enfiava a cabeça pela janela do passageiro.

— Não estou muito certa sobre isso, mas vamos ver como as coisas correm. — Ela afagou meu joelho e sussurrou: — Estou me sentindo, bem, contrariada. Queria que você ficasse aqui, até troquei a cama e tudo mais. — Revirou os olhos. — O que vou fazer com as duas trufas de cereja? Ligo pra você depois. — E, abraçando sua bolsa Hèrmes, virou-se sem mais delongas e seguiu caminhando pelo jardim.

CAPÍTULO 30

O APARTAMENTO DE NIKKI é tudo que você esperaria encontrar na casa de um garoto de programa, solteiro e bonito. Tudo é minimalista. O assoalho com tacos de madeira cor de mel, paredes brancas, janelas vitorianas com cortinas de veludo controladas eletronicamente e sofás de couro cor de chocolate. Pôsteres contemporâneos enormes e coloridos de mulheres sumariamente vestidas adornavam as paredes, e tapetes de animais mortos estavam espalhados aleatoriamente. Uma enorme cama *king-size*, que Nikki havia me dito que comprara do Hotel Marriott, dominava o quarto de dormir.

Minha mala, menos a bolsa de maquiagem, estava em uma localidade secreta no norte de Londres, onde tudo seria lavado, passado e retornado para mim. Eu fui despida e banhada pela mãe e pela tia de Nikki, e vestida com o pijama dele, que, eu suspeito, foi sua mãe quem comprou. Acomodei-me confortavelmente na enorme cama de Nikki. O comprimido que tinha tomado começou a fazer efeito e me aconcheguei ainda mais, quando tio Spiros deixou o bar para me visitar.

Sua figura impressionante, vestida com o uniforme branco de *chef*, dominou a porta. Suas sobrancelhas escuras e espessas se juntaram, enquanto ele caminhava vagarosamente até a cama. Ele se inclinou. Seus olhos escuros procuraram os meus. Eu me enterrei ainda mais no travesseiro. Visto assim tão de perto, ele é assustador. Sua mão tremia enquanto segurava meu queixo e seus olhos cor de carvão se comprimiram ameaçadoramente. Eu perdi o fio de meu sonho recheado com morfina. Ele se endireitou, com os punhos fechados no quadril.

— Nicolas! — gritou para o teto. Imediatamente, um barulho frenético de passos sobre o piso de madeira. Nikki, sua mãe e sua tia entraram no quarto.

E o inferno desceu sobre a Terra.

Tio Spiros rugia como um leão, o peito inchado, o sangue correndo pelas faces e os olhos cintilando e escurecendo de raiva. A mãe e a tia se aninharam e se empurraram para ver quem enfrentaria, primeiro, a ira de Golias, o que, no final, provou ser demais para a tia. Ela se esvaiu em lágrimas, ajoelhou-se na minha cama e gentilmente me envolveu em seus braços. Ela estava consternada. Bem, apenas por um segundo ou dois, porque, de repente, um olhar demoníaco reluziu em seus olhos. Ela fungou, afagou seus cabelos, arrancou o relógio da mesinha de cabeceira e, tremendo bravamente, arremessou-o contra o ombro de tio Spiros. Arquejamos em uníssono. O relógio bateu em sua clavícula e caiu no chão. O relógio parou de funcionar, Nikki o pulverizou com o pé. Tio Spiros deu um soco no batente da porta. Arquejamos novamente. A mãe e a tia de Nikki trocaram olhares temerosos. E, apesar de achar que isso não fosse possível, a gritaria aumentou. A tia perdeu a coragem e se espremeu atrás de mim.

Eu estava um pouco chateada com tudo o que estava acontecendo. Estava ansiosa para viajar com a minha pílula da felicidade. Isso foi uma interrupção fora de hora. Em circunstâncias normais, eu gostaria de uma briga como essa, mas, naquele momento, perdi completamente a trama e nem saberia dizer por que eles estavam discutindo.

Nikki se apoiava num pé, depois no outro. Ele parecia envergonhado. Tio Spiros colocou o dedo no peito de Nikki e despejou uma estrondosa bronca. De repente, o humor de Nikki mudou completamente. Seu peito se expandiu e uma mancha rubra viajou pelo pescoço e queimou suas bochechas. Ele pegou um desodorante aerossol e jogou contra a parede. Tio Spiros socou a palma da própria mão repetidas vezes. E a discussão continuou sem parar. Quem me dera falar grego!

De repente, ele parou. Fez-se um silêncio incerto. Nikki e sua mãe ficaram a meu lado, a tia ainda estava atrás de mim. Tio Spiros estava parado ameaçadoramente aos pés da cama, sua figura enorme se agigantando sobre nós. Ficamos alguns segundos em suspense, na mais absoluta calma. Os quatro trocando olhares desconfiados e cheios de significado. Dei minha contribuição lançando alguns olhares desconfiados também. Seguiu-se uma série de acenos espontâneos de cabeça e de "não, não, não", que significavam "sim, sim, sim". Tio Spiros parecia ter se acalmado. Obviamente, ele havia conseguido fazer as coisas do jeito que queria. Acho que ele sempre conseguia. Com as sobrancelhas erguidas, ele curvou a cabeça laconicamente na direção de cada um deles, houve mais alguns "não, não, não" pela sala, e saiu pisando duro.

A porta bateu.

A tia caiu em minhas costas. A mãe de Nikki cambaleou para trás e se afundou numa poltrona, apertando o peito ofegante.

— O que foi isso? — perguntei, meio tonta, para Nikki.

— Tio Spiros mandou a mãe dele dormir no quarto de hóspedes. Ele acha que você precisa de uma acompanhante, para não ficar sozinha comigo à noite, então terei de dormir no sofá.

— Tudo bem — concordei, aturdida. "A mãe dele", pensei. "Ele não deve estar brincando, então, acho que vai desenterrá-la antes de trazê-la." Fiquei imaginando.

— Estou cansada, Nikki.

Ele deu um suspiro.

— Dá pra perceber. Você está confortável? — ele perguntou.

— Hummm — fiz que sim —, mas preciso dormir.

Ele olhou o relógio.

— Descanse agora e eu a acordo na hora do jantar.

— Ele é um porco — a mãe de Nikki disse, batendo com o dedo na porta do quarto, com as faces coradas de ousadia. — Vou pegar as chaves para limpar sua casa — ela afirmou, já mexendo na minha bolsa. — Ele, Spiros, meu irmão — ela reclamou, indignada —, pensa que é o rei do pedaço.

Acho que ela quis dizer "de tudo".

PERDI O JANTAR e dormi o restante da noite. O viking e eu fomos assistir ao *Girls Aloud* no Royal Albert Hall. Lulu tinha duas espinhas enormes no queixo, como aquelas velinhas de aniversário que você assopra e assopra, mas não apaga nunca. Ela espremia e espremia, mas não importa o que fizesse, as espinhas sempre voltavam. A fatura de meu cartão de crédito chegou e era de apenas £ 1,09. O único item debitado era um sabão em pó. E me entregaram de graça uma cesta de cosméticos da Harrods por engano, que eu rapidamente escondi debaixo da cama.

Levei um susto quando uma figura desdentada, toda enrugada e vestida de preto, acordou-me. A princípio, pensei que fosse o fantasma do Natal passado[27], mas, então, notei que ela carregava uma bandeja repleta de suco de laranja, café e torradas. Como sou uma garota inteligente, deduzi que já era de manhã e que esta devia ser minha acompanhante, e eu estava certa. Eu tinha quatro ligações perdidas de Rob e uma mensagem:

"Amo vc saudades preciso vc R bjs bjs bjs"

Liguei para ele. Estava tudo bem. Ele ficaria na Bélgica ainda mais alguns dias e, então, junto com seus colegas, traria os novos veículos para Birmingham, antes de seguir para Londres. Estaria de voltar o mais breve possível. Na verdade, acho que voltaria antes do planejado, porque contei a ele que estava na casa de Nikki. Ele pareceu bem irritado, surpreso e não muito entusiasmado. Suas palavras exatas foram: "Que merda é essa? Como isso foi acontecer?". Eu nem consegui

[27] O fantasma do Natal passado é um personagem do livro "Um conto de Natal", de Charles Dickens. (N. E.)

responder, pois não tinha ideia do que havia se passado, mas aqui estou e posso garantir que o serviço de quarto não é dos piores.

A mãe e a tia de Nikki entraram, assim que eu acordei. Em segundos, a chaleira estava ligada e meu banho foi preparado. Elas ficaram de pé, com os cabelos presos firmemente, olhando com atenção os vários frascos de remédios, tubos de creme, pacotes de gaze, potes de pomadas e rolos e caixas de ataduras. Mas as instruções estavam todas em francês.

— Não tem importância — a tia comentou, abrindo o celular. — Eu simplesmente vou ligar para uma amiga. — Quando o banho ficou pronto, uma enfermeira distrital grega chegou. Grega, quem diria!

Ainda bem que não sou tímida. Quatro delas participaram da remoção dos pijamas e da cerimônia da "descida ao banho". Sim, Sophia, a mãe de tio Spiros, se juntou a nós. Ela confiscou a pomada e a gaze e substituiu-as por um frasco de vidro, que, ao que parecia, deveria conter toda cera de ouvido que ela fora capaz de guardar em oitenta anos. As outras três se opuseram veementemente, mas, por birra de Sophia, foi decidido por unanimidade que a cera de ouvido seria usada.

Sophia se ajoelhou no chão, tirou as ataduras da minha perna e as colocou decorativamente na borda da banheira, besuntou minha perna com cera de ouvido e cuidadosamente a colocou na água. Não doeu tanto quanto eu esperava. Então ela removeu a gaze de minha testa e da nuca e aplicou aquela mistura amarela grudenta. As outras três se entreolharam, mas não tiveram coragem de dizer nada. Maria (mãe de Nikki; estávamos íntimas agora) havia me trazido algumas roupas de baixo e um roupão do meu apartamento, mas ela insistiu que minha roupa de dormir era inadequada, por isso teve a ideia de me trazer uma de suas muitas camisolas de flanela, enormes e esvoaçantes. Eu a recusei diplomaticamente, preferindo usar um dos pijamas de Nikki, que repentinamente pareciam bem confortáveis e estilosos, e eu sabia que vinham em uma embalagem de quatro. Dei um gemido por dentro quando ouvi Maria se vangloriar de que havia arrumado a bagunça debaixo de minha cama e colocado tudo no guarda-roupa. Honestamente! E o tempo que eu gastei para separar todas aquelas roupas?

Tenho uma rotina. Maria e tia Lola chegam às nove horas. Tomo banho e o café da manhã. Tia Lola vai embora. Então fico ali parada, meio nervosa, enquanto a mãe de Nikki fuça nos armários, gavetas, lê suas cartas, abre suas contas e remexe o conteúdo dos bolsos nas suas calças, enfiando o nariz bisbilhoteiro onde obviamente não é chamada. Mas ao menos este crédito eu devo lhe dar: ela trabalha com a delicadeza de um agente especial do FBI. Nunca vi ninguém se mexer tão depressa. Ela fica exausta.

— Nicki não pode *nunca* saber disso — ela insistiu, ofegante.

Ela se afundou no sofá. A echarpe de *chiffon* amarela que cobria sua cabeça estremeceu quando, com a cabeça curvada, folheou agilmente um maço de extratos bancários de Nikki.

— Jamais, *jamais* — disse enfaticamente, enquanto anotava uma série de números num bloco de papel. Seus olhos se arregalaram e ela me olhou como uma coruja. — Nunca! — repetiu.

— Nunca — eu ecoei.

Ela me apontou o dedo em riste, ameaçadoramente.

— Não vou dizer nada — assegurei, apressada.

Os olhos dela reluziram.

— *Nunca* — ela papagueou.

— Nunca — confirmei, apavorada. Ela estava examinando atentamente os extratos. Se Nikki chegasse agora, ele mataria nós duas.

Tranquilizada, ela se desvencilhou do sofá e caiu de joelhos, e seu tronco desapareceu dentro do armário.

— Ah, ah, tá aqui, tá aqui. — Seu enorme traseiro oscilou quando ela retirou uma caixa marcada "Documentos do Papai". Ela tinha encontrado o que estava procurando. Lutou para se levantar e segurar a carga preciosa junto ao peito avantajado. Colocou a mão em minha cabeça, como se estivesse me dando uma bênção. — Mesmo sob ameaça de morte — ela acenou gravemente —, ele nunca poderá saber.

Senti uma onda de indignação.

— Não vou contar nada — esbravejei. Quantas vezes teria que repetir a mesma coisa?

A mão dela ainda estava pousada em minha cabeça. Ela estava esperando.

Dei um suspiro e segurei a tipoia ao encontro do peito, num gesto de sinceridade.

— Mesmo sob ameaça de morte — prometi, com ar impenetrável.

Ela sorriu.

Eu a segui até a cozinha, onde ela espalhou seu corpo rechonchudo pelo balcão e segurou uma carta sobre o vapor da chaleira.

— Você é uma boa garota. Confio em você — ela murmurou, com carinho.

Ela iria embora ao meio-dia, com a pasta cheia, e então Lexy chegaria. Nós ficaríamos sentadas na sala, enquanto Sophia e duas amigas, que eu suspeito serem imortais, tomariam conta da cozinha. Quando Lexy fosse embora para pegar as crianças na creche, eu telefonaria para Rob e, depois, tiraria uma soneca. À noite, Nikki e eu jantaríamos juntos. Brigamos feito cão e gato nas primeiras noites, porque ele não queria me deixar tomar vinho.

— Você está tomando remédio! — Era sua explicação.

— Remédios! — eu berrei com rebeldia, causando uma dor intensa da minha testa até a base do crânio. — Os drogados fumam crack e maconha, tomam pilulazinhas azuis e injetam um monte de coisas nas veias, e ainda assim conseguem tomar umas cervejinhas.

Ele não cedeu.

Na terceira noite, ele nem quis comer comigo porque Sophia havia lambuzado meus cabelos com azeite de oliva. Aparentemente esse é o melhor condicionador de cabelo de todos os tempos. E com instruções detalhadas de minha parte, ela me cobriu com um bronzeado falso também.

— Você está cheirando igual a tênis velhos — Nikki gritou. — Saia já dessa cozinha e volte para a cama! — ele esbravejou, apontando-me a porta. — Vou lhe levar uma bandeja.

No meio da semana, fico feliz em dizer, já estava me sentindo bem melhor. O unguento amarelo grudento de Sophia provou ser maravilhoso. Meu olho preto agora estava amarelado, os pontos na testa estavam começando a se dissolver e o ferimento na perna estava cicatrizando. Meu pulso ainda ficaria numa tipoia por mais cinco semanas, mas dava para suportar, e meu ombro, embora ainda dolorido, estava relativamente mais flexível. A única coisa que ainda me incomodava era uma dor constante na nuca e o estado deplorável de meus cabelos. Mandar uma mensagem de texto era complicado por causa da tipoia no pulso, então eu passava o dia deitada no sofá, conversando com Rob, bebericando vinho Shiraz em uma caneca. Bebidas durante o dia eram estritamente proibidas. Se Nikki aparecesse e me pegasse em flagrante, eu estava perdida.

Sophia provou ser uma acompanhante bem porcaria. Lá pelas seis horas da tarde, ela já estava meio tonta e ia dormir, o que, de acordo com Nikki, era uma dádiva de Deus. Ele e eu passamos algumas noites juntos, tranquilos e sem brigas, o que foi muito agradável. Ele é um cara inteligente, divertido e bonito, e muito cheiroso. Mas ele é mandão, machão e um garotão mimado. Tem de ser tudo do jeito dele, ou não tem conversa. Uma noite jogamos *Scrabble*, e o jogo terminou em briga. Eu não queria permitir a palavra "krisps" e tivemos a mesma discussão com "krane", "kream" e "krying". Olhei para ele com desdém.

— Você não sabe soletrar, Nik — informei, retirando as letras dele do tabuleiro.

Enlouquecido, ele tamborilou os dedos na mesa.

Olhei para ele de relance, com um olhar divertido.

— Você não sabe — repeti.

— Tudo bem, vamos jogar em grego e quero ver quem é que sabe — ele provocou, jogando o tabuleiro de *Scrabble* para o alto. Encostei-me na cadeira, cruzei os braços e olhei para ele se afastando.

Dois minutos mais tarde, enquanto estava arrumando as peças do jogo, ele voltou. Com um sorriso radiante, ele me entregou uma taça de champanhe. Estou começando a pensar que os gregos são uma nação de malucos, mas obviamente são os malucos mais gentis que alguém pode encontrar. Caímos no sono ao mesmo tempo, assistindo à

TV no confortável sofá de couro, com a garrafa de champanhe vazia, caída entre nós. Na manhã seguinte, acordamos com Sophia nos cutucando com sua agulha de tricô. Nikki teve de suborná-la com cem paus e um bule de chá novo para ela não contar ao tio Spiros que nós tínhamos dormido juntos. Quem dera!

Os músculos dos braços e do pescoço de Nikki se retesaram enquanto ele contava as notas.

— Isso é extorsão! — ele protestou.

Mal dava para ver os olhos escuros, contraídos e brincalhões observando tudo, por trás das dobras de seu rosto enrugado.

— Não. É chantagem mesmo — ela corrigiu.

Fiquei muito impressionada porque a palavra "chantagem" significava que ela exigiria mais. Bem que eu queria poder guardar um segredo tempo suficiente para chantagear alguém.

No sexto dia, eu já estava subindo pelas paredes de tanto tédio e até pensando em eu mesma sair fuçando pelas coisas do Nikki. Liguei para o bar, pedi para Nikki ir até meu apartamento e pegar mais algumas roupas para mim. Queria me arrumar e sair para uma caminhada.

— Não — ele respondeu com firmeza.

— Mas, Nikki, não é longe. Só vai levar dois minutos.

— Eu sei onde é.

— Estou entediada — supliquei.

— Você não está entediada, está descansando. Você *não* vai sair de casa! Se está sem ter o que fazer, pode pedir os vinhos ou outro destilado qualquer. Você sabe quem são nossos fornecedores e o quanto costumamos usar. Os formulários para os pedidos estão na minha escrivaninha. E, Evie, chame o pessoal do conserto da geladeira. A máquina de gelo não está funcionando direito. Ah! E o extintor de incêndio precisa de manutenção, e o fluido de limpeza da bomba maior está acabando. E descubra onde se meteu o limpador de janelas. Você poderia pedir mais café e pagar a fatura do açougueiro? Descubra o quanto estamos devendo para ele e faça um cheque para eu assinar.

"Isso porque eu tenho que descansar", pensei alegremente.

— Ah, tem mais uma coisa. A máquina Cardnet está se recusando a aceitar o cartão da Amex. Você pode dar uma ligada para eles? — Ele fez uma pausa. — Como está se sentindo?

— Bem.

Rob ligou e disse que voltaria no dia seguinte. Fiquei bem animada. Um dia antes!

— Isso é ótimo — Nikki comentou, distraído, quando lhe contei.

Eu estava empoleirada em cima da banheira, observando enquanto Nikki se barbeava. Ele tinha acabado de voltar da academia. Ele vai todas as manhãs, entre as seis e sete horas, e volta para casa por volta das nove horas. Ainda estava usando as calças escuras do agasalho de corrida e uma camiseta preta. O rabo de cavalo, que ele costuma usar na altura da nuca, estava preso um pouco mais alto. Ele ensaboou o pescoço, entregou-me a navalha e se levantou, apoiando as mãos na pia, curvado para frente.

— Tem certeza, Nikki? Com minha mão esquerda? — Dei uma risada.

— Claro que tenho certeza. Se você me cortar, eu mato você — ele brincou.

Aproximei-me e me apoiei nele com a tipoia; cuidadosamente raspei sua nuca.

— Rob nunca me deixaria fazer isso — reclamei.

— Então ele não sabe o que está perdendo, não é?

Dei uma gargalhada.

— Acho que ele preferiria o Sweeney Todd[28]. Não ria, Nik! Seu corpo balança quando você ri.

No espaço apertado do banheiro, ele parecia muito mais alto e maior e, bem, diferente. Ele parecia mais selvagem.

— Obrigada, Nik! — disse meigamente.

— Obrigada por quê?

[28] Sweeney Todd é um personagem das lendas inglesas, também conhecido como "o barbeiro demoníaco da Rua Fleet", e que tinha por hábito cortar — literalmente — os pescoços dos clientes com sua navalha.

— Por me deixar ficar aqui. Sei o quanto você é ocupado no bar e ainda assim arruma um jeito de vir aqui me ver pelo menos umas três vezes ao dia. E sua mãe e sua tia são maravilhosas, e, bem, tudo o mais.

Ele pegou a navalha de minha mão, lavou-a rapidamente debaixo da torneira e a entregou de volta para mim.

— É de meu próprio interesse ver você bem novamente. — Os olhos dele encararam os meus através do espelho. — Desde que começou a trabalhar no bar, os lucros aumentaram em um terço.

— Verdade? — perguntei, surpresa.

— Sim, verdade.

— Como pode ser?

— Como pode ser? Pra começo de conversa, sua ideia para os Famosos Chás. — Ele deu uma risada. — A *happy hour*. — Ele riu de novo. — Você trocou a carta de vinhos da casa. O estoque novo custa 20% menos que o antigo. Ah! E você economizou uma fortuna criando sozinha o *design* dos cardápios e dos folhetos.

Enxaguei o pescoço dele e o sequei com a toalha de mão.

— E meu pai lhe deve uma — ele completou, arrogantemente. — Uma bem grande.

Dei uma risadinha.

— Seu pai? O que foi que eu fiz pra ele?

— Porque minha mãe está ocupada com você e o deixa livre todas as tardes.

Ele pegou o sabonete e esfregou o rosto com força.

— Ele não consegue assistir à televisão quando ela está em casa, porque ela montou um telescópio no meio da sala. — Ele jogou água no rosto. — Ela está vigiando o Centro Comunitário. —Enfiou o rosto na toalha. — Ela suspeita que suas duas irmãs estejam indo aos Vigilantes do Peso sem ela.

Nós dois demos risada.

— Ela vai morrer com o nariz prensado na porta de alguém — ele concluiu.

Jogamos a cabeça para trás e caímos na gargalhada.

— Ou no armário, nas gavetas, nos guarda-roupas ou nos bolsos de alguém — falei, ofegante, esfregando os olhos.

Ele se curvou para frente, rindo, e meteu a cabeça nas mãos.

— Não — ele gargalhou, batendo a mão várias vezes na pia. — No armário, gavetas ou nos bolsos de alguém? — ele repetiu.

— Sim! — dei um grito, sacudindo a cabeça. Estava praticamente curvada.

Ele hesitou.

— Por acaso, ela mexeu nas minhas coisas?

— Hummmmm — foi o que consegui responder, balançando a mão ligeiramente. Minha barriga estava doendo.

Ele jogou a toalha com força no suporte e levantou meu queixo com o dedo indicador. Seus olhos negros, comprimidos de raiva, fixaram-se nos meus. Parei de rir. Ele não havia dado nenhum passo a mais, mas posso jurar que estava mais perto de mim. Eu me encolhi, subitamente reconhecendo a necessidade de sair correndo dali.

— Ela fez isso? — ele berrou.

Meu coração se contorceu de pavor.

A mão dele apertou com força meu rosto.

— Ela fez isso, não fez? — ele esbravejou.

— Err... Sabe o que mais? Não tenho bem certeza — gaguejei, nervosa. — Estava cansada e completamente fora de mim quase que o tempo todo... Ah, sim, estou me lembrando agora. — Levantei as mãos, surpresa por não ter me lembrado disso antes. — Foi um sonho. Não, claro que ela não fez isso, claro que não. Ah, não, sim, foi... Eu sonhei. Agora me lembro bem.

— Ela fez isso, não foi? — ele gritou, saindo do banheiro.

Corri apressada atrás dele.

— Nikki, não, claro que não. Já lhe falei.

Ele revistou o bolso do casaco que estava pendurado nas costas da cadeira da cozinha, à procura do celular.

— Eu já a tinha avisado antes. Tive até de pegar de volta minhas chaves extras para ela não ficar bisbilhotando.

Meu coração batia descompassado. Comecei a transpirar copiosamente.

— Nikki, você está me chamando de mentirosa? — eu me ouvi gritar, enquanto corria atrás dele para pegar o telefone.

Depois de uma hora de xingamentos e palavrões, súplicas e juramentos, e finalmente choros e soluços, Nikki prometeu não dizer uma palavra para a mãe dele. Tudo parece meio vago agora, mas acho que, a certa altura, eu realmente fiquei de joelhos, rastejando pela cozinha, agarrando-me às pernas dele, desesperada.

Assim que ele saiu para o trabalho, voltei para a cama com uma terrível enxaqueca, exausta, com o coração descompassado e a pressão sanguínea subindo até as alturas.

CAPÍTULO 31

Rob está de volta! Ele me comprou uma pulseira de ouro branco e adorei, e eu o amo.

— Benzinho — ele disse com a voz entrecortada —, você *não* tem ideia do quanto senti sua falta! — Ele me puxou para seu colo e abraçou minha cintura. — E ver você tão melhor assim é inacreditável!

Ele beliscou a pontinha de minha orelha.

— Como está seu ombro?

— Nada mal.

— E o pulso?

— Até que não dói tanto assim, por ser um osso quebrado. É só meio desajeitado.

Ele brincou com meus cabelos e fez uma careta ao ver o talho horrível atrás da orelha.

— Isso vai demorar — ele disse, num tom estrangulado.

Passei de leve meus dedos sobre a superfície áspera dos pontos do ferimento, em contraste com a pele macia e lisinha onde o cabelo fora cortado. Inesperadamente, as lágrimas ameaçaram surgir.

— Não, não chore. — Ele segurou minha mão, pressionando o dedão na palma. — Você vai ficar bem. Estou de volta, vou paparicá-la e ficar à sua completa disposição.

— Bem — comecei —, engraçado você dizer que vai me mimar, porque eu tenho uma proposta a fazer — disse, abrindo um grande sorriso.

— É mesmo? — ele perguntou.

— Sim.

— O que é?

— Na verdade, tenho pensado bastante na logística dessa minha proposta durante toda a semana.

— É mesmo? — ele perguntou, intrigado.

Acenei que sim e sorri.

— Sim, pensei.

— Vai me contar o que é?

Desci de seu colo e me ajoelhei no chão, entre suas pernas. Ele afastou o cabelo do meu rosto, apoiou gentilmente a tipoia em seu joelho e entrelaçou seus dedos nos meus. Olhou-me ansioso.

— Vamos lá, então. — Ele me encorajou. — Qual é sua proposta?

Meus dedos tocaram meu rosto, que agora estava queimando.

— Primeiro — disse, corada, com os olhos voltados para o teto —, pensei em me deitar a seu lado.

Ele examinou meu rosto.

— Onde?

— Na minha cama.

Ele acenou com a cabeça.

— E então o quê? — indagou, sem rodeios.

— Então me aproximaria e começaria a beijá-lo. — Mordi meus lábios. — E... eu... desabotoaria... a... sua... camisa.

— Com a sua mão boa? — ele interrompeu.

— Sim — confirmei —, com minha mão boa.

— E então o quê?

Fiz um biquinho.

— Eu tiraria seu cinto e lentamente... abaixaria o zíper... e enfiaria minha mão por baixo de sua cueca. — Fiz uma pausa. — Exatamente como você gosta.

— Com a sua mão boa? — ele repetiu, irritantemente.

— Sim — retruquei abruptamente. — Com. Minha. Mão. Boa — disse, pausadamente.

— Hummm, estava só imaginando. E aí, o que aconteceria?

Esfreguei suas coxas.

— Então eu o seguraria do jeito que você me mostrou. — Passei os dedos levemente para cima e para baixo em sua virilha. — Sabe, daquele jeito que eu o toco de leve, mas bem firme, com a palma das mãos? Do jeito que eu sei... você me entende... *te tocar*, melhor do que ninguém que já tenha conhecido antes — disse, arregalando os olhos para enfatizar o ponto.

Ele arqueou uma sobrancelha e assentiu secamente.

— E daí o quê? — ele perguntou, impassível.

— Vou montar em cima de você. E me curvar e beijá-lo um pouco mais, e puxar sua camisa para baixo e lamber seu ombro.

“Ah, ah, consegui deixá-lo interessado”. Havia um brilho quente nele. Seus lábios tremiam e suas narinas se alargaram. Luxúria e desejo estavam estampados em seu rosto. Os olhos dele se comprimiram até formar uma fina linha azul-escura. Eu me sentia febril, desavergonhada e devassa. Passei a língua sobre os lábios e pisquei os olhos.

— E então o quê? — ele perguntou.

— Então vou me contorcer e descer bem *firme* no seu... quadril.

Houve uma pausa perplexa. Ele franziu o cenho.

— E o que estarei fazendo durante todo esse tempo? — ele quis saber.

Estava começando a me irritar agora, porque ele sabia muito bem o que estaria fazendo a essa altura.

Dei um pulo e me levantei.

— Talvez queira se juntar a mim.

— Não — ele declarou. — Não vou participar.

Bati os pés no chão.

— Não vai participar! O que quer dizer com isso?

— Não vou participar.

— Bem, se você não quer fazer parte disso, faça como quiser. — Eu me desvencilhei dele e saí andando elegantemente da sala. — A proposta foi retirada!

Rob me encontrou na cozinha, enchendo um copo de vinho.

— Posso tomar um copo? — ele perguntou, baixinho.

— Sirva-se você mesmo — retruquei secamente, dando as costas para ele.

Dois braços fortes me abraçaram por trás.

— Achei que você estivesse com saudade de mim — ele murmurou, beijando minha nuca.

— E eu achei que você estivesse com saudade de mim — sibilei, retorcendo-me para me livrar dos braços dele.

— Evie — ele suspirou, apertando-me mais forte —, vamos fazer uma consulta com seu médico, pedir a ele para dar uma olhada em seu ombro, tirar os pontos e aí a gente pode pensar no que fazer.

Soltei a respiração ruidosamente.

— Sinto falta de... *nós dois* — admiti.

— Eu também, mas pense como vai ser divertido quando estivermos tirando o atraso. — Ele se virou para me olhar de frente: — Me dá um beijo — ele pediu.

CAPÍTULO 32

— Velhotas preguiçosas — resmunguei, referindo-me à recepcionista do consultório médico. Quase havia fraturado um dedo esmagando o telefone enquanto tentava marcar uma consulta. Ninguém atendia ao telefone. Continuei a discar e a rediscar.

— Clínica Tooting, em que posso ajudar?

— Ah, sim, bom dia para você — eu disse afetuosamente.

Seis dias depois, os pontos foram retirados. Meu pulso estava consertado. Meu ombro ainda demoraria um pouco, mas estava se recuperando bem e, segundo o médico, não havia nenhum motivo para eu não participar do que ele chamava de "atividades relativas ao sexo".

— Viu só? Eu bem que avisei! — comentei sarcasticamente com Rob.

O médico coçou a cabeça pensativamente, tentando imaginar como emitir uma receita via espaço cibernético, com a ajuda de um computador. Seu dedo ossudo e transparente pairava sobre o teclado. Irritada, revirei os olhos. Pensativo, ele olhou para o computador e tomou um gole de chá.

— Posso ajudá-lo com isso? — perguntei, com a voz oca. Estava desesperada para chegar em casa, ficar nua e ir pra cama.

— Acho que sim — ele admitiu.

Dei um salto de minha cadeira. Clique, clique, clique. A receita estava impressa.

— Hummmm, como você conseguiu isso? — o médico perguntou.

— Consulte seu manual — disse a ele, agarrando minha bolsa e, simultaneamente, tirando Rob da cadeira.

Ficamos três dias enfurnados no quarto. Acabei com uma enorme dor de estômago e o cabelo encaracolado. E Rob reclamou de distensão na virilha. No quarto dia, nossa paz foi interrompida quando Lulu voltou para casa, da África do Sul.

Ela estava com um bronzeado *incrível* e seu cabelo estava com mechas douradas e prateadas, mas eu não fiquei com ciúme, porque ela havia engordado uns cinco quilos. Metros e metros de um tecido de estampa de animal, brilhantemente colorido, estavam espalhados por toda a sala. Era ofuscante.

— Saias justas na altura do tornozelo ficam fantásticas com turbantes e tops combinando. Eu sabia que seria difícil encontrá-los em Londres, então comprei os tecidos. Agora só precisamos encontrar uma costureira étnica sul-africana. — Lulu dançou pela sala, curvando-se sobre cada fardo de pano, batendo num pedaço aqui, outro ali. — Os turbantes podem não estar na moda em Tooting, então talvez nós pudéssemos substituí-los por umas faixas de cabelo bem grossas. — Ela olhou de relance para mim. — Por falar nisso, você está cintilando. Da última vez que a vi, estava parecendo um guaxinim. — Acendeu uma bituca de cigarro. — Não sinto mais culpa por fumar. Até mesmo crianças e macacos fumam na África. E, ei, Vic me adora! — Ela caiu numa gargalhada. — Imagine só, que legal, então decidi não comprar um aquário. Peixes cheiram mal e, vamos encarar, ele já está apaixonado por mim, não há necessidade de impressionar ninguém mais, né? — Ela balançou a bituca para os lados. — Né?

No dia seguinte, eu estava deitada no sofá, assistindo ao programa do *Jerry Springer*[29], quando ouvi:

— Venha aqui! — Rob esbravejou. — Agora!

Senti um arrepio de medo subir pela espinha. Ele nunca grita. Arrastei-me para fora do sofá e fui lentamente para o quarto. Rob estava de pé, com as mãos apoiadas no quadril à Clint Eastwood, olhando carrancudo para o conteúdo da gaveta de minha mesinha de cabeceira, que estava espalhado pela cama, principalmente aquelas horríveis cartas de cobrança do banco e de outros miseráveis que estavam atrás de meu dinheiro.

Dei um sorriso meio forçado.

— Ah, sim. Eu já sei sobre essas coisas. Vou dar um jeito nisso. Eu tinha coisas mais importantes pra fazer, e eu...

— Coisas mais importantes! — Ele deu um passo em minha direção. — Por acaso você mora num outro plano da Terra, diferente de todo mundo? Por que, a não ser que eu esteja completamente enganado, você não abre uma carta ou uma conta ou um extrato bancário desde janeiro. Você não tem uma secretária particular, tem? Sabe, alguém para tomar conta das finanças pra você. Tem?

Olhei sobre os ombros dele. Parecia ter muito mais correspondência do que eu imaginava ter recebido.

— Diga alguma coisa! — Ele surtou.

Dei um salto. Minha mente ficou rodando sem parar em busca de alguma desculpa.

— *Não* tem desculpa.

Estremeci.

Em dois passos largos, ele estava ao lado da cama.

— Já é outubro, você não abre suas cartas há mais de dez meses.

Será que fazia tanto tempo assim? Rob juntou todas as cartas e então as lançou sobre a cama, como se fossem um *frisbee*, uma de cada vez, para cima da cama. Ele continuou a disparar, furioso.

[29] Jerry Springer é político e apresentador de TV nos EUA. Seu programa, *The Jerry Springer Show*, trata de problemas familiares

— Irresponsável... Imatura... Enfrente os fatos...

Não estava gostando do tom de sua voz. Ele esmurrou o punho em minha penteadeira, fazendo meus perfumes chacoalharem e saírem do lugar.

— Isso é revoltante!

Minha boca estava seca e eu conseguia, literalmente, ouvir o sangue pulsar em meus ouvidos e circular pela minha cabeça. Como ele ousava falar comigo desse modo? Ele sabe que estou me recuperando. Ainda estou tomando remédios e mal tenho forças para passar o aspirador de pó. Não me sinto eu mesma no momento, e ainda não estarei assim por um bom tempo. Estou constantemente à beira do choro, meu cabelo está uma bagunça e...

— Quanto você está devendo? — ele esbravejou.

Meu coração estava batendo tão forte quanto um tambor, e não apenas porque ele estava gritando. Eu realmente não sabia o quanto estava devendo. Se quisesse saber, eu teria aberto as contas, não é? Li em algum lugar que a imperatriz Josefina apenas admitia a metade de seus débitos, por causa da ira de Napoleão. Estava começando a entender sua atitude. Eu também teria cortado meus débitos pela metade se soubesse de quanto eram.

— Quanto?

Arrisquei um sorriso.

— Do que está rindo? Isso não é nada engraçado! — ele gritou, com uma expressão bem séria no rosto.

Meu sorriso desapareceu.

— Não tenho muita certeza, eu...

— Vamos descobrir então, certo? — ele disse bruscamente. — Abra os envelopes agora.

Com o braço bom estendido, fui mancando até a cama. Mas não precisei abrir nenhuma das cartas, pois Rob pegou todas de uma vez só e berrou.

— Pode deixar que eu faço isso! — Meu maxilar tremeu de nervoso. Seguiu-se um silêncio longo e insuportável, a não ser pelo barulho dos papéis sendo rasgados e amassados.

De repente ele deu um salto.

— Não *ouse* sair daqui. Fique exatamente onde está agora — ele urrou, apontando um dedo em riste em sinal de ameaça.

Não tinha a mínima intenção de me mexer, minhas pernas tinham virado gelatina. Encolhi-me, encostada na parede. Ele desapareceu, voltando vinte segundos depois, exibindo uma calculadora. Sua franja caía sobre os olhos, enquanto ele freneticamente mexia na calculadora, anotando números na frente de cada envelope, parando uma ou duas vezes para me lançar um olhar furioso.

Finalmente ele disse:

— Sente-se!

Fui deslizando pela parede e me sentei no chão.

— A meu lado — ele apontou a cama —, bem aqui.

Caminhei lentamente até a cama e sentei ao lado dele. Estava exausta. Podia sentir os sintomas de uma gripe chegando, o que era estranho, porque estava me sentindo tremendamente bem quando assistia ao programa de Jerry Springer.

— Agora — ele fez uma pausa —, vamos discutir isso com calma e de modo adulto.

Dei um aceno curto com a cabeça. Parecia ser uma coisa boa.

— A vantagem é que seu financiamento imobiliário, o telefone celular, as contas de gás e de eletricidade estão pagas em dia. — Ele esfregou a testa, preocupado. — Foram pagas pelo sistema de débito em conta.

Cruzei os braços, triunfante. Bem, eu sabia disso. Balancei a cabeça de modo condescendente.

Ele se inclinou para frente, apoiando os cotovelos nos joelhos, com as mãos unidas.

— Mas você está devendo 9.940 libras no cheque especial — ele salientou, com azedume.

Tudo dentro de mim parecia estar se revirando.

Ele respirou fundo e pareceu ter se esquecido de que ele mesmo havia sugerido discutir tudo isso calmamente e como adulto.

— E você deve 3.500 libras no cartão de débito e 3.000 libras no cartão de crédito Visa — ele explodiu. Bateu o punho várias vezes na palma da mão. — Isso dá um total de dezesseis mil libras!

Senti uma onda de raiva. Com quem ele pensava que estava falando? Minhas finanças são assunto meu. Estou me comportando como um capacho, um saco de pancadas. Levantei rapidamente da cama.

— Na verdade, esses são *meus* assuntos! — estourei, indignada, com os braços estendidos e os punhos fechados.

— Sente-se! — ele gritou. — Ainda não terminei!

Eu sentei novamente. Detesto brigas. Estava enjoada, envergonhada e, não sei por que, estava me sentindo culpada. E preocupada. Dezesseis mil... Nem consigo me lembrar do que eu tinha comprado.

Rob continuou martelando.

— Seu salário é depositado diretamente no banco, e isso, com o aluguel que a Lulu paga direto na sua conta, cobre seus débitos diretos, sobrando pouca coisa.

Enrolei as pontas dos cabelos num coque espetado e esfreguei o rosto.

— Mas você não deveria estar no vermelho. Você ganhou mais de dez mil libras nos últimos meses, trabalhando como guia de turismo. E ainda tem seu emprego no bar.

Fiquei contemplando meus dedos dos pés.

— Onde está... — ele ressaltou, com frieza. — Onde está o dinheiro?

Soltei a respiração. Este era o pior tipo de perseguição.

— Onde está? — ele repetiu ameaçadoramente.

— Está comigo — consegui dizer.

— Onde?

— Está, está numa caixa, numa caixa no... no meu guarda-roupa.

— Você guardou dez mil numa caixa dentro de seu armário? Quem você pensa que é? O Tio Patinhas? Vai pegar. — Ele exigiu.

Pisquei os olhos várias vezes, aparentando surpresa.

— Você quer o *meu* dinheiro? — gemi.

— Quero.

Meus olhos reluziam de fúria.

— Por quê?

— Para cobrir seu cheque especial.

— Mas então não vai sobrar nada, porque o banco vai pegar tudo — expliquei.

— A taxa de seu cheque especial é muito alta. Me dá o dinheiro.

— Não quero dar meu dinheiro pra você. Gosto de saber que eu tenho essa grana e...

— Se está devendo para o banco, você não tem essa grana — ele berrou, levantando-se.

Apertei os dedos nas têmporas. Tinha que pensar. Sei exatamente o quanto estou devendo agora, o que ele pensa que eu sou? Mas não tenho o suficiente para pagar todo mundo, então eu planejava sentar e decidir com quem deveria partilhar meu rico dinheirinho. Com certeza, não queria ficar devendo para uma loja como a Topshop, então preciso estabelecer algumas prioridades...

— Então? — ele retrucou.

— Isso não lhe interessa — gritei de volta, num rompante de coragem.

— Ah, interessa sim. Isso *me* interessa muito, sim. Enquanto estivermos juntos, tudo que diz respeito a você *me* interessa. Agora vai buscar o dinheiro. O banco fecha daqui a meia hora!

Levantei rapidamente. Meus lábios tremiam de raiva. Que cara de pau! Eu *não* iria dar a ele todo o meu suado dinheirinho só para ele entregar para o banco. Meus cartões estão todos no limite, como ele espera que eu vá viver daqui por diante? Por acaso eu me meto nos problemas dele? Rob me fuzilou com o olhar, esperançosamente. Tive uma vontade incrível de dar um tapa nele, mas não conseguiria atingi-lo sem meus saltos altos. Olhei em volta da sala, à procura de meus sapatos.

— Vá buscá-lo ou eu mesmo vou esvaziar seu guarda-roupa até encontrar o dinheiro.

Engoli em seco e olhei fixamente para ele. *Não* permitiria que falasse comigo desse jeito.

— Me dá o dinheiro para cobrir seu cheque especial e eu cubro o resto — ele afirmou bruscamente.

Dar o dinheiro para ele? Não dou. Meu dinheiro... Espere, o que foi que ele disse? O resto? Quer dizer, aquilo que está além do cheque especial? Cutuquei meu ouvido para ver se não havia alguma coisa enfiada lá dentro. Sabe, algo que estivesse interferindo no que eu havia acabado de escutar.

— O... o... o resto? — arrisquei.

Ele acenou meio torto com a cabeça.

"Ele vai cobrir o resto", sussurrei para mim mesma. "Livre das dívidas! Livre das dívidas!"

Livre das dívidas! Senti vontade de sair dançando *Gangnam Style* em volta da cama, ou outra dancinha qualquer. Sim, era isso mesmo, dançar e dar voltas mexendo os braços e as pernas para cima e para baixo.

— Você não pode pagar, certo, já que não tem dinheiro? — ele argumentou, enquanto se sentava para dissecar meus extratos bancários.

Senti-me feliz, flutuante e empolgada. Imagine as compras que vou poder fazer quando meus cartões estiverem zerados. Vou comprar um Crème de la Mer. Sempre achei que uma centena de libras por um vidro de creme hidratante fosse um pouco demais, mas até que não é tanto, né?

Na verdade, tudo é possível quando se tem um orçamento de 6.500 libras. Vou comprar um para Lulu e um para Lexy também, não quero parecer mão de vaca. E também vou fazer alongamento nos cabelos. Não agora, porque ainda estou parcialmente careca, mas, quando os cabelos crescerem, serei a primeira da fila. E vou pedir um aumento do limite do meu cartão Visa. Eu disse "pedir"? Imagine só que vou pedir, vou exigir. Afinal de contas, serei uma cliente com as faturas completamente pagas. Dá vontade de mandar a loja Karen Millen se catar, porque ela foi a primeira a cancelar minha conta, mas isso poderia ser um furo n'água, certo? Então acho que vou dar uma nova chance para ela e...

— Me dê seus cartões.

— Como é? — chiei.

— Os cartões — Rob repetiu. Com a cabeça curvada, ele folheou as páginas dos extratos com a eficiência de um contador da Máfia. — Da Karen Millen, da Selfridges, da Topshop, da Monsoon, e não vamos esquecer o Visa — ele completou, sensatamente.

Minha testa se franziu e os lábios tremeram. Eu havia acabado de passar pelos cinco segundos mais felizes de minha vida toda e, agora, aqui estava ele tirando tudo o que eu mais queria.

— Não vou acertar essas contas todas só para você sair andando por Londres, comprando tudo o que vir pela frente e gastando tudo novamente.

— Mas... — resmunguei secamente.

— Sem "mas". Não há nada nessas lojas de que você realmente precise.

— Mas, Rob, as coisas aparecem e a gente nunca sabe quando vai ter uma oportunidade...

Ele estalou os dedos, impaciente.

— Os cartões.

Pegou minha bolsa, que estava pendurada num gancho atrás da porta, e me entregou.

— Os cartões — repetiu.

Então, pensei, ele está absolutamente certo. Como diz o ditado, ele "acertou na mosca".

Realmente não existe nada nessas lojas de que eu precise pra valer. Com a ficha limpa, posso gastar em outros lugares melhores. Na verdade, poderia comprar em qualquer loja. Bem que eu gostaria de ter conta na All Saints, na Fenwick's e na Harrods. Meio sonhando, entreguei os cartões para ele. E vou solicitar um cartão Goldfish só para manter a Topshop, a Karen Millen e a Monsoon no circuito.

Rob sorriu e eu sorri de volta. Ele segurou meus ombros e me puxou para junto dele.

— Minha avó costumava dizer: "Nunca seja um devedor e jamais um emprestador".

Acenei com a cabeça. "Não sou uma emprestadora", pensei. "Sou uma gastadora."

Quando voltamos do banco, uma hora mais tarde, descongelei duas pizzas de atum. Fingi estar interessada numa corrida e na partida de futebol, e até mesmo assisti a um jogo de beisebol. E, como prova de minha devoção, fiz pedicure nos pés de Rob.

Agora, todos os meus cartões das lojas têm um enorme carimbo preto por cima. Todas as minhas dívidas foram pagas, mas a caixa de sapato em meu guarda-roupa está completamente vazia. Não me importo, pois ainda posso usar o cartão de débito quando quiser.

Gastar além dos limites era bem desgastante, porque nunca se sabe quando as portas vão se fechar, quando se atingirá a temida marca de dez mil. Mas agora isso acabou. A facilidade de usar o limite do cheque especial voltou, a garota no banco me entregou um papelzinho secreto. Isso é o que eu chamo de um bom serviço. Sou a garota mais sortuda da face da Terra. E meu namorado é perfeito, não é?

CAPÍTULO 33

Rob teve que viajar novamente. Um de seus ônibus novos foi fretado para uma excursão de oito dias pela Europa e nenhum outro motorista estava disponível. Fiquei arrasada.

Ele me abraçou e me puxou para bem perto dele.

— Você sabe que isso é a última coisa que eu desejo no momento, mas estou aqui há duas semanas e três dos meus motoristas estão precisando tirar folga. Quando estiver bem restabelecida, vou dar um jeito de a gente trabalhar juntos. A Insignia freta todos os ônibus comigo. Vou me colocar em todas as viagens em que você estiver escalada. Nunca mais ficaremos separados.

Sacudi os ombros de leve.

— Uma semana não é nada. Vou ficar bem — disse, meio desanimada. — É que estou tão acostumada a ter você por perto! E eu adoro isso.

Ele segurou meu rosto com as mãos e beijou minha testa.

— Meu bem, uma semana é uma eternidade para mim. Vou telefonar todos os dias.

Rob partiu bem cedo no domingo de manhã. Fiquei perambulando pelo apartamento, lendo revistas e comendo bolo. Queria tirar o pó, mas estava um dia ensolarado e, então, pensei: "Não adianta, porque vai ficar manchado em vez de empoeirado, é melhor deixar pra lá". Quase passei o aspirador de pó, mas o chão estava coberto de roupas que Lulu havia tirado da cesta de roupas para passar e espalhado pela sala, quando procurava seu novo vestido branco, e eu concluí: "Deixa isso pra lá também".

Joguei-me no sofá, sem tomar banho nem me depilar, e fiquei assistindo ao canal da MTV durante quatro horas. Estava praticamente cochilando quando meu celular zumbiu. Quase caí no chão de susto. Era uma mensagem de Rob:

"Cheguei Limburg, amo vc. Sto sua falta. Odeio isso. R bjo bjo bjo."

Funguei e mandei um beijinho por telefone. Estava louca de saudade dele. Arrastei-me do sofá e fui até o corredor. Deslizei os dedos pensativamente pela parede e suspirei enquanto visualizava seu rosto lindo. Sorri com a lembrança daquele sorriso *sexy*.

Fiquei em pé, na cozinha, mexendo uma xícara de chocolate quente. Li a mensagem várias e várias vezes, mais uma vez em voz alta, revirando os olhos para o alto ao ouvir os gemidos animalescos de Lulu e de Vic, transando como um casal de doninhas no quarto dela, bem ao lado da cozinha. Mordi os lábios, irritada. Houve um momento de silêncio. Dei um suspiro de alívio, mas, então, o ritual de chacoalhar a cabeceira da cama recomeçou. Um grito apache se seguiu. Cerrei os dentes e fiquei mexendo a colherzinha na xícara. A tábua de cortar, pendurada na parede, pulou e foi parar no chão com um estrondo. Fiquei observando enquanto ela caía.

— Me balança, me balança! — Lulu gritou.

A vagabunda. Que pouca vergonha! Ela era uma sem-vergonha. Sabia que eu estava em casa e que provavelmente escutaria tudo. E ainda eram seis horas da tarde, nem estava na hora de ir para a cama. Pior: era uma tarde de domingo. É uma indecência. Ela é indecente e não respeita nada. Mandei uma mensagem para Rob:

"Sinto sua falta. Amo vc. Quero vc em casa bjo bjo bjo."

— Ahhh, ahh — o grito ecoava pelo apartamento.

Fechei os olhos com força. Este não era um comportamento apropriado, não num dia santo!

Mandei uma mensagem para Lulu:

“Sua mãe tá aqui. Ela quer falar c vc.”

Coloquei um pouco de conhaque no meu chocolate quente e fiquei mexendo, pensativa. Sentia falta de Rob. Realmente sentia falta dele. Encostei o ouvido na parede. Escutei uma batida seca, seguida por um grito agudo. Sorri triunfante. Os sons que atravessavam a parede agora eram bem diferentes. Gavetas se abrindo e fechando, passos apressados, vozes abafadas. Uma porta se abriu.

Agarrei meu chocolate quente e saí correndo da cozinha. Lulu saiu apressada do quarto e quase nos trombamos. Seus longos cabelos loiros estavam desarrumados, pareciam ter saído de um furacão. O rosto estava corado, o rímel, manchado e os lábios, inchados de tanta beijação. Ela estava usando luvinhas de manicure.

Na mesma hora, lembrei-me de Minnie Mouse.

— Você está resplandecente! — disse, tomando um gole do meu chocolate misturado com conhaque.

Seu roupão se abriu e ela lutou para amarrar o cinto.

— Eiii, ecaaa! — dei um gritinho, impedindo, com o braço cruzado sobre os olhos, minha visão de sua periquita. — Esconde isso ou vou ter de chamar um jardineiro — ameacei.

— Onde ela está? — Lulu sibilou, furiosa, olhando por cima de meus ombros. — Diga pra ela que estamos fazendo uma noite de spa. Eu tinha que ter ido para o almoço em Kent hoje. — Ela fechou a porta do quarto com um golpe de caratê.

— Vic está escondido — ela confidenciou — no guarda-roupa. — Os olhos dela vasculharam o corredor. — Você a mandou esperar na sala?

— Não era ela — disse, com seriedade.

Os olhos de Lulu se arregalaram.

— O que quer dizer com “não era ela”? — perguntou, desdenhosamente.

— Parecia que era ela, pelo vidro da porta, mas não era. Era alguém procurando o dr. Who, do andar de cima.

Seus olhos se arregalaram ainda mais.

— Bom, da próxima vez é melhor verificar bem os fatos antes de dizer alguma coisa — ela recomendou de modo petulante, dando meia--volta em seus chinelinhos.

— Quer assistir ao *Antique Roadshow* comigo? — perguntei para a porta, que ela bateu na minha cara.

Com entusiasmo forçado, mantive-me ocupada. Foi uma luta, pois não tinha a mínima vontade de fazer nada, nem de ir a lugar algum. Queria me comportar bem enquanto sentia saudade de Rob, mas eu achava que se me mantivesse ocupada, o tempo passaria mais rápido em vez de se arrastar.

Então saí para almoçar com Alice e Shirley. Cheguei em casa às quatro horas da manhã e estava com tanta ressaca que fiquei de cama durante vinte e quatro horas. Lulu foi um anjo e deixou um balde ao lado de minha cama, caso eu quisesse vomitar. E ela trouxe peixe, torta de frango com molho curry e batatas fritas para o chá.

Encontrei Tina, do escritório, para um jantar na cidade. Só que nos esquecemos de comer. Nós realmente pretendíamos comer alguma coisa, até mesmo pedimos o cardápio. Fomos de bar em bar até a meia--noite, dormimos no trem, de volta para a casa dela, e acordamos uns duzentos quilômetros depois, em Brighton. Felizmente, a avó de Tina mora num lar para idosos perto de Hove, então entramos num táxi e resolvemos surpreendê-la. Houve um triste caso de troca de identidade. Uma enfermeira nos recebeu com uma expressão austera no rosto, que Tina e eu tentamos imitar, e ela nos levou silenciosamente a um salão no final de um corredor ricamente acarpetado e escuro. A enfermeira balançou a cabeça e saiu do salão.

Nós seguramos as bolsas próximas ao peito e lhe agradecemos. A enfermeira sorriu e fechou a porta com cuidado exagerado. Levou apenas três segundos para darmos de cara com um caixão aberto, *ocupado* por alguém, e soltarmos um grito terrível, que deve ter atingido um nível alto na escala Richter e acordado toda a costa sul da Inglaterra. Uma equipe da SWAT, vestida de branco, irrompeu no salão e nos encontrou escondidas atrás de uma cortina.

E dei uma de babá para a minha irmã. O cachorro do vizinho dela latiu por mais de três horas seguidas. Juro por Deus que eu trocaria meu pingente de ouro Choppard por uma catapulta carregada. Numa tirada de gênio, enfiei oito balas de caramelo numa fatia de rosbife e a coloquei debaixo da cerca. Funcionou. A mandíbula do animal deve, literalmente, ter ficado colada.

E fui à festa de aniversário da minha cabeleireira, Charlene, no bar do Nikki. Não sei por que fiquei tão bêbada. Não bebi muito, embora tenha bebido tequila pela primeira vez. Nikki teve de me carregar para casa, às onze horas. Não estou conversando com ele, porque ele disse que eu o envergonho, o que, posso garantir, não é verdade. Havia três outras garotas dançando música latina e fingindo transar com Ricky Martin. Eu não era a única.

CAPÍTULO 34

Lulu deu um chute e abriu a porta da sala. Eu estava deitada no sofá, lendo um artigo sobre o milagre do Botox.

— Por acaso o Rob pensa que você morreu? — ela perguntou causticamente.

— Por quê?

— Chegou mais mato.

Sentei-me e lhe dei um sorriso hipócrita. Morta, realmente. Mato, segundo ela.

Com inveja, ela jogou o buquê em cima de mim e foi embora pelo corredor, ao mesmo tempo que arrancava a túnica por sobre sua cabeça. Senti o perfume dos botões de flores em meus braços. É o terceiro buquê que ele me manda desde que partiu. Dei uma olhada pelo quarto, que estava coberto por uma profusão de cores. Ele é tão romântico, atencioso e perfeito! Liguei para agradecer. Senti uma onda de excitação só de pensar nele.

— Oi. — Uma voz vagamente familiar tilintou do outro lado da linha. Uma voz *feminina* vagamente familiar.

Olhei rapidamente para o display de chamadas, para ter certeza de que eu havia ligado para o celular de Rob. Eu tinha.

— Rob está? — perguntei, num tom de voz que eu estava lutando para parecer calmo. Uma mulher, uma mulher estava atendendo ao telefone dele.

— Ele está no chuveiro.

Uma corrente elétrica disparou pelos meus ossos.

— No chuveiro? — chiei, com a voz esganiçada, tremendo por dentro. Passei a língua nos lábios secos.

— Quem está falando? — a voz perguntou, desinteressada.

"Certo", pensei, "não exagere. Deve haver uma explicação simples para uma mulher estar atendendo ao celular dele enquanto ele está no banho. Ele está trabalhando com uma guia de turismo. Claro que sim, por que não pensei nisso antes? O relacionamento é obviamente profissional." Respirei fundo e soltei o ar com cuidado, para fora e para dentro, para fora e para dentro, para for...

— É Evie — Soltei o ar. — Quem está falando? — dei um gritinho, enlouquecida.

— É Helen. Nós já nos conhecemos — ela replicou naturalmente. — Nos encontramos brevemente em Paris. Vou dizer a ele que você ligou. Estamos meio atrasados. Vamos levar o grupo para uma noite tirolesa num bar, mas tenho certeza de que ele vai lhe ligar de volta, assim que puder — ela disse e desligou o telefone.

Fiquei enjoada, trêmula e em pânico. Cobri a boca com as mãos. Sacudi-me para frente e para trás no sofá. Ele está no chuveiro. No chuveiro *dela*, no quarto *dela*. Não, não, nunca. Balancei a cabeça com tanta força que minhas bochechas tremeram. Talvez ele tenha esquecido o celular em algum lugar, ela o pegou e levou para o seu quarto. Isso não quer dizer que ele esteja no quarto dela. Ele deve estar no quarto *dele*, e ela sabe que ele está tomando banho, porque ligou para lá para devolver o aparelho. E ele lhe disse que estava no banho e pegaria o celular mais tarde. Dei um imenso suspiro de alívio.

"Obrigada, meu Deus, eu sabia, tinha certeza que era isso." Estava ficando louca a troco de nada. Que grande vagabunda essa, desligando o telefone na minha cara! Saltei do sofá e comecei a andar sem parar pela sala. Confio no Rob, confio. Confio nele com todo o meu coração. Como posso ter duvidado dele, nem que seja por um mísero segundo? Imediatamente me senti culpada. Somos alma gêmeas, e almas gêmeas confiam uma na outra incondicionalmente. E eu realmente confio nele, 100%.

Saltei em direção ao computador e entrei no site da Insignia Tours. Verifiquei todas as excursões, por data de partida, encontrei seus itinerários e pesquisei onde eles estariam hospedados no quinto dia. Descobri que estavam hospedados no Hilton, em Salzburg; então abri o site do hotel e anotei o número do telefone. Corri para meu quarto, enfiei-me debaixo das cobertas para pegar o telefone fixo e liguei para o hotel. Pedi para entrar em contato com o sr. Harrison, o motorista do grupo da Insignia Tours. Ninguém atendeu ao telefone. A telefonista voltou à linha e pedi para transferirem a ligação para o quarto da guia de turismo da Insignia. Helen atendeu. Pressionei o botão de rediscagem em meu celular e escutei o aparelho de Rob tocar *no quarto dela*. Apertei meu peito, enquanto uma onda de medo percorria meu corpo como uma labareda. Desliguei o telefone.

— Lulu!

Saí em disparada pelo corredor e entrei como um foguete no quarto de Lulu. Fiquei ali parada, meio entorpecida, encostada à parede, com o celular pendurado na mão. Abri a boca, incapaz de dizer alguma coisa, e a fechei bruscamente de novo.

— O que foi? — ela perguntou, levantando os olhos da tarefa de pintar as unhas dos pés.

As lágrimas estavam escorrendo livremente pelo meu rosto. Ela se levantou e pôs o vidrinho de esmalte sobre a penteadeira. Seus lábios tremiam quando se aproximou de mim, com os braços estendidos. Meu estômago estava revirado de pavor.

— Quem, quem foi? Quem morreu?

Sacudi minha cabeça, infeliz.

Ela cobriu o rosto com as mãos e começou a chorar.

— Me conta. — Ela agarrou meus braços, procurando meu olhar ansiosamente. — Me conta.

— Ninguém — consegui dizer, num tom abafado.

— Bem, então, o que houve? O que há de errado? — ela fungou, esfregando os olhos com as mãos. — Você está me assustando... — ela deu um gritinho, surpreendendo nós duas.

Levei um susto.

— Rob, ele...

— Ele o quê? — ela interrompeu rapidamente.

Tentei respirar.

— Ele está, ele está.... — berrei.

Seus olhos se arregalaram.

— Ele está o quê? — perguntou, sacudindo a cabeça em movimentos fortes e bruscos.

Comecei a tremer.

— Ele está no mesmo quarto que a garota que trabalha com ele — falei de uma vez só.

Ela franziu o rosto, severa, e deu um passo atrás. Olhamos uma para a outra por alguns momentos. Os lábios dela se abriram num sorriso.

— Evie — ela disse com a voz grossa, rompendo o silêncio —, você quase me matou de susto. Achei que alguém havia morrido. — Levantou as mãos. — Vai ver que não tinha quarto suficiente para todo mundo ou qualquer coisa parecida. Não está sugerindo que ele está aprontando com ela, está? Ele te adora, passa todos os minutos do dia com você, pagou todos os seus cartões de crédito, ele a olha faminto, como se estivesse desesperado para tê-la, ele...

— Pare com isso! — gritei. — Pare, eu sei, eu simplesmente sei, conheço-a. Ela atendeu ao telefone do quarto, liguei para o celular dele e o aparelho tocou no quarto dela. Não tem desculpas nem motivos para os dois estarem dividindo um quarto. Não é alta temporada, e o hotel provavelmente não está lotado. E, mesmo se este fosse o caso, bem, ela é uma vaca nojenta e faria o gerente de hotel remanejar outras pessoas. Ela não permitiria que alguém de seu grupo perdesse espaço assim. — Apertei os punhos e tive um calafrio, enquanto minha pele ficava toda eriçada.

Lulu ficou me olhando nervosamente.

Senti minhas entranhas encolherem. Minha boca ficou com gosto de bile. Saí correndo do quarto dela e fui voando para o banheiro, onde me ajoelhei em frente à privada e vomitei. Lulu veio correndo atrás de mim e esfregou minhas costas.

— Você está enganada. Ele é um cara bom, ele a idolatra.

Lulu me ajudou a levantar, deu-me um lencinho de papel e me levou para a sala, onde nos sentamos no sofá, com as costas curvadas, as cabeças próximas e os dedos entrelaçados. Ela sorriu para mim tranquilizadoramente.

— Evie, ele é especial. Deve ter alguma explicação lógica — ela garantiu. — Liga pra ele de novo.

Encolhi os ombros, impotente.

— Liga pra ele — ela repetiu, com firmeza.

— Não, não consigo. — As lágrimas ameaçavam despencar novamente. — Eu simplesmente não consigo.

Houve um momento de hesitação.

Oh, que merda, deixa que eu mesma faço isso! — ela surtou, sempre incapaz de uma palavra delicada. — É inútil. Vou fazer isso só pra acalmar você. — Ela arrancou o celular do meu colo e pressionou o *redial*. — Estou lhe dizendo de novo: esse cara é confiável, leal e tenho certeza de que é fiel — afirmou, com um sorriso confiante. — Sei muito bem avaliar o caráter de uma pessoa. Meus instintos nunca me enganaram até hoje.

Helen atendeu. Os lábios de Lulu se curvaram num surpreso "oh". A testa dela se enrugou. Mordi o polegar. Ela pediu para falar com Rob com urgência, e Helen gentilmente caminhou até o banheiro, desligou o chuveiro e disse a ele que tinha uma ligação.

Lulu pulou do sofá.

— Seu miserável duas caras!— ela berrou, andando furiosamente pela sala. — Bem que eu nunca gostei de você. Eu sabia, sabia, simplesmente sabia. Seus olhos são muito contraídos — ela esbravejou venenosamente, com os olhos reluzentes de fúria. — Você não sabe o que está perdendo. Os homens são todos iguais! — ela gritou. — Tomara que você fique com o bilau mole.

Afundei-me no sofá. Meus olhos piscavam loucamente, era mais um tique nervoso do que um simples piscar de olhos; eu não conseguia controlar. Olhei miseravelmente pelo cômodo. Nossa sala parecia diferente, surreal. Meu coração batia erraticamente. Lulu estava enlouquecida. Ela puxava a cortina enquanto despejava insultos pelo telefone. Sua linguagem era terrível, suja.

Finalmente ela se cansou de tantos palavrões e nomes feios. Com o rosto vermelho, jogou o telefone no sofá e veio se arrastando em minha direção. Parecia infeliz. Lentamente ela se sentou perto de mim, colocando um braço carinhosamente em volta dos meus ombros.

— Você está melhor sem ele — ela disse, num tom corajoso. — Aquele cara só queria se exibir.

A princípio, as lágrimas escorriam devagar, então foram se transformando numa torrente avassaladora. Lulu me apertava com desespero, olhando para a distância.

— Shh, shh. Não sei nem o que dizer.

Meus braços ficaram arrepiados. Levantei-me meio zonza.

— Não posso perdoá-lo, Lulu. Nunca, nunca — disse numa voz trêmula. Abracei a mim mesma.

Ela olhou para o alto, com os olhos arregalados de indignação.

— E por que você deveria fazer isso? — Ela se levantou e agarrou meus ombros.

— Vou pegar um "tesão" para a gente. — Ela cobriu a boca com a mão. — Oh, meu Deus, não acredito que disse isso, não acredito que disse "tesão". Oh, meu Deus, fiz isso de novo! Desculpe, desculpe. Vou pegar uma grande dose de gim. Daqui a pouco, estou de volta. Me espere aqui — ela disse, virando de costas e se curvando respeitosamente antes de sair da sala.

— O QUE DEVO FAZER? — gemi, depois de quatro doses de gim.

Lulu tomou um grande gole de seu copo e assumiu um ar de sobriedade.

— Transe com um dos amigos dele para se vingar. — Ela sacudiu o copo descuidadamente. — Na verdade, existem muitas coisas que podemos fazer. Podemos colocar um anúncio on-line de garoto de programa com o telefone dele... — Ela franziu o rosto, pensando seriamente. — Vou descobrir alguma coisa. Deve ter alguma página de ajuda para essas vinganças. Provavelmente deve haver um monte de sites de mulheres traídas. Por isso que existem milhões de pessoas mesquinhas e desprezíveis por aí.

Olhei de relance sobre a borda do copo.

— Não posso suportar isso. Pensei que a gente era feliz, achei que tudo era perfeito — lamentei. — Era ele quem ficava declarando constantemente seu amor incondicional — acrescentei, infeliz.

Ela sacudiu a cabeça em silêncio, compreensivamente.

— Ele sempre dizia que...

Meu celular tocou. Dei um pulo e Lulu também deu.

Corremos juntas para o telefone. Cheguei em primeiro lugar. Com as cabeças juntas, olhamos o identificador de chamadas. Era Rob.

— Não atenda! — ela gritou, agarrando subitamente o aparelho de minhas mãos trêmulas. — Espere até amanhã. Você está perturbada, chorosa e em estado de choque. Não fale com ele até estar mais controlada e mais capaz de responder com sarcasmo às suas tentativas de desculpas. — Ela acenou com a cabeça, tranquilizadoramente. — Nunca negocie em posição de fraqueza — aconselhou no seu tom de enfermeira-chefe.

— Negociar?

— Você entende o que estou querendo dizer — ela disse, segurando o telefone possessivamente. — Você não está no seu estado normal agora.

— Acho que você está certa — concordei. Mas senti uma ponta de saudade ao ver o nome dele piscando em vermelho. Agarrei o aparelho com força.

Lulu lutou comigo para pegar o telefone de volta. Brigamos no chão. Ela puxou meus cabelos e eu puxei os dela. Ela subiu em minha cintura e apoiou o peito em meu rosto. Gemi com o esforço de tentar afastá-la de mim.

O telefone parou de tocar. Olhamos furiosas uma para a outra, cara a cara. Ele tocou novamente. O aparelho estava na mão dela e convenientemente perto de minha orelha. Agarrei-o e rapidamente pressionei o botão "atender".

— Cretino! — dei um gritinho, antes de ela afastar o telefone de mim.

CAPÍTULO 35

Dormi com Lulu naquela noite. Ela me obrigou a deixar o telefone na sala. Sonhei com Rob e Helen juntos. Claro que, em meu sonho, Helen estava maravilhosa. Seu cabelo, descolorido e com permanente, agora estava liso e sedoso, sua pele, grossa e queimada de sol, tinha adquirido um tom rosado e um brilho suave, e seu corpo, magro como o de um moleque, havia se transformado no corpo de um mulherão, com os peitos da Mel B e o bumbum empinado da J-Lo.

Fiquei atormentada, revirando-me, agitada, na cama. Finalmente cheguei à conclusão de que não conseguiria mesmo dormir e me levantei às cinco e meia da manhã. Lulu estava deitada de costas, com um braço sobre o peito e outro no travesseiro, circundando sua cabeça. Ela roncava de leve, de tempos em tempos puxando sua máscara tipo Zorro para cima do nariz. Andei pé ante pé pelo quarto. A última coisa que eu desejava era acordá-la; ela havia sido maravilhosa. Tinha me ouvido chorar, soluçar, reclamar e delirar até bem depois da meia-noite, e ela precisava trabalhar às nove. Fechei a porta do quarto suavemente atrás de mim e me arrastei pelo corredor até a sala.

Havia oito ligações perdidas de Rob e seis mensagens:

“Por favor, atenda. Bjo”

“Me liga. Bjo”

“Me liga, por favor. Bjo”

“Me dá 2 min. Bjo”

“Fala comigo. Bjo”

“Consegui subst. Tô voando de volta. Bjo”

Saí correndo pelo corredor até o quarto de Lulu. Dei um puxão na máscara do Zorro. Seus braços se debateram sem rumo.

— Ahhhhhh! — ela gritou.

Dei um pulo em cima da cama.

— Ele está voando de volta. O que eu devo fazer? — lamuriei.

Imediatamente ela se sentou.

— Ele está voltando de avião — repeti, sentada no colo dela.

Ela arrancou a máscara com um floreio, repentinamente alerta.

— Tudo bem, tudo bem. Ache meus cigarros, preciso deles para pensar, coloque a chaleira no fogo e chame Lexy aqui.

Meus olhos se arregalaram de pavor.

— Não posso ligar para a Lexy às cinco e meia da manhã.

— Por que não? — ela perguntou, esticando a mão para pegar o isqueiro. — Se lembra de quando ela ficou grávida? Hein? Lembra? Ela chamava a gente no meio da madrugada, pelo menos duas vezes por semana, durante sete meses, para reclamar de sua indigestão. Esse é o troco.

Liguei para Lexy.

— A tia-avó morreu? — Lexy perguntou, meio grogue. — Pra ser bem honesta, achei que a gente precisaria contratar um assassino de aluguel. Ela devia ter pelo menos cento e trinta anos.

— Não, ela não morreu

— Quem morreu então?

Minha voz tremia.

— Rob está dormindo com outra — consegui balbuciar, antes de chorar como um bebê.

Escutei o barulho de seu despertador caindo no chão do quarto.

— Estou a caminho — ela disse, com um tom apreensivo na voz.

Ficamos na sala. Lulu e eu nos aconchegamos no sofá, e Lexy, que havia trazido *café latte de baunilha* da Starbucks para nós três, sentou-se na poltrona me olhando cautelosamente. Comecei a chorar. Novamente.

— Não faça isso — Lulu sussurrou.

— Não vou conseguir encará-lo. Não quero saber de desculpas. Não há *nenhuma* desculpa.

Lexy balançou a cabeça.

— Não, você está certa, não tem desculpa, porque você tem sido muito boa com ele. E não transou com nenhum outro cara desde que começou a namorá-lo. — Ela olhou por cima de sua xícara. — O mínimo que ele podia fazer era não transar com outra pessoa também.

Lulu acenou vigorosamente, concordando.

— Mas tudo estava tão perfeito — solucei. — Ele era perfeito. Isso é tão estranho!

As sobrancelhas de Lexy se curvaram para o alto.

— Ah — ela disse, sacudindo a cabeça —, ninguém é perfeito. — Ela levantou um dedo para o alto. — Vamos fazer duas listas, especificando os pontos positivos e os pontos negativos, e logo vai descobrir que ele está *longe* de ser perfeito. Essa é uma fase importante do processo de cura, vi isso no programa da *Trisha* — ela aconselhou. Deu dois goles rápidos no seu *latte*, vasculhou sua bolsa Gucci e desencavou um bloquinho de papel e uma caneta. — Ok, manda lá os pontos positivos dele — ela ordenou, brandindo a esferográfica.

Suspirei, sentindo outra onda de tristeza.

— Ele pagou todos os cartões de crédito dela — Lulu disse, perplexa.

— Humm — Lexy aceitou e rabiscou "generoso" na lista dos pontos positivos.

— Ele é bonito — sugeri desamparadamente.

— Humm — Lexy concordou, de olhos bem abertos. — Ele *era* bonito, não *é* bonito — ela afirmou certeira.

— Ele tem um corpo incrível — acrescentei, saudosa.

— Ele *tinha* um corpo incrível — Lexy a corrigiu novamente.

— Ótimo de cama... — comentei, com a voz se arrastando.

— Isso não conta, porque Lulu e eu não fomos pra cama com ele, e temos que concordar em todos os itens. — Lexy nos informou.

— Sim, mas eu ouvi os dois transando algumas vezes, e ele pareceu ser bom de cama — Lulu acrescentou.

— Ainda assim, isso não basta — Lexy estava inflexível. — Porque eu nunca ouvi os dois juntos.

— Ele sabe cozinhar — Lulu contribuiu alegremente. — Ele arrumava o apartamento e limpava o banheiro, e, se eu não limpasse a banheira depois do banho, ele a lavava antes de tomar seu banho e a limpava depois, quando terminava.

Eu me aproximei dela.

— Por acaso ele tem limpado sua sujeira nojenta quando você depila as pernas?

— Às vezes — ela admitiu, tomando um gole do café.

Meus olhos se comprimiram com nojo e me virei de Lulu para Lexy.

— Ele é romântico e me dá presentes legais — completei.

Lulu esfregou as mãos, como se fosse anunciar algum evento importante, um casamento, um noivado ou algo parecido.

— Ele é cheio da grana — acrescentou, brilhantemente. — E comprou uma tevê enorme pra gente.

Lexy levantou a palma da mão.

— Já chega, não estamos começando um fã-clube — ela surtou. — Essa lista de pontos positivos já está bastante longa. Vamos começar com os pontos negativos.

Os olhos de Lulu faiscaram de raiva.

— Essa é fácil. Ele é um cretino infiel e traidor — ela xingou.

Lexy rabiscou a palavra "desprezível" no meio da página.

— Ótimo começo. Não dá pra ficar pior do que isso numa lista de pontos negativos. — Ela se endireitou e cruzou as pernas triunfantemente. — O que mais? — perguntou.

Houve um silêncio estranho.

Tomamos nossos cafés, quietas. Minha atenção se voltou para a janela. O ônibus 220 de Shepherd's Bush tinha parado no ponto. Contei dez pessoas descendo e oito pessoas entrando no coletivo. Lexy ficou parada, com a caneta paralisada sobre o bloco de papel. Lulu levantou o pulso na altura do rosto para checar seu relógio. Eu não conseguia pensar em nenhum outro ponto negativo e, obviamente, elas também não.

Ficamos inquietas, nos mexendo sem parar.

— Ele solta pum na cama? — Lulu perguntou animadamente.

— Nunca — neguei.

Ela se esgueirou para trás e bufou, incrédula.

— Ele nunca, jamais, soltou pum em lugar algum? — Lexy perguntou, com uma ponta de esperança na voz.

— Não — eu disse, apoiando meu rosto nas mãos.

Elas trocaram olhares indecisos.

Lexy se curvou para frente e examinou meu rosto.

— Por acaso, ele... — ela começou indecisa — Ele já... — ela paralisou.

— Já o quê? — perguntei, de volta.

— Gozou antes de você? — ela deixou escapar.

Engasguei.

— Nunca — retruquei, horrorizada de ela pensar que eu pudesse aceitar uma coisa dessas.

Lulu respeitosamente fez um sinal de positivo com o polegar.

Lexy tentou reprimir um bocejo, brincou com sua franja vulcana e colocou a caneta atrás da orelha. Jogou o bloco de notas no chão, atirou-se na poltrona e esticou bem as pernas. Lulu ficou analisando as pontas duplas dos cabelos. Examinei meus chinelos. O relógio continuava a bater as horas. Lulu acendeu um cigarro, jogou a cabeça para trás e assoprou dois anéis de fumaça perfeitamente circulares. Outro ônibus parou do lado de fora da janela, e nós três ficamos observando.

Houve um silêncio prolongado.

— Mas que droga! Pense, tem de haver alguma coisa nele de que você não goste — Lulu surtou, sacudindo o cigarro.

Alguma coisa se mexeu no meu cérebro.

— Bem — engoli em seco —, tinha uma coisa.

Lexy se arrastou pelo chão para pegar o bloco de papel e retirou a caneta de trás da orelha.

— O quê? — elas cantarolaram.

Ele tem, ele tem...

— Tem o quê? — Lexy perguntou.

— Ele tem...

— Tem o quê? — Lulu berrou.

— Pelos ruivos — anunciei.

Jatos de café voaram da boca de Lexy.

— Pelos ruivos — Lulu uivou. — Você dá risada todas as vezes que ele tira seu monstro pra fora? — ela perguntou, com os ombros sacudindo de tanto rir.

Lexy enxugou a boca com a almofada.

— E você manteve isso em sigilo — ela repreendeu, rindo.

— Mas, mas — Lulu gaguejou, apontando um dedo curioso — ele tem cabelos loiros!

Acenei que sim.

— Os cabelos dele são loiros *acobreados*. Mais para baixo fica um tipo de ouro queimado e, então, vai ficando mais e mais, bem, mais e mais vermelho — expliquei.

Lulu aplaudiu, o rosto afogueado de prazer.

— É isso, é disso que você tem de se lembrar. Ele é um cretino traidor com pentelhos cor de cenoura — ela declarou brilhantemente. — Essa é uma característica bem negativa! Bem promissora! Já estou começando a me desencantar.

— Eu também — a princesa vulcana se intrometeu. — Eu não fazia ideia, nunca teria imaginado!

— O que eu faço quando ele aparecer por aqui? — Funguei. — A gente não resolveu nada.

— Você diz para ele cair fora — elas clamaram.

Lulu teve de ir trabalhar, então Lexy ficou para cuidar de mim. Assistimos ao filme *Todas contra John*. Lexy resmungou e rosnou durante o filme todo, e eu fiquei fungando numa almofada.

— Que grande merda! — ela ridicularizou, apontando o queixo para a televisão.

Ela foi embora às três horas para pegar as crianças na escola. Tudo bem, porque eu estava louca para ficar um pouco sozinha e chorar à vontade, até me arrebentar.

As chaves de Rob fizeram barulho na fechadura às quatro e meia. Estava sentada no sofá, esfregando a tipoia para cima e para baixo em minha perna. Tinha uma dor de cabeça latejante e me sentia enjoada, com a boca seca e meio zonza. Quando ele apareceu no umbral da porta da sala, mais lindo e maravilhoso do que nunca, meu instinto foi pular nos braços dele e abraçá-lo com força. Mas não consegui fazer isso, pois parecia que minhas costas estavam grudadas no sofá e minhas pernas tinham se tornado gelatina. Ele colocou no chão a bolsa de viagem e, em três passos, estava à minha frente. Segurei-me e pisquei os olhos loucamente. Sabia que choraria, mas queria segurar o máximo que pudesse. Ele se ajoelhou entre meus joelhos, pôs os braços em volta de meus ombros e aninhou minha cabeça na curva de seu pescoço. Senti o cheiro de sua jaqueta de couro, do perfume Dolce & Gabbana e o cheiro dele mesmo.

— Não — adverti, e o afastei de mim.

Ele me olhou cheio de remorso. Que ótimo! Traidor idiota, havia estragado tudo. A tensão era esmagadora. Seu rosto estava pálido, parecia que ele tinha visto um fantasma. Se ele pudesse escolher, acredito que preferiria ter visto um fantasma a ser pego em flagrante transando com outra.

Os olhos dele examinaram meu rosto, avaliando meu estado de espírito.

— Sinto muito! — ele disse, arriscando um sorriso apologético.

Levantei a mão esquerda e dei o soco mais forte que consegui naquele maxilar.

Ele estremeceu.

— E tem de sentir mesmo! — retruquei, olhando furiosa para ele.

Ele pegou minha mão, que agora estava dolorida, e circulou minha palma com seu polegar.

— Não — disse novamente, com raiva, e afastei o braço dele com a tipoia.

Ele me olhou, suplicante, as lágrimas estavam ameaçando escorrer de seus olhos.

Meu coração ficou apertado e começou a bater acelerado. Abaixei o olhar para meu colo e respirei fundo.

— Por quê? — Soltei o ar.

A voz dele tremeu.

— Não sei — disse, com a voz embargada. — Não sei. Estava bêbado e fui um idiota, e... e eu me arrependo muito porque estou apavorado, Evie. Me arrependo tanto, porque preciso de você!

As palavras dele foram como um tapa em minha cara. Acho que estava esperando por alguma explicação que revelasse que tudo não passara de um terrível engano.

— Ela não significa nada pra mim. Nada, absolutamente nada — ele murmurou.

— Nada. Absolutamente nada! — repeti alto. — Você tomou banho no quarto dela! Não está querendo dizer que foi só isso que aconteceu, está?

Ele se encolheu, envergonhado.

Está? — berrei. — Me conte, me conte o que aconteceu. E não se ajoelhe à minha frente, você está perto demais. — Fiz um gesto em direção à poltrona, no canto. — Sente ali.

Ele se levantou cambaleante e se arrastou até a poltrona. Passei os dedos pelos cabelos, num movimento brusco e nervoso.

— Bem? — exigi. De onde estava vindo tanta coragem? Por dentro, estava me retorcendo de medo, pavor, pânico e ansiedade.

— Ela, ela me ligou e pediu para eu ir até seu quarto, por causa de uma janela enguiçada. Pediu para eu levantar um pouco a trava e deixá-la aberta. — Ele esfregou, nervoso, a mão no peito. — E foi o que fiz. — Ele me olhou, piscando como uma criança cansada.

Uma nova onda de tristeza tomou conta de meu corpo e minhas narinas tremiam com o esforço de reprimir as lágrimas. Fiquei olhando para ele.

— Eu tinha bebido algumas cervejas, com alguns motoristas austríacos no bar, porque havíamos terminado mais um dia de trabalho.

Bufei para demonstrar minha reprovação.

— Continue — ataquei.

— Usei o banheiro dela e, quando saí, ela estava nua.

— Nua! — gritei e dei um pulo do sofá. — Então você pensou: "Por que não aproveitar um pouco? Já que estou aqui mesmo, por que não entrar na dança, enfiar meus dedos naqueles cabelos descoloridos e cheios de permanente e me divertir com essa vagabunda barata?" — Meu rosto estava pegando fogo.

Ele olhou melancolicamente para as caras botas de couro.

— Não a beijei — ele disse, se defendendo. — Juro.

— Você não a beijou — repeti.

— Não, não a beijei — ele se gabou. — Nem uma única vez.

— E eu devo ficar feliz com isso?

Ele se inclinou para frente, na poltrona.

— Você, eu beijo, nunca me canso de beijá-la. Quero abraçar e tocar você. Quero satisfazê-la e adoro saber que a excito. Com ela foi apenas sexo, só uma vez, sem beijos, sem carinho, sem amor e sem...

Levantei a mão. Já havia ouvido demais.

— Sem beijos, sem amor, mas me conta se não houve *orgasmos*, porque é isso que eu realmente quero saber! — delirei, com os punhos fechados. — Ah, Rob, me pergunta se eu preferiria que você beijasse uma mulher a transar com ela.

O rosto dele murchou de vergonha.

— Vamos lá, me pergunta! — desafiei.

Ele fez um movimento para se levantar.

— Sente-se! — gritei. Estaria bem mais controlada se ele não estivesse sentado tão perto de mim.

— Evie, foi tudo por causa da bebedeira, do álcool e da burrice. Talvez, eu acho, bem, eu não ficaria surpreso se alguém tivesse "batizado" minha bebida, porque realmente não consigo me lembrar exatamente do que aconteceu e...

— Cala a boca! Você não precisa de nada na sua bebida pra ficar com tesão. Pra começo de conversa, se a Helen ou qualquer outra pessoa colocou algo em sua bebida, isso deve ter perturbado sua visão e queimado seu cérebro, para você querer transar com ela. Mas, para ter tesão, você não precisou da ajuda de ninguém.

A expressão dele caiu.

— Sinto muito. Foi uma burrice, uma burrice. Juro que nunca mais vai acontecer. Não consigo pensar direito desde ontem à noite, estou paralisado de medo só de pensar em perdê-la. Me diz o que tenho de fazer, eu farei qualquer coisa. O que posso fazer para acertar as coisas? — Suas sobrancelhas se franziram com angústia e seu rosto ficou sombrio.

Eu devia parecer calma e controlada, mas estava apavorada, com receio de ceder a ele e, ao mesmo tempo, com medo de não ceder.

Ele se aproximou um pouco mais da beirada da poltrona.

— Evie, por favor, meu bem!

— Não me chame assim.

Ele se retraiu.

Balancei as pernas sem sair do lugar e me abracei. Um sentimento avassalador parecia querer tomar conta de mim, e eu não conseguia reconhecê-lo. Sofrimento? Falta de esperança? Não importa o que fosse, era algo que nunca havia experimentado antes. Parecia uma dor, uma dor lancinante no fundo do peito.

— Vai embora — surtei, olhando para a porta.

Ele se levantou, com os braços estendidos, veio andando em minha direção. Eu me afastei.

— Não faz assim, por favor, não me mande embora. Eu a amo! Vamos superar isso. Foi só um erro estúpido... — ele disse, meio suplicante, meio magoado.

— Vai embora — repeti, trêmula.

Seus dedos roçaram de leve minha mão. Meu coração se retorceu de desejo, desespero, saudade e fúria ao sentir seu toque.

— Meu bem, por favor — ele suplicou. Senti seu hálito quente em minha testa. Suas pálpebras caíram, criando uma sombra em seu rosto e...

— Bom, olááááá! — Lulu irrompeu ruidosamente.

Nenhum de nós a havia escutado chegar.

Ela estava encostada na porta da sala, atenta. Estava usando o avental e as calças do uniforme de enfermeira, com a maleta médica de couro pendurada num braço. Olhou desdenhosa para Rob.

— Entãooooooo, o retorno dos pelos ruivos — ela disse, sacudindo os cabelos loiros num círculo. Ela balançou a maleta na altura dos olhos, com cuidado exagerado.

— Vamos dar uma olhada aqui dentro pra ver se eu encontro uma ampola de penicilina sobrando. — Ela ofereceu.

— Rob estava de partida — eu disse autoritariamente, enquanto tudo dentro de mim desmoronava.

Ela cruzou os braços num gesto exageradamente dramático.

— Tão cedo? — ela perguntou. — Por que não fica um pouco mais e nos conta sobre suas aventuras sexuais na Europa?

Rob a ignorou. O olhar dele queimava meu rosto.

— Pra fora! — disse para ela, apontando o corredor.

Ela fez um biquinho e se manteve firme no mesmo lugar.

— Lulu, deixe a gente a sós por alguns minutos, está bem? — pedi, com os olhos suplicantes.

Com os lábios pressionados, ela deu meia-volta e saiu bufando da sala.

Rob não tirou os olhos de cima de mim. Os pelos da mão dele brilhavam quando estendeu o braço para me tocar o rosto. Pareceram horas antes de ele dizer uma simples palavra, mas, na verdade, demorou apenas um minuto ou dois.

— Evie, sei que estraguei tudo, mas me deixe consertar as coisas. Faria qualquer coisa para poder voltar no tempo!

Duas lágrimas grossas e salgadas inundaram meus olhos. Limpei o rosto com o dorso da mão, quando elas escorreram pela face.

— Vai embora — respirei fundo.

— Sim, vá embora — Lulu repetiu, voltando para a sala com duas taças de vinho. — Ela se colocou entre mim e Rob, entregou-me um dos copos e passou um braço pelo meu. — Me diga — ela perguntou, olhando diretamente para a virilha dele —, qual é o QI do seu brinquedinho?

Ele me deu um olhar de desespero, virou-se e pegou sua mala.

Senti uma garra fria apertar meu peito.

— Deixe as suas chaves, Rob — disse baixinho.

Ele parou abruptamente, enfiou as mãos no bolso e jogou as chaves na mesinha de centro.

— O problema com os bilaus é que eles não têm consciência! — Lulu disse alto para a figura que se afastava. — Eles dependem de um cérebro para guiá-los — ela gritou, quando a porta se fechou atrás dele.

Minha amiga me abraçou carinhosamente.

— Que tal comermos um curry? — perguntou.

CAPÍTULO 36

Eu simplesmente não conseguia imaginar minha vida sem Rob. Sei que estávamos juntos havia apenas quatro meses, mas, durante esse período, nos tornamos almas gêmeas. Ele era meu melhor amigo, meu parceiro, meu confidente e meu amante. Fiquei me lamentando, dando voltas pelo apartamento, dividindo o tempo entre a cama e o sofá. Os dias se arrastavam lentamente, me sufocando. Meu humor se alternava entre duas forças brutas de fúria e angústia. Fúria, porque estava com raiva dele por ter destruído nossa vida ideal, e angústia, por não conseguir aceitar que alguém que eu amava e em quem confiava pudesse me ferir tanto assim.

De vez em quando, uma onda de histeria atingia meu âmago, ao pensar que nunca mais ficaria aconchegada ao corpo dele, ou entrelaçaria meus dedos nos pelos macios de seu peito, nem relaxaria ao lado dele na banheira. Meu coração disparava em pânico só de imaginar que ele estaria dividindo sua vida com outra pessoa agora, e eu engolia aquele gosto amargo de bile, sempre presente em minha boca, e me perguntava, pela centésima vez, como ele pôde fazer isso conosco. A agonia causada pela traição doía fisicamente. Eu estava desorientada, nervosa, com náuseas e chorona.

Disse para Rob não entrar em contato comigo. Não queria vê-lo, nem conversar com ele. Era o único modo de eu conseguir superar tudo isso. Quando você entrega a alguém a chave de seu coração, ele pode entrar e sair quando quiser, a menos que você ponha uma barreira. Do contrário, existe a possibilidade de que o coração fique permanentemente aberto, permitindo que entre quando desejar e destrua qualquer vestígio de amor-próprio que ainda tenha. Rob tinha me deixado arrasada, ele *não* acabaria com minha autoestima também. Ignorei todas as suas ligações e deletei suas mensagens sem lê-las.

Treze dias se passaram numa nuvem de lágrimas e muitas taças de Pinot Grigio, Merlot e Gilbey's, porém, agora, estabeleci um tipo de rotina. Acordo por volta das quatro da manhã e fico olhando para o teto. Lulu aparece às sete e meia, abre as cortinas e deixa uma xícara de café na mesinha de cabeceira, que eu nem me lembro de beber. Não tomo café da manhã. Na verdade, acho que nem me importo muito em almoçar ou jantar também. Meu momento de chorar é entre as oito e meia, quando Lulu sai para trabalhar, e onze e meia, quando Lexy chega para dar uma de babá comigo, e novamente das três horas, quando Lexy vai pegar as crianças na escola, às cinco da tarde, quando Lulu volta para casa. Isso funciona bem, pois estou completamente exausta a essa altura e não acredito que possa derramar mais nenhuma lágrima pelo restante do dia. Entretanto, ainda assim, consigo chorar bastante durante a noite.

Estou levando bem a sério essa questão da depressão. Fico desleixada o dia todo, vestindo um roupão velho. Sem pijamas, sem roupa de baixo e sem maquiagem. Não atendo ao telefone nem à porta, não leio as mensagens nem ouço música. Tomo banho, mas uso uma touca para não molhar os cabelos, porque não tenho vontade de lavá-los, então estou completamente desmazelada, o que é deprimente. E estou lendo um livro sobre violência doméstica, que também é bem deprimente. Até o momento, já assisti, durante essa semana, aos filmes *A Escolha* de *Sofia*, *Lado a Lado* e *Amigas para Sempre*, que são extremamente tristes e deixaram meus olhos vermelhos, ardidos e inchados. Não que meus olhos já não estivessem vermelhos, ardidos e inchados, porque eles estão constantemente vermelhos, ardidos e inchados. Pareço o diabo. E eu espremi duas espinhas que ainda não estavam no ponto, mas as espremi mesmo assim, deixando duas enormes larvas hibernantes pulsando em meu queixo, o que é deprimente. Também me acostumei a ficar tocando a parte raspada na minha nuca, o que já me deprimia bem antes de eu ficar deprimida com outras coisas. O problema é que Rob está em todos os lugares. Vejo seu fantasma por todo o apartamento. Sinto tanto sua falta! E isso me deixa mais deprimida, mas digo a mim mesma que o Rob de quem sinto saudade é o de antes das aventuras sexuais pela Europa, não o cretino traidor que voltou há duas semanas.

E você deve achar que sou ingrata, porque Lulu tem sido maravilhosa, mas eu gostaria que ela tivesse ido viajar, ou que fizesse hora extra no trabalho, ou ficasse na casa de Vic, porque está me deixando maluca. Ela não para de falar e eu sou obrigada a sair do meu cantinho escondido dentro de mim mesma para responder. Gosto de me refugiar em minhas lembranças, porque nelas, na maior parte do tempo, estou transando com Rob. E geralmente estou numa parte boa quando ela me interrompe e estraga tudo, e fala comigo como se eu fosse uma velha surda de 90 anos de idade, bem devagar e num tom monótono:

— Oláááááááá!

Dei um suspiro. Minha torturadora havia chegado em casa. Ela ficou pairando à minha volta, enquanto eu estava deitada no sofá. Fiz uma careta. Parecia mais animada e alegre do que o normal, então afundei a cara na almofada. Era o jeito dela de mostrar que me animaria, o qual eu havia aprendido a detestar.

Ela arrancou a almofada e a jogou para cima de uma poltrona. Seus enormes olhos castanhos piscavam gentilmente:

— Evie, comprei algumas *leggings* pra você hoje. É novembro e está começando a esfriar. — Ela tremeu e esfregou os braços, ilustrando a palavra "frio". — Gostaria de experimentar? — Balançou as calças orgulhosamente em minha frente. — E talvez, antes de experimentá-las, você queira se levantar e vestir sua calcinha — ela sugeriu, com a voz do tipo *Conselhos da Mamãe*.

— Não vou a lugar algum — retruquei secamente. — Não preciso de calcinha nem de *legging*.

Pacientemente, Lulu acariciou e afastou os cabelos que cobriam meu rosto.

— Tudo bem, tudo bem, sem pressa — ela disse entredentes. — Quando você quiser. — Ajoelhou ao lado do sofá, despejou o conteúdo da sacola de compras no chão e ofegou, fingindo surpresa. — O que é isso aqui? — ela perguntou, olhando-me com um jeito falsamente curioso. — Ah, um vidro de xampu e, sim, um par de calcinhas de cintura alta, desodorante e sabonete.

Passei um olhar desinteressado da televisão para os produtos de perfumaria.

— Agora, vou deixar tudo isso aqui e, quando tiver vontade, você pode curtir um pouquinho de um dia de spa. — Ela fez um carinho em minha testa. — Faz isso para a Lulu? — ela pediu.

Dei de ombros sem me comprometer.

— Tudo bem, isso já é um começo — ela disse, com um leve tom de impaciência.

Lulu preparou *chilli* para o jantar, que eu não consegui comer, trouxe-me um cobertor, que não pedi, mas atenciosamente abriu uma garrafa de vinho e, então, irritantemente abaixou o volume da televisão.

— Evie — ela suspirou —, está na hora. — Sentou-se na poltrona, deletando as mensagens não lidas de Rob.

— Está na hora do quê?

Ela jogou o telefone para trás e pegou a taça de vinho. Dando um gole na bebida, analisou atentamente meu rosto.

— Será que vou ter coragem de dizer? — Ela aproximou a boca da beirada do copo. — Está na hora de exorcizar Rob deste apartamento — anunciou, curvando tristemente a cabeça.

Acenei que sim. Eu mesma já estava pensando nisso.

— Tem de jogar tudo fora, e eu quero dizer *tudo*.

Ela se acocorou na beirada da poltrona e cruzou as longas pernas.

Funguei e enfiei o nariz no copo.

— Olha, sei como isso é perturbador, então, se quiser sair por algumas horas, eu arrumo tudo, mas você vai precisar se vestir — ela aconselhou pesarosamente.

Não queria me vestir nem sair de casa. Eu não podia sair, não nas minhas condições.

— Não tem muita coisa. Alguns ternos e camisas no guarda-roupa, uns três pares de sapato, seu aparelho de barbear e o iPod. Acho que é isso, acho.

Ela sacudiu um dedo ameaçador.

— Evie, tudo.

— Isso é tudo.

Ela depositou o copo na mesa e acendeu um cigarro.

— O roupão dele. Você não está pensando em guardar, está? — ela perguntou, comprimindo os olhos por causa da fumaça.

Sacudi de leve minha mão.

— Ah, não, não, eu esqueci. O roupão dele, é claro — concordei.

Ela encheu novamente nossos copos.

— E a mala da Mulberry e a pasta — eu disse. — Manda tudo de volta pra ele.

— O quê? — Ela colocou com força a garrafa de vinho na mesa. — Não, tudo significa tudo, menos a mala da Mulberry e a pasta. — Ela recuou.

Encolhi os ombros, carrancuda.

— Manda de volta o pingente da Chopard e a pulseira com os berloques também. Nunca mais quero usá-los novamente.

Os olhos dela saltaram. Ela passou os dedos em seu rosto flamejante.

— Não vai? Você não vai usá-los novamente? — ela gaguejou. — Não, não, não vou mandá-los de volta. Eles também estão classificados na categoria "tudo menos isso" — insistiu vigorosamente. — Vamos encontrar um uso para eles, tenho certeza.

— Bom, *com certeza* vou dizer a ele para ficar com sua TV de plasma.

Ela deu um salto da poltrona, apoiou-se na parede e esticou os braços, colocando-se na frente da televisão protetoramente.

— Não posso viver sem a TV de plasma.

— Mas, se eu ficar com essas coisas, não vou exorcizar o apartamento — salientei. — Vou?

Os olhos dela estavam ferozes e sombrios.

— O que eu quis dizer — ela engatou a marcha a ré — é que precisamos exorcizar as coisas que ele deixou no seu guarda-roupa.

E foi o que fizemos. Limpamos tudo, colocamos em caixas e colocamos no carro de Lulu, para ela levar ao correio. E ela insistiu em dormir comigo, o que eu não queria, porque sentia falta de meu choro durante a noite, mas suspeito que foi por isso que ela quis dormir comigo.

No dia seguinte, senti falta de meu choro matinal também, porque Nikki apareceu. Eu tinha acabado de sair do banheiro, onde, pela primeira vez em duas semanas, havia lavado os cabelos. Ficamos na cozinha esperando a cafeteira terminar de fazer o café.

— Como vai? — ele perguntou, timidamente. Encostou-se na pia, com o rosto abaixado e os braços musculosos dobrados.

— Estou bem — menti, aproximando-me do armário para pegar umas xícaras de café.

— O homem está louco — ele disse, com uma expressão séria.

Dei de ombros, sem dizer uma palavra.

— Quando vai tirar a tipoia?

— Na próxima terça ou quarta, eu acho.

— Espero você de volta ao trabalho na quinta — ele declarou, num tom profissional.

Sacudi a cabeça.

— Não sei não, Nikki.

Ele esticou os braços e segurou meu queixo com os dedos. Seus olhos sagazes buscaram os meus. Puxou-me para perto de si.

— Você pode trabalhar no bar, em vez de servir as mesas. Vai ser menos trabalhoso para seu pulso.

Minha voz tremeu.

— Nikki, não sei se eu consigo — balbuciei fracamente. — Isso é, se eu quiser... — Minha voz se apagou.

Uma lágrima solitária escorreu pelo meu rosto. Mãos fortes seguraram meus ombros. Aproximei-me e passei meus braços pela cintura dele, apertei minha testa em seu peito. Nikki acariciou meus cabelos e me balançou, sussurrando suavemente em grego. Chorei inconsolavelmente. Havia chorado com frequência, mas não dessa maneira. Eu praticamente coloquei meu coração para fora. Respirei fundo, enchendo os pulmões para suportar os soluços violentos que faziam meu corpo todo tremer. Lentamente as lágrimas foram secando. Ele levantou meu queixo com a ponta dos dedos e me deu um sorriso tímido. Aconcheguei-me na curva de seu pescoço e me concentrei em normalizar minha respiração ofegante.

— Evie, foi ele quem perdeu — ele declarou, impassível.

— Você ainda quer aquele café? — consegui dizer, num sussurro rouco.

— Quero sim, e eu falei sério agora há pouco. Quero você no bar na próxima quinta-feira. Não vai ficar se escondendo dentro deste apartamento, está me escutando? Principalmente depois dessa performance — ele me repreendeu, enxugando meus olhos com o pano de prato.

— Leite e açúcar? — funguei.

— Sim, por favor — respondeu, despenteando meus cabelos limpos e molhados. — E um sorriso.

CAPÍTULO 37

— Então — me lamentei com o médico —, preciso de ajuda. Não consigo dormir, nem comer, e não importa o quanto eu beber, não consigo ficar bêbada — admiti, passando uma mão atormentada pela testa. — Vou começar pelo início, certo?

— ... transei com o cara umas nove horas quando o conheci. Para dizer a verdade, transei com ele vinte minutos depois de o ter conhecido. E antes que você comece a procurar em suas gavetas por folhetos de informação sobre doenças venéreas, quero informá-lo de que normalmente eu não costumo agir assim...

— ... Ela tem o cabelo encaracolado com permanente...

— ... Ele pagou todos os meus cartões de crédito e, embora isso não tenha nada a ver com o quanto eu estava apaixonada por ele, tenho de admitir que acho que eu o amava mais ainda por causa disso...

— ... Ele reclamou das minhas contas, mas me explique como vou ficar bonita assim sem gastar dinheiro? — Choraminguei, apontando para minha jaqueta da Hobbs...

— ... Minha fantasia é que um dia alguém sequestre minha companheira de apartamento. Em toda a minha vida nunca tive uma fantasia que não fosse sexual. Será que isso é sinal de alguma doença mental?...

— ... Ele não sai da minha cabeça o dia inteiro, a não ser quando estou decidindo qual grupo de fundamentalistas raivosos eu gostaria que sequestrasse a Lulu...

— ... Sei que a gente pode ser viciada em muitas coisas, como jogos, drogas, bebidas e cavalos, até mesmo na internet, mas ser viciada numa pessoa? Porque acho que sou...

— Está me escutando? Você não deveria dizer alguma coisa?

Fiquei deitada no sofá do consultório do médico por mais de uma hora. Deslizei meu cotovelo dobrado sobre a testa, arrisquei abrir um olho e levantei a cabeça. O velho idiota tinha caído no sono! Soltei o ar e cutuquei sua cadeira com o pé.

— O que sugere? — perguntei. — Pode me receitar uma semana num spa de reabilitação?

Ele suprimiu um bocejo e andou em linha reta do sofá até sua mesa. Pensando bem, nunca havia visto a criatura preguiçosa se levantar. Ele faz todos os exames, até exames de laboratório, com as costas grudadas na cadeira. Lutei para sair do sofá e me larguei na cadeira plástica ao lado da mesa.

A impressora zumbiu.

— Tome um comprimido quando tiver necessidade — ele recomendou, entregando-me a receita.

Cobri minha boca com a mão.

— É Valium? — perguntei, preocupada. O cretino traidor tinha me transformado numa viciada maníaco-depressiva.

— Não, é um comprimido leve para dormir — respondeu.

Saí do consultório para a sala de espera, que mais parecia o saguão do aeroporto de Stansted depois do cancelamento de dois voos domésticos. Era uma multidão. Andei encostada à parede até a saída.

Todo mundo, inclusive dois bebês, olharam-me furiosamente. Saí de lá e fui para casa o mais rápido que pude.

— Você está vestida! — Lulu disse, aplaudindo. — Muito bem, muito bem! — Ela parecia encantada.

Sorri de volta para ela.

Ela quase engasgou e deixou a bolsa cair. O objeto despencou em cima da mesinha de café. Com os braços estendidos, veio mancando em minha direção. Seus olhos castanhos se comprimiram, escureceram e o sorriso desapareceu do rosto dela.

Meu estômago deu um pulo.

— O que há de errado? — perguntei, nervosa. Ela pareceu pálida, de repente.

Lulu deu um passo à frente.

— Você... Você está usando seu jeans da Diesel — ela balbuciou.

Eu não tinha notado, mas ela estava certa, e não apenas eu o estava usando, como ele estava bem largo.

— Está fazendo regime? — ela perguntou, com frieza.

— Não — retruquei, passando as mãos suavemente pelo meu agora esguio quadril.

Ela deu um puxão maldoso na cintura do meu jeans.

— Mentirosa! — Ela deu um gritinho. — Você fez regime sim!

— Não fiz — gritei de volta.

— Se não está fazendo regime, onde diabos foi parar seu traseiro? Nós prometemos que faríamos regime juntas, e você fez pelas minhas costas!

— Foi toda essa chateação, o estresse, a preocupação, a tristeza e um coração partido.

— E um regime! — ela berrou, enfiando um dedo acusador em minhas costelas. — Não posso começar esta noite porque Vic e eu vamos sair pra jantar, mas, com certeza, vou começar meu regime amanhã — ela disse, brava, saindo da sala e batendo a porta.

Eu teria telefonado para Lexy. Sabia que ela ficaria feliz de ter notícias minhas, saber que eu estava me arrumando e que tinha saído de casa. Abri a janela da sala com um floreio e respirei o ar fresco. De repente, o mundo parecia brilhante e ensolarado. Um cachorro fez xixi ruidosamente na nossa lata de lixo, as pessoas se acotovelavam por um lugar no ônibus 155 para Clapham e dois garotos do lado de fora da banca de jornais estavam se xingando. Era tudo tão familiar e reconfortante! Tinha ficado ausente muito tempo. Abri meu telefone com um movimento rápido das mãos.

Lexy atendeu no primeiro toque.

— Sou eu. Estava pensando em aparecer e...

— Na verdade — ela interrompeu, e então limpou a garganta —, pra ser honesta, eu preferia que você não viesse hoje à noite.

— O quê? Por que não? — perguntei, ultrajada.

— Estamos indo à exibição de fogos de artifício do Bushy Park.

— Oh! — exclamei. — Talvez eu vá. Gostei tanto no ano passado, e faz um tempão que não saio de casa, você sabe.

— Você gostou de ir com a gente, mas nós não gostamos de levá-la junto.

Não gostaram de me levar junto? "Somos do mesmo sangue!", pensei.

— Eu ajudei com as crianças. Comprei sorvete e algodão-doce pra elas. — Fiz questão de lembrar.

— Você era a *única* espectadora, no meio de uma multidão de setecentas pessoas, que estava usando óculos protetores de esqui como medida de segurança. Quando voltamos para o carro e tiramos as gêmeas do carrinho, descobrimos que as duas estavam usando os óculos de natação. Graeme teve vontade de matar você. Foi uma vergonha!

— Bem — me defendi —, eu tinha lido um artigo e ...

— Você pode vir se prometer não usar os óculos protetores ou...

Minha linha fixa tocou.

— Te ligo de volta — disse, agarrando o aparelho e interrompendo a conversa com ela.

Era Alice:

— Meu amor, Duncan e eu estamos aí perto. É uma boa hora pra te fazer uma visita?

— Err, sim.

— Fantástico. Vejo você daqui a pouco.

"Aqui perto? Eles moram em Epping, que é a mais de uma hora de distância daqui", pensei, curiosa. Porém, seria agradável vê-los novamente. Entrei na banheira e, pela primeira vez em semanas, coloquei maquiagem, fiz escova nos cabelos e mexi no guarda-roupa.

Vinte minutos mais tarde, a campainha tocou. Alice me abraçou numa onda de perfume Allure, da Chanel. Parecia animada, irrequieta e meio alta. Ela passou voando pelo saguão e entrou na sala com um vestido preto, longo e solto, e uma esvoaçante echarpe de lantejoulas. Pensei que estivesse meio bêbada.

— Não posso acreditar. Um rapaz tão legal e que adorava você. Sei disso porque estava estampado na cara dele. Ele não conseguia ficar longe de você, e quem poderia condená-lo? Olhe só pra você, tem o rosto de um anjo. Mas... — A voz dela foi sumindo quando ela se virou e passou um dedo sobre a televisão à procura de sujeira. Ela achou muita. Sua expressão desabou. — Mas, bem, vamos sair para um jantarzinho agradável e alguns drinques e ver se podemos entender melhor o que aconteceu — disse, limpando o dedo sujo na perna.

Mandei uma mensagem de texto para Lexy:

"Tenho convite melhor, espero que chova!"

Fomos para o bar e Nikki levou Duncan, Alice e eu até um lugarzinho perto da janela.

— Champanhe por conta da casa — Nikki disse, empolgado. — Se você pode vir aqui para comer e beber, então pode vir pra trabalhar. — Ele segurou minhas mãos e beijou os nós dos dedos. — Está maravilhosa!

— Ele está certo, garota. Você é a imagem da beleza — Duncan me elogiou, acomodando seu corpo enorme no assento à minha frente.

Alice martelou as unhas vermelhas na mesa.

— Evie, amor, nós.... — ela olhou de relance para Duncan, que lhe deu um olhar atravessado e acenou com o garfo, alertando-a. Sua testa se franziu em linhas irritadas. — Ahnnn... — ela murmurou, balançando o cardápio à frente. — O que você recomenda, querida?

— Alice.

Ela se virou para ele.

— Sim, meu bem.

— Tem alguma coisa errada?

— Não, querida — ela insistiu, erguendo as mangas do vestido.

Duas garrafas de champanhe mais tarde e...

— Evie, tivemos notícias de Rob — Alice anunciou bruscamente. Corada de animação, ela me olhava febrilmente. Meu coração se comprimiu, como sempre acontecia quando pensava nele.

Duncan se inclinou para frente, apoiando o rosto nos punhos fechados.

— Querida, isso não é problema nosso, e eu disse a ela que não deveríamos nos envolver, mas...

Alice o interrompeu.

— Rob sente tanto, tanto, pelo que aconteceu, e está com o coração partido. Ele está arrasado! Quer você de volta, mais do que qualquer outra coisa no mundo. Ele ligou pra me perguntar se você havia me dito alguma coisa. Bem, não fazia sentido negar que eu sabia de tudo, não é? Não estou dizendo que está certo o que ele fez, ao contrário, mas, Evie, talvez você pudesse pelo menos conversar com ele, escutar o que ele tem a dizer. Nem sempre as coisas são...

Duncan exclamou:

— Sim, meu bem, talvez algumas palavras!

Alice sacudiu a cabeça e apertou meu joelho.

— E a gente nunca sabe, na maioria das vezes, a coisa não é tão ruim quanto a gente pensa — Duncan acrescentou, com seus olhos inteligentes se alternando entre mim e Alice.

— E o que você quer dizer com isso? — Alice disse, brava, pegando Duncan de surpresa. — Está insinuando que ser infiel não é tão ruim quanto parece? — Ela despejou o conteúdo do seu copo goela abaixo com facilidade, bateu o copo com força na mesa e se levantou rapidamente. — Porque, se for esse o caso — ela apontou a porta —, você pode...

— Sente-se já! — Duncan ordenou.

Peguei sua echarpe e a puxei para baixo.

Duncan ergueu as mãos defensivamente.

— Alice, é a mesma coisa que você disse antes.

Ela cruzou os braços e ficou olhando para o chão. Houve um silêncio embaraçoso. De repente, senti-me sozinha e triste.

— A comida está deliciosa — Duncan disse, dando um tapinha em minha mão. — Não tem lugar para a sobremesa, o que é um bom sinal.

Nikki apareceu com outra garrafa de champanhe.

— Posso me juntar a vocês? — ele pediu.

Alice se animou.

— Sim, por favor, faça isso — ela respondeu, apontando com a mão a cadeira vazia ao lado de Duncan.

Ela me deu um abraço. Tentei dar um sorriso, mas ela não retribuiu. Sua boca estava aberta e seus olhos estavam arregalados e sombrios. Ela enfiou as unhas em meu braço e ficou olhando como uma coruja por cima da minha cabeça. Quando soltou meu braço, segui seu olhar.

Rob estava parado atrás de mim.

Meu estômago se retorceu. Ele estava lindo, alto e impressionante. Agarrei a beirada da cadeira e olhei para ele, atordoada. Meu coração batia acelerado. Senti uma vontade enorme de sair correndo, pegar o rosto dele e lhe dar um beijo.

Alice prestava atenção em mim. Duncan ficou olhando para os vidrinhos de sal e pimenta. Nikki cruzou os enormes braços, curvou-se para a frente, deu um grunhido e estudou Rob.

— Podemos conversar? — Rob perguntou suavemente. — Lá fora. — Ele fez um gesto em direção à porta. — Por favor?

Não respondi nada.

— Você não atendia às minhas chamadas nem respondia às minhas mensagens. Pensei que teria mais chances de me comunicar com você se fosse pessoalmente. — Ele pressionou meu ombro com a mão. — Me dê apenas alguns minutos.

Alice deu um gritinho de empolgação. Duncan soltou um envergonhado grito de vitória. Nikki grunhiu.

Uma onda de pânico apertou meu peito. Engoli fundo e fiz um enorme esforço para manter minha cabeça erguida e meus olhos levantados, do contrário estaria olhando diretamente para a virilha dele.

— Na verdade, não, acho que já dissemos tudo — consegui dizer, soltando a voz com dificuldade.

Alice me encarou suplicantemente e fez um movimento com o queixo, apontando a porta.

Rob aproximou sua cabeça loira da minha e segurou meu cotovelo. Estava apavorada e excitada, mal podia respirar. Fechei meus olhos para saborear o calor de sua respiração em meu pescoço, e seu rosto encostado na minha cabeça. Tive vontade de esconder meu rosto na curva de seus ombros e que ele colocasse seus lábios nos meus cabelos e...

— Vamos lá fora, você me deve isso — Rob disse.

Pisquei. Devia isso a ele? Por acaso ele disse que eu *devia* a ele? Ele transa com uma magrela de cabelos encaracolados, arrasa meu coração e eu *devo* a ele? Meu peito se apertou.

— Lá fora — ele sibilou entredentes.

— Não te devo nada — disse a ele.

— Evie, não é isso o que deseja, você está chateada. — Suas mãos fortes agarravam meu braço.

— Me deixa em paz! — gritei. — Cabelos encaracolados! — Isso logo se tornaria meu grito de guerra.

Duncan sacudiu a cabeça e escondeu o rosto nas mãos.

Meus saltos rasparam no chão quando Rob me arrastou por trás da mesa.

— E sem peitos. Você escolheu uma de cabelos com permanente e sem peitos pra me trair!

— Pare com isso e fale baixo! — Rob me advertiu. — Lá fora.

— E óculos lilás e batom laranja. — Não conseguia me segurar. — Por acaso ela acha que toda noite é Halloween?

Ele suspirou, exasperado, e grunhiu com o esforço de me arrastar até a porta.

— Você não tem gosto, não?

— Evie, shhhh. Vamos discutir isso lá fora — ele esbravejou.

Tentei me soltar dele e agarrei as costas da cadeira de Alice. Eu não ia sair dali.

— Olá! — tio Spiros berrou.

O restaurante inteiro silenciou.

Tio Spiros estava parado, com sua arma de ar comprimido apontada para os olhos de Rob.

Meu coração parou. Levantei meus braços num gesto de "não atire". Tio Spiros colocou a espingarda sobre os ombros. Seus olhos escuros encararam o olhar espantado de Rob. Dei um salto à frente e me coloquei protetoramente entre os dois.

— Não faça isso — balbuciei, apavorada. — Não atire nele!

Meus olhos deslizaram vertiginosamente da esquerda para a direita. Nikki estava tranquilamente limpando as unhas com um garfo. Alice e Duncan olhavam hipnoticamente, e quatro guaxinins assustados estavam sentados na mesa adjacente.

Tio Spiros sorriu para Rob. Ele estava adorando sua atuação. Meu coração batia disparado e a veia em meu pescoço pulsava como um tambor. Precisava aliviar essa tensão.

Rob pressionou meus ombros, apertando minhas costas ao encontro de seu peito:

— Lá fora, agora — ele vociferou entre as mechas de meus cabelos.

"De novo, como se isso não tivesse importância nenhuma", pensei, "ele disse para ir lá fora agora, e disse isso bravo."

— Agora — ele repetiu com força, seu corpo nos empurrando para a direita.

"Ele repetiu mais uma vez", eu pensei, "e está me empurrando."

— Ande! — esbravejou em meu ouvido, apertando seus dedos na minha nuca.

"Ele não para de mandar que eu me mexa", pensei, "depois, depois...".

Uma onda avassaladora de adrenalina se apoderou de mim como um demônio. Dei um salto à frente e agarrei o cano da espingarda com as duas mãos. Tio Spiros lutou com o cano voltado para o alto. "Tenho que pegar esse rifle, tenho que pegar."

— Por que você vai dar um tiro nele? Eu é que quero atirar nele! — gritei. Por que não pensei nisso antes? Poderia tê-lo convidado, há semanas, para ir lá em casa, e ter dado um tiro bem no meio de seus miolos, mas não estava raciocinando bem, estava?

Lutei com força e determinação. Era uma mulher humilhada, capaz de qualquer coisa. A melhor arma de uma mulher é o veneno, sei disso, mas, na ausência dele, uma espingarda serve. Dei um chute forte na canela do tio Spiros. Ele não soltou a arma. Ele sabia que eu não iria querer ficar com aquela droga pra mim quando terminasse o trabalho. Nikki saltou sobre a mesa, agarrou-me pela cintura e me puxou de volta para a mesa. Duncan pulou de sua cadeira e agarrou Rob pelo braço. E Rob, que nunca havia trabalhado com gregos, ou, suspeito, nunca fora ameaçado por um *chef* de cozinha, nem por uma ex-namorada, deixou Duncan levá-lo para a rua.

Presa por um par de braços de ferro, tentei recuperar o fôlego.

— Evie, fique quieta e se acalme — Nikki disse.

— Me coloca no chão — gritei. — Estou calma.

Alice levantou sua taça e brindou.

— Estava apenas tentando ajudar — ela se desculpou para ninguém em particular. — Disse a ele para não aparecer até a hora do café. — Ela olhou com admiração para tio Spiros: — Essa arma é de verdade?

Como era de se esperar, o restaurante se esvaziou rapidamente com uma movimentação de chapéus, casacos e guarda-chuvas. Rob tinha ido embora, Duncan havia voltado para a mesa, tio Spiros retornara para a cozinha e Nikki estava acalmando uma fila de pessoas que esperava para pagar suas contas no bar. Segurei minha taça de champanhe.

— Sinto muito, meu bem! — Alice se desculpou debilmente.

Dei de ombros.

— Não sinta.

— Ah, deixa que ela sinta arrependimento, não é sempre que isso acontece. — Duncan suplicou.

— Achei que seria legal — ela explicou humildemente.

Acenei que sim com a cabeça.

— Talvez uma outra hora — sugeri.

— Sim — ela disse e cruzou os braços, resoluta. — Outra hora.

Duncan se levantou.

— Sim, bem, da próxima vez deixe que a própria Evie arrume tudo, Alice. Vou lá fora fumar um cigarro. Bem que estou precisando.

Alice balançou a mão.

— Quando acender o fósforo, acha que pode se explodir junto? Seu miserável condescendente!

Meu celular zumbiu. Era uma mensagem de Rob:

"Vi como vc me olhou. Ainda tem alguma coisa aí dentro. R. bjo"

Alice olhou sobre meus ombros, seus olhos brilhavam com otimismo.

— Isso é legal — ela disse, apressada.

Deletei a mensagem.

— Que grande cretino! — exclamei.

Seu sorriso murchou como um balão furado enquanto ela enchia o copo.

CAPÍTULO 38

A TIPOIA FOI RETIRADA do meu braço na quarta-feira e eu voltei ao trabalho no bar na quinta. Por duas semanas, trabalhei diariamente em turnos de oito horas. Tenho de admitir que o temperamento imprevisivelmente maluco dos gregos combinava perfeitamente com o meu, que também poderia ser descrito como imprevisivelmente maluco. Costas e Pepi eram os mais agitados. Nos dias mais dolorosos de "sentir falta de Rob até querer morrer", eu sonhava acordada e andava dormindo pelos lugares, fazendo qualquer coisa que me mandassem. Eles me puseram para servir mesas enquanto escapavam para fazer apostas, ficar jogando conversa fora ou se ajoelharem atrás do balcão, sobre um aparelho portátil minúsculo, para assistir ao Racing Channel. Mas, naqueles dias do tipo "pra que preciso de um homem?", os dois me davam *bastante* espaço.

Hoje era um daqueles dias de "sentir falta de Rob até querer morrer".

Fiquei sentada imóvel e enchi 64 saleiros e vidrinhos de pimenta, depois Costas me levou pelo braço até a adega, colocou um limpa-vidros em minhas mãos, deu-me um pano limpo e apontou para as 70 garrafas de vinho tinto, vinho do Porto e licores, e me mandou limpá-las. Ele lançou um olhar de triunfo para Pepi, empertigou-se sobre um banquinho e abriu as páginas do *Sporting Life* sobre o balcão do bar.

Pepi deu uns chutes no estilo grego e gritou: "Ooopa!", enfiou seu exemplar do jornal *Racing Post* debaixo do braço, deu um aceno satisfeito para Costas e saiu porta afora. Olhei para o meu relógio. Era meio-dia, então ainda faltava uma hora até o bar encher completamente.

— Evie, quando terminar de limpar as garrafas, dobre os guardanapos! — Costas ordenou, com a cabeça curvada sobre o jornal.

Dei de ombros indiferentemente, enquanto alinhava os conhaques no bar.

Você entende, queria odiar Rob profundamente, mas não conseguia. Na verdade, sentia tanta saudade dele que estava a ponto de ficar maluca. Queria taaaaannto tê-lo de volta pra mim! Sabia que tudo que precisava fazer era pegar o telefone, apenas isso. E hoje à noite eu estaria aconchegada ao lado dele, na cama, com nossas pernas entrelaçadas, meu bumbum encostado na curva da barriga dele. Estava a ponto de ligar para ele quando, como uma tocha acesa, a imagem de Helen apareceu. Meu estômago pareceu se revirar de raiva porque agora, na minha visão mental, a permanente do cabelo de Helen era um furacão de saca-rolhas cor de páprica, seu batom tinha um tom gritante de tangerina e seus óculos eram roxo-escuros. Para encurtar a história, ela era um horror, e fiquei imaginando, pela milionésima vez, o que é que Rob tinha na cabeça.

— Evie! — Costas gritou. — Termine logo as garrafas e arrume os guardanapos.

Coloquei o limpador de vidros e o pano sobre a mesa e fiquei me analisando detalhadamente no espelho atrás do bar. Ter emagrecido me fez bem e meu cabelo não estava nada mal. Estava usando um rabo de cavalo preso abaixo da orelha direita e, a menos que você estivesse exatamente atrás de mim, nunca perceberia a linha fina desenhada em meu couro cabeludo, na minha nuca.

— Evie, os guardanapos.

Peguei a fita que prendia meus cabelos e a tirei, deixando-os soltos. Eles caíram pelas minhas costas. Charlene disse que eu poderia fazer um alongamento lá pelo meio de dezembro, então estavam faltando apenas duas semanas.

— Evie! — Costas berrou, numa voz que tentava parecer autoritária.

Dividi os cabelos ao meio, no alto da cabeça, com a ponta de uma caneta esferográfica, e os separei em duas partes iguais. "Hummmmm", pensei, "ficou bom". Girei em meus saltos, abri a caixa registradora com um toque e tirei alguns elásticos das pilhas de notas guardadas organizadamente. Fiz um biquinho sexy, passei os elásticos em volta das tranças e me virei para me admirar no espelho, de um ângulo diferente. Bem no estilo do filme *Escola para Garotas Bonitas e Piradas*. Tirei o batom do bolso.

— Os guardanapos.

Tudo bem, Rob era um gato, mas não era nenhum Brad Pitt.

— Evie!

Fechei os olhos e sacudi a cabeça, exasperada. Os pelos da nuca se arrepiaram e minhas narinas tremeram com a cólera contida. Afastei-me do espelho, o peito oprimido pela raiva, e avancei em direção ao bar, agarrando Costas pela sua gravata dourada.

— Quer ficar quieto? — gritei na cara dele.

Dei um puxão na gravata, desamarrei o nó, usei seu comprimento para me levantar do chão e, com determinação, puxei a tira de seda dourada. Os olhos de Costas pareceram saltar das órbitas e a língua dele saltou para fora da boca. Senti a respiração quente dele em meu rosto. Deixei minha cabeça pender para o lado e o imitei.

— Estou arrumando meus cabelos — disse a ele.

Seus dedos tentaram soltar a gravata.

— E não posso arrumar meus cabelos com você gritando o tempo todo em meu ouvido.

Ele sacudiu a cabeça, silenciosamente, e despencou para frente, com uma das mãos segurando a gravata e a outra caindo espalmada de encontro ao balcão do bar.

— Então, fica quieto, cabeça de bagre! — Esfreguei meu nariz no dele. — Está bem claro?

Sua garganta grunhiu, concordando.

— Evie, se você matá-lo, vai ter de servir as mesas dele, além das suas! — Nikki berrou lá da cozinha. — Pode ter certeza.

Soltei a gravata. Costas balançou e caiu cambaleando do banco. Fiquei na ponta dos pés e espiei por cima do bar para ver se o corpo dele, esparramado no chão, ainda respirava. Respirava.

Pepi veio voando pela porta. Quase morreu de susto quando viu Nikki. Ele sabia que levaria uma bronca. Meu dia estava melhorando a cada minuto.

Nikki veio furioso para cima dele.

— Onde você estava? *Não* pode sair do bar durante o trabalho sem minha permissão!

Pepi, com jeito inocente, vasculhou o bar com o olhar à procura de sua fada madrinha.

— Oh, posso explicar. Ele foi a algum lugar onde se fazem apostas — delatei. — Olha, ele está com o *Racing Post* debaixo do braço.

Pepi deixou cair o jornal. Se tivesse tempo, ele o teria engolido.

O rosto de Nikki ficou vermelho. Ele se virou, agarrou Pepi pela garganta e sacudiu a cabeça dele, como uma bola, de encontro às persianas de madeira.

— Ele vai todos os dias — berrei por cima dos gritos de Pepi. — Os dois vão. Às vezes, os dois vão juntos — gritei explanatoriamente, sacudindo o dedo.

Enquanto Costas tentava sair de um balde de gelo e Pepi era socado de encontro à janela, o céu veio abaixo, mas foi *hilário*, porque Nikki pôde dar uma surra nos dois e, ao mesmo tempo, tomar uma caneca de cerveja.

CAPÍTULO 39

Lulu estava deitada no sofá, apoiada no cotovelo, com seus compridos cabelos loiros caindo atrás dela. Ela acendeu um cigarro.

— Nem tente procurar suas pílulas para dormir no banheiro. Joguei tudo fora na privada — ela disse, soltando uma fina linha de fumaça.

Joguei-me na poltrona. Estava exausta.

— Por que você fez isso?

Ela apontou um dedo desafiador.

— Vou lhe dizer o porquê — anunciou com rebeldia. — Porque quero ter alguém com quem conversar depois das oito da noite, esse é o motivo. Ou o esquece e acaba logo com esse sofrimento, ou sai e vai transar com outro cara, ou vira lésbica! Não importa o que decidir, faça isso logo, porque eu não quero ficar aqui sentada olhando você chorar e desperdiçar sua vida. — Ela sacudiu a mão em direção à porta da sala e sua voz se suavizou. — O Casanova mandou outra avalanche de flores. Estão no banheiro.

Olhei para a mesinha de centro. Ela tinha colocado a miniatura da *chaise longue* como suporte do controle remoto da televisão. E percebi que seu tapete de dança estava enrolado e enfiado debaixo da porta, uma eficiente barreira contra as correntes de ar.

— Evie, olha pra mim.

Olhei.

Ela sorriu.

— A Julieta esqueceu Romeu— ela relembrou a história.

Chutei meus sapatos de salto com plataforma para longe, sentei-me sobre as pernas e me acomodei confortavelmente na poltrona.

— Não, ela não esqueceu, Julieta se matou.

Ela se sentou e jogou as pernas por cima do sofá.

— Por acaso, o Romeu transou com outras, então? Não consigo me lembrar. Foi por isso que ela se matou?

— Não. — Sacudi a cabeça. — Ela tinha problemas com os sogros.

Ela aparentou um olhar de preocupação e irritação.

— Sogras... — Segurou seu cigarro no alto. — Sabe de uma coisa? *Não* me caso com um cara se a mãe dele morar no mesmo continente. Existem muitas piadas e muita coisa ruim provando que as sogras são mísseis destinados a destruir um casamento.

Dei de ombros. Meus olhos pousaram num enorme livro de capa de couro, na cor creme, que estava no chão ao lado dela: *Bem-estar: um estilo de vida permanente* — li de cabeça pra baixo.

— Ah, sim — ela disse, seguindo minha linha de visão —, vamos ter de fazer algumas mudanças nessa casa. — Ela pegou o livro e o apertou contra o peito. — Pra começo de conversa, vou comprar uma máquina de fazer pão, um pacote de lentilhas e alguns temperos indianos. — Alisou a capa do livro. — E todas as vezes que quiser tomar um copo de vinho, deve se perguntar se é isso *mesmo* que quer. Pergunte a si mesma se *realmente* precisa disso. — Ela me encarou, com os olhos bem abertos.

Concordei com a cabeça.

— Tudo bem, vou fazer.

Seu olhar se demorou.

Olhei de volta para ela.

Houve um silêncio contemplativo.

— Falando sério, olhe pra você! — Seu tom de voz era sério. — Desde que Noé encheu a Arca, é a primeira vez que você usa tamanho 40, está cheia da grana, não está no vermelho, pois não tem mais dívidas, e isso — ela acrescentou, triunfante — é motivo de comemoração. Então, que tal uma taça de vinho?

— Você *realmente* quer isso? Isto é, você *realmente* precisa disso? — perguntei.

— Quero o quê?

— Uma taça de vinho.

Ela deu um salto do sofá e jogou o livro em cima da mesa.

— É claro que eu quero — disse, indo em direção à porta. — Oh, a propósito, Tina, da Insignia, ligou. Ela pediu para você ligar de volta.

Folheei casualmente o livro *Bem-estar: um estilo de vida permanente* e, então, liguei para Tina. Não tinha certeza se queria voltar a trabalhar com turismo, porque: a) não queria correr o risco de ter de trabalhar com Rob; e b) não queria trabalhar com outro motorista que não fosse ele.

— Evie, sua licença médica terminou — Tina explicou.

Dei um suspiro.

— Bem? — ela disse, brava.

Não tinha falado com ela desde a noite em que saímos, então contei *tudo* o que havia acontecido.

— ... a Helen da Barnet, blá, blá, blá...

— ... estava nua, uma vagabunda magrela...

— ... comprimidos para dormir...

— ... espingarda de ar comprimido...

— Certo — Tina trovejou assertivamente quando terminei de falar. — Vingança é o que é necessário nesse momento.

— Não quero me dar a esse trabalho. Prefiro esquecê-lo.

— Não estou falando dele. Estou falando dela.

— O que você quer dizer com isso?

Dava para ouvi-la martelando as teclas do computador.

— Nosso pior programa é, de longe, o pacote de quatro noites para a Ilha de Wight. Estou vendo o itinerário agora. Vamos ver... Passa em Aldershot, Camberley, Alton, Basingstoke e Winchester. Ela estará exausta e enjoada antes de chegar ao final. A balsa de Portsmouth até a Ilha de Wight leva cinquenta minutos, durante os quais pelo menos metade dos passageiros vomita pelo chão tudo o que comeu.

— Acho que as balsas dessa rota são antigos navios russos de guerra — ela declarou alegremente. — Vamos checar as acomodações. — Estalou a língua com satisfação. — Ahá! O hotel precisa de uma reforma. Acho que é horroroso, não sei por que o usamos. Colchas Candlewick, carpetes vermelhos e amarelos dos anos setenta, et cetera, et cetera, et cetera. Isso está ficando cada vez melhor. O responsável pelo entretenimento parece o Larry Grayson[30], com um bronzeado tom de laranja e uma peruca. Oh, ele faz mímicas! O tempo, no inverno, com certeza vai fazer a permanente dela ficar ainda mais arrepiada, se é que isso é possível. — Ela chupou os dentes. — Perfeito, tem bingo todas as noites.

Clique, clique, clique. Escutei os dedos dela dançando pelo teclado.

— O que você está fazendo agora? — perguntei.

— Estou cancelando o cantador do bingo. Ela pode muito bem fazer isso enquanto estiver lá.

Sorri.

— Acho que ela vai gostar bastante — disse, com meiguice.

— Tudo certo, então. Helen da Barnet será conhecida agora como Helen da Ilha de Wight. — Tina comentou.

Dei uma risada, feliz por ela ser minha amiga, não minha inimiga.

— Dois patinhos — ela gritou.

Clique, clique, clique.

— O que está fazendo agora?

— Estou agendando Helen para as próximas sete semanas consecutivas — declarou. — Ela não vai encontrar Rob tão cedo.

[30] Larry Grayson (1923-1995) foi um comediante e apresentador de televisão britânico. (N. E.)

— Ela pode se recusar a aceitar — salientei.

— Ela não pode se recusar. Ela tem contrato conosco e recebe mesmo quando não temos trabalho para ela. Está conosco há anos. Então, se você não quer trabalhar com Rob, posso agendar um passeio aéreo.

Franzi o rosto. Não sabia o que era um passeio aéreo.

— O que quer dizer com isso? — recuei.

— Nem todos os nosso clientes querem fazer viagens longas de ônibus. Então temos passeios aéreos do Reino Unido para a Europa, e contratamos ônibus de turismo locais. — Podia escutar os dedos dela teclando novamente. — Ótimo, tem um *tour* maravilhoso disponível. Sai na próxima sexta-feira para o sul da França, são duas noites. É um evento corporativo, dezoito homens de negócios para uma conferência de vendas em Nice. O cliente é a Jackson Enterprises.

— Nunca trabalhei com gente de empresa antes — admiti.

— Bom, nunca tinha feito nenhum trabalho com turismo antes, você tentou disfarçar, mas eu logo percebi. Essa viagem é perfeita para pegar o jeito da coisa. Alguns dias com um bando de caras no sol. Vai adorar.

Não tinha muita certeza.

— Mas...

— Sem mas — ela interrompeu rapidamente.

Soltei a respiração. "Tanto faz ficar deprimida no sul da França ou em outro lugar", pensei. Não pode ser diferente do que ficar deprimida em Tooting.

— Bom, se acha mesmo que...

— Acho sim. Vou mandar a documentação pelo correio. E deixe a Helen da Ilha de Wight comigo. Levante a cabeça! Rob é apenas um homem. Se eu pudesse ensinar minha coelhinha Anne Summers a cortar grama e ganhar cem mil libras ao ano, eu casava com ela.

CAPÍTULO 40

John Jackson é, de acordo com Tina, o sr. Deus.

— Se a rainha tivesse o dinheiro de Jackson, ela queimava o próprio. Ele é nosso cliente corporativo mais importante, os lucros de seus eventos são enormes. A conta dele representa um terço do nosso capital de giro, portanto, não faça nenhuma bobagem. Se fizer alguma besteira, nem precisa voltar, pode se afogar no Mediterrâneo — ela aconselhou sem rodeios. — Ele é aterrorizante, um ogro completo, devora seus inimigos. — Ela grunhiu e rangeu os dentes, ilustrando. — No entanto, as empresas pagam três vezes mais pela taxa diária do que a gente conseguiria normalmente, porque não há excursões para complementar seu salário. Vou ser honesta com você — a voz dela diminuiu a ponto de sussurrar —, quando ele telefona, meus dentes tremem, meu coração dispara, minha barriga se contorce e posso recomendá-lo como cura para intestino preso. Ele é *apavorante*. Até mesmo nosso presidente, que é um Senhor da Guerra de carteirinha, tem medo dele. Mas você vai ficar bem, porque não está realmente por dentro de tudo que está rolando à sua volta no momento. Por isso, acho que esse trabalho pode ser perfeito pra você.

Sentada no Aeroporto de Heathrow, eu certamente estava bem ciente do que se passava à minha volta. Estava tendo contrações nervosas. Encontrar meu grupo tinha sido ao mesmo tempo formal e intimidante, um pouco sério demais para meu gosto, cheio de acenos rígidos de cabeça e doloridos apertos de mão. Quando John Jackson se apresentou, ele espremeu com força meu novo anel da Accessorize no dedinho. Tive vontade de chorar.

"Ok, vou dar conta disso", pensei. "É só uma questão de centralizar minhas habilidades de organização." Sentada ereta, meu pescoço se movia como o periscópio de um submarino. Fiquei de olho na turba de crianças barulhentas, de caras com perucas à Pierce Brosnan, de loiras tingidas e no meu grupo de dezoito homens de negócios, todos usando ternos, sentados na área de estar do saguão de embarque.

Peguei meu exemplar do *Financial Times* com um floreio. Muito sabiamente, havia escondido uma cópia da revista *OK*! no meio. Abri a opaca seção de Empresas e Mercados em meu colo e espalhei as páginas sem graça de Nomeações Executivas ordenadamente em cima de minha pasta vazia. Dei uma espiadela rápida para ver se alguém havia ficado impressionado com minha escolha de material de leitura. Uma garota sentada à minha frente ficou olhando para o meu colo com os olhos verdes impressionados. Era exatamente o efeito que eu estava esperando.

Uma voz profunda penetrou meus pensamentos.

— Então, você lê o FT, não é?

Levei um susto. Era o Ogro Johnson.

Dei uma risada fajuta do tipo "é claro que eu leio", sem saber ao certo o que FT significava. Quero dizer, ET era um alienígena de olhos esbugalhados. Esse cara podia estar querendo me pegar.

— Se importa se eu me sentar a seu lado? Gostaria de repassar alguns pequenos detalhes relacionados ao final de semana — ele disse de modo suave. Surpreendentemente, o sorriso dele era largo e agradável. No mínimo, esperava uma explosão de chamas ardentes sair de sua boca e queimar meus cílios.

Fiz um aceno gentil e aterrorizada em direção à cadeira a meu lado. "Repassar alguns pequenos detalhes." Estremeci. Tomara que sejam *realmente* pequenos, pequenos o bastante para eu saber explicar.

John Jackson tinha cerca de 60 anos de idade, cabelos grisalhos, pele bronzeada, olhos escuros emoldurados por cílios escuros e lábios rosados, que se curvavam e se abriam para revelarem uma fileira de dentes reluzentemente brancos.

Levei um susto quando minha revista *OK!* escorregou e caiu no chão. Ele se curvou para apanhá-la.

— Oh, essa revista não é minha — insisti para suas costas largas.

Ele me deu um sorriso divertido e uma risadinha, um estrondo contagiante.

— Devo ter pego por engano — menti.

— Agora que está com você, por que não a ler? — ele perguntou, entregando-me a revista e sorrindo de modo desconfiado. Descansando o queixo no peito, seus dedos se mexeram para ajeitar o alfinete da gravata. Seus olhos negros olharam de relance para minha pasta vazia. — Talvez queira anotar isso.

Bem, não estava completamente vazia. Havia um pacote de absorventes e uma caixa de bolinhos de chocolate dentro. Eu tinha comprado a pasta para melhorar minha imagem empresarial.

— Absolutamente — respondi entusiasmada e vasculhei minha bolsa para encontrar uma caneta. Não consegui achar nenhuma, então escolhi um bastão de sombra de olhos.

Ele olhou espantado minha sombra de olhos azul-clara.

— Você tem um bloco para anotações? — perguntou.

— Ah, sim — confirmei. Depois de outra rápida busca no fundo da bolsa, tirei o envelope do extrato bancário de outubro, ainda fechado, e fiz um sinal com a mão para ele continuar.

Ele limpou a garganta.

— Hoje à noite, preciso de uma sala de reuniões para doze pessoas, preparada em estilo de conferência. Água, café descafeinado, sem chocolatinhos, obrigado. Projetor, *flip chart*, tribuna... — e continuou a enumerar isso, mais aquilo, mais isso.

Sua lista de coisas importantes era infindável. Às vezes, achava que ele estava falando em alguma língua estrangeira, mas consegui anotar tudo, destruindo, no processo, dois bastões de sombra.

Quando o sistema de alto-falantes começou a funcionar e anunciou que nosso avião estava pronto para o embarque, quase desmaiei de alívio. Olhei de volta para as anotações. Teria de procurar no Google algumas palavras. O que é exatamente uma tribuna?

QUANDO ATERRISAMOS em Nice, saí em disparada do avião, abri caminho até o começo da fila de controle de passaportes e fui correndo até a Alfândega procurar nosso motorista de ônibus. Estava uma pilha de nervos. E se ele não estivesse lá? Uma fileira de clones de chefões da máfia estavam parados perto da área de desembarque, com cartões de nomes apoiados em seus barrigões. Passei empertigada pela fila de gordos baixinhos, à procura do cartaz da Insignia Tours, e nada. Respirei fundo e vasculhei o terminal com os olhos.

— Merda! — xinguei e levantei a alça da bolsa até meu ombro. — Sem motorista.

Senti um toque de leve em meu ombro. Dei um giro. Um cara de cabelos escuros, com o rosto quadrado, lindo, olhos cor de esmeralda, e uma sombra de barba por fazer, usando shorts jeans, camisa polo verde e um par de sandálias havaianas, sorriu para mim.

— Sim? — respondi.

Ele ajustou a pulseira do relógio.

— *Vous êtes la guide de Insignia Tours?* — perguntou com uma voz macia, inclinando um pouco a cabeça.

Acenei rapidamente que sim.

Ele estendeu a mão.

— Alain, *votre chauffer* — e se apresentou.

Alain tinha cerca de 28 anos, peito largo, braços fortes e bronzeados cobertos por uma penugem de pelos escuros. Poderia participar de um concurso de medição de testosterona, se isso existisse. Ele ainda estava segurando minha mão ou era eu que ainda segurava a dele? Notei que as palmas das mãos dele eram calejadas. Senti um arrepio na barriga quando ele sorriu.

— *Je m'excuse mais je ne parle Anglais.*

Acenei com a cabeça, minha garganta estava seca demais para pronunciar uma simples palavra. Então, quer dizer que ele não fala inglês. Não me importava a mínima se ele gorjeava, piava, grasnava ou zurrava.

— *Suivez-moi* — ele disse gentilmente.

Segui-lo? Absolutamente. A qualquer lugar.

Ele colocou sua mão na minha cintura e começou a me guiar em direção à saída. Estava a meio caminho da saída do prédio do terminal quando, de repente, percebi que estava faltando alguma *coisa.* Eu tinha praticamente me esquecido do sr. Jackson e de seu grupo! Desvencilhei-me imediatamente de Alain e corri de volta para a fileira dos clones de gângsteres, onde onze de meus dezoito clientes se mexiam, confusos, num círculo, olhando embasbacados para o teto.

Assim que reuni todos, deslizamos suavemente pelo terminal numa nuvem de sofisticadas pastas de laptops e malas Louis Vuitton. Estava caminhando mais rápido do que de costume. Não se pode perder tempo quando se está segurando uma pasta de executiva, não é? Você precisa parecer importante e dar a entender que deve estar em algum lugar em breve, como uma reunião ou algo parecido.

Alain estava descansando, encostado no ônibus, com as portas dos bagageiros levantadas. Ele havia colocado os óculos de sol no alto da cabeça e fechado os olhos para sentir o calor do sol. Deu um salto quando John jogou sua mala dentro do compartimento. Cinco minutos mais tarde, com a carga toda acomodada, estávamos nos dirigindo um pouco rápido demais pelas alamedas da *Promenade des Anglais,* ladeada, de um lado, pelo azul-turquesa brilhante do Mar Mediterrâneo, pontilhado de veleiros esvoaçantes, e, de outro, pelas sacadas altas das mansões creme em estilo barroco. Era *tão* maravilhoso! Olhei de relance para Alain. Ele estava conectado a seu iPod, sacudindo a cabeça de um lado para outro ao som da música e, periodicamente, dando socos no ar e xingando os outros motoristas. Repentinamente me lembrei de Rob, que era o oposto dele, com seu blazer azul-marinho e gravata, e sua atitude respeitosa com os clientes. Nos arrastamos pesadamente por uma estreita estrada pavimentada, com lojas de pedras claras construídas lado a lado, apartamentos enfeitados com toldos azuis e jardineiras na janelas, transbordando de cachos de gerânios vermelhos e rosa, e lobélias azul-escuras. Ajeitei-me, animada, em minha poltrona de guia.

— É lindo! — murmurei inconscientemente.

— É mesmo, certamente — John concordou, de seu assento mais alto, atrás de mim.

O hotel era fabuloso. Dois enormes pilares de mármore anunciavam a entrada para um saguão gigantesco, estilo românico, dominado por uma fonte de pedra amarela cuja água caía em cascata num lago oval de mosaico. Fui batendo os saltos pela área da recepção e passei por várias lojas de aparência cara, com painéis de mogno do lado de fora e cintilantes vitrines cheias de joias, bolsas e sapatos.

Estava a ponto de gritar por um carregador, como tenho de fazer em Paris, quando um *concierge* se materializou à minha frente, como se fosse o gênio da lâmpada. Ele sabia meu nome. Olhei, desconfiada, para o homem. Ele segurou meu cotovelo com a ponta dos dedos e me conduziu a uma mesa de mogno, ladeada por dois vasos pretos repletos de flores brancas perfumadas. Olhei para ele, desconcertada.

— Ozz quarrtos ezztão prrontos, *mademoiselle* Dexter. Todazz as chaves estão aqui — ele disse.

E pronto. Os cartões eletrônicos, com os respectivos nomes impressos, estavam alinhados em ordem alfabética. *Eu adorei* esse hotel.

John entrou pelo saguão, seguido por seus dezessete súditos, que precisavam correr para acompanhá-lo.

— Evie — ele se dirigiu a mim educadamente —, quero a sala de reuniões pronta às sete horas. E, como já sabe, hoje à noite jantamos independentemente.

Assenti com a cabeça.

Ele se afastou e todos fizeram a mesma coisa.

Até agora, tudo bem.

CAPÍTULO 41

— ESTOU LHE DIZENDO que não há salas de reuniões disponíveis! — berrei ao telefone.

Estava enlouquecida. A Tina também. Ela tinha se esquecido de reservar uma sala. Esmaguei minha caneta esferográfica e andei de um lado para o outro do lobby.

— Tenho entradas para o Sugababes no O2 hoje à noite. Não posso ir com esse peso me atormentando, não é? — Tina gemeu. — Faça alguma coisa, por favoooooor!

Meu estômago doía e minha cabeça estava rodando. Parecia que estava com febre. Massageei meu peito e tentei ficar calma. "Fazer o que, exatamente? Não posso tirar uma sala de reuniões de dentro da bolsa, posso?"

Fiquei com vontade de chorar.

Tina fungou.

Houve um silêncio desesperado.

O gênio deslizou pelas minhas costas e uma coisa se movimentou em meu cérebro. Tive uma inspiração súbita. Tudo o que precisava era passar o problema para outra pessoa....

— Daqui a pouco, ligo de volta — disse para Tina, fechando o celular.

Fiz sinal para o gênio com minha prancheta, agarrei o braço dele, empurrei-o de encontro à parede e expliquei o problema. Ele olhou atentamente meu decote, sem pestanejar. Quando lhe disse que o cliente era o sr. Jackson, os olhos dele se voltaram para meu rosto e ele começou a hiperventilar. Fiquei encantada. O medo era um grande motivador. Seu bigode de cavalheiro se retorceu de pavor.

— Pierre! — o gênio berrou, e outro gênio apareceu.

E posso lhe garantir: Spartacus nunca trabalhou tão duro como nós, para transformar a sala de jantar da suíte presidencial numa sala de reuniões, devidamente organizada para uma conferência, com água, café descafeinado, projetor, *flip chart* e tribuna, sem chocolates. Abracei os gênios, que rejeitaram os agradecimentos com um aceno simpático.

Mandei uma mensagem para Tina:

"Tudo resolvido. Bjo"

Ela respondeu:

"Amo vc. Bjo"

Estava exausta. Eu iria tomar um drinque, acompanharia os clientes até a sala de reuniões e, então, estaria liberada para ir para meu quarto. Joguei-me, acabada, numa poltrona do piano-bar, com um pé apoiado na mesa. Quase caí no chão quando tentei pegar o gim tônica da bandeja do garçom. Meu telefone tocou e vi que era o Alain. Mais cedo, havíamos trocado os números de telefone, quando ele me explicou que nem sempre conseguia estacionar na frente do hotel e que, talvez, precisasse me ligar para dizer onde o encontrar. "Motoristas de balneários", segundo Tina, "preferiam ir para casa em vez de ficarem num hotel".

— *Bonjour, cherie*! — ele me cumprimentou alegremente.

Senti uma onda de animação percorrer o corpo. Ele parecia tão jovial e másculo e francês.

— Vamos sair essa noite — ele convidou, em francês. — Vou lhe mostrar Nice.

Suspirei.

— Estou cansada.

— Cansada? *Cherie*, você é muito jovem e cheia de vida para estar cansada, e linda demais para ficar sozinha num quarto de hotel.

Levantei o queixo: "Sim, que droga, jovem, cheia de vida e linda. Como ele estava certo!". Rapidamente fiz sinal para o garçom me trazer mais um gim tônica.

— A que horas? — me ouvi perguntar.

— Te pego às oito — respondeu.

Quinze minutos depois, estava em pé, como uma sentinela, na entrada da suíte presidencial. Recebi meu grupo, que agora estava usando um novo uniforme: calças cáqui e camisas de manga comprida, em tom pastel.

— Obrigado, Evie! — John disse vigorosamente. — Tenha uma noite agradável — ele acrescentou, abanando a mão num gesto de despedida.

Precisei de todo o meu autocontrole para não bater os calcanhares e fazer continência.

MEU QUARTO ERA *INCRÍVEL*. As paredes eram revestidas de seda cor de marfim, entremeada com finos fios cor de cereja. Cortinas de *voile*, creme e douradas, cobriam duas janelas que iam do chão ao teto e, entre elas, acomodava-se um sofá de *chintz* cereja, com várias almofadas em tom ouro-pálido nele espalhadas. Uma cama *king-size*, com dossel de *chiffon* creme, ocupava o lugar principal.

Afundei-me na cama e olhei em volta. Alguém havia desfeito minha mala, não é o máximo? A maquiagem e os perfumes estavam alinhados numa penteadeira Maria Antonieta, a pasta estava sobre a escrivaninha e o armário aberto exibia minhas roupas penduradas organizadamente. Arranquei os sapatos de saltos altos e fui espiar o banheiro. Era enorme, com piso de mármore salmão e azulejos combinando. Uma banheira branca de porcelana se erguia sobre pés redondos dourados e ficava debaixo de uma grande janela oval. Passei a mão pelo roupão aveludado, dobrado sobre um toalheiro dourado. Meus lábios tremeram. Rob teria adorado, aquele cretino traidor. Peguei o roupão, escondi o rosto em seu capuz e solucei.

"Endireite-se, fique firme!", disse a mim mesma. Funguei e comecei a passar o batom. Isso *não* é um encontro romântico. Portanto, não há necessidade de entrar em pânico ou enlouquecer por não saber que roupa usar. Saí em disparada do quarto, corri até o saguão do hotel e comprei um par de brincos de argolas de ouro da joalheria Tiffany. Eles custaram apenas 430 libras, o que é uma moleza, considerando que ainda tenho 9.570 libras de cheque especial.

Decidi usar o vestido preto de comprimento até os joelhos, mangas longas e gola alta, da Versace, e um par de sublimes sandálias pretas, incrustadas de pedras. "Tudo bem, acho que são um pouco sublimes demais, nem consigo andar direito com elas, mas só estou planejando ficar fora por uma hora ou duas, e pretendo ficar sentada na maior parte do tempo. Assim, esta é a oportunidade perfeita para usá-las." Elas custaram 380 libras. Eu as comprei no aeroporto. Fiz essa comprinha para me animar; na verdade, essas compras são terapêuticas, seu efeito é muito melhor, para mim, do que um comprimido de Valium. Mas, pensando bem, isso deixa meu limite no cheque especial em 9.190 libras. E não posso esquecer as 350 libras de coisinhas que andei comprando pelo catálogo e que ainda não recebi. Talvez eu até devolva essa compra, portanto, obviamente isso não conta. Mesmo que fique com ela, não vai fazer diferença, pois não precisarei pagar tudo de uma vez.

Fiz uma bonita trança no meu, agora marca registrada, rabo de cavalo de lado, encostado na orelha, e dei uma voltinha em frente ao espelho. "Perfeito!", pensei, enquanto limpava o excesso de batom com um lenço de papel. Joguei a chave do quarto dentro da bolsa, enrolei uma *pashmina* em torno dos ombros e me encaminhei para o saguão. Teria de trabalhar no dia seguinte, portanto decidi não beber demais. Alain disse que encontraríamos alguns de seus amigos, e era possível que eu ficasse sentada a noite inteira, como um dois de paus, enquanto eles conversavam. Para ser educada, talvez eu bebesse um gole ou dois do que todos estariam bebendo e me desculpasse por ir embora antes.

Alain estava esperando por mim no saguão, quando saí do elevador. Parecia que ele havia saído de um comercial de sabonete. Parecia o Colin Farrel. Usava uma camisa branca de manga comprida, bermuda creme na altura dos joelhos e um par de mocassim de couro bege.

Fiz um aceno de despedida para os meus dois gênios e deixei que Alain me guiasse pelo lobby, até chegarmos lá fora, no ar quente da noite. Fiquei de queixo caído quando ele apontou para uma motocicleta. Olhando alternadamente para a barra de meu vestido e a moto, sugeri que talvez fosse melhor eu trocar minha roupa por um par de jeans.

Ele colocou um capacete em minha cabeça.

— Sem problemas — insistiu, suspendendo a barra do vestido Versace até a altura de meu quadril.

Ele praticamente me levantou e me colocou sobre a moto, subiu na frente e eu passei os braços em volta de sua cintura. Fiquei feliz por ter decidido usar as sandálias de salto alto, porque, da forma que minhas pernas estavam à mostra, elas pareciam ter um quilômetro de comprimento. Havia acabado de notar um sinalzinho de celulite, quando — "Viva, viva!" — partimos em disparada.

Foi *tão* emocionante! As ruas deslizavam sob nossos pés, enquanto Alain ziguezagueava e costurava ao lado de Renaults em alta velocidade, Fiats buzinando e limusines sofisticadas. Ele circulou, buzinando em volta das mesinhas de café da praça da Cidade Velha, em cujas calçadas se espalhavam mesas lotadas, e correu pelo mercado de estuque rosa, onde cambaleamos e estremecemos quando ele cumprimentou os amigos sem diminuir a velocidade. Era legal estar com os braços em volta de sua cintura e, admito, também era excitante sentir minhas pernas coladas nas dele.

Alain desmontou com facilidade. Virei de barriga para baixo, agarrei o guidão e passei a perna direita por cima da moto, pisando na rua com um ruído surdo. Ainda estava tentando abaixar meu vestido, quando Alain, abraçando meus ombros, levou-me para dentro de um bar. Enquanto serpenteávamos entre mesas superlotadas de clientes animados, ele me puxou com força para perto de si.

— *Mes amis* — ele disse, apontando para uma mesa bem no fundo, onde uma turba barulhenta, de braços erguidos e sorrisos cativantes, nos chamava.

Três caras lindos e duas garotas bonitas se movimentaram para abrir espaço para nós à mesa, nos cumprimentando em um francês de alta velocidade. Acenei com a cabeça para cada um, enquanto Alain fazia as apresentações. Com a bolsa colada ao peito, desabei sobre a cadeira e tentei ajeitar os cabelos, para consertar o estrago que o capacete havia feito em meu rabo de cavalo. Alain estudou a carta de vinhos, massageando a barba escura com as pontas dos dedos.

— O que gostaria de beber, *chérie*? — ele perguntou.

Olhei fascinada para os coquetéis cor de pêssego que as garotas estavam tomando.

Ele deu um tapinha compreensivo em minha mão.

— Bellini pra você — decidiu.

Tentei participar da conversa, gaguejando alguma coisa no meio da discussão, mas tive receio de não conseguir manter o papo. Meu francês até que não é tão ruim assim, mas geralmente eu converso com uma pessoa de cada vez, o que é muito mais fácil do que esse bate-papo cruzado, e eu não queria fazer papel de tola. Dei um gole hesitante na bebida. Não ficaria mais de uma hora.

Mas os drinques eram deliciosos e descobri que eu era uma brilhante linguista bilíngue. Era tudo tão folclórico que fiquei envolvida em tantos acenos, goles de champanhe, mordidas em azeitonas e fumaça de cigarros. Sim, cigarros fedidos e cheios de fumaça. "Todo mundo estava fumando, por que não eu?" — pensei.

Alain me abraçou. Seu queixo, áspero pela barba por fazer, arranhou minha testa. Ele ergueu minha mão, a beijou e colocou, brincalhão, um cigarro em meus lábios. Seus olhos escuros fitaram os meus. Franzi os lábios, inalei e fiz um biquinho, enquanto lentamente soprava um fio de fumaça, como uma daquelas glamorosas artistas de cinema de Hollywood dos anos 40. Uma imagem fugaz de mim mesma, estendida sobre um piano de cauda e usando um vestido coberto de lantejoulas, surgiu em minha mente. Outra imagem minha transando com Alain também apareceu. Meu cotovelo escorregou da mesa. Estava me sentindo bêbada, zonza e alegre. Fiquei espantada ao perceber que sabia fumar, como se houvesse feito isso a vida toda. Simplesmente fumei, sem engasgo nem tosse. Parecia que havia uma infinidade de coisas de que eu era capaz. Imaginei quais outros talentos escondidos eu não teria.

Alan sorriu de modo sexy.

— Mais um, *chérie* — ele ofereceu.

Dei outro trago profundo no cigarro. Alain deu uma risadinha e beijou meu rosto. Senti meu estômago dar um pulinho feliz. Ele tinha um cheiro tão gostoso de limpeza, fresco e cítrico. Sua proximidade e sua aparência morena me deixavam realmente excitada. Meio embriagada, minha atenção se voltou para minhas sandálias. Elas são realmente fantásticas. Deve haver muitos lugares onde eu poderia ficar sentada a noite toda. Poderia ir a uma biblioteca ou talvez me matricular em algum curso noturno, de aulas de arranjos florais por exemplo.

Levei um susto quando um dos caras colocou, com força, uma garrafa de Calvados na mesa e encheu um copo para cada um. Já estava me sentindo bêbada, não estava planejando cair de quatro também.

— Não não, obrigada! — insisti, erguendo a mão. — Pra mim, não.

Alain não aceitou minha recusa, colocando seu cigarro na minha boca e o deixando lá. Com um levantar de ombros, fechei os olhos por causa da fumaça e aceitei o conhaque. Sem nem perceber, já estava no segundo copo.

Tropecei e caí sobre as costas de Alain como uma Torre de Pisa.

— Viva! — brindei, erguendo o copo para o teto, e saí cambaleando e ziguezagueando até o banheiro feminino.

Fiquei oscilando em frente ao espelho e olhei no meu relógio. Não dava para ver os ponteiros. “Vou parar de beber agora”, decidi, determinada, porque sabia que meu relógio tinha ponteiros e, se eu não os estava enxergando, é porque já estava bêbada demais para isso. Vou pedir uma Diet Coke. Desci os dois perigosos degraus do lado de fora do toalete com extremo cuidado e cruzei o salão de volta, no meio da multidão.

Alain segurou minha mão, convenceu-me a me sentar novamente e, chamando o garçom, pediu uma rodada de piña colada, que, por coincidência, é meu coquetel favorito.

CAPÍTULO 42

TENTEI ABRIR UM OLHO. Estava numa cama estranha, num quarto que nunca havia visto antes. Respirei fundo. Uma onda de náusea atingiu minha garganta, e minha cabeça latejava. Meus olhos deslizaram da esquerda para a direita. Sofá de chintz cereja, janelas abertas que se erguiam do chão até o teto, cortinas esvoaçantes de *voile*. Então me lembrei: este era meu quarto! Minha boca estava seca e minha língua, inchada, áspera e nojenta. Joguei as pernas para fora da cama, fui cambaleando até o banheiro e olhei no espelho. Parecia um *gremlim*, de rosto inchado e olhos esbugalhados. E estava completamente vestida. Abaixei a cabeça e olhei o relógio.

— Que droga!

Arranquei com força o vestido pela cabeça, tirei a calcinha e entrei no chuveiro. Tinha exatamente vinte minutos para me lavar, me vestir e descer para o saguão, pronta para acompanhar JJ e sua comitiva até o Centro de Convenções Acrópolis, para a conferência de vendas.

TROPEÇANDO NA QUASE penumbra do elevador, enfiei os óculos de sol na cara. Estava praticando uma respiração ritmada, inspirando e respirando, e me acostumando ao ritmo quando:

— Bom dia, Evie. Tudo bem? — John Jackson perguntou.

Ele me olhou com expectativa. Folheei a prancheta e passei o dedo sobre as folhas, ou, na verdade, sobre nada. As páginas estavam vazias, porque eu havia esquecido todos os papéis no ônibus, mas ele não podia ver isso. Por mais inteligente que ele seja, não tem duas antenas alienígenas saindo da cabeça, com um olho pendurado em cada uma. Fechei os arquivos e encostei a prancheta no peito.

— Sim, obrigada — disse num tom neutro, e acrescentei: — E você, está tudo bem?

Ele folheou várias planilhas, parecendo muito elegante num terno de risca de giz azul-marinho, com uma gravata de seda vermelha.

— Muito bem — respondeu.

Fiquei com o nariz encostado à porta, pronta para sair dali no momento que o elevador chegasse ao lobby.

Enquanto meu grupo de homens de terno se dirigia para o ônibus, puxei Alain para o lado.

— Estou morrendo — confessei. — Não consigo me lembrar de ter saído daquele bar. Por acaso voltei para o hotel na sua moto?

Ele agarrou meu cotovelo e abaixou a cabeça para sussurrar:

— Trouxe você de volta num táxi, minha moto ainda está no bar. — Os lábios dele se curvaram num sorriso e ele me piscou provocantemente. — Eu e dois funcionários do hotel a colocamos na cama.

Estremeci e passei à frente dele para entrar no ônibus. Afundei na poltrona, com o rosto queimando. Dando um tapinha brincalhão em meu joelho, Alain se espremeu para passar por mim e assumir a poltrona do motorista. Ousei dar uma olhada de lado para ele, enquanto nos lançávamos na confusão do tráfego da hora do rush, encolhendo-me de vergonha quando ele me mandou um beijo. Devia estar completamente apagada, para precisar que três homens me colocassem na cama. Isso precisava ser muito bem explicado.

— Alain, sinto muito! Geralmente não tomo Calvados e eu havia bebido umas duas doses de gim antes de sair do hotel, e champanhe não combina com quase nada — gaguejei.

Ele deu uma risadinha.

— *Chérie*, você está nervosa. Não sei por que, mas está. E daí, qual é o problema? Eu dei alguma coisa pra você *relaxar*.

Fiquei arrepiada.

— O quê? Você me deu alguma coisa?

Ele sorriu maliciosamente.

— O que exatamente me deu? — perguntei, confusa.

— Um baseado. Nós fumamos um pouco, *chérie* — ele comentou, radiante.

Senti um mal-estar na barriga. Estava muito brava, furiosa mesmo.

— Alain — surtei, falando num tom baixo —, você não deveria ter feito isso. Não tinha o direito de me dar, bem, drogas.

Ele não pareceu afetado.

— Por que não? Se estivesse com fome, eu lhe teria pedido um belo bife —justificou, sacudindo os ombros, indiferente.

— Não é a mesma coisa — retruquei bruscamente.

Ele fez um sinal com a mão, querendo dizer que era uma tolice, e parou o veículo no estacionamento do Centro de Convenções.

— Gostaria de passar o dia de hoje em Cannes, *chérie*? — ele perguntou calmamente, procurando uma vaga para estacionar.

Dei um suspiro. Se as minhas ressacas já não eram ruins o bastante, agora tinha de lidar com o fato de também estar chapada.

John, sentado bem atrás de mim, fechou sua pasta com tanta força que senti o vento na orelha. Ele ficou de pé no ônibus, antes mesmo de parar por completo. Desceu da parte elevada, onde ficavam os passageiros, e parou a meu lado.

— Evie! — a voz dele reverberou.

Olhei para cima. Ficar sentada com o pescoço virado para cima estava me deixando tonta. Agarrei meus joelhos protetoramente e encarei seu olhar.

— Sim? — consegui dizer.

— Não vejo motivo para você não assistir à conferência de hoje.

Encolhi-me, assustada. Eu tinha alguns planos, o principal era me desintoxicar, limpar meu organismo e voltar para a cama.

— Ahn, não vou atrapalhar? Isto é, não sei nada sobre... ahnnn... — consultei a papelada —, ahn... sobre Cineastas Inovadores — disse, tentando não demonstrar meu desespero.

Alain apertou o botão e a porta se abriu suavemente. Fiquei parada. John pairava a meu lado sombriamente.

— Não vai prejudicá-la aprender algo novo — ele retrucou secamente, descendo os degraus, comigo indo atrás lentamente.

— Tudo bem, *chérie*, vamos pegar um táxi para buscar a moto e chegamos a Cannes em uma hora — Alain disse.

Eu ainda estava furiosa com ele. Fiz uma cara de pesar.

— Tenho de assistir à conferência.

Ele deu um beliscãozinho em meu rosto e soltou um suspiro triste.

— Oh, bem, pego-a mais tarde então, pra gente sair à noite — ele declarou, massageando meus ombros.

— Evie! — John berrou.

Dando um sorriso não comprometedor para Alain, apressei-me em direção ao Centro de Convenções. Como sobreviveria a isso? Estava mal e deveria estar na cama. "Isso é um purgatório, não consigo imaginar nada pior." Preferia ser fuzilada ou aumentar meu manequim em um número a ter de ficar sentada o dia inteiro numa conferência. Subi mancando os degraus da Acrópolis, apoiando-me no corrimão para não cair. Sentia os olhos arderem e os lábios trêmulos. Estava tão desapontada! Desde o momento em que acordara, não via a hora de voltar para o quarto e me enfiar na cama.

No alto da escada, uma onda gigante de homens e de mulheres de negócios vestidos de terno e me empurrou através de uma enorme porta de vidro. O local estava lotado. Apoiei minha testa e minhas mãos no mármore frio e fechei os olhos: "Não vou beber por uma semana pelo menos, não, por uma quinzena. E o que será que os gênios estarão pensando de mim?"

— Evie?

Virei-me.

— Vai precisar disso — John disse, colocando um crachá prateado com meu nome e uma pasta de participante na minha mão.

— Certo, OK. Obrigada! — consegui balbuciar.

Ele me deu um olhar penetrante.

— Tem uma hora ainda antes de a conferência começar. Dê um passeio, existem muitas coisas na indústria de filmes que você pode achar interessante.

Duvidei.

— Tenho certeza de que sim. Estou ansiosa para descobrir — menti.

— Encontro você lá dentro — ele disse. Girou o corpo e saiu marchando firme, para perturbar algum outro pobre coitado.

Tudo bem, eu só precisava achar um lugar para me sentar e beber alguma coisa. Uma conferência não é diferente de ir ao cinema, então vou, simplesmente, me sentar no fundo e tirar uma soneca. Na verdade, geralmente eu levo as gêmeas ao cinema por esse exato motivo. Compro para elas um monte de lixo que provoca cáries, bom para deixá-las quietas, e *milk-shakes* de um milhão de calorias, que têm, nelas, o mesmo efeito calmante que três doses de gim em mim. Então as seguro pelas pontas dos cintos de seus casacos para evitar que fujam. Já tive o melhor dos sonos num cinema.

Joguei a pasta de participante numa lata de lixo, olhei rapidamente a meu redor e me animei ligeiramente. Uma multidão de pessoas caminhava dentro de um salão que parecia a enorme nave branca de uma catedral. Subi os degraus para a área principal e fiquei agradavelmente surpresa ao ver que era parecido com um mercado fechado, cheio de barracas coloridas. Vi John cercado por três caras de terno preto, japoneses baixinhos de cabelos reluzentes que tentavam atrair sua atenção. Olhei para ele com um ar de surpresa quando ele me viu o encarando e andei firmemente em direção ao mercado.

E adivinha o quê? Diverti-me tanto que esqueci que estava de ressaca. Aquilo não era um mercado fechado, as barracas eram estandes de divulgação. Todo mundo queria me dar um brinde.

Duas garotas do estande da Fuji me deram uma pasta para laptop, uma blusa de moletom e um sofisticado alvo para dardos de mesa. Sei que não tenho uma mesa de trabalho, mas posso raspar o logo e dar o alvo de dardos para Graeme, como presente de Natal. Circulei um pouco mais e fui sequestrada por um cara usando camiseta preta com o nome da Kodak impresso no peito. Ele me deu um boné de beisesebol, uma dúzia de bolas de golfe, um canivete, uma agenda de couro, um cinzeiro, um adorável ursinho de pelúcia amarelo com uma venda preta no olho e um estojo de lápis de cor. Agora eu tinha um ursinho de pelúcia e três sacolas pesadas para carregar. Estava difícil, mas não queria devolver nada, então enfiei o ursinho debaixo do braço, enrolei as alças das duas sacolas mais pesadas no cotovelo e continuei a caminhar.

A multidão se dirigia lentamente a duas enormes portas de vidro no fundo do prédio. Acreditando não ser a única desesperada por uma soneca, procurei um assento no fundo do auditório, mas — quem diria! — os lugares eram marcados. Minha cadeira ficava lá na frente, junto de meu grupo, com John sentado bem atrás de mim. Ele olhou minhas sacolas e o ursinho de pelúcia. Deu-me um sorriso contido e enfiou a cara numa pasta de couro. Eu me afundei na cadeira e olhei de relance pelo cômodo. O lugar estava superlotado.

As luzes diminuíram. Houve um sussurro coletivo de atenção. Três gigantescas telas de HD ladeavam o palco, iluminado com a frase: "Um Mundo de Filmes". Então a imagem se fragmentou em milhares de pequenas câmeras digitais. Um homem atarracado e troncudo, com um furacão de cabelos brancos e vestindo um terno de linho amassado, subiu ao palco em meio a aplausos ruidosos. Aplaudi apenas uma vez, meio sem graça. Ele ficou ali parado, com as mãos no alto da cabeça, até a calma se restabelecer. Depois de dois minutos, tive vontade de matá-lo. Ele falou, e falou, e falou...

— Imagem da saúde ambiental...

— Relacionamentos harmoniosos com o Terceiro Mundo...

— Predeterminar as necessidades dos produtores de filmes...

— Abordagem filosófica a inovadores avanços tecnológicos...

— Apoio global da pós-produção...

— Recuperar e preservar os estabelecimentos no Oriente Médio...

— Fazer lobby a ministros para garantir a tão esperada concessão de impostos...

— Abraçar a revolução digital...

Espiei debaixo da venda do olho do ursinho para ter certeza de que ele tinha dois olhos. Tinha. Suprimi um bocejo e folheei a agenda na sacola. Nada mal como brinde. Tirei o blusão de moletom da sacola e o abri à minha frente. Não sabia se serviria em mim, então pensei em dá-lo de presente de Natal para o meu pai. Admirei o canivete. Nunca tivera um canivete, por que será? Na verdade, era uma ferramentazinha bem legal, tinha até uma lixa de unhas. Eu poderia cuidar das minhas unhas profissionalmente com ele. Verifiquei se todos os lápis estavam apontados. "Acho que vou voltar ao estande da Fuji e pedir outra caixa, então posso dar uma para cada gêmea." Becky não é muita boa em dividir as coisas dela. Dei uma olhada ao redor. A luz era fraca, mas bem que eu podia lixar as unhas agora. O cara sentado a meu lado se mexia desconfortavelmente. Dei um grunhido de insatisfação. O cara à minha direita começou a sacudir as moedas do bolso. Como eu podia me concentrar?

— Senhor John Jackson! —alardeou-se e o som ecoou pelo auditório.

Uma onda de aplausos me assustou.

— ... Por doações sem precedentes para causas beneficentes! — o *troll* no palco berrava.

Meu cotovelo escorregou do braço da poltrona e o canivete cortou meu dedo. Dei um grito de estourar os tímpanos. Um foco de luz amarela circulou pelo salão e se concentrou em John, que, ao mesmo tempo, estava enrolando um lenço com seu monograma em volta do meu dedo e, como um membro da realeza, acenando com a outra mão para a multidão, que o aplaudia e batia os pés no chão, demonstrando sua infinita estima. A cabeça cinza-escura de John, curvada sobre meus ombros, e meu rosto assustado como um coelho na estrada surgiram nas três gigantescas telas de HD. Forcei-me a dar um sorriso, ao invés de chorar, que era o que queria fazer, já que meu dedo latejava de dor.

— Vamos sair daqui — John disse complacentemente, levantando-me da cadeira pelo pulso.

Ele confiscou o canivete, me levou rapidamente à sala de primeiros socorros e voltou depressa para a sala de conferência. Uma enfermeira aplicou um antisséptico no meu dedo, um curativo, deu-me algo para a ressaca e me deixou dormir por mais ou menos uma hora, numa cama bem confortável. A meu pedido, ela mandou alguém pegar minhas sacolas e meu ursinho de pelúcia da sala de conferências e entregar na mesa da recepção.

Depois que saí da sala de primeiros socorros, caminhei de volta ao enorme salão branco. Tinha sido totalmente transformado e estava incrível! Faixas de linho creme desciam como tendas, iluminadas por flashes de luz, do teto até o chão. De vez em quando, as luzes se alteravam e as faixas de tecido mudavam de cor, enchendo o salão com um caleidoscópio de lindos tons pastel. Os participantes caminhavam e conversavam tranquilamente, saindo da sala de conferência, e se encaminhavam às duas fileiras de garçons vestidos de branco, carregando bandejas de champanhe. Champanhe de graça? "Poderia tomar uma", pensei. Talvez demorassem anos para ter uma oportunidade como essa novamente.

Uma multidão se juntou em volta de um bufê de banquete de proporções medievais. Cada mesa era enfeitada com pétalas de rosas espalhadas e uma delicada escultura de gelo, no formato de uma câmera de filmar. De repente, percebi que estava faminta. Levantei meu copo e me dirigi ao bufê. Estava no terceiro coquetel de camarão quando John me deu um esbarrão.

— Como está seu dedo, Evie?

— Bem, está bem, não pensei que a lâmina fosse tão afiada, eu...

— Eles não deveriam ter dado esse canivete a você — ele interrompeu —, é um canivete suíço, uma ferramenta múltipla, não um brinquedo.

— Entendo. Pensando assim, vejo que tive sorte de não me machucar mais gravemente.

— Isso mesmo — ele concordou, pegando duas taças de champanhe de um garçom que passava.

— E então, aprendeu alguma coisa? — ele perguntou tranquilamente, entregando-me uma taça. Seus olhos negros reluziam.

— Oh, sim, aprendi, foi muito interessante — disse, prometendo a mim mesma prestar mais atenção nas sessões da tarde.

Acabei dormindo como um tronco, até um dos homens de John me acordar com um cutucão nas costelas.

ALAIN CORREU em minha direção, enquanto eu descia cautelosamente os degraus do Centro de Convenções.

— *Chérie*, você estava certa, reconheço que errei em lhe dar o baseado. Sinto muito! — ele se desculpou, enquanto segurava minhas sacolas.

Para ser honesta, já tinha esquecido isso. Sou uma pessoa de natureza boa e não guardo rancor por muito tempo de ninguém. Com exceção de Rob, naturalmente, a quem eu pretendo ignorar e desprezar até meu nonagésimo aniversário. Dei um aceno nobre.

— Tudo bem — assegurei a ele —, esqueça tudo isso.

— Então, estou perdoado?

— Sim — sorri.

Ele passou os braços em volta de minha cintura e plantou um beijo em minha testa.

— Vamos jantar juntos hoje à noite? — sugeriu preguiçosamente.

Meu estômago deu um pulo e uma onda quente de excitação tomou conta da minha periquita. Meus olhos surpresos passaram desavergonhadamente de seu rosto bonito para meus sapatos. Fiquei preocupada que a expressão "excitação feminina" estivesse estampada em meus olhos, como um anúncio em neon.

— Humm... — comecei, balançando o ursinho de pelúcia.

— Evie, bom encontrá-la aqui — John interrompeu, com seu habitual tom autoritário.

Dei meia-volta, culpada.

— Você vai jantar conosco essa noite — ele disse, decidido. Não era um convite.

— Sim, humm, vai ser agradável — consegui dizer, rangendo os dentes. O cara estava se transformando rapidamente num chato.

— Ótimo — ele afirmou, simplesmente, e acrescentou: — Reserve uma mesa oval no restaurante do jardim de inverno do hotel, às oito horas em ponto.

Assenti, contida.

— Obrigado — ele disse, subindo os degraus do ônibus.

Sentei na poltrona reservada para a tripulação. Alain estava prestando atenção na estrada e eu prestando atenção nele. Engoliria o jantar e me encontraria com Alain em seguida, decidi. Imaginei-o nu e, devo confessar, ele parece ser incrível. Os músculos dos braços ondulam quando ele vira a direção do ônibus. Obviamente está bastante interessado em mim, e meu ego ficou inchado. Adoro essa barba por fazer, estilo Colin Farrel, e, além do mais, ele é bem divertido. Bem, pelo menos eu acho que ele é divertido, porque me lembro de dar muitas risadas a noite passada, e, ok, não consigo me lembrar agora do motivo, mas não sou uma idiota que ri por qualquer coisa, portanto ele deve ser divertido. Ele gosta de beber, então temos muito em comum, e claro que poderia ser bem útil caso eu resolvesse fumar um baseado de vez em quando. E ele tem pernas maravilhosas.

ALAIN E EU ESTÁVAMOS EM PÉ, parcialmente na sombra, debaixo do toldo da entrada do hotel. Um raio de sol penetrava o toldo, salpicando o alto de sua cabeça. Ele segurou meus ombros.

— A que horas termina seu jantar? — ele perguntou. Abaixou a cabeça e passou a ponta do nariz na minha testa.

— Não tenho certeza — quase sussurrei.

Ele colocou a mão em volta de meu rosto e suavemente mordiscou meus lábios. Meu peito se apertou. Deslizou os dedos sob meus cabelos e gentilmente massageou meu pescoço com os polegares. Senti-me zonza de prazer. Ele poderia ter me levantado pelas orelhas e me rodopiado que eu teria gostado.

— *Chérie*, me liga quando terminar. Venho buscá-la... a qualquer hora.

Concordei com a cabeça, ainda fazendo biquinho e esperando ser beijada.

— Ligo. — Soltei o ar.

CAPÍTULO 43

Estava usando um vestido branco, frente única, que se ajustava perfeitamente a meu corpo, e, como era um evento em que ficaria a maior parte do tempo sentada (e, espero, deitada), usei as sandálias de salto de arrasar. Caminhando pelo saguão, lancei um olhar irritado para um velho palerma que estava sentado num canto, tocando harpa, e me encaminhei ao restaurante do jardim de inverno. O restaurante era uma área bem ventilada, com palmeiras, vasos enormes de barro transbordando de flores roxas e lilases e móveis de vime branco. As portas para o pátio estavam abertas e o ar quente da noite trazia o perfume dos jardins bem cuidados. O grupo estava relaxando perto do bar, usando bermudas e camisetas polo. Imaginei se eles se comunicavam por telefone antes de sair do quarto para verificar o que os outros estavam vestindo. John acenou as boas-vindas quando me viu no umbral da porta.

Sonhei acordada durante todo o jantar. "Alain é lindo e sexy, e obviamente está a fim de mim", pensei. "Gosto dele, gosto bastante, e, afinal de contas, sou solteira. *Então*, vou me encontrar com ele depois do jantar e se tudo correr bem e tiver vontade, vou pra cama com ele. Não sou freira, ele é francês, e todo mundo sabe que os homens franceses são bons de cama; todos os franceses dizem isso, não é possível que todos estejam mentindo. Sim, com certeza vou fazer isso."

Tremi só de pensar em tirar as roupas. Não tinha muita certeza se era isso mesmo que eu queria. Bem, ele não era Rob. Na verdade, estava me sentindo meio enjoada com a ideia de ficar nua na frente de outro homem. "Porém", pensei com amargura, "Rob não tinha perdido tempo arrancando suas roupas, o cretino infiel". Tomei um longo gole de vinho. "Ah, pelo amor de Deus", repreendi a mim mesma, "tire suas roupas e vá pra cama com ele. Por que estou fazendo tanto barulho por uma coisa tão simples assim?" Engoli o restante do vinho. Se Rob pode dormir com outra, também posso. "Então, está resolvido, vai ser hoje à noite."

Circulei a borda da taça pensativamente. Talvez eu devesse ser mais filosófica e me questionar se isso seria uma transa de vingança ou... Ah, escute isso! O que é transa de vingança? Alguém poderia pensar que sou uma assassina de aluguel ou coisa parecida. Acho que estou lendo muito aquelas revistas sensacionalistas que Lulu traz do hospital. Vou fazer isso. O que há de errado comigo? Ele é parecido com o Colin Farrel, que droga!

John bateu a ponta do garfo no copo e, apoiando as mãos na mesa, levantou-se.

— Ok, equipe, todos sabem por que estamos aqui. Gastei quase três milhões em pesquisa. Acho que posso afirmar que vendemos bem, mas isso é consequência do próprio produto. Não tem nada a ver com vocês, minha equipe de vendas. — Houve um franzir de lábios coletivo. — Quero esse produto lançado no mercado global. Vocês tiveram três meses para formular uma estratégia. — Ele dirigiu um olhar astuto da esquerda para a direita. — E agora quero ouvi-la.

Os homens pareciam pálidos e exaustos. Não, eles pareciam anêmicos e apavorados. Houve um instante de agitação entre eles, enquanto se entreolhavam nervosos.

John balançou o garfo em torno da mesa.

— Depois do café — ele afirmou e se sentou lentamente.

Olhei de soslaio para John, sentado ao meu lado, quando ele pegou o conhaque. Parecia morbidamente satisfeito com a reação a seu discurso. Aproximei-me bruscamente da garrafa de vinho.

— Então — arrisquei —, você gastou três milhões. É algum produto anti-idade? Ou para emagrecer?

Quisera não ter perguntado nada. John apresentou um maço grosso do que parecia ser um papel brilhantemente colorido, explicando, nos mínimos detalhes, que eram amostras de um revolucionário filtro de gel. Aparentemente, as folhas de gel são presas nos holofotes para realçar, trocar e neutralizar a cor do pano de fundo quando estão filmando. Folheei as amostras. As cores eram lindas. Contei nove tons de azul. Balancei uma folha da amostra em volta da minha taça e observei o vinho enquanto a cor mudava de marinho para índigo e para safira.

— Legal, não é? — eu disse, para ninguém em particular, então não deveria ter ficado surpresa quando ninguém respondeu.

Parei a dança com o gel. De repente, estava ciente de um silêncio constrangido e ansioso. Dezessete pares de olhos estavam fixos no arranjo central da mesa. John estava sentado, ereto como uma vara. Um músculo pulsava em seu pescoço. Algumas colheres foram mexidas e muitos guardanapos foram dobrados em toda a mesa. Os olhos escuros de John dançaram da esquerda para a direita, parando em todos.

— Muito bem...? — ele disse bruscamente.

Pisquei os olhos e tive um sobressalto.

Steve, um membro do grupo sentado do lado oposto, limpou a garganta. Todas as cabeças giraram como uma família de doninhas.

— John — Steve titubeou apreensivamente —, por mais brilhante que esse filtro de gel seja, e você sabe muito bem o quanto todos nós estamos orgulhosos do produto, a verdade nua e crua é que não é um produto multiuso. Não tem utilidade fora da área da indústria de filmes. — Ele sacudiu a cabeça, pesaroso, e deu um sorriso inteligente para o grupo ao redor da mesa, mas não encontrou ninguém lhe sorrindo de volta.

John ficou olhando à distância.

— Então — seus olhos vasculharam a sala —, a que estratégia chegaram? — ele repetiu, descartando completamente o que Steve havia acabado de apontar.

Steve enfiou a cabeça no pescoço enquanto afundava na cadeira.

John esmurrou a mesa com força.

Derrubei meu vinho.

— Três milhões! — ele berrou, assustando todo mundo. — Vamos ficar aqui sentados a noite inteira, se for necessário, até que alguém tenha alguma ideia.

Olhei para o relógio. Sou muito boa em não fazer nada, já que passei horas e horas nos últimos dois meses fazendo exatamente isso. Também não estava preocupada com o que estava se passando ali dentro, e John não grita tão alto quanto Nikki, portanto eu já estava em vantagem. Deslizei minha mão disfarçadamente pelo prato e alcancei uma trufa de chocolate.

John agarrou a beirada da mesa, inclinou-se para frente e olhou furioso para cada um de seus homens.

— Estou esperando uma resposta — advertiu num tom baixo e de quem não estava brincando.

Coloquei outro chocolate na boca e chequei o relógio pela segunda vez. Dois minutos se passaram desde que eu verificara, o que é uma mixaria, já que vamos ficar aqui sentados a noite toda. Passei o filtro púrpura em volta do copo. Acho que poderia simplesmente ficar ali e me deleitar com os chocolates, mas então me apavorei: "Quero encontrar Alain!". Minha vida sexual dependia de conseguir escapar dali. Tomei um gole da bebida, comi outra trufa e fiquei balançando o filtro, como se fosse um pêndulo, em frente da garrafa de vinho.

— Ahnnn... — limpei a garganta. — O gel gruda no vidro?

Steve bufou e deu risada.

— E pra que vai servir o holofote, se ele grudar? — ele perguntou.

— Não estou pensando em holofotes, estou pensando em janelas.

John se recostou na cadeira e passou a mão na toalha, distraído.

— Continue, Evie — ele encorajou, inclinando a cabeça curioso.

Fiquei pensando, antes que pudesse me dar conta, já tinha falado.

— Evie, continue.

Tomei outro gole de vinho.

— Bem, vitrais são muito caros. Poucas pessoas podem se dar ao luxo de ter vitrais dentro de casa. Se você fabricasse um adesivo compatível, poderia projetar muitos kits tipo "Faça você mesmo" para janelas, com flores, paisagens ou, até mesmo, imagens religiosas, e... — Eu me aventurei numa voz débil. — Eu, eu, hummm, bem, só pensei... — Minha voz sumiu e eu fechei os lábios com força, sentindo-me de repente muito boba.

John apertou o lábio inferior com os dedos.

— O gel gruda no vidro? — perguntou, secamente, para ninguém em especial.

Houve um silêncio incerto.

— Gruda? — perguntou ao grupo, novamente.

— Deve grudar — um dos caras confirmou, baixinho.

Houve uma onda de movimentos nervosos.

John tamborilou os dedos na mesa.

— Alguém pode me explicar por que eu pago a vocês uma fortuna de milhares de dólares ao ano e ninguém sabe o que é um vitral?

Empalideci.

Os olhos dele vasculharam a sala.

— Desapareçam da minha frente!

Todos saíram rapidamente. Tentei segui-los, mas John se adiantou, segurou meu pulso e me puxou para trás. Ele me fez desenhar janelas em guardanapos até as duas da madrugada. Estava exausta. Tinha três ligações perdidas de Alain. Mandei uma mensagem me desculpando e dizendo que havia acabado de jantar. Enquanto desligava o celular, senti uma pontada estranha. Não era uma pontada de apreensão. Era uma espécie de medo da solidão, e eu sabia que estar com Alain não afastaria essa sensação. Fui tomada por um enjoo horrível, que não tinha nada a ver com Rob. Era porque eu havia comido uma bandeja inteira de trufas. Senti uma onda de tristeza, amargura e raiva tomar conta de mim; tudo, menos desejo. E então, covarde que sou, depois de mandar a mensagem, desliguei o telefone.

ALAIN CHEGOU AO HOTEL ao meio-dia para nos levar ao aeroporto. Ele jogou as malas descuidadamente no bagageiro.

— *Chérie*, volte a Nice para me visitar — ele suplicou, com urgência. — Ou.. será que posso visitá-la?

— Humm, sim, seria bem legal. Estou ocupada até o Natal, mas pode me visitar em Londres em janeiro — eu me escutei dizendo.

Ele abraçou minha cintura e me girou.

— Então vou em janeiro — afirmou, decidido. — Gostaria de conhecê-la melhor.

O voo estava atrasado duas horas. Sentei na área de embarque folheando brutalmente um exemplar da revista *Elle*. Nada me irrita mais que voos atrasados.

— Se incomoda se lhe fizer companhia? — John perguntou.

Acenei para a cadeira vazia a meu lado.

— Será um prazer — respondi.

— Uma garrafa de vinho branco — ele anunciou, colocando um balde de gelo na mesa.

Ergui as mãos.

— Nada de desenhar em guardanapos ou de conversar sobre janelas, ok? — adverti.

Seus olhos carinhosos se estreitaram com humor.

— Prometo — ele disse, sorrindo.

Fiz um brinde ao acaso com a taça, quando começamos a segunda garrafa, depois de eu ter bebido quase toda a primeira.

— Você é casado? — perguntei, cruzando as pernas descuidadamente.

— Sim — ele disse, com um aceno pensativo.

— É fiel à sua esposa?

Ele pareceu desconcertado.

— Sim — respondeu com firmeza, como os mentirosos sempre fazem.

No voo, sentei-me ao lado de John. Agora eu estava bebendo gim.

— E ele transou com ela... — Choramingo.

— Cabelo com permanente, batom laranja... — Soluços.

— E eu fiz tudo por ele... — Voz fanhosa.

— Não faço sexo há dois meses. Acho que nem sei mais — olhei de relance para minha virilha, preocupada. — Você não acha que... — Choradeira.

— Minha colega de apartamento parece um trem desgovernado, e sinto tanta inveja, e ela não me respeita, ela sabe que estou numa... — Lamentos.

— E tive oportunidade de transar com Alain, mas você e seus filtros de gel idiotas atrapalharam tudo... — Fungadelas.

John entregou nossos copos vazios para a comissária.

— Evie, me dá seu cartão.

— Que cartão? Cartões? Ele pegou todos os meus cartões de crédito e das lojas, o cretino! — lamentei. — E pegou todo o meu dinheiro e me deixou com o cheque especial *pago*, e ele...

Não conseguia parar agora. Funguei e limpei o nariz com o dorso da mão.

— Seu cartão de visitas. — John interrompeu.

Tirei a caneta chique do bolso do paletó dele e rabisquei meu nome, endereço e número de telefone no verso do saco de vômito do avião.

— Tá aqui — disse e coloquei o saco na mão dele.

Ele apertou uns botões em seu Blackberry.

— Um de meus motoristas vai esperá-la em Heathrow e levá-la pra casa. Vou acompanhá-la até o carro. E, Evie, Alain não era pra você. Um cavalheiro não tenta seduzir uma dama com álcool e drogas e...

— Como sabe disso?

Ele me olhou de um modo sagaz.

— Meu francês é tão bom quanto o seu.

Funguei.

CAPÍTULO 44

Eu estava vagando pelo quarto, em casa. Tinha falado ao telefone com Tina durante vinte minutos.

— Seja honesta, você fez, não fez? Você dormiu com ele? — ela perguntou.

Dei um suspiro, exasperada.

— Não. Pela décima vez, não dormi — respondi, afrontada.

— Dormiu — disse, com absoluta certeza.

— Não dormi.

Ela deu uma risadinha.

— Pode me contar. Vou levar comigo para o túmulo.

Olhei para o telefone em dúvida.

— Então, por que o assistente de John Jackson ligou para esse escritório e reservou você para Dublin, em fevereiro, e Marrakesh, em abril do ano que vem? E ainda convidou você e um acompanhante (quem melhor do que eu?) para uma festa *black tie* em Dorchester, na semana que vem?

— Não faço ideia.

— Ele tem um helicóptero, um jato, uma ilha particular e...

— E uma esposa — surtei.

— Vai me levar como acompanhante, não vai? Mantive minha promessa. Helen vai ficar presa na Ilha de Wight até o fim de janeiro. Ela estará a cara da avó de Edward Mãos de Tesoura até o final do ano, com todo aquele vento no cabelo com permanente dela.

— Claro que levo você.

Olhei meu traseiro no espelho e vi que tinha um novo furinho de cada lado. "Vou checar o site do Champneys e, talvez, me dar alguns dias de presente no spa. Posso pagar e..."

— Evie! — Tina disse, num tom repentinamente sério.

— O quê?

— Rob tem me ligado.

Agora ela atraiu minha atenção.

— Ele quer saber como você está, onde está, o que está fazendo. — Sua voz falhou. — Preciso dizer que estou com pena dele. Por que não dá uma ligadinha para ele?

Meu estômago se contorceu, como sempre acontecia quando o nome de Rob era mencionado.

— Não tenho nada pra dizer a ele — falei de modo indiferente. — Nada.

Ela deu um suspiro.

— Muito bem. Eu tentei — disse melancolicamente, e continuou: — Enquanto estamos ao telefone, a Insignia reservou um hotel em Aviemore nas Highlands Escócia, por quatro dias, no ano-novo. Que tal trabalhar lá? Vai ser muito legal, com todas aquelas gaitas de fole e homens de saia.

Dei um tapinha agitado no furinho do meu bumbum.

— Claro, vou passar o Natal com a Lexy. Até a véspera do ano-novo, já briguei com ela — disse, não completamente de brincadeira.

— Maravilhoso, vou colocar seu nome no evento. Tudo certo, então: na próxima sexta-feira, Dorchester, às sete horas; nos encontramos no saguão do hotel. É a festa de Natal das Empresas Jackson. Estou feliz por ter me convidado, porque já havia espalhado pra todo mundo que eu iria. Até mesmo nosso chefe está com inveja. Oh, comprei um vestido novo!

— Estarei lá — disse, percebendo que, pela primeira vez em meses, estava ansiosa para sair.

Era um dia frio, mas ensolarado, de dezembro. Senti a uma enorme onda de felicidade enquanto enfrentava o tráfego ao cruzar a rua para a estação de metrô Tooting Broadway. Eu estava indo às compras, não sem saber o que comprar, porque os dias de gastança haviam ficado para trás. Estava fazendo as compras de Natal. Havia preparado uma lista. Seria incrivelmente disciplinada e só compraria o que fosse necessário. Estava indo para Knightsbridge, porque, se não se pode comprar em Knightsbridge, então não se pode comprar em lugar algum. E eu tinha oito mil libras no banco, portanto, dinheiro não era problema.

Na Harrods, fiz uma sessão de bronzeamento St. Tropez. Francamente, não sei por que não tive essa ideia antes, já que estava com a aparência completamente anêmica nos últimos tempos.

Comprei uma jaqueta de pele falsa que ia até o quadril, um chapéu Cossack combinando e um par de botas pretas até a altura do joelho, forradas com pele, porque eu viajaria para as terras geladas da Escócia. Como já havia gastado mais de mil libras, comprei também um par de luvas, com 40% de desconto, e duas faixas de pele para os cabelos, pelo preço de uma. Vou ficar *maravilhosa* nas encostas da montanha, se é que eu vou para as encostas, mas, encostas à parte, não quero morrer congelada.

Abri uma conta na Harrods, porque teria sido irresponsabilidade minha não fazer isso, já que eles tinham um sistema de pontos e prêmios. Para ter certeza de que funcionava, comprei um vestido de noite da Vera Wang para usar na grande festa de John Jackson, uma compra essencial. Não posso chegar como uma pobretona do *Oliver Twist*[31],

[31] Oliver Twist é um romance de Charles Dickens que narra as desventuras de um menino órfão e pobre. (N. E.)

posso? Também me dei de presente uma bolsa incrivelmente azul da Louis Vuitton, que foi uma *pequena* extravagância. Não quero falar quanto custou, porque me sinto meio mal quando me lembro do valor, mas eu não fumo, certo? Vou economizar uma fortuna não fumando.

Saí em disparada pela escada rolante, voltando para ler um anúncio que estava promovendo o salão de cabeleireiros da loja. Por um dia apenas, e hoje era o dia, eu poderia fazer um alongamento nos cabelos por 650 libras em vez do preço normal de 750 libras. Deus existe! Talvez Ele seja cabeleireiro. Abri caminho entre a multidão de compradores de Natal e, em vinte minutos, estava sentada confortavelmente tomando um cappuccino e folheando uma tabela de cores de cabelos, enquanto conversava com meu consultor.

O alongamento ficou *incrível*. Não quero me vangloriar, mas agora estou com o cabelo da Cheryl Cole[32]. É uma cor de chocolate luminosa, com discretos tons de ruivo, e os cabelos agora iam quase até a cintura. Cada centavo e cada minuto das quatro horas que passei sentada naquele cabeleireiro valeram a pena. *Bye bye*, falha nos cabelos da nuca.

Disparei pela seção de moda feminina, balançando a cabeça como uma modelo de xampu. Só tinha mais meia hora para terminar as compras de Natal. Saí correndo pela loja, subindo e descendo as escadas rolantes, e parando de vez em quando para admirar minha imagem num espelho ou numa vitrine, na porta de um elevador ou em qualquer superfície em que o brilho de meus cabelos pudesse ser visto.

Finalmente parei, cansada e sem fôlego, no Departamento de Atendimento ao Consumidor, riscando os itens de minha lista: Crème de la Mer e um vale-presente para Lexy e Lulu; uma sofisticada caixa registradora que ficava em pé, para cada uma das gêmeas; um saco de golfe; camisa e gravata para o Graeme; loção pós-barba para Nikki; e uma enorme cesta estava a caminho da Austrália para meu pai e minha mãe. Obviamente, não poderia entrar no metrô carre-

[32] Cheryl Cole é uma cantora inglesa, ex-integrante do grupo Girls Aloud. (N. E.)

gando todas essas compras, então tudo vai ser entregue na semana que vem. Tudo embalado.

Lulu ficou encantada quando viu meus cabelos, *oohs e aahs*. Quando entrei no bar, Nikki assoviou. Assim como fizeram Costas e Pepi, fato que me surpreendeu, pois diminuí meus turnos para três vezes por semana e eles não estavam conversando comigo. Muito embora a correria de Natal fosse implacável, Nikki parecia não se importar. Ele convocou mais membros de sua família de lunáticos para ajudar nos dias da semana e nos deu mais espaço para respirar.

CAPÍTULO 45

Não sei como o tempo passou tão rápido. Por incrível que pareça, já é a noite da festa de John Jackson e só faltam seis dias para o Natal.

Olhei para mim mesma no espelho do saguão do hotel Dorchester. Meus cabelos estavam ondulados, cheios de *mousse* e revoltos, pontilhados com cristais de rubi em sua volta. Estava usando batom vermelho, delineador nos olhos, cílios postiços e sombra escura, destacando meus olhos azuis. O vestido vermelho da Vera Wang ficou deslumbrante, rodopiando graciosamente em volta de meus tornozelos. Segurei com força minha carteira incrustrada de joias e procurei por Tina no saguão.

Senti que alguém me apertava o braço.

— Não acredito nisso, não acredito que estamos aqui — Tina disse empolgada, me fazendo dar uma volta. — Você está maravilhosa!

— Você também! — eu exclamei, e ela estava realmente.

Seu longos cabelos platinados emolduravam o rosto oval, e seus olhos castanhos, delineados com *glitter* lilás, brilhavam de ansiedade. Ela usava um vestido envelope cor de lavanda e um par de sandálias douradas altíssimas.

— Você consegue andar com isso? — perguntei, olhando com dúvida para seus pés.

Ela fez uma careta azeda.

— Deus do céu, é claro que não! — admitiu, agarrando meu braço para se equilibrar. — São lindas, não são?

Olhei para seu traseiro justo.

— Você está usando cinta?

— Não. — Alisou o traseiro com a mão. — Estou sem calcinha. — Ela me arrastou pelo salão. — Vamos até o salão de baile. Nem lhe conto há quanto tempo espero uma festa assim. John Jackson é cheio da grana, mas não é atrás dele que eu estou. Nunca iria pra cama com alguém com mais de cinquenta e cinco anos, pois eles podem morrer na hora H. — Ela sacudiu a cabeça e tremeu. — Quero um desses vendedores que ganham mais de cem mil libras ao ano, como você comentou.

O salão de baile era enorme, com lustres gigantescos e reluzentes e um piso de madeira polido. As paredes estavam decoradas com enfeites prateados e brancos, e, em cada mesa, havia um vaso fino e alto com flores prateadas. Uma cintilante árvore de Natal de seis metros ocupava um canto do salão e uma enorme mesa de bufê, enfeitada com azevinhos e hera, dominava o outro lado. O salão estava agitado e, embora tivéssemos chegado na hora, parecia que éramos as últimas a chegar. Tina ficou boquiaberta. Ela pegou duas taças de champanhe de um garçom que passava.

— Pegue a própria taça — ela disse para minha mão estendida. — Estas são minhas. — Deu um gole e olhou em volta, pensativa. — E, Evie, não fique embriagada, não espere que a leve em casa, nem me deixe sozinha porque não conheço ninguém, certo? E não vou comer nada, porque esse vestido é tão apertado que é óbvio que não posso comer nada, e...

John Jackson curvou sua cabeça grisalha para me dar um beijo no rosto.

— Evie, é um prazer vê-la! — ele disse com sua voz profunda e rouca.

Apresentei Tina, que o fitou com reverência.

Ele acenou lhe dando boas-vindas e nos levou lentamente pelo braço em direção ao bar.

— Há alguém que eu gostaria que você conhecesse — ele sussurrou conspiradoramente. — E, Evie, parece que sua ideia dos vitrais deu *certo*. Meu departamento de contas vai entrar em contato com você depois do Natal. Estou lhe devendo o pagamento pela consultoria do projeto.

Senti uma onda de orgulho. Eu, uma projetista!

Ele inclinou a cabeça, curioso.

— Pedi para a minha secretária ligar para seu trabalho. Você vai viajar para Dublin e Marrakesh no ano que vem, não vai?

— Sim, é claro.

— Ótimo. — Ele estalou os dedos no ar. — Charles! — Ele gritou para uma jaqueta da Saville Row.

Um homem alto, de cabelos loiros, na casa dos trinta anos, com olhos azuis afetuosos e um sorriso suave se desvencilhou de três vestidos praticamente idênticos da Jane Norman e veio em nossa direção.

— Evie — John disse em voz alta —, gostaria de lhe apresentar meu afilhado, Charles. Tenho certeza de que vocês dois vão se dar muito bem.

E foi o que aconteceu. Charles era um pouquinho rígido, formal e sério, mas também era amigável, cavalheiro e inteligente. Não pudemos conversar muito porque as três de vestido Jane Norman se meteram entre Tina e eu, para levá-lo de volta depois de quinze minutos. Àquela altura, a festa estava a pleno vapor. A banda tocava uma versão dos Beatles para uma pequena multidão que girava na pista de dança. Serpentinas e confetes estavam espalhados pela já dizimada mesa do bufê, e a champanhe, em vez de ser servida pelos garçons, agora podia ser encontrada em todos os lugares.

— Não acredito que *aquele* é John Jackson — Tina disse, levantando um brinde às costas dele, incrédula. — Ele é lindo. Estava esperando um ogro baixinho e feio.

Dei um olhar de avaliação no John. "Ele é um homem bem atraente", pensei, "e tenho certeza de que a sósia da Ivana Trump que está pendurada no braço dele, e *não* é sua esposa, concorda".

— Isso é incrível. Não quero que esta noite termine — Tina afirmou, sonhadora. — Vou pegar uma garrafa de champanhe pra nós — disse ela, correndo para o bar.

Dez minutos mais tarde:

— Tenho que ir embora — Tina disse rapidamente, procurando no chão, em torno de meus pés, a sua bolsa.

Franzi as sobrancelhas.

— Por quê? — perguntei.

— Estou... estou doente. — Ela apertou o estômago.

— Doente?

— Sim.

— Vou com você — ofereci.

— Não, não, não precisa — ela insistiu, apressada.

Olhei de relance pelo salão.

— Por que eu ficaria aqui sozinha?

Tina corou.

— Sim, você precisa, precisa ficar. Seria muito grosseiro sair agora — ela retrucou, com os olhos bem abertos, tranquilizadores.

Uma luz se acendeu em minha mente.

— Você conheceu alguém, não foi? — sibilei. — E vai me largar sozinha?

— Admita, você faria a mesma coisa se não estivesse clinicamente deprimida. — Dizendo isso, deu meia-volta, suspendeu o vestido lilás e saiu, toda assanhada, pela pista de dança.

Joguei meus cabelos esvoaçantes para o lado. Estava decidindo o que fazer, quando...

— Está sozinha?

Virei e dei de cara com os gentis olhos azuis de Charlie.

— Acho que sim — respondi.

— Já comeu? — ele perguntou. Os olhos dele me olhavam ansiosos.

— Não, na verdade ainda não comi nada — confessei.

— Posso levá-la para um jantar atrasado?

Olhei de relance pela mesa do bufê quase vazia.

— Sim, eu adoraria.

Ele deu uma risada e passou o braço em volta de meus ombros.

— Vamos?

CAPÍTULO 46

Charles me levou ao restaurante Theo Randall no Intercontinental Hotel. Era tãoooo sofisticado!

O *maître* (des)apareceu de trás de um vaso. Suspeito que ele estava escondido ali, esperando.

— O de sempre, milorde? — perguntou austeramente a Charlie, como se estivesse se referindo a uma situação de vida ou morte.

Será que ele realmente disse "milorde", "meu senhor"? Acho que não.

— Sim, obrigado — Charlie respondeu, apertando sua mão calorosamente. — Bom homem — ele acrescentou.

Caminhei atrás do *maître* e Charles, atrás de mim. O *maître* parou abruptamente, bateu um calcanhar no outro e seu braço fez um gesto em direção à mesa do canto. Fiquei esperando que ele dissesse: "Tá dá!". Enrolei a ponta do meu Vera Wang de modo teatral e me joguei na cadeira.

— Champanhe, por favor, Alistair — Charles pediu ao *maître*, que sumiu de vista com seu jeito duro e empertigado.

— Muito bonito aqui — comentei, séria, adequando meu tom à seriedade do *maître*.

— Evie, se preferir ir a outro lugar, é so me dizer.

"Nem morta", pensei. "Quem mais me traria a um restaurante desse nível?".

Sorri para ele:

— Charles — disse, mexendo a mão ao acaso —, isso é perfeito, simplesmente perfeito.

O champanhe chegou. Nós bebemos, demos risadas, pedimos outra garrafa e a bebemos também. Ficamos bêbados por conta do "tio John", comemos filé e batatas exóticas, e o *maître* chamou Charles de "milorde" novamente. Ri muito, bati na mesa algumas vezes e disse a ele que era uma duquesa. Quando me perguntou qual era meu título completo, disse que eu era a Duquesa de Tooting, ex-Duquesa de Wandsworth, porque, como havia me divorciado do duque e tínhamos dividido as propriedades, tinha ficado apenas com o lado de Tooting. Morri de tanto dar risada, porque estava bêbada e não existe nada melhor do que rir da própria piada quando se está embriagado. Charles também se divertiu e perguntei por que o garçom o chamava de milorde. Dei um gritinho quando ele me contou, com a maior naturalidade, que seu nome completo era Charles Edward Harold Frederick Harry William, Lorde Brockhurst. E me perguntou o que havia de tão engraçado. Eu parei de rir, porque, embora estivesse sob a influência do champanhe, percebi subitamente que ele não estava brincando.

— Evie, não quero parecer presunçoso, mas você gostaria de ir até meu apartamento tomar um café?

Um lorde! Minha cadeira raspou na parede quando me curvei para pegar a bolsa e, três segundos depois, estava de pé.

— Adoraria — disse, apertando a bolsa no peito possessiva e repentinamente sóbria, bem, mais ou menos sóbria. Completei: — Pensei que não fosse me convidar.

O APARTAMENTO DELE era uma cobertura no Embankment, com um porteiro elegantemente vestido tomando conta da portaria. Uma mesa de tampo de granito, com um enorme vaso de cristal, cheio de aves-do-

-paraíso e lírios perfumados, erguia-se orgulhosamente ao lado da porta da frente. Lembrei-me imediatamente das nossas duas latas de lixo.

— Abra — ele disse para um sistema de sensor de voz embutido na parede. E pronto. Sem precisar procurar a chave, a porta se abriu para ele.

Com a mão apoiada na minha cintura, ele me conduziu pelo corredor de piso de mármore, com paredes verde-escuras, decoradas com quadros de feios e fantasmagóricos rostos dos séculos XVII e XVIII.

— Meus ancestrais — Charles disse orgulhosamente, apontando as telas. — Dá pra ver a semelhança? — ele indagou, colocando-se de perfil ao lado da parede.

"Se visse", pensei, "não estaria aqui, sendo você lorde ou não".

— Sim — disse, animada. — É a mesma estrutura óssea.

Ele assentiu, entusiasmado.

— Sim, você está certa — ele concordou, admirando um velho com cara de cavalo e uma cartola verde.

Ele me levou até a sala. Quadros exibindo mais criaturas de aparência severa, com mais dez pinturas do mesmo galgo peludo desleixado, lotavam as paredes de lambris de madeira. As cortinas eram de um vermelho eduardiano intenso, e tapetes persas, também em vermelho, estavam espalhados pelo chão de madeira brilhantemente encerada. Dois enormes sofás de couro castanho-avermelhado estavam posicionados ao lado de uma mesinha de centro, coberta de vários livros de antiguidades, uma série de enfeites de cristal empoeirados e cerca de vinte exemplares do *Financial Times*.

— Champanhe? — ele ofereceu.

Aceitei, entorpecida. "Teria de vender todas as minhas coisas se viesse morar aqui", pensei.

Ajustei as alças do vestido, que haviam deslizado de meus ombros, e caminhei até a janela. A vista era magnífica. À direita, estava a roda gigante London Eye, imóvel e imponente. Ônibus e táxis passavam rapidamente, como vaga-lumes, pela ponte de Westminster, e uma balsa solitária deslizava pelas águas escuras e silenciosas do Tâmisa. À direita, pairava a impressionante cúpula da Catedral de St. Paul, com sua silhueta desenhada sob um céu pontilhado de estrelas. Era tudo tão sereno e calmo! Dei um pulo quando o telefone tocou.

"Acho q tô apaixonada. Tina bjs"

Charles e eu relaxamos no sofá, e ele achou apropriado me contar um pouco sobre sua vida, o que eu achei algo bem decente de se fazer. Ele tinha 34 anos, era banqueiro mercantil, tinha dois filhos, de dois e cinco anos, que moravam com a mãe em sua propriedade em Bedfordshire. Ele e a esposa estavam separados havia oito meses. Aparentemente ela sofre de dependência química e, ele suspeita, tem uma namorada.

Ele é agradável, e sei que agradável não quer dizer bonito, nem gostoso ou carismático, mas é como, honestamente, o descrevo. Não senti nenhuma adrenalina percorrer meu corpo, nem meu estômago se revirar, nem ondas de calor, ou uma pulsação em minha virilha, nem mesmo uma pontinha de tesão. Ele colocou a mão sobre a minha. Não era uma mão muito masculina, notei. Não era uma mão forte, como a de Rob, ou firme e coberta de pelos escuros, como a de Alain. Era uma mão delicada, com dedos longos como, bem, como um ET.

— Vou levá-la pra casa, vamos? — falou alegremente.

Ele disse: "me levar pra casa"? Aqui estou eu, "vestida para matar", e ele não vai nem tentar? Tudo bem, está certo, não estou a fim dele, mas seria legal sentir que sou desejada, me sentir atraente e valorizada. E seria mais legal ainda ter a oportunidade de dizer não a ele. Será que acabei de levar um fora? Levantei-me rapidamente.

Charles me fitou com tristeza no olhar.

— Está preocupada com alguma coisa, Evie? — ele disse, com um suspiro. — Parece estar assim a noite toda.

— Estou? — perguntei, sentindo-me ligeiramente culpada.

Ele fez que sim com a cabeça.

— Sim, perguntei três vezes se quer outra bebida.

Olhei de relance em volta de sua sala opulenta.

— Desculpe, Charles — balancei a cabeça. — Estou cansada, é só isso.

Ir para casa significava andar em uma Bentley sofisticada, dirigida por um motorista chamado Martin. Foi maravilhoso. Tive mais uma chance e aproveitei para segurar a mão de Charles. “Poderia comprar um par de luvas de couro para ele na liquidação da Harrods”, refleti. “Sim, daria uma aparência melhor para essas mãos. E poderia também comprar uma jaqueta com ombreiras para ele, ele é do tipo magro e eu poderia sugerir que ele entrasse numa academia, e procurasse alguma cirurgia plástica para homens...

CAPÍTULO 47

— Eu o procurei na internet. Lorde Brockhurst é o 39º homem mais rico de todo o país e você fica falando de falta de tesão! — Lulu deu um gritinho. Ela afundou no sofá e cobriu os olhos com o braço, suspirando exasperada. — Você não está sendo justa. Ele tem uma casa no campo. Sempre quis uma desculpa para comprar um par de botas de borracha e cada gêmea poderia ter um pônei. Você apareceria na revista *OK!* ou na *Hello!* E, se casasse com ele, seria uma *lady*. — Ela acendeu um cigarro. — Evie — deu um suspiro melancólico, fechando os olhos para evitar a fumaça —, você está esperando o rufar de tambores para anunciar a retirada da sua calcinha? Me diga, está? Confie em mim, assim que ultrapassar essa linha, não importa muito com quem está transando.

Houve um momento de silêncio.

— Você — ela disse, se levantando e apontando o cigarro acusadoramente para mim — está desperdiçando sua vida. — Ela limpou a testa com o dorso da mão e andou em círculos pela sala.

— As mãos dele parecem de um ET.

Ela se aproximou.

— E daí? Que diferença essa merda faz? E o que importa se ele for um ET, se ele tem grana e um título? — Ela se sentou pesadamente na poltrona.

Ficamos nos encarando, irritadas.

— Bom, posso ficar com ele? — perguntou, enrolando uma mecha dos longos cabelos loiros, pensativamente.

— Você já tem o Vic — retruquei, indignada.

— Posso ficar com ele? — ela berrou.

— Se quiser, fique! — berrei de volta.

Ela segurou o cigarro no alto.

— Você tem o telefone dele?

— Tenho, mas achei que você gostasse de Vic!

— Gosto dele sim, mas ele está na África do Sul, para passar o Natal.

— E daí?

Ela se levantou. Novamente.

— Como posso amá-lo se ele nem ao menos está aqui?

O Bar Thea estava lotado. Tinha trabalhado três turnos essa semana. Estava exausta e sem conversar com Nikki. Hoje à noite deveria ser minha folga, mas ele me ligou o dia todo. Sabia que ele queria que eu viesse trabalhar, então, inteligentemente, não atendi ao telefone. Às seis horas, a campainha da porta tocou e eu espiei entre as cortinas para ver se era ele. Fiquei surpresa de ver uma adorável velhinha de cabelos brancos, portanto abri a porta. Nikki saiu de trás da parede, enlaçou-me pelo pescoço com seus enormes e musculosos braços e pagou uma moeda para a velhinha, pelo seu trabalho. Ele ameaçou me arrastar de pijamas até o bar, pela Broadway, se eu não me vestisse e fosse ajudá-lo. Então, aqui estou.

Havia uma mesa com doze garotas. Elas estavam bêbadas e falavam tão alto que estavam me irritando. Se elas pedissem a conta e fossem embora, eu poderia ir para casa. Fui em direção à cozinha, agora escura e vazia, onde havia deixado meu celular carregando. Havia uma ligação perdida de Charles, era a terceira vez que ele ligava. Senti uma ponta de culpa. Escorreguei pela parede e me sentei no chão frio. Eu o estava evitando e sabia que isso não era justo, então decidi ligar de volta.

Ele atendeu no primeiro toque, e eu desabafei. Contei a ele o quanto havia amado Rob, como ele tinha destruído meu coração e que estava achando difícil seguir em frente. Agradeci a ele pela noite adorável e disse que adoraria encontrá-lo em outra ocasião, mas achava justo que ele soubesse como me sentia. Ele me explicou que, embora estivesse separado de sua esposa, pelo bem das crianças eles iriam passar o Natal juntos, na propriedade da família, então por que não nos encontrarmos em janeiro? Achei uma boa ideia. Nem mencionei Lulu, não gostaria de arranjar um encontro para ela nem com o próprio Diabo, mas, por estranho que pareça, acho que Charles gostaria. Eles haviam se encontrado brevemente na noite da festa de John. Ela abriu a porta, quando seu radar para carros fantásticos captara o sinal do Bentley.

— Mande lembranças para sua encantadora companheira de apartamento — ele disse.

A mesa para doze havia diminuído quando saí da cozinha. Havia apenas quatro garotas duras na queda, ainda sentadas. Nikki estava parado perto da caixa registradora, conferindo o caixa. Ele levantou a cabeça, apontando para a porta.

— Evie, pode ir, eu termino tudo aqui. — Os olhos dele brilharam maliciosamente. — E obrigado por ter vindo trabalhar hoje. — Ele veio em minha direção, trazendo meu casaco, e o colocou sobre meus ombros. Puxou-me para perto de si. — Escutei sem querer sua conversa no telefone. — Os olhos cor de chocolate fitaram os meus. — Você precisa de férias.

Fiz um aceno com a cabeça:

— Concordo.

— Estou indo para a Grécia em janeiro, com minha mãe e meu pai, para um casamento na família. Venha conosco! — Ele ajeitou uma mecha solta de cabelo atrás da minha orelha. — Minha mãe adoraria se você fosse. — O rosto dele se abriu num sorriso. — E eu também.

Seguiu-se um longo silêncio. Ele ainda estava segurando as lapelas de meu casaco e seu queixo estava encostado em minha testa.

— Tudo bem, eu vou — disse decidida, surpreendendo nós dois. — Por que não?

— Brilhante — ele sorriu. — Vamos fazer as reservas do voo depois do ano-novo. — Ele abotoou meu casaco e se virou para a porta. — Tudo bem, agora vai pra casa.

Atravessando a rua, percebi que havia esquecido meu celular e o carregador na cozinha, então me virei e voltei para o bar. Três garotas estavam tentando se manter de pé, enquanto faziam brindes umas às outras, completamente bêbadas. Não foi surpresa assistir a uma delas se aproximar da amiga e sair voando por cima da mesa. As outras duas deram gritinhos e risadas. Passei ao lado delas, um dos braços estendidos, e bati com a palma da mão na porta da cozinha.

Senti um choque. Meu coração disparou e meu queixo caiu. Fiquei congelada, paralisada, olhando o bumbum pelado de Nikki subindo e descendo entre um par de pernas penduradas sobre o balcão do bufê, como duas doninhas mortas. A porta vaivém fez barulho atrás de mim. A cabeça de Nikki virou para trás, nossos olhos se encontraram, meu rosto ardeu de vergonha e o bumbum dele parou de se movimentar.

— Ahnn, me desculpa! — disse, afobada, arrancando o carregador da parede e acelerando para trás.

Acordei Lulu quando cheguei em casa e contei o que tinha acontecido. Ela levantou sua máscara do Zorro e riu em silêncio, sonolenta.

— Espero que isso faça seu motor funcionar — ela comentou.

Arranquei a máscara dela.

— O traseiro de Nikki é da mesma cor que o restante dele? — ela gritou, quando fechei a porta do quarto dela.

No DIA SEGUINTE, enquanto levava os presentes para o carro de Lexy, Nikki se aproximou timidamente de mim.

— Evie, eu, bem, eu... — a voz dele falhou.

Bati as palmas das minhas mãos enluvadas, apreciando seu mal-estar.

— Você está o quê? — perguntei. — Tarado, cansado, ou, não, não precisa me dizer, você está com urticária?

Ele deu um suspiro.

— Desculpe — ele disse. — Sinto muito, sinto muito mesmo — declarou, com tristeza.

Sorri para seu rosto abatido.

Ele se aproximou e empurrou o saco de golfe do Graeme para dentro do porta-malas.

— Ela, bem, ela... — gaguejou, envergonhado.

— Nikki, esquece isso. O bar é seu e a cozinha é sua — disse com uma delicadeza fingida, — e seu... seu traseiro pelado... — consegui dizer, antes de me curvar e cair na risada histericamente.

Ele enfiou as mãos bem no fundo dos bolsos da jaqueta marinho de angorá.

— Cala a boca! Isso não é nada engraçado — ele surtou. — Não é fácil pra mim me desculpar.

— Não é coisa de homem grego fazer, é, Nikki?

A boca dele se curvou, enquanto tentava segurar o riso.

Eu me encostei no carro, com os braços cruzados.

— Você vai encontrá-la novamente?

Ele me olhou, incrédulo.

— Não faço ideia — respondeu de modo inexpressivo, como se eu tivesse pedido para ele me explicar a teoria da evolução do homem.

— Bem, eu estava indo até o bar. Você me economizou uma caminhada — eu disse.

Ele passou a mão pelos cabelos.

— Para lhe dar seu presente de Natal — contei.

— Você *me* comprou um presente de Natal? — ele perguntou, surpreso.

— Comprei — respondi, balançando a sacola da Harrods na frente dele.

— Mas eu não lhe comprei nada!

— Ainda é véspera de Natal, ainda dá tempo — brinquei.

Ele pegou a sacola dos meus braços estendidos.

— O que é isso?

— Loção pós-barba. Custou quarenta e cinco pilas.

Seus ombros largos sacudiram com sua risada.

— Quando perguntei o que era, não esperava que fosse me dizer tudo.

Dei de ombros, desinteressada.

— Então você não deveria ter perguntado, não é?

— Quando você volta da casa de sua irmã?

— Estou de volta no dia vinte e oito e vou pra Escócia no dia vinte e nove.

Ele me deu um sorriso triste.

— Não vou ver você até depois do ano-novo. Vou esquiar no dia vinte e seis.

Houve um momento de silêncio.

— Vem aqui — ele disse, me abraçando com força. — Quando eu voltar, vou levá-la para fazer algumas compras. Pode escolher seu presente — ele sussurrou no meu ouvido.

— Combinado! — disse. — Vamos às liquidações.

— Onde a Lulu vai passar o Natal? — ele perguntou, afastando-se.

— Na casa da mãe dela.

Ele abriu a porta do motorista.

— Ainda está a fim do Grande Casamento Grego? — perguntou.

— Com certeza. E Nik — disse num tom de alerta —, vou contar pra sua mãe.

— Contar o quê?

— Que você estava transando em cima da mesa do bufê da cozinha e que eu vi seu traseiro — disse, entrando no carro.

Os olhos dele se arregalaram:

— Não ouse!

CAPÍTULO 48

ENTREI PÉ ANTE PÉ no quarto das gêmeas, sob o brilho âmbar de um abajur de cerâmica no formato de um ursinho de pelúcia, para lhes dar um beijinho de boa-noite. Lauren estava dormindo. Ela parecia tão inocente e tranquila! Seu narizinho, que parecia um botão, mexia-se enquanto ela roncava suavemente.

— Estou acordada — Becky grunhiu, mexendo-se debaixo do edredom.

Abaixei a cabeça e me aproximei dela.

— Se o Papai Noel a pegar acordada, ele não vai deixar os presentes — sussurrei, para não acordar Lauren.

— Eu sei. — Ela enfiou a mãozinha debaixo do travesseiro. — Pegue isso — disse, com um braço estendido.

— O que é? — perguntei.

Ela sacudiu vigorosamente a cabecinha loira.

— Eu não gosto — ela disse, colocando três pedaços de chocolate, grudentos e já mordidos, na palma da minha mão.

— Vou jogar fora, tá bem?

— Pode comer — ela disse, generosamente.

As gêmeas acordaram às cinco horas no dia de Natal. "Ok", pensei sombriamente, "obviamente é isso que se faz quando há crianças. Acorda-se sem pestanejar e se sai correndo e gritando: 'Ele veio! Ele veio!', porque é isso que todos na casa estão fazendo". Então me juntei a eles, muito embora estivesse exausta, o que foi um erro, porque continuei exausta o restante do dia.

Um pouco antes da hora do almoço, Graeme tropeçou nos dois últimos degraus da escada, caindo por cima da *scooter* que Becky havia deixado no corredor. Ele caiu de ponta-cabeça, perto da porta da frente, vacilou sobre a *scooter*, escorregou num caroço de maçã e trombou no cabide de chapéus. Reclamando de tontura, cambaleou até o toalete do térreo e vomitou. Então, para ser solidária, Lexy também vomitou, o que acabou com meu apetite. Mas o pior ainda estava por vir. A mãe de Graeme tinha comprado, para *cada* criança, um aparelho de caraoquê. Nunca mais quero falar com ela. Que coisa horrível de se fazer! Nem consegui conversar com ela quando ligou para desejar Feliz Natal.

— Diga que eu a odeio! — berrei, com a cabeça enfiada debaixo da almofada, retorcendo-me, atormentada, por algo que parecia que duraria para sempre. Ninguém em nossa família sabe cantar e, se isso já é um mau sinal, as gêmeas ainda nem sabem ler, então inventam as próprias letras de músicas. Era o inferno na Terra.

Depois do almoço, deitei no sofá com meu chapéu de Natal, enquanto Becky vendia o conteúdo de minha bolsa na sua caixa registradora da Harrods, que, devo confessar, não foi uma escolha de presente muito sábia. Olhei para ela com vontade de matá-la. Estávamos fazendo isso desde as seis horas e agora já passava das oito e meia. A caixa registradora se acendeu e bipou quando ela passou o cartão de crédito de plástico no teclado numérico.

— A que horas fecha essa loja? — perguntei, com um suspiro de impaciência.

— Ficará aberta a noite toda — ela me informou. — É uma loja de esquina. — Ela mordeu o lábio inferior. — Você me deve dez libras pela maquiagem.

— Mas é a *minha* maquiagem — salientei.

— Mas é a *minha* loja — ela retrucou asperamente, com os punhos no quadril.

— Não vou pagar nem um centavo pela minha própria maquiagem. — Minha taça de vinho vazia estava pendurada em minha mão. — Pode me passar o controle remoto? — perguntei, apontando com a cabeça para a mesinha de centro — E o chocolate?

— Você vai me pagar?

— Não.

Ela mastigou a manga do seu roupão da Barbie pensativamente.

— Por que eu pegaria? — ela indagou.

— Porque vou lhe comprar uns presentes bem porcaria no seu aniversário, se não pegar — ameacei.

— Tudo bem — ela concordou.

Senti uma onda de alívio desproporcional quando Lexy finalmente gritou: "Hora de dormir, meninas!", mas durou bem pouco, porque, quando fui deitar na minha cama, as gêmeas já estavam aconchegadas ali. E acordadas.

— Ficamos esperando você. Vamos dormir bem agarradinhas — Becky sugeriu. — Você pode ficar no meio.

— Obrigada! — disse, tentando me animar e me aninhando no meio delas.

Lauren se ajeitou na curva do meu pescoço, com uma mãozinha fechada na alça do meu top. Becky apoiou sua mãozinha em meu rosto e afundou o nariz em minha orelha. Eu as abracei, acariciando os cabelos sedosos e as beijei. Elas tinham cheirinho de talco e de xampu. Olhei de relance para o relógio. Meia-noite. Quc dia! Apesar de tudo, tinha sido um dia em família e era isso que importava: família. Senti uma coceirinha descer pela minha perna e cocei com o dedão do pé. Quando as gêmeas estão dormindo, eu as adoro. O problema é quando estão acordadas, mas aqui na cama está gostoso. Mais que gostoso, é aconchegante e confortável.

— Titia, você pode se afastar um pouquinho, porque meus hamsters pularam do bolso do meu pijama? — Becky perguntou.

"Na verdade, são ótimas crianças" — pensei. Senti uma picada e um arranhão na perna.

— O quê? —gritei, com o reflexo atrasado. — Quer dizer que tem dois hamsters na cama?

Arranquei fora o edredom, passei por cima de Lauren e caí no chão com um estrondo. Lexy e eu demoramos meia hora, com o entrave das crianças, para encontrar os roedores e colocá-los de volta na gaiola. Graeme fingiu que dormia. Parecia que o quarto havia sido atacado por uma equipe de dez homens da SWAT, cumprindo uma ordem judicial.

No feriado, dormi até meio-dia. Não que as gêmeas quisessem me deixar dormir, mas o caso é que elas não conseguiram me acordar. Estava alegremente inconsciente.

— Elas estão um tesouro hoje — minha irmã afirmou, entregando-me uma xícara de café. — Passaram a manhã brincando quietinhas na cama, a seu lado.

Como consequência, estava com três balas de goma e um pirulito de morango grudados nos cabelos. Eu tinha também uma tatuagem lavável de borboleta em minha testa.

Lexy preparou um cozido de peru para o jantar, que virou um desastre. Aparentemente, enquanto mexia na estufa de plantas, ela confundiu bulbos de narcisos com cebolinhas e quase envenenou todos nós. Felizmente, só Graeme experimentou o cozido, portanto, ele foi o único que teve de sair em disparada para o banheiro, o que não ajudou em nada a melhorar o seu humor. A questão era que ele, ainda por cima, estava usando uma compressa de gelo para apaziguar o calombo na testa.

No dia 27, eu nem me importei em tomar banho ou me vestir, porque ninguém mais se preocupava com isso. A casa parecia um campo de bombardeio de Beirute, com a sala sendo o epicentro do ataque. Por falta do que fazer, já estava embriagada às oito da noite e em via de perder o controle.

— Essa televisão só tem um canal? — berrei, sacudindo meu gim de um lado para outro. — Porque, se não estou errada, essa partida de futebol está acontecendo desde que cheguei aqui, há três dias.

Graeme me lançou um olhar cansado. O Natal tinha sido difícil para ele.

— É o canal do Chelsea — ele disse secamente.

Estava a ponto de lhe dizer o que eu achava dessa droga de canal do Chelsea quando ele gemeu, colocou a mão no estômago, levantou-se apressado e saiu em disparada pela sala. Amarrei o cinto do roupão e, com o copo na mão, fui cambaleando até a cozinha. As gêmeas estavam deitadas em cima da mesa, brincando com os botões de seus aparelhos de caraoquê. Senti uma enorme satisfação, porque sabia que as baterias estavam escondidas na lata de pães, atrás das bolachas *cream crackers*.

— Não cozinhe — eu disse para Lexy, enchendo a boca de salgadinhos Thai Sweet Chilli Sensations —, porque nosso experimentador oficial de comida está verde e tem sorte de estar vivo, e nós mesmas teríamos de experimentar suas criações e não estou com *tanta* fome.

Ela estava ao lado do fogão, com uma pequena taça vazia equilibrada nos braços dobrados.

— É tão maravihoso ter você aqui em casa! A gente se divertiu bastante, não foi? — ela disse, sonhadora.

Por um minuto, fiquei quieta. Não sabia se ela estava bêbada ou não. Seu enorme sorriso se alargou.

— Sim — me ouvi responder.

CHEGUEI EM CASA no começo da noite do dia 28, para me preparar para a viagem para a Escócia. Enquanto arrastava minha mala até o quarto, senti meu humor melhorar. Estava com um enorme sorriso estampado no rosto. Estava em minha casa e, pode acreditar, é um grande motivo para sorrir. Precisava de uma bebida para me recuperar. Caminhei rapidamente pelo corredor até a cozinha, balançando meu cotovelo. Cheguei até mesmo a assoviar. Não visitaria minha irmã novamente até fevereiro, decidi. Até lá, o choque do Natal teria passado.

Irrompi na cozinha. Meu queixo caiu, o sangue subiu em meu rosto e senti falta de ar, porque, para meu espanto e horror, usando nada mais que um par de cuecas e um sorriso arrependido, lá estava Charles.

— O que está fazendo aqui? — perguntei, parecendo idiota. Era óbvio o que ele estava fazendo ali.

Ele parecia uma gazela assustada.

— Alôôôôôô! — O grito penetrante de Lulu nos assustou. Ela entrou apressada na cozinha, deu-me um abraço rápido de boas-vindas e me mandou alguns beijinhos pelo ar. — Querida, você chegou — ela soltou, agarrando meus ombros aturdidos. — Pensei que só voltasse amanhã.

"Querida?"

Ela estava usando um roupão de seda rosa da Agent Provocateur e pantufas pretas de peles. Passou um braço em volta da cintura dele, encostou a cabeça em seu ombro e apoiou a mão no seu peito. Ela enfiou um pé pelas dobras do roupão e o passou nas canelas de Charles.

— Não, vou para a Escócia amanhã — consegui dizer, inclinando-me para a frente e enfiando a cabeça na geladeira para achar o vinho.

— Vamos sair para jantar. Gostaria de ir conosco? — Lulu perguntou com a voz sexy da Marilyn Monroe.

— Ahn, não. Tenho que fazer as malas — despejei um pouco de vinho no copo. — Fiquem à vontade — disse, dirigindo-me a Charles.

— Sim, sim — Charles respondeu, com um pigarro.

Saí correndo pelo corredor, fechei a porta do quarto e mandei uma mensagem de texto para Lulu.

Eu: O q vc tá fazendo?

Lulu: Vc disse q podia ficar c ele!

Eu: Vc pode, mas e o Vic?

Lulu: Disse q ele tá na África!

Eu: Vc gosta do Charles?

Lulu: O carro dele é melhor q ele.

Eu: Isso é um não?

Lulu: Posso ter amantes.

CAPÍTULO 49

Espiei pela janela do avião enquanto descia em direção ao aeroporto de Inverness. Montanhas nevadas, pinheiros e casas surgiram de repente. Montes fofos de neve fresca e branquinha revestiam a pista, e um enorme boneco de neve, de cerca de seis metros de altura, erguia-se imponente ao lado da entrada do salão de desembarque.

Tomada por uma onda de animação, agarrei meu chapéu Cossack. Era tudo tãããooo natalino e maravilhoso! Então senti uma ponta de solidão por estar sozinha. Olhei para fora, para os flocos de neve rodopiando e caindo. "Vou tentar me divertir", pensei determinada. "Estarei na companhia de outras trezentas pessoas. Praticamente não vou ficar sozinha em momento algum."

O táxi manobrava velozmente e buzinava nas curvas estreitas em meio a uma floresta coberta de neve. Num impulso, coloquei minha cabeça para fora da janela, para apreciar melhor a vista incrível e o ar puro das Highlands. Meus cabelos esvoaçavam em volta da cabeça, batendo com força em meu rosto, fazendo as narinas arderem e os olhos lacrimejarem; e quando, por acaso, respirei fundo, senti uma queimação na garganta e um aperto no peito. Recostei-me novamente dentro do táxi. O ar era gelado! Fungando e massageando meu nariz vermelho, imaginei quantos escoceses morriam todos os anos por colocar a cabeça para fora das janelas dos carros.

O táxi rangeu ao entrar num caminho em formato de ferradura, coberto pela neve, onde a fachada de pedras de arenito do Hotel Highlander se impunha como um castelo num conto de fadas, em contraste com um céu azul completamente sem nuvens. Esperta, perguntei ao motorista do táxi quanto lhe devia, antes de descer do carro. Não queria ficar respirando aquele ar gelado por muito tempo, depois da última vez.

Oscilei ao entrar no vestíbulo carpetado, em xadrez, arrastando a mala atrás de mim. Havia um fogo crepitando numa lareira jacobeana, ladeada por duas arandelas de estanho, e uma mistura de várias cadeiras de aparência confortável e sofás chesterfield espalhados. Mesas de madeira escura, carregadas de jogos de tabuleiro e livros de capa de couro, estavam distribuídas ao acaso, e uma seleção de gigantescas cabeças de animais e quadros com molduras douradas de paisagens das Highlands enfeitava as paredes.

O negócio é o seguinte: temos trezentos convidados e o hotel tem um *staff* de apenas sete empregados, em resumo, é um desastre em potencial. Sou responsável pelo grupo da Young Highlander Yellow Brigade, que consiste em vinte e seis crianças. Existem quatro brigadas, totalizando 105 crianças. A ideia é colocar em funcionamento dois itinerários ao mesmo tempo, um programa de adulto e uma programação para crianças, e raramente os dois grupos se encontrarão. É o fim de semana perfeito para pais que não aguentam mais ficar com os próprios filhos. Nessa noite, os adultos irão usufruir de uma refeição *gourmet* no Bruce Dining Room, enquanto levamos as crianças para o cinema em Aviemore. Dei um suspiro. Que alegria!

Estava vestindo minha jaqueta de pele falsa e meu chapéu Cossack, o par de jeans e as novas botas forradas de pele. Também vestia um ridículo avental amarelo-neon, mas aqui, no saguão do Highlander Hotel, não parecia tão ridícula. Na verdade, estava quase normal, porque minhas vinte e cinco crianças também estavam usando aventais amarelo-neon. E outras trinta crianças estavam usando aventais laranja, e, do lado de fora do hotel onde estavam dois ônibus de dois andares se preparando para partir, havia mais quarenta garotos usando aventais que brilhavam no escuro, nas cores verde e rosa.

Engoli dois comprimidos para dor de cabeça, sem água, sentindo um pouco de medo. E se eu perder uma das crianças? Fiquei preocupada. Deveria estar no controle dessas vinte e cinco crianças o tempo todo e ainda nem tínhamos saído do hotel. Estou esperando um último garoto, mas ninguém apareceu para entregá-lo aos meus cuidados ainda. Não tem importância. Quanto menos crianças para tomar conta, melhor.

Vou ter de me acalmar, meus nervos estão em frangalhos. Mais cedo, um pequeno demônio chamado Tommy, que tem cerca de onze anos, bateu na perna de outro moleque com uma catapulta cheia de grãos de café. Impulsivamente, confisquei a catapulta e dei um beliscão no braço dele, para ele ver como era bom, mas agora estava preocupada, pois, hoje em dia, existem tantas leis e regulamentos sobre essas coisas! Não quero ser deportada para a Tailândia para cumprir pena no Bangkok Hilton. Ele pode ter uma avó tailandesa que vai me processar por maus tratos e insistir que eu cumpra a pena no país dela, nunca se sabe! O lado bom é que o incidente teve um efeito calmante nas outras crianças. Elas estão enfileiradas e caladas, encostadas à parede, esperando o primeiro ônibus partir, para embarcar no segundo.

Dei uma olhada em meu reflexo na porta de vidro. Coloquei a prancheta debaixo do braço, abaixei a aba do chapéu Cossack, forrado de pele, até a altura dos olhos e dei um puxãozinho em meus cachos de Rapunzel. Dei um passo para trás e me virei. Adoro essa jaqueta de pele, e meus cabelos alongados caem em cascata pelas costas, com um efeito maravilhoso. Balancei a cabeça. Havia comprado um batom cor de carne, que não fazia muito meu estilo, mas combinaria muito bem com o estilo da Julie Christie em *Doutor Jivago*. Senti uma mão irritada puxar meu braço. Tentei me livrar com um safanão. Feito isso, até que gostei do meu estilo em tom de carne.

Dei um suspiro quando senti outro puxão no braço.

— Fique na fila, pois estamos esperando nosso ônibus. Quantas vezes preciso dizer isso? — espiei mais de perto meu reflexo e limpei uma mancha de batom nos dentes.

— Você está ótima, Evie — uma voz familiar ressoou.

Não podia ser outra pessoa. Dei a volta tão depressa que parecia ter levado uma chicotada.

Rob.

Não conseguia respirar. Consegui engolir e piscar, mas não respirar. Ele inclinou a cabeça e sorriu. Senti um salto de alegria, uma onda de felicidade e uma enorme, bem, onda de desejo. Comecei a suar. Minha mente rodopiava. Ele está aqui? Qual é a chance de se encontrar alguém, cara a cara, num hotel no meio das Highlands da Escócia? Uma em um milhão, não, menos do que isso. Meu Deus estou tão feliz em vê-lo, tão feliz! E então senti uma pontada de amargura e raiva.

— Você está *realmente* muito bonita — ele disse, com um aceno apreciativo.

Talvez eu estivesse muito bonita, mas ele estava com uma aparência *maravilhosa*. Seu cabelo estava revolto, com as pontas arrepiadas com gel, a barba curta, por fazer, os olhos azuis reluzindo maliciosamente e os lábios rosados curvados num sorriso preguiçoso. Ele estava usando jeans, uma enorme jaqueta preta acolchoada e luvas de camurça, um chapéu preto de aba de pele com as orelhas caídas estava casualmente guardado na curva de seu braço.

De repente, percebi que era minha vez de falar, mas não conseguia pensar em nada para dizer. Nem uma única palavra, nada. Inspirei e expirei, inspirei e expirei.

Ele examinou meu rosto.

Uma espiral de fúria se desenrolou dentro de mim. O cretino infiel, relembrei rapidamente a mim mesma. Senti uma onda de pânico, porque, de repente, minha mente começou a gritar que ele poderia estar aqui com outra pessoa! E se ele estivesse com outra namorada? Dei uma olhada de relance atrás dele, mas não havia ninguém por perto. Não suportaria vê-lo com outra mulher, mas, então, por que isso me interessava?

E então percebi que vinte e cinco rostinhos miúdos me olhavam, ansiosos.

— Que diabos está fazendo aqui? — sibilei, ajeitando meu já perfeito chapéu Cossack com um movimento rápido e brusco.

— Estou comemorando o ano-novo como qualquer outra pessoa — ele retrucou, indiferente. — Se estiver tudo bem para você. Está? — ele acrescentou, com um olhar desafiador.

Abanei a mão, encerrando o assunto.

— Bom, aproveite sua estada — disse alegremente e lhe dei as costas. — Vejo você por aí. Vou sair agora.

— Eu também, estou indo ao cinema — ele falou, arrastando as palavras.

Dei meia-volta.

— O cinema! — chiei, numa voz que lutava para parecer indiferente.

Para minha surpresa, ele colocou um avental amarelo neon sobre a cabeça. Era pequeno demais para ele e ficou preso em volta do pescoço, como uma gola de freira.

— Sim — ele disse alegremente —, ao cinema.

Toquei na parte inferior de seu avental amarelo.

— Por que está usando isso?

— Sou obrigado. Acho que é pra ter certeza de que você não vai me perder.

— Perder você!

Ele deu um passo atrás e levantou as mãos.

— Calma! Não estou querendo dizer que você vai me perder. Acredito que isso não vá acontecer. Confio em você. — Ele lançou um olhar preguiçoso para a porta. — Acho que aquele é nosso ônibus.

Agarrei o braço dele e o arrastei para longe dos meus vinte e cinco bisbilhoteiros.

— Que brincadeira é essa?

Em um rápido movimento, ele agarrou meus ombros, puxou-me a seu encontro e aproximou sua cabeça da minha. Sua respiração quente em meu rosto me fez derreter por dentro.

— Que brincadeira é essa? — ele me imitou.

Cruzei as pernas em provocação.

— Evie, pelos próximos quatro dias, sou um membro pagante da Yellow Brigade Young Highlander e você vai tomar conta de mim, porque é isso que o folheto de propaganda anuncia. Sugiro que comece me ajudando a subir no ônibus e me levando ao cinema.

Minha mente não estava conseguindo assimilar tudo isso.

— Seu nome não está na minha lista — respondi, mostrando a prancheta.

— Acho que vai descobrir que está sim — ele retrucou. Pegou a prancheta de minhas mãos, tirou a luva com os dentes e passou o dedo pela lista de nomes.

— Ahá! — anunciou, triunfante. — Master Andrew Harrison. É meu nome do meio.

— Você é velho demais para estar no programa das crianças — surtei.

— Não sou.

— É sim.

— Não sou.

— É sim!

— Não sou não. *Não* existe limite de idade. O folheto diz apenas que a criança "não deve mais usar fraldas", mas *não* estipula um limite de idade.

Olhei para ele num silêncio atordoado. Não havia lido o folheto.

— Para o ônibus — ele disse, segurando meu cotovelo e me levando para a porta.

CAPÍTULO 50

Fomos assistir *As Crônicas de Nárnia 1, O Leão, a Feiticeira e o Guarda-Roupa.* Sentei-me na segunda fileira, duas garotinhas e um menino sentaram entre Rob e mim, e o restante do grupo estava na fileira à minha frente. Ele tinha se inscrito no meu *tour*, pensei, mordendo a ponta da luva como um gremlim faminto. O que ele está pretendendo? Nenhuma mensagem de texto em um mês, para eu ter o prazer de deletar, e agora aparece no meio das Highlands como se não fosse nada, com uma aparência estonteante e cheirando ainda mais gostoso do que seria possível. Sei disso porque o cheirei bem de perto. Joguei meu cabelo com força para o lado. E daí, que importância tem isso?

— Aqui — Sally, uma das outras acompanhantes, disse, colocando uma caixa em meu colo.

Olhei para a caixa, sem entender.

— O que é isso?

— Sorvete para as crianças — ela explicou.

Distribuí os sorvetes rapidamente entre elas. Em vez de gritar a palavra "pegue" uma vez apenas, tive de gritar 26 vezes.

— Evie! — Rob sussurrou no escuro.

Continuei a assistir ao filme, fingindo não escutar.

— Evie — ele repetiu, curvando-se sobre as três crianças para puxar minha orelha.

— O quê? — surtei.

— Eu preferia uma casquinha de morango. Você pode ir até o saguão e trocar esse? — ele pediu, exibindo um Cornetto de menta.

Tentei ficar calma.

— Não. — Respirei.

Seu rosto estampava um sorriso de zombaria.

— Mas eu não gosto de sorvete de menta e o folheto disse que havia vários sabores.

Limpei a garganta.

— Aquela loja fica fechada durante a exibição do filme — menti num tom autoritário.

— Troco com você — uma das garotinhas, sentada entre nós, ofereceu com meiguice. — Só dei quatro lambidas, não mordi o meu ainda — ela assegurou, enfiando um sorvete de chocolate pegajoso debaixo do nariz dele.

— Problema resolvido. Uma de suas amiguinhas vai trocar com você — eu disse, sorrindo afetadamente. — E só foi lambido quatro vezes — acrescentei. Seu sorriso despencou.

Não assisti ao filme. Passei duas horas contando até vinte e seis e lançando olhares cheios de desejo para Rob. Na volta para o hotel, um ciclone de neve assolava a estrada e girava em redemoinhos em volta do ônibus. Fomos sacolejando e avançando a passo de lesma atrás de um enorme trator limpa-neve alaranjado, cujas rodas eram do tamanho da roda gigante de Londres. Por um instante nos imaginei perdidos e encalhados na montanha, reduzidos ao canibalismo, com os últimos sobreviventes encontrados congelados, de olhos esbugalhados e com cara de vampiro, daqui a cinquenta anos. Por que as pessoas vêm aqui? Por que estou aqui? Por que não fiquei em Londres?

Finalmente paramos na porta do hotel. Contei os 26 pela centésima vez e dei uma volta, enfileirando os garotos na frente do balcão da recepção. Fiquei atenta, com a prancheta na mão, riscando os nomes com um floreio enquanto os pais, vestidos com roupas de festa, chegavam para pegá-los de volta. Mary Poppins não teria feito melhor.

Bem lentamente, Rob caminhou em minha direção. Engoli em seco.

— Ninguém veio me pegar — ele disse, sorrindo.

— Não diga! — exclamei.

Ele parou bem perto de mim. Minhas narinas tremeram ao sentir o perfume de sua loção pós-barba.

— Posso lhe pagar uma bebida? — ele perguntou, cutucando o carpete xadrez com a ponta da bota Timberland.

— Não, obrigada. — Caminhei rapidamente em direção ao elevador.

— Evie! — ele gritou.

Dei meia-volta.

— O que é?

Ele empinou o peito.

— Você pode desabotoar meu casaco e me levar até o banheiro?

Arranquei meu chapéu Cossack da cabeça, enfiei-o debaixo do braço, virei-me e saí pisando duro.

Estava na cama havia duas horas, contorcendo-me, atormentada. Não conseguia dormir nem me concentrar, mal podia respirar. Ele está aqui *neste* hotel, numa cama. Que cama? Precisava saber em que cama! Dei um pulo em direção ao abajur e o acendi, afastei o edredom e caí violentamente no chão. Agarrei minha prancheta e freneticamente joguei todos os papéis sobre o carpete, procurando a lista dos quartos. Meus olhos examinaram a coluna de nomes. Quarto 424. Então calculei rapidamente, desenhando o mapa do hotel no tapete, com meu dedo:

— Ele está dois andares acima de mim e três portas à esquerda — sussurrei. — Merda, não é tao longe!

Olhei para o relógio na mesinha de cabeceira, era meia-noite. Ligaria para Lulu. Ela fora imparcial até agora. Bem, não, ela não fora, nem mais ou menos, mas, ainda assim, às vezes ela me dá algum conselho. Lulu atendeu no segundo toque e começou a cantar.

— *Se é alguém conhecido, de longa data esquecido e deixado de lado, se...*[33]

Rangi os dentes.

— Não é véspera de ano-novo ainda — berrei.

— Huuummm. Queeeeê? Quando é então? — ela disse com a voz arrastada.

— Depois de amanhã — surtei, exasperada. — Ouça, está me ouvindo? Quero lhe contar uma coisa importante e preciso saber se está sóbria o bastante para entender o que vou dizer.

— Claaaro que estou. Abaixxee a música! — ela gritou, sabe-se lá para quem. Escutei seus saltos altos rasparem apressados um piso de madeira e, então, uma porta se fechou. — Essstou do lado de fora — ela parecia cansada. — O queee foii?

— Rob está aqui — disse animadamente.

— Onde... voocê... eeestá? — ela perguntou, bem lentamente.

— Na Escócia, é claro.

— Você está me deixando confusa.

Um soluço irrompeu inesperadamente da minha garganta, com todas as emoções e sensações previamente reprimidas transbordando naquele momento. Era totalmente irrelevante que eu estivesse conversando com alguém completamente bêbada e quase desmaiada.

— Ele me seguiu até aqui. Ele se inscreveu nessa viagem, e está estonteante e gostoso, e, merda, como eu quero esse homem! Quero taaanto ele, Lulu, mas já aguentei dois meses e tenho outras opções. Tenho outras coisas em que pensar, como nessa viagem à Grécia com Nikki e talvez visitar Alain, e tenho viagens programadas com John Jackson, e agora sou manequim 38. Será que poderei confiar nele novamente? O trabalho dele vem com uma cama de casal inclusa, e isso não vai mudar, e...

— Evie — Lulu interrompeu —, o cara é um tremendo ímã. Ou você fica com ele ou não — ela aconselhou solenemente.

— Certo! — disse, entendendo tudo.

[33] Letra da canção popular inglesa "Auld Lang Syne", que costuma ser cantada durante a comemoração do ano-novo. (N. E.)

CAPÍTULO 51

Não dormi um minuto a noite toda, mas não estava cansada. Estava agitada, meio avoada. Levantei às seis horas. Estava programado levar as crianças ao tobogã às nove, então havia umas três horas para eu me aprontar.

No chuveiro, esfoliei o corpo todo como uma louca. Quando terminei, não havia uma única molécula de célula morta, descascada ou pele seca em meu corpo. Passei xampu no cabelo duas vezes e então o cobri com condicionador. Normalmente não me dou ao trabalho de esperar vinte minutos para o creme fazer efeito, mas hoje eu esperei e aproveitei o tempo para tirar as sobrancelhas e repintar as unhas. Não precisava me preocupar com a depilação, isso é algo que nunca me esqueço de fazer. Faria uma depilação até para enfrentar um pelotão de fuzilamento.

Apressadamente espalhei toda a maquiagem na penteadeira, mas não conseguia me decidir que tom de sombra usar, até saber que roupa estaria vestindo. Então abri a mala e quase chorei de desespero. Você tem alguma ideia de como é difícil parecer glamorosa com temperaturas abaixo de zero? Queria não ter sido tão frugal na Harrods. Tudo que eu tinha era térmico, prático e desmazelado. Decidi colocar minha roupa íntima favorita, de renda da La Senza, meias térmicas, *legging* e um suéter preto de cashmere colado ao corpo, que eu tinha roubado de Lulu. Assim que passei o suéter pela cabeça, comecei a me contorcer, arfar e a me retorcer, em pânico. Não conseguia respirar. Era tão apertado no pescoço que chegava a ser claustrofóbico. Rapidamente o arranquei e decidi usar uma atraente malha de cashmere rosa na altura dos quadris, também surrupiada da Lulu.

Sequei e encaracolei os cabelos, e imediatamente detestei o resultado. Umedeci tudo novamente, sequei mais uma vez e o alisei. Passei três camadas generosas de rímel nos cílios e finalizei com um delineador preto, com *glitter*, da Urban Decay. Fazendo um biquinho para o espelho, apliquei o batom com precisão. Estava ótima, meu melhor *look*. Magra, cabelos revoltos e atraente. Ele verá o que está perdendo! Então minha mente se rebelou, ansiosa, desesperada e disponível! Rapidamente arranquei as roupas e troquei minha sexy lingerie preta da La Senza por um conjunto lilás, que havia ficado cinza de tanto lavar, e estava na minha mala havia três anos. Lexy afirma que o melhor contraceptivo que uma garota pode usar são calcinhas velhas. Imediatamente me sinto pura e casta, porque sei que, com essas roupas de baixo, não vou tirar a roupa na frente de ninguém, nem morta. "Vou mostrar para ele", pensei, "quem fala demais".

Andei até o saguão do hotel, com o chapéu e as luvas na mão, prancheta debaixo do braço, cabelos sedosos esvoaçantes, e reuni as crianças. Estou ficando boa nisso, tipo uma Supernanny, mas não deixo de me perguntar por que as pessoas têm filhos. Senti um tapinha no braço.

— Dormiu bem? — Rob perguntou, curvando-se para me dar um beijo no rosto.

Meu estômago se contorceu ao sentir seu toque, mas mantive a voz leve e tranquila.

— Assisti a *Dirty Dancing*, no Movie Channel, e depois dormi como um anjo, obrigada! — respondi. — E você?

— Ah, assisti a alguns filmes pornôs — ele declarou, impassível, e passou por trás de mim, acomodando-se numa poltrona ao lado da lareira.

Fechei meus lábios e bati a ponta da caneta-tinteiro na prancheta. “Filme pornô, hein? Como se eu me importasse!” Ele cruzou as pernas e abriu o jornal.

Inclinei-me tanto sobre o balcão da recepção que meus pés quase saíram do chão. Olhei de relance sobre meu ombro. Rob estava estendido e relaxado, sorrindo como um idiota para o *Telegraph,* com o avental amarelo-neon posicionado decorativamente sobre os ombros.

— Quero controle paterno no Movie Channel no quarto 4-2-4 — murmurei, exigente. A recepcionista tocou meu braço com a caneta.

— Ok, tudo certo, mas tem certeza? Porque, se bloquearmos esse canal, só vão ficar liberados os canais apropriados para menores de quinze anos — ela salientou, erguendo as sobrancelhas.

Meus dedos seguravam com força meu chapéu Cossack.

— Certeza absoluta. É exatamente isso que quero — garanti.

“Será o fim dos filmes pornôs”, pensei, triunfante.

Senti uma ponta de pânico ao chegar à pista do tobogã. Contar vinte e cinco aventaizinhos amarelos era praticamente impossível. As crianças subiam e desciam a ladeira como um exército de formigas. “Por que estou aqui?” — perguntei a mim mesma novamente. Segurei-me com força em uma árvore, quando bateu uma forte rajada de vento, e pensei em mandar uma mensagem de texto para Tina, dizendo que a odiava. Afinal de contas, foi ela quem me convenceu a aceitar esse trabalho. Mas mandar uma mensagem agora estava fora de questão. Meu rosto estava vermelho por causa do frio, meu nariz estava escorrendo, meus lábios estavam amortecidos e azulados, e eu tinha saído do ônibus havia apenas dez minutos. Se ficássemos aqui pelas três horas programadas, eu morreria de hipotermia, disso tinha certeza. Funguei. Dei graças a Deus pelo meu aconchegante casaco de pele e meu lindo chapéu.

Uma mão firme tocou meu ombro.

— Vamos descer comigo— Rob disse, com um sorriso de menino.

— O quê? — surtei, horrorizada. — Claro que não.

Ele mostrou um tobogã azul de plástico à minha frente.

— Vamos, desça comigo.

Achei que ele havia dito: "Desça sobre mim".

Afastei-me dele.

— Melhor não — respondi, com os lábios azulados. — Não é realmente a minha praia.

Ele me tirou de perto da árvore e passou um braço musculoso pelos meus ombros.

— Você não pode ficar parada aqui a manhã toda — ele disse, empurrando-me colina acima.

— Não vou fazer isso — insisti, curvando-me contra o vento.

Lá no alto, ele jogou o tobogã no chão.

— Estou trabalhando — lembrei a ele. — Não estou aqui para brincar.

Ele sentou-se na posição de montaria sobre o tobogã.

— Senta — ele ordenou.

— Não vou sentar — respondi, malcriada.

Ele agarrou meus ombros e me puxou para a frente dele.

— Senta — repetiu, dando uma rasteira em meus pés.

— Não! — gritei, caindo em cima do tobogã com um baque.

— Se eu fosse você, encolhia as pernas e segurava bem firme nas canelas, do contrário pode cair — ele aconselhou, curvando-se atrás de mim. Apoiou o queixo em meu pescoço e puxou as cordas. — Pronta? — perguntou, dando um forte empurrão com os pés.

Foi incrível. Não consigo nem explicar, tem de experimentar por si mesma. Meu peito se abriu com o movimento, enquanto deslizávamos rapidamente entre as árvores e passávamos sobre buracos e montinhos. Dei gritinhos de empolgação. Rob me segurou firme, rindo em meu ouvido, nos levando para baixo com exageradas curvas em ziguezague.

— Evie, você está muito dura, encoste-se em mim — ele disse, sua voz quente em meu rosto.

E foi o que fiz. Nossos ombros raspavam na neve, enquanto nos contorcíamos da direita para a esquerda. Senti uma afinidade instantânea com aqueles malucos que saltam de helicópteros no alto de uma montanha e deslizam encosta abaixo numa prancha do tamanho de uma bandeja de chá. Com um pouco de prática, eu poderia ser igual a eles. Certamente eu tenho equilíbrio. Subitamente, a traseira girou e derrapamos até o tobogã parar no fundo da ladeira, levantando uma nuvem de neve. Estava sem fôlego e meus joelhos insistiam em dobrar. Meu coração batia acelerado com a animação e eu dei um suspiro cheio de prazer. Rob se levantou e me estendeu a mão enluvada.

— Você gostou? — ele perguntou, ajudando-me a levantar.

— Não — eu disse, retirando a neve da roupa.

Ele deu um puxão no chapéu que cobria meus olhos.

— Vamos tentar mais uma vez?

Dei de ombros.

— Se você quiser — sugeri, tirando a mão dele do meu chapéu.

Fomos o último grupo a ir embora. Estava me divertindo tanto que deixei as crianças nas encostas por uma hora além do programado. A maioria delas estava encantada, mas algumas estavam geladas e exaustas, gemendo que queriam voltar para o hotel. Dei vinte libras para elas e as coloquei dentro de um café, no alto da encosta, onde se deliciaram com chocolate quente e sorvetes Mars. Já era mais de uma hora quando entramos no ônibus para voltar ao hotel.

Chegamos atrasados para a competição “Faça uma Coroa”. Duas garotas começaram a chorar. Embora elas tivessem adorado o tempo extra no tobogã, elas também queriam egoisticamente participar da competição. Por sorte, havia uma loja de presentes na cidade, então paramos e eu comprei duas coroas. As duas feiticeirazinhas deliraram de emoção, porque, agora, a chance delas de ganhar a competição havia aumentado consideravelmente. O resultado estava planejado para ser anunciado no jantar da véspera de ano-novo, então todos torceríamos por elas. Os outros garotos juraram, para meu novo amigo Tommy e sua catapulta, manter segredo.

— Um drinque antes do almoço? — Rob perguntou, quando os garotos esvaziaram o saguão.

— Não, obrigada — disse. — Não tenho tempo. Tenho uma reunião na biblioteca sobre a competição de tiro ao alvo amanhã. — E acrescentei: — Eu realmente não sei por que você veio. Está desperdiçando seu tempo, se achou que eu ficaria com você. — E fui embora. Olhei de relance para trás, e o vi suspirar e sentar na cadeira. Vi o topete do cabelo vermelho de Tommy afundar ao lado dele.

RETOQUEI A MAQUIAGEM no toalete feminino. Estava decidida a ter a melhor aparência possível o tempo todo. Felizmente, esse novo visual estilo Julie Christie não é dificil de manter. A jaqueta de pele e o chapéu dão conta do trabalho sozinhos. Dei um suspiro. "Como serei capaz de resistir a ele durante três dias inteiros?", pensei melancolicamente. Uma visão indesejada de cabelos crespos cor de páprica surgiu em minha mente. Senti uma onda de raiva e tremi de desgosto. "Azar o dele, ele não é mais bonito que o Alain". Joguei o batom dentro da bolsa e chequei o relógio. Teria que estar na área de playground com os brinquedos infláveis por algumas horas. Com certeza, ele não apareceria ali.

Ele veio.

Um controle remoto para meus ouvidos teria sido bem útil, pois o barulho era ensurdecedor. O playground era do tamanho da metade de um campo de futebol, com três castelos infláveis, uma piscina de bolinhas, uma parede de escalada e algumas mesas de sinuca. Sentei-me melancolicamente numa cadeira de plástico vermelha, apoiando os cotovelos nos joelhos e segurando o queixo com as mãos. Rob sentou-se a meu lado. Ele acenou em direção à mesa de bilhar.

— Que tal uma partida?

Dei de ombros.

— Na verdade, não tenho vontade.

— Vamos jogar por dinheiro? — ele sugeriu. — Assim fica mais interessante.

— Se você quiser.

Ele se levantou, esfregando as duas mãos alegremente.

— Tudo bem, então, vinte libras — ele declarou. — Essa é a aposta.

Fiquei de pé e alisei meu suéter rosa sobre minhas calças *legging*.

— Tudo bem, você me paga vinte libras se eu ganhar e, se eu perder, não tenho de pagar nada — propus.

O rosto dele se anuviou.

— Mas que vantagem eu levo?

Cruzei os braços.

— Acabei de dizer que não precisa pagar, se eu perder. Não estava prestando atenção?

— Mas — ele arriscou —, o que ganho com isso?

Ele estava levando tudo muito a sério.

— Olha — eu disse, brava —, quer jogar ou não?

— Sim, quero, eu quero jogar — ele respondeu, entusiasmado.

Trapaceei.

Ainda assim, ele ganhou.

Fiquei de mau humor.

— Vejo você mais tarde — ele disse e, para minha surpresa, jogou a jaqueta casualmente sobre o ombro e saiu tranquilamente pela porta vaivém. "Charmoso", pensei, "é assim que ele demonstra o tamanho da sua devoção e interesse?"

Entrei apressada no quarto, com apenas quinze minutos para me vestir e descer para o jantar. Meu telefone tocou. Era Sally, a coordenadora-chefe.

— Você pode trabalhar de babá hoje à noite? — ela perguntou.

— Por que eu?

— Porque o hóspede insiste que seja uma garota, então é obvio que nenhum dos nossos caras pode ir, e você é a única garota não programada para o bingo.

Dei um suspiro.

— Bem, isso significa que não tenho escolha, não é?

— Sinto muito — ela disse, não parecendo sentir muito. — Quarto 300. Eles querem que esteja lá às nove horas.

— Tudo bem — retruquei, desconcertada, embora não soubesse muito bem por quê. Afinal de contas, não tinha nada planejado.

Ainda tinha mais.

— Diga que não é da minha conta se quiser, mas...

— Nao se meta onde não é chamada — interrompi.

— Quem é aquele cara parecido com o Brad Pitt que fica te seguindo por todos os lugares?

— Parecido com o Brad Pitt... — minha voz disse, sonhadora. Congelei a imagem de Rob na mente, comparei com a de Brad Pitt e, sim, havia uma enorme semelhança. Pensando bem, acho que eles poderiam ser gêmeos. Já tinha pensado nisso antes.

— Só um amigo — expliquei orgulhosamente, com um sorriso no rosto.

— Eu não o mandaria embora da minha cama — ela disse, fingindo uma voz sensual. — Até logo!

Fiz uma careta.

"Você não precisaria mandá-lo embora de sua cama", pensei tristemente, "se trabalhasse com ele na Áustria e estivesse hospedada no Hilton Salzburg... Aquele bosta de um traidor!"

ENTREI NA SALA DE JANTAR. Rob estava num canto, numa mesa individual, sorrindo para a carta de vinhos. Seu sorriso se expandiu quando o garçom colocou à frente dele um enorme filé Aberdeen Angus. Inspirada, corri em sua direção.

— Este filé é mal passado, com batatas assadas, couve-flor com queijo, vagens e mandioquinha, e o acompanhamento é molho de pimenta? — perguntei.

— Sim — ele disse, com o garfo e a faca suspensos no ar.

Num gesto rápido, peguei o prato e o levantei.

— Você — eu o adverti — está com o cardápio das crianças e, como tal, sua escolha para o jantar consiste em *nuggets* de frango, palitos de peixe fritos, salsichas com purê de batatas ou um cachorro-quente.

Ele deixou caírem os talheres, recostou-se na cadeira e acenou com a cabeça como se estivesse pensando. Enfiei o prato na bandeja de um garçom que passava e disse, para o espantado garçom, jogar aquilo fora.

— Então, qual vai ser sua escolha? — perguntei, cruzando os braços, vitoriosa.

Ele cerrou a mão na beirada da mesa, encarando-me sem dizer uma palavra.

— Percebo que precisa de tempo para decidir. As sugestões são de dar água na boca, não são? — provoquei. — Vou deixá-lo à vontade. Tenho um compromisso para o jantar, um encontro.

Ele se curvou para frente e agarrou minha mão.

— Com quem? — ele interrompeu.

— Não lhe interessa — rebati.

— Vai a algum lugar interessante? — perguntou, num tom de voz que eu não reconheci.

Arranquei minha mão das dele.

— Como eu disse, não lhe interessa. — Virei-me e saí dali.

— Aproveite bastante! — ele esbravejou enquanto eu me afastava.

"Isso é pra ele aprender" — pensei. — "Seu grande tolo!"

Pedi um sanduíche ao serviço de quarto. Não poderia voltar para o restaurante depois de ter me vangloriado de ter um compromisso para jantar fora, podia? Troquei minha roupa por pijamas e levantei o capuz. Retirei toda a maquiagem, tirei as lentes de contato e procurei os chinelos na mala. Prendi os cabelos num rabo de cavalo, pus os óculos de leitura e peguei meu livro na mesinha de cabeceira. Fechando a porta atrás de mim, preparei-me para bancar a babá.

Levantei um pouquinho a ponta dos óculos, olhei para a direita e para a esquerda do corredor silencioso e bati na porta do quarto 300.

— Aarrgghhh! O que você pensa que está fazendo? — gritei quando Rob agarrou meus pulsos e me puxou para dentro do quarto.

CAPÍTULO 52

Caí de joelhos. Rob chutou a porta, puxou-me e me jogou na cama. Rastejando, subiu em cima de minhas pernas e prendeu meus braços acima da minha cabeça.

— Isso é um sequestro! — berrei, esperneando. — Me solta!

— Não, não solto.

— Deixe eu me levantar!

Os olhos dele se estreitaram.

— Não.

Lutei como um demônio.

— Quero ir embora deste quarto — gritei.

— Não, não quer. Você não vai a lugar algum. — Respirando com dificuldade, ele abaixou meus braços.

— Você não pode me forçar a ficar — berrei.

Ele mudou as coxas de lugar e prendeu meus cotovelos.

— Oh, posso sim, eu *posso* fazer você ficar. Vou sentar em cima de você, desse jeito, a noite toda, caso seja preciso. — Ele alisou meu cabelo e o afastou do rosto. — Precisamos conversar — disse, autoritário, com o cenho franzido.

Torci o pescoço e consegui levantar os ombros da cama.

— Conversar? — surtei. — É assim que quer ter uma conversa agradável?

— Você não me deu escolha. Se tivesse a convidado para vir ao meu quarto, você não teria vindo.

— Sobre o que quer falar? — disse entredentes.

— Assim está melhor — ele falou, com um sorriso.

Joguei-me de costas na cama e fiquei olhando para o teto.

— Você deve ter a vista boa para enxergar através dessas lentes tão grossas, Evie. Está parecendo a cobra do *Livro das Selvas*. Quando a vi parada na porta, quase tive vontade de empurrá-la para fora, ao invés de puxá-la para dentro. Tinha me esquecido deles — ele brincou e deu uma risada que chacoalhou seus ombros.

— Vamos direto ao assunto. Diga o que tem pra me dizer e me deixe ir embora.

Ele passou suavemente os dedos pela cicatriz atrás de minha orelha.

Sacudi a cabeça.

— Não me toque.

— Seu cabelo está lindo. Esse deve ser o alongamento de cabelo de que você não parava de falar enquanto dormia no hospital.

Olhei surpresa para ele. Isso era novidade para mim. Falar enquanto dormia?

Ele se curvou e se aproximou.

— A cicatriz acima de seu olho não passa de um fio agora. — Seu dedo traçou a linha da minha sobrancelha e percorreu meu rosto. Senti que corava sob aquele olhar penetrante.

Houve um silêncio elétrico.

— Evie — ele sussurrou.

Ele me fitou, sem piscar. Um músculo no canto de sua boca tremeu. Limpando a garganta, colocou a mão trêmula em meu rosto. Instintivamente me virei lentamente para me aconchegar na palma de sua mão. Senti o sangue correr e inundar o rosto, e um tremor de desejo apertar meu peito. Ele segurou meu rosto e se curvou para beijar minha testa. Engoli em seco enquanto seus lábios roçavam meus cabelos. Massageando meus ombros, passou a ponta dos dedos levemente pela minha nuca. Nossos olhos se encontraram.

— Me toca — ele pediu suavemente.

— Como? Você está segurando meus braços — eu o lembrei.

Seus lábios rosados se abriram num sorriso divertido.

— Vou deixar você se levantar. Promete que vai se comportar?

Não respondi.

Ele se contorceu sobre o meu quadril. Prendendo meus punhos com os dedos, pressionou minhas mãos em seu peito e fechou os olhos, enquanto as pontas dos meus dedos tocaram seus mamilos.

— Me toque — ele soltou um suspiro.

— Estou tocando — resmunguei, com a boca seca.

"Deus, como senti falta dele!"

— Minha pele, quero sentir seu toque na minha pele — ele murmurou, levantando as mãos para poderem mexer nos botões de sua camisa.

Eu não conseguia parar.

Seu peito inchava quando ele respirava. Passei as mãos pelo seu peito firme e desci até o declive de seu abdome sarado. Ele se curvou para frente e pressionou o corpo com força no meu. Encontrando minha boca, deslizou a língua pela beirada dos meus dentes. Escondeu o rosto nas curvas do meu pescoço e me mordeu com força nos ombros. Minhas costas se arquearam, meu peito se elevou e meu quadril se ergueu em sua direção. Ele se levantou um pouco, apoiou-se nos cotovelos e ficou me olhando horizontalmente. Enfiando a mão na cintura do meu pijama, ele pressionou com o polegar a ponta do meu osso ilíaco. Achei que derreteria.

— Não posso parar agora — ele disse, cobrindo minha boca com a dele.

Abracei seu pescoço e o puxei para perto de mim.

— Não quero que pare — sussurrei através do beijo.

E não queria mesmo.

Mais tarde, ele encostou a testa na minha. Com os olhos fechados, ficou quieto até sua respiração voltar ao normal. Ergueu-se apoiado nas mãos e examinou meu rosto.

— Não sei o que é que sempre acontece entre nós — ele respirou fundo. — É como um cordão invisível ou algo parecido, mas o que tenho certeza é de que está sempre ali.

Ele rolou o corpo, ficou deitado de costas e me puxou para perto dele. Aninhei-me na curva dos seus ombros e fiquei brincando preguiçosamente com os pelos dourados de seu peito. Ele prendeu minha mão e a apertou, então pegou um cacho do meu cabelo, levou-o até os lábios e sorriu.

— De quem é esse quarto? — perguntei, curiosa.

— Tecnicamente é do meu pai e da minha mãe — ele respondeu, casualmente.

— O quê? — Dei um salto e olhei desesperada em volta, como se esperasse encontrar uma senhora roliça, de cabelos brancos e em um terninho bege, me perguntando o que eu achava que estava fazendo rolando na cama dela.

Ele me puxou de volta.

— Na verdade, eles não estão aqui. Eu não tinha permissão para viajar desacompanhado, então precisei reservar um quarto para adultos.

— Então você pagou por pais fictícios?

— Sim.

Fiquei calada por um instante e, então, perguntei:

— Por que não reservou um lugar para um adulto e uma criança juntos? Você pagaria um quarto só.

— Porque não queria duas camas de solteiro, e sei que casais têm camas de casal.

Dei um olhar de apreciação em volta do quarto.

— Mas este não é um quarto de casal padrão. Parece uma suíte.

— É uma suíte — ele deu um suspiro.

— Então por que precisa de um quarto de solteiro, um de casal e uma suíte?

Ele me deu um sorriso cansado.

— Essa conversa tem algum propósito, adianta alguma coisa?

— Quero saber, então, sim, me interessa.

— Tudo bem, o quarto de solteiro não adianta pra nada, mas preciso de uma criança para participar do programa do Highlander, então continuei com o quarto, apesar de nunca ter entrado nele. Eu fiz o check-in para o quarto de casal e fiquei lá a noite passada, mas a cama é muito estreita. A TV a cabo não funciona direito. O canal de filmes está bloqueado também. Tentei assistir a *American Pie* hoje à tarde, e não estava disponível. Telefonei para a recepção, e eles insistiram que não podiam fazer nada, não sei o que está acontecendo. E quando Tommy sugeriu contratá-la como babá, ele argumentou que talvez você soubesse o número do meu quarto, então reservei a suíte pra disfarçar. — Ele deu de ombros, resignado. — Acabei com mais quartos do que posso usar.

— Tommy?

— Garoto inteligente. Vamos abrir uma garrafa de champanhe? — ele perguntou.

— Sim — respondi, distraída, tentando calcular o quanto ele havia gastado para vir aqui.

Acordei no meio da noite e encontrei Rob sentado, nu, em uma cadeira ao lado da cama, olhando para mim. Um fragmento do luar dançava em seu rosto.

— O que há de errado? — perguntei, esfregando os olhos sonolentos.

Ele arrastou a cadeira para mais perto da cama.

— Evie — disse suavemente —, é só que...

Levantei a cabeça do travesseiro.

— É só que... o quê? — perguntei, examinando seus traços perfeitos.

Ele estendeu o braço e tocou meu rosto.

— Estava observando você — ele disse, com a voz meiga.

— Me observando?

Ele acenou lentamente.

— Sim, estava observando você dormir. Pensei que nunca mais teria a oportunidade de fazer isso novamente. — Os olhos dele fitaram os meus. — A certa altura da noite, eu sempre olhava enquanto você dormia.

Isso me espantou.

— É mesmo? — perguntei despreocupadamente.

Ele assentiu com a cabeça.

Não estava acostumada a ver o lado vulnerável dele, e não sabia ao certo se gostava disso. Seus olhos estavam mergulhados em lágrimas contidas e senti uma onda avassaladora de ternura por ele. Puxei o edredom.

— Bom, você acha que pode vir aqui, fazer alucinadamente amor comigo, e então ficar me observando enquanto durmo o sono dos sexualmente satisfeitos?

Seu rosto se abriu num largo sorriso.

— Não sei. Estou exausto e já fizemos isso três vezes.

Olhei cinicamente para ele.

— Oh, tudo bem então, se tenho que fazer... — ele disse dando um salto na cama com a sutileza de um corredor olímpico.

CAPÍTULO 53

Uma competição de natação chamada "Nado Divertido", supervisionada por instrutores qualificados, foi agendada para as crianças. Então fui designada para a programação de adultos, em que deveria acompanhar a sessão de tiro. Deixei Rob dormindo e corri ao meu quarto para me vestir. Estava no saguão pontualmente às nove horas para encontrar o motorista que nos levaria ao campo de tiro.

"Não deveria ter dormido com ele, mas uma transa é apenas uma transa. Não significa necessariamente que terei de fazer isso novamente", raciocinei. "E vou lembrá-lo de como ele foi idiota em procurar outra quando..."

— Tudo bem? — Rob perguntou, dando-me um empurrão forte nas costas. Fui, cambaleando, para frente.

Virei-me lentamente. Ele estava sorrindo como um tolo e ajustando o boné estilo Sherlock Holmes em cima da orelha.

— Tudo bem — respondi alegremente.

— Estou ansioso por isso — ele disse, apoiando-se ora num pé, ora no outro.

Bateu a bota Timberland com força para frente, curvou os joelhos, levantou um rifle imaginário na altura da orelha e gritou:

— Bang, bang, bang!

Reprimi um bocejo.

— Você não deveria estar no "Nado Divertido"? — perguntei. — Com seus amigos?

— Não. Estou substituindo meu pai no tiro ao alvo. — Ele agachou e mirou uma cabeça de veado, já morto, pendurada na parede, e apertou o gatilho. — Bang!

— Rob — disse, cruzando meus braços, decidida.

Ele caminhou lentamente em minha direção.

— Sim, meu amor?

— Ahnn, sobre ontem à noite...

Ele tirou o boné e abaixou a cabeça para perto da minha linda faixa de cabelo da Harrods, estreitou os olhos e me deu um sorriso sensual.

— Evie, foi fantás...

Ergui a mão para silenciá-lo.

— Foi cem libras — interrompi.

— Como é?

— Você me contratou para ser sua babá, e eu o fiz. Eu trabalhei das nove da noite até as sete desta manhã, então dá um total de dez horas.

Sua boca se entreabriu, incrédula, e os olhos saltaram, espantados.

— Você quer que *eu lhe* pague? — ele perguntou, ultrajado. — Pela noite de ontem?

— Sim, quero. Quero cem libras.

Ele me encarou, de braços cruzados.

— Tudo bem. Se quer dinheiro, você vai ter — acrescentou, sarcasticamente.

— Claro que quero dinheiro. Não vou ser babá de graça. Negócios são negócios, e foi isso que aconteceu.

Saíram faíscas dos seus duros olhos azuis. Houve um momento de silêncio.

— Então, posso receber? — perguntei.

— Agora?

Acenei insistentemente.

— Sim, agora.

— Você quer que eu pague agora?

— Sim, quero. Na verdade, você deveria ter me pagado antes de eu ir embora.

Ele abriu a lateral do casaco acolchoado e enfiou a mão no bolso de trás.

— Podem ser duas notas de cinquenta? — ele perguntou, jogando as notas na minha mão.

— Perfeito! — assegurei. — E, Rob, se precisar de babá hoje à noite, terá que ser outra pessoa, pois não estou na escala.

— Isso é tudo?

— Sim, é — disse, guardando o dinheiro na bolsa.

Fui para o lado de fora para verificar a entrada de meu grupo no micro-ônibus. "A noite passada foi ótima, mas não significa necessariamente que vou repeti-la logo", confirmei para mim mesma. Na verdade, não ia mesmo.

ESTAVA AGUARDANDO com ansiedade esse evento de tiro. Na minha cabeça, vinha a imagem de um castelo antigo, entende? Com criadas elegantes circulando habilmente entre sofás antigos e mesas, servindo canapés e chocolate quente. Os convidados, relaxados nas poltronas altas de veludo, com as espingardas penduradas preguiçosamente nos braços, esperando sua vez de ir até o terraço de pedras e atirar em alguns alvos de barro. Ajustei minha faixa de cabelo de pele falsa e bati as palmas das mãos enluvadas, empolgada. Não via a hora de o evento começar, talvez até eu mesma desse alguns tiros.

Vinte minutos mais tarde, o ônibus saiu da estrada principal e se esgueirou entre duas estradinhas cobertas de neve, subindo uma encosta íngreme e estreita, margeada por árvores. Dei um grito de alegria e segurei meu peito, admirada ao ver uma cachoeira com cerca de doze metros de altura sobre um desfiladeiro rochoso.

Refletindo um arco-íris, ela rugia e espumava, enquanto a água gelada despencava dentro de um lago de prata derretida. A paisagem era tão linda, serena e tranquila! "Oh, meu Deus", pensei, "amo a clareza estonteante da neve, ela torna tudo muito mais bonito, tanto que vale a pena a gente congelar". Para falar a verdade, estava desejando que nevasse mais em Londres. Chequei meu batom no espelho e arrumei a faixa de cabelo. Provavelmente passaria a maior parte do tempo conversando com a equipe dentro da casa, enquanto os homens fossem atirar, portanto, não havia necessidade de usar o chapéu.

Segurei com força a beirada da poltrona, enquanto o ônibus sacolejava e fazia movimentos bruscos ao passar sobre uma ponte esburacada de pedras, que fazia um arco sobre um riacho congelado.

— Certo, aqui estamos — o motorista anunciou, apontando para um dilapidado abrigo antiaéreo da Segunda Guerra Mundial.

Olhei a construção ovalada (parecia um iglu) de pedras cinza, duvidosamente.

— Ahnn, tem certeza? — perguntei folheando o material, para ver mais detalhes sobre o lugar. — Ah, encontrei... Queen's Lodge Gun Club — disse para ele, em alto e bom som. — Então obviamente não pode ser aqui — concluí, com um sorriso confiante.

Ele sacudiu os cabelos vermelhos insistentemente.

— Sim, é aqui mesmo, tenho certeza. Vocês estão sendo aguardados — afirmou, apontando com a cabeça para dois homens baixinhos, malvestidos e rudes, acenando com tanta força que não sei como não caíram com a cara no chão.

— Tudo bem, certo, obrigada! — apressei-me, levantando da cadeira. "Tudo bem", pensei, "é um pouco desolador olhando por fora, mas provavelemente é luxuoso dentro."

Desembarcamos do ônibus e fomos andando em fila, por um emaranhado de urtigas cobertas de neve, até uma trilha de cascalho. Tropeçamos e deslizamos nas pedras escorregadias cobertas de gelo e rochas partidas, até os degraus desmoronados do Queen's Lodge, uma construção em estilo chalé, situada atrás do iglu, com piso de lajota e um teto com vigas. Bandeiras xadrezes e tapeçarias pendiam entre as janelas estreitas e entrelaçadas.

Um cachorro labrador, gordo demais, e preguiçoso demais para andar, dormia na frente de uma lareira crepitante, e outros dois preguiçosos e gordos labradores dormiam confortavelmente em cima de dois sofás de couro chesterfield. Houve muitos tapinhas nas costas e companheirismo enquanto os dois homens distribuíam as espingardas. Rob estava encantado, transbordava de alegria. Todos paramentados, abrimos caminho entre uma mata fechada e densa de galhos cobertos de gelo até uma lareira onde dois outros homens tomavam conta do que, imaginei, ser o lançador dos pombos de barro, ou como quer que seja que eles são chamados.

Era meu trabalho anotar a pontuação de cada um. Todas as vezes que alguém atirava, precisava morder minha luva para arrancá-la e anotar os pontos num placar, mas estava congelando, então parei de anotar cerca de vinte minutos depois, quando meus dedos começaram a ficar azulados de tanto frio. Não tiraria as luvas nessa temperatura, nem mesmo se fosse para dar uma beliscada na bunda do Justin Timberlake, então, com esperteza, preenchi todas as tabelas de pontos ao acaso, quando ninguém estava olhando, e escolhi um vencedor. Um dos baixinhos continuou a gritar nomes e pontos, então, para disfarçar, eu levantava minha caneta e balançava a cabeça avidamente, como se estivesse fazendo um lance num leilão que estava determinada a vencer.

“Está nevando e ninguém mais, a não ser eu, parece se importar, mas são todos homens e isso não é uma grande surpresa.” Tinha de curvar a cabeça para respirar, porque não queria aspirar uma nevasca pelo nariz. Meus cabelos alongados estavam encharcados pela neve, meu rímel tinha dissolvido e eu estava marchando entre duas árvores, para evitar morrer congelada. Flocos brancos de neve sopravam a cada passo que eu dava e um punhado de cubos de gelo havia grudado nas minhas botas de pele. Flocos espessos e pesados estavam se acumulando em minha cabeça, como um enorme merengue.

Enrolei a jaqueta de pele apertada em volta do corpo com força e espiei os homens, mas não consegui enxergar nada através dos ciclones de neve. Raspei o gelo das sobrancelhas e, com a cabeça inclinada, continuei a andar. A faixa de cabelo escorregou sobre os olhos. Lutando cegamente para afastá-la, tropecei em um tronco de madeira e caí de cara no chão. Queria morrer. Já estava meio morta, mesmo. Não havia razão para se viver nessa temperatura, por que alguém viveria? Deixei meus ombros caírem e minha cabeça se afundou na neve. Gulags na Sibéria, Cairngorms[34] da Escócia, me diga, qual é a diferença entre eles? Não consigo imaginar. Comecei a chorar. Rob se aproximou para me levantar, mas não deixei. Não adiantava me levantar, porque a temperatura não melhoraria nada caso eu ficasse de pé. Ele me virou de costas.

— Medeixasozinhamedeixasozinhamedeixasozinha — gemi. Esperneei como um caranguejo com as patas para cima.

— Vamos lá, levante! — ele incentivou, segurando gentilmente meus ombros.

Dei um tapa nele, outro tapa, outro tapa.

— Você só se importa é com os tiros.

Ele levantou as sobrancelhas, cínico.

— Bem, você sabe que isso não é verdade — afirmou, num tom convincente.

— Ésimésimésimésimésim.

Ele deu um suspiro, paciente.

— Deixe-me ajudá-la.

— Não, me deixe, me deixe, me deixe.

Iniciamos uma luta de tapas de luvas.

Ele agarrou as lapelas de meu casaco.

— Levante-se agora! — berrou e me puxou com tanta força que o casaco cobriu minha cabeça. — Você vai congelar, desse modo.

— Já estou congelada!

Ele me içou pelos ombros, como um tapete velho, caminhou pela neve alta em direção ao Lodge e me colocou no chão, dentro da sala.

[34] As Cairngorms é uma cadeia de montanhas nas Terras Altas (Highlands) escocesas. Encontram-se dentro dos limites do Parque Nacional Cairngorms (N. E.)..

— Beba algo quente. Volto quando a sessão de tiros terminar — disse, tirando os cartões com as pontuações do bolso de minha jaqueta.

Fui bamboleando até perto do fogo, chutei um dos cachorros para fora do sofá e me espalhei em cima das almofadas. Rob me acordou uma hora mais tarde, quando estava na hora de ir embora.

Houve um silêncio carregado no micro-ônibus, quando me sentei, balançando para frente e para trás, muda.

De volta ao hotel, relaxamos na banheira e Rob me embalou em seus braços. Ele respirava pesado e seu peito rugia quando dava risada.

— Do que está rindo? — perguntei, sonolenta, envolta em seus braços fortes e na água morna perfumada.

— De você.

— Por quê?

— Dezesseis homens tiveram que se amontoar num único sofá, porque você estava deitada de comprido e roncando no outro.

— Não tô nem aí — disse.

— Sei que não liga, por isso estou rindo. Tive de jogar aqueles cartões de pontos no fogo e dizer pra todo mundo que eles escaparam de sua mão. Alguns daqueles caras são muito passionais no que se refere a campeonato de tiros. E competitivos. Mas se você tinha que trapacear, podia ao menos ter me declarado campeão.

Passamos a tarde toda na cama. Ele rolou para cima de mim, apoiando os cotovelos de cada lado da minha cabeça.

— Vamos ficar aqui dentro hoje à noite? — ele perguntou.

— Você está brincando? É véspera de ano-novo e estamos na Escócia. Ninguém faz festas melhores.

Ele me deu um beijo.

— Está certo, mas não quero esperar — disse, curvando a cabeça e mordiscando meus lábios. — Tenho uma surpresa pra você.

Sorri para ele:

— O que é?

— Feche os olhos — ele sussurrou.

— Por quê?

— Feche os olhos, ou não vai ganhar a surpresa.

Ele deu um pulo e saiu da cama. Ouvi o farfalhar de papéis, o rasgar de folhas e uma risada maliciosa. E um estranho som de zumbido. Segundos depois, ele estava em cima e dentro de mim.

— Ah, meu Deus, ah, meu Deus — eu disse, arfando.

Joguei minha cabeça de um lado para outro, enquanto uma série de vibrações rápidas e fortes contraíam a parte inferior de meu corpo. Espasmo após espasmo de calor intenso explodiam em minhas coxas e em meu ventre. A respiração dele estava quente em meu ouvido, ele passou o braço por trás do meu pescoço e me apertou com força. Passei as pernas em torno de suas costas.

— Rob — eu arquejava —, o que é isso?

Ele alisou meus cabelos e fitou meus olhos surpresos.

— Está feliz? — perguntou, com um grunhido de triunfo.

Feliz? Seu brinquedinho de repente tinha controle remoto e ele quer saber se estou feliz? Estava a ponto de explodir de prazer. Havia acabado de experimentar o melhor *Happy Hour* da minha vida!

Mais tarde, Rob se posicionou em cima de mim, respirando lentamente, com os olhos brilhando de satisfação, o suor reluzindo em seu peito arfante. Ele soltou a respiração, rolou para o lado e se recostou no travesseiro. Passei a língua pelos lábios, fechei os olhos e limpei com a mão minha testa suada. Me puxou para si, enrolando um braço forte e uma coxa musculosa em torno de mim. Havia um zumbido em meu ouvido. Na verdade, era um zumbido, mas não estava em meu ouvido, estava vindo de debaixo do edredom. Rob deitou de lado, olhos fechados, sorrindo como um palhaço, o nariz explorando meu rosto.

— O que é esse barulho? — peguntei, ainda respirando com dificuldade.

— Isso — ele explicou, afastando a coberta com um floreio. Ele mexeu na virilha e me entregou um pequeno anel de borracha, com um vibrador retangular preso nele.

Olhei para o objeto, admirada. O anel dançava na palma de minha mão.

— O que é isso? — perguntei.

— Um anel vibrador.

— Onde você comprou?

— Numa farmácia Boots.

— Quanto tempo ele dura?

— Não sei.

— Como você não sabe?

Ele deu de ombros.

— Bom, quanto tempo você acha que dura?

— Vinte minutos, eu acho.

— Quanto custou?

— Não sei. Era uma oferta de três pelo preço de dois.

— Quantos você comprou?

— Um.

Dei um tapinha nele.

— Você comprou um, e estavam numa promoção de três pelo preço de dois. Ninguém compra um só, quando tem a oferta de se pagar apenas dois e levar três. Provavelmente temos apenas uns quinze minutos de vibração sobrando e estamos a quilômetros de distância da Boots mais próxima. — Dei um gritinho, passando a mão freneticamente pelos cabelos úmidos. — E o que a gente vai fazer quando isso parar de vibrar?

— Evie, seja justa, dou muito bem conta do recado sem isso — ele se vangloriou com um sorriso maroto.

— Rob, você coloca um motor na popa de uma canoa e ainda diz que isso não faz diferença? Não fique aí se achando!

Enrolei o anel em volta do meu dedo médio da mão esquerda, e, ainda tremendo ligeiramente devido ao esforço pós-sexo, levantei a mão para poder examiná-lo melhor e fiquei olhando hipnoticamente para o objeto. Como eu nunca tinha ouvido falar disso? Um ator antigo cai morto de repente e está em todos os canais de televisão, mas quando um aparelhinho pode praticamente transformar o bilau de um homem numa roda giratória oblonga, ninguém menciona nada.

— Gostou? — ele perguntou.

— É legal, eu acho — respondi.

CAPÍTULO 54

A suíte Balmoral era incrível. Bolas giratórias de vidrilhos cintilantes jogavam um caleidoscópio de luzes prateadas em volta do salão. As paredes eram decoradas com quadros, espelhos em molduras douradas e arandelas iluminadas nas paredes. Cada mesa circular estava revestida por um tecido xadrez com um enorme candelabro de cristal no centro da mesa. Garçons se deslocavam lentamente entre as mesas, nelas colocando serpentinas, lançadores de confete e chapéus em formato de cone. No palco, atrás de uma pista de dança encerada, dois DJs gritavam entre si como malucos, ao contrário dos quatro integrantes da banda, que animadamente faziam a checagem do som.

Meus cabelos estavam soltos, cheios de mousse e revoltos. Estava usando o vestido vermelho da Vera Wang e um par de sandálias douradas. Sombra de brilho dourado, cílios postiços, delineados por um enorme traço de lápis preto por baixo, e um batom vermelho me deram um jeito de Cleópatra. Olhei de relance para o relógio. Dali a meia hora, o salão começaria a lotar. Saí rebolando do salão de festas com a prancheta na mão, pronta a direcionar os convidados para os devidos lugares nas mesas.

O saguão estava bombando. Homens altos e eretos, vestidos com o traje completo de *highlander*, tomando *scotch* em copos de cristal, conversavam com mulheres igualmente bem-vestidas e elegantes, que circulavam com facilidade entre crianças que mergulhavam destrambelhadas a seus pés. Um bando de adolescentes, com *snow boards* debaixo dos braços, pisava no carpete xadrez deixando rastros de neve, e um grupo de homens de paletó estava no salão, conversando animadamente em volta da lareira.

– Oi.

Eu me virei.

O espesso cabelo louro de Rob, bem cuidado e penteado, roçava o colarinho da camisa branca do smoking. Ele usava um paletó preto de corte impecável da Argyll, com um colete de botões prateados combinando, e um *kilt* xadrez vermelho, maravilhoso, com duas tiras de couro na cintura e uma no quadril. Meias bege-claras cobriam suas pernas tonificadas e um *sporran*[35] preso à sua cintura completava o traje. Estava um gato.

– Hummm – murmurei, quase sem voz.

Ele me admirou lentamente, demorando-se mais que o necessário no decote. Seu olhar retornou sem pressa para meu rosto encabulado.

– Nada mal – ele cumprimentou, com um sorriso irônico. – Nada mal mesmo. Vamos tomar um drinque? Ainda tem meia hora antes de se apresentar ao trabalho.

Ele colocou uma mão firme em minhas costas e me conduziu pelo saguão lotado. As pregas duras do seu *kilt* dançavam à sua volta quando ele caminhava. Segurei o passo para observá-lo por trás, imaginando se estaria usando alguma coisa por baixo do *kilt*. Aparentemente os homens não usavam nada.

[35] Uma bolsa de couro ou de pele usada na frente do *kilt*, na vestimenta tradicional dos homens da Scottish Highlands. (N. T.)

— Não, não estou — afirmou ele, com os lábios rosados se curvando num sorriso. Rob pegou minha mão e a colocou em seu braço.

— Não está... o quê? — perguntei.

— Não estou usando nada por baixo do *kilt* — respondeu casualmente.

— Bem — falei ofendida —, nem estava pensando nisso!

— Não minta.

— Não estou mentindo.

— Essa é outra mentira.

Um rubor correu pelo meu pescoço e subiu pelo rosto.

— Por que, ahn, você decidiu usar um *kilt*?

— Alice disse que você não seria capaz de resistir.

Minha cabeça ficou zonza.

— Alice?

— Sim, minha amiga Alice. Ela me emprestou isso — ele se gabou, passando a mão sobre o quadril. — Era de Duncan cem anos atrás, mas aparentemente eles não saem de moda.

— É mesmo?

E, por um minuto, parei de andar.

Ele se virou.

— Vamos, você quer uma bebida ou não?

Tive de me apressar para acompanhar o passo dele. Ele tinha o bumbum mais lindo do mundo, e pensar que estava descoberto em público, sem calças!

— Vinho ou gim? — perguntou, com os cotovelos apoiados de leve no balcão.

— Então você está pelado por baixo? — perguntei.

— Sim. Vinho ou gim? — ele repetiu.

— Seu traseiro não está gelado?

— Sinto uma corrente de ar, admito. Vinho ou gim?

— Seu bumbum não está coçando com toda essa lã?

Ele revirou os olhos.

— Pode me dar uma caneca de cerveja Fosters e um gim tônica? — pediu ao barman.

Rob ficou sentado comigo e outros membros da equipe da Insignia na mesa dos funcionários. Nem precisei perguntar como ele conseguiu um assento ali, porque Sally ficou babando durante todo o jantar. A comida era fabulosa. Fatias de rosbife do tamanho do capô de um carro, batatas assadas e uma seleção de legumes frescos, terminando com um cheesecake de morango, e regado a uma grande quantidade de vinho Shiraz. Delicioso!

O gerente do hotel ocupou o centro do palco. Ele inchou o peito, nervoso, e passou a mão nos cabelos. Seu microfone fez um ruído e começou a funcionar, seguido por um tilintar ruidoso de talheres nos copos.

— Então aqui estamos — ele anunciou. — Outro ano vai começar e nem acabamos de celebrar o que se passou.

Houve um estrondo coletivo de apoio.

— E que belo grupo temos aqui reunido, todos vestidos com seus melhores trajes. Antes de iniciar a festa, faremos alguns anúncios. O primeiro é apresentar a vencedora do concurso Make a Crown. Por favor, peço a todas as participantes que entrem na pista de dança e fiquem ao lado de suas anfitriãs da Insignia.

Parecia que eu tinha sido chamada para receber um Oscar. Levantei-me, chutei a barra de meu vestido Vera Wang, passei ao lado de várias mesas e fui até a pista de dança, onde Jenna e Gabrielle, as duas garotinhas do meu grupo, posicionaram-se a meu lado. Nervosas e apertando minhas mãos, ambas usavam suas coroas. Senti uma coisa viscosa se mexendo no meu estômago e percebi que também estava nervosa. Queria desesperadamente que elas ganhassem, haviam se esforçado tanto e, com certeza, suas coroas eram bem melhores que as outras.

— Uma exibição fabulosa, sim, todas vocês realizaram um trabalho incrível! — o gerente as elogiou. — Agora gostaria que as crianças fizessem um círculo e dessem uma volta na pista, para que todos possam ver essas belas obras de arte.

As dezessete participantes desfilaram orgulhosamente em volta da pista de dança, encorajadas por um aplauso ensurdecedor da plateia de trezentos convidados. Na metade da terceira volta, o gerente deu um tapinha no microfone e levantou a mão.

— Muito bem, agora que todas foram apreciadas, gostaria que vocês, crianças, voltassem para o lado de suas anfitriãs.

Houve uma movimentação apressada quando as crianças romperam o círculo. Jenna, Gabrielle e eu ficamos paradas, de mãos dadas, bem apertadas. Não conseguia controlar meu nervosismo. Podia sentir o sangue pulsando em meus ouvidos, meu coração acelerado e vontade de fazer xixi. O gerente do hotel continuou a falar, mas eu estava muito entusiasmada para prestar atenção. Ele abriu um envelope que continha o nome das vencedoras.

— E temos um empate entre duas garotas do grupo Highlanders amarelo: Jenna e Gabrielle!

— Ah, meu Deus, conseguimos — disse, empolgada. — Nós ganhamos, nós ganhamos!

Seus rostinhos adoráveis me olharam encantadas, com as mãozinhas ajeitando as coroas nas cabeças angelicais. Estava tããããooo orgulhosa delas e do que elas tinham conquistado! Fomos em direção ao palco, no meio de uma nuvem de esvoaçantes vestidos de festa. Estava praticamente sem ar, de tanta emoção. Eu me sentia como, bem, como uma mãe se sentiria depois de anos pagando mensalidades escolares, ao ver o filho recebendo um diploma universitário. Minhas narinas tremeram de emoção quando o gerente entregou a cada uma delas um enorme presente embrulhado. Bati palmas, e palmas e palmas, e todo mundo fez o mesmo. Foi incrível!

— Você trapaceou — Rob sussurrou, enquanto ajeitava meu vestido e me sentava novamente na cadeira.

Olhei para ele com desdém.

— Cala a boca, Cachinhos Dourados!

Ele me observou sagazmente.

— Me dá uma caneca de cerveja ou eu conto tudo.

— Você não ousaria.

— Ousaria, sim — ele insistiu e se preparou para se levantar.

— Tudo bem, tudo bem, Carling ou Fosters? — ofereci.

Rob pegou minha mão e me levou para a pista de dança.

— Nunca dançamos juntos — ele murmurou, com os lábios roçando minha testa.

Ele apoiou a mão firmemente nas minhas costas e me fez girar pelo salão, ao som da banda que tocava músicas escocesas. Quando ele se curvou e me beijou, meu coração parecia querer voar. Fechei os olhos com força e disse a mim mesma para guardar esse acontecimento na lembrança, para congelar esse momento, para nunca esquecer. De repente, fomos separados, e ele desapareceu na multidão de estranhos que dançava e dava risada; então, durante a hora seguinte, fomos levados e obrigados a aprender a dança de quadrilha escocesa, a Dashing White Sergeant e a dança Military Two Step.

Dancei com um ex-marinheiro de noventa anos, um garoto de nove anos que tropeçou em mim e me derrubou em cima do carrinho de sobremesa, e com uma mulher que me disse que perde seis quilos todas as vezes que o marido vai para a prisão. Aparentemente, até mesmo uma sentença de seis meses funciona.

Às onze horas, avisaram que o bar fecharia em meia hora. Senti um certo pavor. Fechar? O bar ia fechar? Antes da meia-noite? Examinei a sala procurando o gerente. Teria de linchar alguém, antes que alguém me linchasse. O que estava acontecendo? Agarrei o braço de uma garçonete apressada, que me disse que o bar fecharia por uma hora, para permitir que os funcionários celebrassem a passagem do ano, e depois reabriria até que o último hóspede estivesse de pé. Então, em teoria, o bar ficaria aberto a noite toda. Senti que relaxava. Com esse problema resolvido, parti em busca de uma garrafa de champanhe. Por que não? Feliz ano-novo para mim!

Rob me agarrou por trás e me levantou do chão.

— Esstou com ssaudadess de você — ele disse com a voz enrolada, por causa da bebida.

Olhei para ele criteriosamente:

— Por acaso você está meio bêbado?

Ele colocou os braços à minha volta e sorriu carinhoso. Cheirava a Dolce & Gabana e uísque.

— Evie, eu...

— E a contagem regressiva começa! Dez, nove, oito, sete, seis, cinco, quatro, três, dois, um! Feliz ano-novo!!!

A pista de dança explodiu numa mistura de alegria, pulos e aplausos. A iluminação passou de moderada a lasers de cores berrantes. A banda cantava *Auld Lang Syne* e papéis picados prateados e dourados flutuaram teto abaixo. E Rob desapareceu novamente.

Encontrei Rob uma hora mais tarde, dormindo numa poltrona do lobby. Fiquei tentada a deixá-lo ali, mas ele sempre cuidara de mim quando eu ficava bêbada. Eu o acordei, ajudei-o a se levantar e fui cambaleando com ele até o elevador. Só Deus sabe como, mas consegui levá-lo até o quarto e colocá-lo na cama. Meus pés estavam me matando, meus ombros estavam doloridos e minhas costas doíam.

— Feliz ano-novo! — disse para seu ronco e fui para o meu quarto. Por estranho que pareça, apesar do *kilt*, consegui resistir a ele na presente situação.

CAPÍTULO 55

Era meio-dia do primeiro dia do ano-novo e o saguão do hotel parecia o deque do navio abandonado *Mary Celeste*. Uma recepcionista solitária estava jogada do outro lado do balcão da recepção, mexendo num copo com algum remédio borbulhante. Eu parecia uma gueixa, com um vestido de seda azul-claro, o rosto coberto por uma base branca, o batom vermelho-berrante e os cabelos presos no alto, como o ninho de um pássaro, com palitos estrategicamente posicionados.

A recepcionista piscou desinteressada, fitou-me com os olhos embaçados e grunhiu um cumprimento.

— Onde está todo mundo? — perguntei.

— Na cama — ela conseguiu dizer.

Toquei meu relógio.

— É meio-dia, o "Café da Manhã à Fantasia" deveria ter começado às onze horas — comentei, com as sobrancelhas erguidas, com sobriedade.

— Sim, bem, o bar fechou às sete horas da manhã.

— Acorde o hotel todo — disse, com os olhos piscando em volta do saguão vazio. — Se eu posso levantar, então todo mundo pode. — Olhei firme nos olhos dela e ajustei o corpete apertado. — Chamadas de despertador são geradas pelo computador, é uma questão de apertar alguns botões, não é? Você pode, por favor, providenciar isso? – insisti.

Ela balançou a cabeça e escapuliu preguiçosamente.

Por volta das duas horas, o restaurante estava quase lotado. Havia Chapeuzinho Vermelho, Alíce no País das Maravilhas, a Fada Sininho, a Rainha de Copas, enfermeiras, médicos, padres e vagabundas, camponesas, Batman e Robin, uma rena estilizada e uma variedade de Marilyns Monroes. Meus pés estavam me matando. Joguei-me para frente e me segurei no arco de entrada de treliça. Estava exausta pelo esforço de acenar e cumprimentar todo mundo, sorrir e dizer: "bomdiafelizanonovo!". "Mais duas horas e eu poderia ir para meu quarto e cair na cama", pensei. Não estava de ressaca. Meu tempo disponível para beber fora ocupado pelas danças e conversas ao longo da noite, mas estava cansada e irritada. Para mim, era óbvio, agora, por que as gueixas ficavam tão felizes em tirar as roupas: elas eram terrivelmente desconfortáveis.

Como não havia mais atividades agendadas para os Young Highlanders, despedi-me das crianças de meu grupo, que ficaram dando pulos e dançando à minha volta, gritando que eu era "a melhor pessoa velha que conheciam". Deus as abençoe!

Quando os idiotas preguiçosos da Insignia, que conseguiram descansar e escapar do Quiz Night, apareceram, eu me escondi num canto do saguão, atrás da seção de livros, onde era possível conseguir um sinal de rede. Havia oito mensagens de texto:

Lulu: Feliz ano-novo. Vic e eu estamos juntos de novo. Bjs (Como se Vic soubesse que estiveram separados!)

Nikki: Casamento na Grécia cancelado, conversamos qdo vc voltar. Feliz ano-novo. Bjo.

Tina: Feliz ano-novo! Helen está apaixonada pelo Larry Grayson e se mudando para a Ilha de Wight. Hilário. Bjs

Charles: Feliz ano-novo. Almoço qq hora? Desculpe por... você entende. Bjo

Alain: Bonne Annee cherie bjs

Lexy: Pode ficar c as garotas no dia 3? Engordei três quilos, qto vc engordou? Feliz A. N.

Mamãe: Gaqw mdw jmtd. ZZ

(Usando minha imaginação, concluo que ela está me desejando "Feliz ano-novo", ela é uma dinossaura em relação à tecnologia.)

Alice: Feliz ano-novo, sua felizarda. Bjs

(Não sei do que ela está falando.)

Senti o toque leve de um beijo em minha nuca. Rob segurou meus ombros e deu um suspiro profundo.

— Me desculpe, não consigo nem me lembrar da última vez que fiquei bêbado. — Franziu o rosto, pensativo. — A culpa é do uísque.

Ele estava maravilhoso. Faíscas elétricas percorriam meu corpo todo. Ele me deu um sorriso sem graça, um passo atrás e abriu os braços.

— Gosta? — ele perguntou.

Ele era, *sem sombra de dúvida*, o pirata mais sensual que já havia visto. Usava uma bata branca de linho, de mangas longas, um colete de couro, calças de montaria e botas de couro preto na altura do joelho. Uma espada de bucaneiro pendia de um cinto grosso de couro, com uma fivela de prata em formato de crânio e os ossos cruzados. Uma bandana vermelha e uma argola de ouro na orelha completavam a fantasia.

— Tudo bem, eu acho — disse, engolindo em seco o desejo que sentia por ele.

— Pedi na loja de fantasias para me arrumarem uma roupa de *viking*, mas, para ser honesto, se minha cabeça combinasse com aquele casaco de peles, eu poderia passar pelo King Kong. E de jeito nenhum que eu ia usar um chapéu de chifres! Você deveria reconsiderar essa sua fantasia, ela não condiz com a realidade. Vamos comer alguma coisa antes que eu desmaie — ele disse, tocando a ponta de sua espada.

Sentamos no saguão do hotel, a gueixa e o pirata se deliciando com uma omelete de cogumelos e Diet Coke.

— Sabe, acho que nunca acordei tão tarde. Estou de pé há apenas uma hora — ele me disse, colocando a última garfada de omelete dentro da boca. Atirou o guardanapo no prato vazio, afundou na cadeira e ficou brincando inconscientemente com o brinco.

— Ahnn, é mesmo — comentei distraidamente. Segurei com força a beirada da cadeira. Estava com dificuldade de respirar. A Diet Coke havia me transportado do tamanho 38 para o 44.

— Acordei lá pelas onze horas e não conseguia me lembrar de onde estava — ele continuou.

Gotas de suor começaram a surgir em minha testa. O rosto de Rob começou a entrar e sair de foco.

— Minha cabeça estava girando — ele resmungou.

Apertei o braço da cadeira com força e comecei a respirar com dificuldade.

— E me senti enjoado. — Ele olhou para o meu rosto. — Você está bem? — perguntou.

O corpete estava me apertando e me cortando como uma faca.

— É esse vestido — falei, arfando —, está muito, muito apertado. — Cambaleei ao tentar levantar e soltei a respiração. Estava zonza e quase desmaiei.

— Tire essa roupa! Seu rosto está pálido — ele disse, agarrando meu braço.

Ele me levou rapidamente para fora do saguão, em linha reta, o mais rápido possível.

— Aqui — ele ordenou, agarrando meus cabelos e me girando 360º por uma porta marcada: "Lavanderia".

— Onde é o zíper? — ele perguntou.

Mal respirando, dei um tapa no bumbum demonstrativamente. Ele procurou o zíper nas costas e o abriu. Minha barriga, quadril e costas celebraram sua liberdade imediata. Eu mal conseguira respirar direito quando, mordendo de leve meu pescoço, Rob me prensou contra a parede e pressionou seu corpo contra as minhas costas.

— Agora que abaixei o zíper todo, você bem que podia tirar o vestido — ele sugeriu.

Sobre os ombros, olhei espantada para ele.

— Ahn, acho melhor não. Este é um lugar público — disse, ofegante, com o peito arfando.

Ele me virou para ficar de frente para ele e olhou ao redor.

— Não estou vendo ninguém aqui, você está? Tire o vestido. Vou ajudá-la — ele ofereceu, levantando a seda azul sobre meu quadril.

— Não! — gritei, meu corpo tremia.

Seus olhos se arregalaram de espanto.

— Tire tudo — ele ordenou.

— Definitivamente, não — persisti, sentindo uma onda de euforia contorcer minha barriga.

Ele arrancou o vestido pela minha cabeça e o jogou atrás de si.

Cedi.

— Ah, tudo bem, então.

"Ah, meu Deus", pensei, "como tudo isso é sexy, arriscado e gelado!". Tremia, pois agora só estava usando saltos altos, sutiã e calcinha. Meus braços envolveram a nuca de Rob. Seus olhos se estreitaram e escureceram, enquanto os lábios se curvaram num sorriso. Senti-me enrubescer na penumbra. A lavanderia era grande, fria e assustadoramente quieta, com exceção do esporádico zumbido do ar-condicionado. Ele cobriu minha boca com a dele e, com as mãos, forçou meus ombros de encontro à parede.

— Essa coisa branca em seu rosto vai grudar em mim? — perguntou, segurando meu queixo.

— Provavelmente — murmurei através do beijo. — Você se importa?

— Não — ele disse, apoiando-se em um carrinho de toalhas. Rapidamente agarrei em seus ombros, enquanto o carrinho deslizava pelo chão ladrilhado, até se chocar contra uma máquina de lavar que ia do teto ao chão. Ele montou em cima de mim e seus dedos se mexiam freneticamente, tentando desabotoar a fivela de seu cinto. Meu coração batia acelerado.

— Fique com as calças — disse, colocando uma toalha sobre meus ombros, que não paravam de tremer.

— O quê?

— Fique com as calças — repeti, segurando suas mãos.

— Ok, ok! — ele concordou e saltou do carrinho, curvando-se para tirar as botas.

— Não, não, fique de botas. Eu gosto das botas — declarei.

Suas sombrancelhas se franziram, impacientes. Ele jogou os ombros para trás e puxou o colete.

— Fique com ele também. Eu gosto do colete, gosto de tudo. Fique com todas as suas roupas, até mesmo com a espada — falei, com a voz rouca. — Bem, talvez fosse bom tirar esse brinco, mas deixe a bota e todo o restante. — Olhei cheia de desejo para ele: — Eu gosto assim, isto é, eu *realmente* gosto assim.

Ele se endireitou.

— Não vou ficar com a espada. A lâmina é afiada, não é um batedor de claras, entende?

— Tudo bem, pode tirar a espada, e Rob...

Sua bandana escorregou pela cabeça, cobrindo os olhos.

— O quê? — ele berrou, enquanto a espada caía com estrondo no chão.

— Fale besteiras — disse maliciosamente.

E ele disse coisas bem, bem sujas.

Depois que terminamos, ficamos deitados juntinhos debaixo de duas pesadas cortinas de veludo, numa cama de toalhas.

— Sabe o que isso me lembra? — perguntei, sonhadora.

— O quê?

— Aquela cena do *Titanic*, quando a Kate Winslet bate a mão suada na janela embaçada do carro, depois de eles transarem lá dentro. Nós nunca fizemos isso, né? Nunca transamos no deque dos carros.

— Podemos fazer isso, sim — Rob disse casualmente. — Quando voltarmos, vamos de carro até Paris. Tudo vai ser exatamente como antes. Tudo bem — ele admitiu —, talvez a travessia de balsa no Canal da Mancha não seja a mesma coisa que no Titanic, mas um deque de carros é um deque de carros.

Senti uma coisa desconfortável se desprender dentro de mim. Era uma sensação de presságio, acho eu. Nós havíamos passado alguns dias fabulosos, mas esse final de semana não era parte da realidade. A vida real consistia nele paquerando e flertando por toda a Europa. Divertir-se nessas circunstâncias era mais difícil, estressante e talvez até mesmo impossível. Uma ponta de dúvida deve ter aparecido em meus olhos.

— Podemos, não é? — Rob perguntou, dando um apertãozinho tranquilizador em minhas bochechas.

— Mais ou menos — retruquei, com um tom de hesitação. — Talvez não vá ser *exatamente* como era antes.

Seus olhos piscaram.

— O que quer dizer com isso? É claro que vai ser igual a antes, vai ser ainda melhor. — Ele se apoiou num cotovelo. — Os dois meses que passei sem você me fizeram perceber como você é importante pra mim. Eu fiquei muito mal. Praticamente persegui Alice, desde aquela noite no restaurante. Ela tem sido maravilhosa, não sei o que teria feito se ela não tivesse me mantido atualizado sobre você, onde você estava e com quem.

Senti uma ponta de irritação e anotei mentalmente para não me esquecer de ligar para Alice na primeira oportunidade: que bisbilhoteira traidora ela era!

— Não confio em você — disse, tristemente.

Ele segurou meu queixo com o dedo indicador e o polegar e me olhou direto nos olhos.

— *Pode* confiar em mim. Eu daria minha vida por você. *Nunca* mais vou te decepcionar.

— Achei que não me decepcionaria antes... — Minha voz sumiu, infeliz, e virei de costas. Não conseguia ficar olhando para ele. Ele se moveu, para se aproximar de mim, com os olhos suaves e suplicantes.

— Me deixe provar pra você.

Mordi os lábios e encarei o teto, escolhendo as palavras cuidadosamente.

— Você partiu meu coração, mas eu segui em frente, superei e toquei a vida. Me entreguei demais a você e, então, a certa altura, decidi que não faria isso novamente. Vamos namorar de vez em quando e ver o que acontece, mas vamos manter nossas vidas separadas. Bem, vamos encontrar outras pessoas. Desse modo, não terei de carregar o peso da desconfiança, porque você vai poder fazer o que quiser, mas — dei um suspiro — eu também vou poder.

Ele me olhou com os olhos contraídos, um músculo no canto de sua boca pulsava ritmicamente. Percebi que por mais composto que aparentemente estivesse, por dentro, ele estava se descontrolando. Subitamente ele se levantou de nossa cama de toalhas.

— Vista-se — disse, nervoso. — Agora.

Em meu quarto, Rob ficou de pé, com os braços cruzados, encostado na parede e com a expressão indecifrável.

— Voltaremos para Londres amanhã — eu disse, esfregando meu rosto vigorosamente com algodão e loção de limpeza. — Que tal se a gente se encontrar no...

— Não voltaremos amanhã — ele interrompeu, secamente.

— Voltaremos sim — afirmei, e devo confessar que estava ansiosa para sair dali. Essas temperaturas abaixo de zero são de matar.

Ele caminhou apressado pelo quarto, a espada raspando nas pernas.

— Não vamos voltar porque eu...

— Vamos sim — surtei.

Ele se aproximou de mim.

— Não vamos, não. Troquei os voos, para podermos ficar mais uma noite.

— Por quê? — Dei um gritinho histérico.

— Porque achei que seria agradável — ele berrou.

— Agradável? — gritei. — O que tem de agradável num lugar onde você precisa usar todas as suas roupas, e ainda um colete e uma corda, só para sair de casa e colocar uma carta encharcada no correio? — Enfiei um dedo na cara dele. — Para que prolongar a agonia de viver como um esquimó?

Ele ergueu uma das mãos de modo autoritário.

— Acalme-se.

— Eu tô calma! — gritei, nervosa. — Só quero ir pra casa.

Ele deu um suspiro fundo e suas narinas tremeram.

— Bem, não é possível porque, quando troquei nossos voos, a atendente ficou encantada. Aparentemente nosso voo estava com *overbooking*, então não podemos pegar os assentos de volta. Portanto, aqui estamos nós e aqui vamos ficar.

Ele passou os dedos pelas alças do cinto e ficou em pé, com os ombros largos e pernas afastadas.

— Amanhã vamos pegar um carro, dar um passeio pelas redondezas e ver as coisas por aí. E se você ainda se sentir assim, isto é, que não me quer do mesmo jeito que eu a quero, então voltamos para Londres e nunca mais ouvirá falar de mim. — Os olhos dele se turvaram. — Quero você em tempo integral, ou tudo ou nada, sem essa história de sair com outros. A ideia de saber que você está com outra pessoa faz meu sangue ferver. Não posso viver assim. — Ele aproximou sua cabeleira loira da minha. — Pense nisso!

Abri minha boca, mas não consegui pronunciar nenhuma palavra. Os olhos dele estavam furiosos.

— Você precisa de tempo para pensar. Encontre-me no saguão às nove horas, amanhã de manhã — disse e saiu a passos largos do quarto.

Fui para a cama às dez, acordei às onze, bebi todas as garrafinhas de gim e de conhaque do minibar, joguei-me na cama e fiquei deitada olhando para o teto, louca de indecisão. Pensei em Alain e seu corpo atraente, seu jeito latino. Apesar de ser lindo como era, não tinha o mesmo efeito devastador que Rob tinha. "Mas então", ponderei, incerta, "talvez se eu fosse pra Nice e dormisse com o Alain, pudesse comparar. Uma vez só seria o suficiente". Dei um suspiro e franzi a testa enquanto uma corrente elétrica de inquietude me queimava por dentro. Será que era honesto fazer isso com Alain? "Claro que seria, ele conseguiria transar comigo, afinal de contas."

Fiquei rígida de medo. E se Rob encontrasse outra pessoa, enquanto eu estivesse em Nice? Minha boca secou imediatamente e uma onda de náusea ficou subindo e descendo pela minha garganta. *Não* poderia deixar isso acontecer. Pensei na beleza estonteante de Rob e, bem, em seu anel vibratório. Minha virilha começou a se contorcer. Minhas emoções flutuavam entre o êxtase e a fúria. "Termine tudo com ele, ele não presta." Uso tamanho 38 agora, posso ter quem eu quiser. Agarrei o travesseiro. O relógio de cabeceira piscava em verde-neon as horas: três e meia da manhã. Joguei o edredom para bem longe, saí da cama, vesti o casaco e o chapéu, abri a janela e procurei no celular o número de Alice. Na ponta dos pés, consegui um sinal decente.

Holofotes refletiam a brancura da paisagem gelada das Highlands, cujo pano de fundo era um céu azul-escuro pontilhado de estrelas piscando. Era tão lindo e tão tranquilo! Estremeci. E era de congelar o sangue. Alice atendeu no segundo toque.

— Alice, é Evie.

— Querida, como vai? Feliz ano-novo! Estava esperando você me ligar. Disse essa tarde mesmo para Duncan: "Espero que Evie telefone", não foi, Duncan? — ela tagarelou, acompanhada por um grunhido do marido. — Ele está dormindo — comentou.

— Não sei o que fazer, Alice.

— Sobre o quê?

— Sobre Rob.

Ela deu um suspiro:

— Evie, esse garoto... — fez uma pausa — esse garoto está apaixonado...

— Mas... — eu a interrompi.

— Eu sei, eu sei — ela contra-atacou.

— Então — gracejei — não consigo.

— Evie, me escuta. Você sabe que ele te ama. Quer realmente se privar da única oportunidade de ser feliz a vida toda, por causa de um erro estúpido da parte dele? Um erro, posso lhe garantir, do qual ele se arrependeu muito e nunca vai repetir. Todo mundo merece uma segunda chance. Deixe que ele prove isso a você. Comece tudo de novo, deixe o passado lá atrás e olhe para o futuro! — ela aconselhou, me acalmando.

— Deixar que ele prove pra mim... — ecoei num sussurro.

Seguiu-se um silêncio pesado. Funguei e esfreguei o nariz avermelhado.

— Você perdoaria Duncan se ele a traísse? — perguntei.

Ela levou um susto.

— Que droga, eu castrava ele!

Não fechei os olhos nem por um minuto nessa noite.

CAPÍTULO 56

Rebolei pelo saguão na manhã seguinte. Já estava odiando as novas botas pretas. Elas me deixavam mais baixa, troncuda e pesada, e por causa da barra coberta de pele, eu era forçada a caminhar com as pernas ligeiramente afastadas, como se fosse um cowboy. Como se já não fosse ruim o bastante, uma dor latejante nas panturrilhas estava me atormentando e, às vezes, tinha vontade de morder a língua, ao descer os degraus da escada. "Nunca tive esse tipo de problema com saltos", resmunguei baixinho, pra mim mesma, "mas aqui, no Polo Norte, preciso usar esse monstrengo". Quanto à jaqueta de pele falsa, também a detestava. Meus peitos ficavam parecendo duas bolas de futebol.

Rob apareceu no balcão da recepção, com os braços estendidos, as mãos segurando um mapa. Fiquei ao lado dele e ele se aproximou e tocou gentilmente meu rosto.

— Dormiu bem? — perguntou, com os olhos brilhando.

— Como uma pedra. Dormi a noite toda — disse, com uma careta.

Um mapa? Espere um pouco, se ele está lendo um mapa, então ele não sabe onde está indo.

— Ahnn, Rob...

Ele curvou um braço pelo meu pescoço e me puxou para perto dele, dando um beijo em minha testa.

— Espere um minuto, meu bem — ele disse distraidamente. — Estou planejando a rota.

Bati com o cotovelo no mapa.

— Rota! Você está planejando uma rota! — exclamei, horrorizada. — Não estou a fim de me perder por aí. Nunca entendi esses idiotas que saem explorando lugares aonde ninguém mais quer ir. Qual é a vantagem de explorar milhares de quilômetros de gelo, possivelmente morrendo ao longo do processo, além de obrigar outras pessoas a virem o resgatar? E... — continuei, o tom da voz cada vez mais alto — ninguém dá a mínima para o que você descobre, quando está perdido lá fora.

Ele sorriu, me tranquilizando.

— Vamos apenas dirigir uma hora e meia pela estrada até Fort William, não vamos escalar o Kilimanjaro — ele retrucou, balançando uma folha de papel em minha cara. — Olhe, escrevi tudo: vire à esquerda na B9152, vire na A9, pegue a A86 no cruzamento e, então, vire à esquerda na A82. Confia em mim?

Eu não estava convencida.

Ele colocou a mão firme em minhas costas, conduziu-me pelo saguão e saímos pela porta da frente. Como sempre, uma nevasca gigantesca rugia lá fora. Caminhei com dificuldade até o estacionamento, usando o corpo de Rob como escudo, com uma mão enluvada segurando a parte de trás de sua jaqueta e, com a outra, meu chapéu. Espreitei em volta para ver nosso carro alugado. Parecia um mamute pré-histórico. Lutei contra uma muralha de redemoinhos de neve, subi com dificuldade no banco do passageiro e fechei a porta com força.

— Estou fervendo — gemi, me revirando no assento com o rosto afogueado. Passei a mão pela testa. — O aquecimento parece uma fornalha. Estou suando em bicas. Por acaso, está tentando me fritar?

Ele me olhou de soslaio e sorriu.

— Tire a jaqueta — sugeriu gentilmente — e as botas.

Apoiei os pés no painel do carro e olhei diabolicamente para as monstruosas botas peludas. Rob deu uma risada.

— Do que está rindo? — perguntei a ele.

— Elas não combinam com você, não é? — ele perguntou. — As botas, quero dizer, aposto que acha que elas fazem você parecer baixinha, gorda e atacarrada, e não ficaria surpreso se estivesse sentindo dores horrorosas nas pernas. Você sempre usa salto alto.

— Elas são boas; na verdade, são bem confortáveis e quentes — comentei.

Ele olhou para a placa de sinalização, fez o sinal indicado, e virou o carro suavemente para a estrada principal.

— Você comeu?

— Não, e você?

— Claro que comi.

Claro que ele tinha comido. O grande morto de fome comeria um hambúrguer mesmo que estivesse no corredor da morte.

— Está com fome? Gostaria de parar em algum lugar antes de chegarmos a Fort William?

— Não, obrigada, estou ótima.

— Tudo bem. Se tem certeza — ele disse, segurando a direção do veículo com um dedo só.

Tentei dirigir desse modo uma vez. Acabei numa valeta, com a roda e o espelho lateral destruídos.

Tenho de admitir que achei belíssimos os campos das Highlands, com suas colinas íngremes cobertas de neve, vastas terras e paisagens de tirar o fôlego. Gostei tanto que gostaria de voltar no verão, quando pudesse me vestir como... bem, me vestir como eu me visto. Afundei na poltrona e fiquei observando a floresta, agora coberta pela neve, passar voando ao lado da estrada. Inesperadamente, experimentei uma profunda sensação de calma e tranquilidade.

Olhei para Rob. Seus cílios longos faziam sombra na curva do rosto e um sorriso brincava nos cantos dos lábios. Ele era tão lindo e sexy, e parecia estar sempre feliz. Minha concentração se desviou um instante, imaginando sensualmente minha vida ao lado dele, o que causou um tremor em meu peito. Novamente olhei de relance para ele. As sobrancelhas estavam franzidas, enquanto, atento, ele consultava um pedaço de papel detalhando a rota. Imaginei a gente tomando sol no convés de um navio de cruzeiro, os tornozelos entrelaçados, garçons de casaco branco trabalhando à exaustão só para nos servir. Imaginei cair no sono e cochilar nos braços de Rob, enquanto voávamos para algum destino exótico, duas semanas numa luxuosa casa de praia, e nós correndo pelas ondas, de mãos dadas, transando nus no mar. Delineei o contorno de meu chapéu com o dedo e passei a língua nos lábios. De repente, a imagem de Helen surgiu em minha cabeça. Amassei o chapéu Cossack e o transformei numa bola enrugada. Pensar em Rob acariciando seu corpo nu, com seus dedos explorando o corpo à procura de seus peitos, e da....

— Você está tão quieta, meu bem. Está tudo bem? — ele perguntou, piscando como um gato sonolento.

Soltei o cinto de segurança e me virei para encará-lo.

— Por que você fez isso? — berrei.

Ele me olhou assustado e, sem diminuir a velocidade, guinou para o acostamento e freou com força.

— Você estragou tudo! — gritei. — E está agindo como se não tivesse acontecido nada, como se não tivesse partido meu coração e, e, e... — Cobri o rosto com as mãos e caí no choro. Lágrimas quentes, grossas e salgadas deslizaram entre meus dedos. Me leva de volta para o hotel — disse, soluçando. — Isso não vai dar certo.

— Venha aqui — ele falou, numa voz apavorada. Abraçou-me e me segurou, forçando minha cabeça a se apoiar na curva do seu pescoço, e me apertou com mais força. — Não chore — ele tentou me acalmar.

Comecei a tremer.

— Por quê? Por quê? — solucei repetidamente.

As mãos dele acariciaram meus cabelos. Meu coração deu um pulo ao sentir seu toque.

— Me desculpe, sinto muito — ele murmurou, com a voz carinhosa. — Evie, sei que não tem desculpa para o que fiz, mas eu lhe prometo que isso *nunca* mais vai acontecer. E, pra falar a verdade, estava bêbado e sei que isso é culpa minha, mas ela, bem, ela... — ele interrompeu.

Levantei a cabeça e olhei para ele. Ele pegou meu rosto e o segurou nas mãos trêmulas; seus olhos azuis piscavam e, entre os longos cílios, reluziam as lágrimas. Ele deu um suspiro e apertou minha testa em seu rosto molhado. Quando falou, sua voz estava embargada.

— Amo você — ele balbuciou, rouco. — Te amo tanto, que preciso que me dê outra chance. Evie, meu coração fica apertado quando a vejo. Cometi o maior erro da minha vida, e você acha que não sei disso? Não se passa um dia sem que eu me sinta enojado ao pensar em como estraguei as coisas. Por favor, meu bem, me deixa corrigir esse erro! Fui um burro. Não estou botando a culpa na bebida, porque sei que, independentemente de estar embriagado, ainda sou responsável pelas minhas ações, mas, Evie, eu estava estressado e preocupado de ter sido um erro a compra dos novos ônibus. Eu estava errado, sei disso. Mas não me faça pagar por esse erro pelo restante da vida. Por favor, Evie, deixe eu me desculpar com você... — A voz dele foi sumindo melancolicamente.

Enrolei-me em seu corpo e chorei convulssivamente. Ele me apertou ainda mais. Seus ombros largos se arquearam e se curvaram quando ele chorou junto comigo.

Ficamos sentados quietos por alguns momentos. A mão de Rob, gentil e distraidamente, acariciava minhas costas. Apoiei meu rosto na curva do seu pescoço e fiquei olhando, sem dizer uma palavra, através das janelas do carro. As batidas rítmicas e tranquilizadoras de seu coração me deixaram fraca e meio zonza. Ele ergueu meu queixo e cobriu minha boca com a sua.

— Evie — murmurou num beijo —, por favor, me aceite de volta! Vamos recomeçar.

Eu o amava. De que adiantava negar? E, depois desse final de semana, depois de ele ter feito tanto esforço para vir até aqui, eu tinha certeza de que ele me amava com uma paixão e profundidade que se equiparavam ao que eu sentia. Pisquei e sorri. Lembranças da nossa temporada em Paris inundaram minha mente, uma mais feliz que a outra.

— Tudo bem, vamos tentar — disse, numa voz áspera.

Ele me apertou. De repente, não conseguia mais respirar, na verdade, estava sufocando.

— Rob — eu disse, ofegante —, não consigo, não consigo respirar.

— Hum? Oh, me desculpe, meu bem.

Ele segurou meu rosto em suas mãos e me beijou com força, deixando meus lábios inchados. Sorrimos um para o outro.

— Você não acha — perguntei, olhando a tempestade de neve que não diminuía — que a gente pode ficar preso, se não nos apressarmos e tirarmos logo esse carro daqui?

Ele apertou minhas mãos, seus polegares acariciando as palmas.

— Talvez — ele concordou —, mas antes de irmos a qualquer lugar, preciso fazer uma pergunta, agora que somos amigos novamente.

— Pode perguntar — permiti.

— Quer casar comigo?

Meu queixo caiu. Fiquei boquiaberta de espanto, e eu, que já estava me sentindo nas alturas, me senti ainda mais lá em cima. Estava ligeiramente zonza e sem fôlego. Consegui dar uma risada abafada. Ele apertou minhas mãos com força entre as suas e me deu um de seus sorrisos sensuais.

— Aceita? Aceita ser minha esposa? Quero passar o restante da vida com você.

Examinei atentamente seu rosto:

— Sim — murmurei, com um sorrisinho molhado.

Ele ficou radiante como um menino.

— Sim — balbuciei com a voz mais alta. — Aceito.

Houve um silêncio empolgante.

— Oh! — ele exclamou, procurando algo nos bolsos do casaco.

Esperei pelo que pareceu ser uma eternidade, antes de ele mostrar uma caixinha azul, uma caixinha da Tiffany. Engoli em seco e consegui não arrancar a caixa da mão dele. Ele abriu a tampa. Olhei, atônita e encantada, para meu novo anel solitário de diamante. Minha mão esquerda coçava, levantava-se e tremia, enquanto Rob desajeitadamente colocava o anel em meu dedo. Meus olhos piscavam entre o rosto dele e minha reluzente joia. Joguei meus braços em volta dele e o apertei, apertei, apertei.

— Desse jeito, você vai quebrar meu pescoço ou minhas costelas — ele brincou. — Esqueça Fort William, vamos voltar para o hotel.

Depois da melhor transa de minha vida, fiquei recostada nos travesseiros, admirando o anel. Rob, também encostado nos travesseiros, batia alucinado nas teclas do laptop.

— Onde vamos morar? — perguntei.

— Juntos — ele respondeu.

— Juntos onde?

— Juntos, onde você quiser.

— Meu apartamento — sugeri.

— Tudo bem, vou transferir meu escritório para Londres. Meus pais estão mudando para a Espanha em janeiro, portanto terei de contratar novos funcionários para a administração, de qualquer modo. Mas seu apartamento não é muito grande. Talvez devêssemos alugar o apartamento para o Vic e a Lulu e comprarmos uma casa.

Apoiei a cabeça no ombro dele e fiquei observando seus dedos deslizarem sobre o teclado.

— O que está fazendo?

Ele me deu um sorriso preguiçoso:

— Fazendo reservas para umas férias — ele respondeu.

— Pra onde? — perguntei, me contorcendo de ansiedade.

Ele se virou para mim.

— Vamos voltar para casa amanhã e, dois dias depois... — ele fez uma pausa irritante — vamos para... — Outra pausa irritante.

— Pra onde, pra onde? — gritei de volta impacientemente.

— Barbados, por três semanas — ele anunciou.

— Ahhh! — eu gemi, batendo palmas.

Ele me deu outro beijo barulhento e, então, outro, mais outro. PAGAMENTO EFETUADO apareceu na tela.

— Feito — ele disse, colocando o laptop cuidadosamente na mesinha de cabeceira. Ele se virou para me olhar e me puxou para baixo do edredom com ele. — Evie — ele começou num tom sério —, vamos sempre ser honestos um com o outro.

Respondi indignada:

— Nunca deixei de ser honesta com você — disse a ele.

Ele balançou a cabeça.

— Sei disso e não estou dizendo o contrário.

Ficamos deitados de conchinha e meu bumbum se aconchegou na barriga dele.

— Essa questão de honestidade...? — perguntei.

Ele soltou um suspiro.

— Significa a gente não guardar nenhum segredo entre nós, é só isso.

— Tudo bem — acenei afirmativamente. — Concordo que devemos contar tudo um ao outro. Por que não? Sem segredos. Relacionamentos são construídos na base da verdade e da honestidade — completei sabiamente.

Seu nariz explorava meu ombros.

— Você pediu algum novo cartão de crédito? — ele perguntou, acariciando meu quadril.

Vacilei. Meus olhos se arregalaram. Engoli em seco, culpada. Sabia que havia acabado de concordar que a honestidade era importante, mas ele não podia esperar que eu fosse honesta em relação a isso, podia?

— Não, não — disfarcei. — Não, eu não pedi nenhum outro — acrescentei firmemente.

Tecnicamente isso era verdade, porque meu cartão da Harrods era um cartão de loja, *não* um cartão de crédito. Existe uma enorme diferença entre eles.

Ele envolveu os braços com mais força ao meu redor.

— Te amo — ele murmurou, dando mordidinhas em meu pescoço.

— Te amo também.

— Obrigado — ele disse, com os lábios formando um sorriso.

— Por quê?

— Por me dar uma segunda chance.

Dei de ombros, distraída.

— Vou compensá-la por tudo, prometo — ele me assegurou.

— Tenho certeza de que sim.

— Temos sorte. O restante da nossa vida juntos, mal posso esperar — ele disse, abraçando minha barriga e pressionando sua perna na minha. — Você acha que consegue deixar para trás isso que aconteceu entre nós? — A voz dele tremeu ligeiramente. — Que a gente possa seguir em frente sem recriminações, nem rancor, e que você não vai ficar me lembrando que eu desapontei você? — Havia um tom de súplica na voz dele. — Estou tão envergonhado! Queria simplesmente esquecer que isso aconteceu.

— Sim — respondi, dando de ombros, despreocupada.

— Diga isso — ele pediu.

— Dizer o quê?

— Que podemos seguir em frente sem recriminações, sem rancores, e você nunca me lembrará de que eu a decepcionei.

Dei um suspiro exasperado.

— Podemos seguir em frente sem recriminações, sem rancores, e nunca vou lembrá-lo de que você me decepcionou — repeti.

Ele me virou de costas e ficou sobre mim.

— Sou o cara mais sortudo deste mundo! — Ele sorriu, colocando o joelho entre minhas pernas.

— Então, me conta, meu futuro marido, você precisou colocar um travesseiro sobre a cabeça dela, quando estavam transando, já que ela não é nenhuma beleza, não é? — perguntei.

DICAS ÚTEIS DE VIAGEM DA EVIE

• MULHERES PARISIENSES têm um metabolismo mais rápido do que todas as outras. Isso é óbvio porque elas podem consumir grandes quantidades de vinho, montanhas de pão e enormes pedaços de queijo sem ganhar peso. (Não tente fazer isso em casa: você vai aumentar quatro vezes de tamanho.)

• Os homens franceses são incrivelmente sensuais e muito bons de cama; isso deve ser verdade porque todos os homens da França dizem isso. (Tente isso em casa, se puder encontrar algum.)

• As parisienses podem usar minissaias, mesmo que tenham as pernas gordas, e, ainda assim, ficarem lindas. Este é um fato científico. Não pense que pode fazer o mesmo.

• Ninguém em Paris sabe estacionar o carro; isso é maravilhoso se você também não sabe. Se você é realmente uma motorista ruim, talvez goste de dirigir em Paris, só para se sair melhor na comparação.

• A maioria das lojas de presentes de Paris vende preservativos. Eles ficam ao lado dos chaveiros e dos cartões postais. Eles têm uma embalagem branca, com um coração vermelho na frente, e os seguintes dizeres: Amo Paris. São todos do mesmo tamanho e de boa qualidade. São vendidos em embalagens únicas ou com três unidades. (Não que eu tenha comprado algum.)

• No sul da França, uma espreguiçadeira custa dez euros. Se tirar a parte de cima do biquíni, é de graça. (Não oficialmente, entende? Então não me responsabilize por isso.)

• Não compre seus próprios drinques em Monte Carlo, se puder evitar. Uma taça de champanhe custa o mesmo que uma jaqueta da Karen Millen.

• O inverno nas Highlands, na Escócia, é igual ao da Sibéria. Você precisa saber disso.

• Existem aproximadamente dois milhões e meio de pessoas na cidade de Paris e outros onze milhões moram nos subúrbios satélites mais econômicos. Isso acontece porque as mulheres gastam seu dinheiro com Chanel e Dior e, então, obviamente têm de economizar em frivolidades, em gastos desnecessários, como aluguel e financiamento de imóvel.

• Existem aproximadamente cinco milhões de pessoas na Escócia. Todo mundo tem dois casacos, três chapéus e centenas de luvas. Não os culpo nem um pouco.

• Cannes, no sul da França, é o lugar certo para ir se deseja comprar roupa de um estilista e realmente não tem dinheiro para bancar. Não porque seja mais barato do que em qualquer outro lugar, mas porque você não consegue evitar, ninguém consegue. Então, obviamente, não se sentirá culpada em gastar o dinheiro que não tem, porque a maioria das pessoas fazendo compras nas butiques em volta da La Croisette e da Rue d'Antibes, como eu, deveria estar olhando na New Look (que é mais barato.)

• Os homens escoceses realmente não vestem nada debaixo do *kilt*. Esse fato científico deixou minha antena sexual operando em alerta total durante vinte e quatro horas por dia. Não podia evitar de olhar. (Trombei numa coluna no Aeroporto de Inverness; fiquei com um calombo do tamanho de um ovo na cabeça.) Minha visão periférica pode agora detectar um *kilt* através de grossas paredes de tijolos e até mesmo virando a esquina. Prefiro ignorar o fato de que as temperaturas subzero podem afetar a imagem magnífica que fico fantasiando. Não posso evitar imaginar por que mais países não adotam o *kilt* como vestimenta nacional. Principalmente a França.

QUESTIONÁRIO ALTERNATIVO DE VIAGEM

1. Quantos andares as Galleries Lafayette têm?
   a) Cinco.
   b) Quatro.
   c) Dez.

2. Além do fato de ser a primeira imperatriz da França, por que Josefina Bonaparte era famosa?
   a) Escrevia poemas.
   b) Era uma devotada "fanática por compras".
   c) Pela sua voz lírica.

3. Quem moldou as cabeças decapitadas das vítimas da Revolução Francesa?
   a) Madame Tussauds.
   b) Duque de Orleans.
   c) Maria Antonieta.

4. Qual desses filmes não foi ambientado em Paris?
   a) *O Código Da Vinci*, estrelado por Tom Hanks.
   b) *O Fabuloso Destino de Amélie Poulain*, estrelado por Audrey Tautou.
   c) *When I Fall in Love it Will be in Paris*, estrelado por Cheryl Cole e Simon Cowell.

5. O que fazer, em Paris, se você voltar para seu carro e descobrir que alguém estacionou ao lado, bloqueando a saída?
   a) Sentar-se furioso, em silêncio.
   b) Procurar um recado do motorista mal-educado no para-brisa.
   c) Verificar se o freio de mão do outro carro está puxado.

6. Quantas avenidas se irradiam do Arco do Triunfo?
   a) Doze.
   b) Seis.
   c) Oito.

7. Qual é o outro nome do Champs Elysées?
   a) Oxford Street.
   b) O Lugar dos Mortos Abençoados.
   c) Broadway.

8. Gostaria de ganhar uma estada de duas noites no Boulevard Peripherique?
   a) Não tenho certeza se gostaria.
   b) Com certeza, não.
   c) Adoraria passar duas noites lá.

9. Que presente fantástico o povo francês deu para os Estados Unidos?
   a) A Estátua da Liberdade.
   b) O Empire State.
   c) A Ponte Golden Gate.

10. Quem foi casado com Francis, delfim da França, e reinou como sua rainha consorte?
    a) A duquesa de York.
    b) Mary, rainha dos escoceses.
    c) A rainha Vitória.

RESPOSTAS

1. (c) Isso explica por que as mulheres parisienses estão sempre maravilhosas. Afinal, quem consegue resistir a dez andares de lojas de sapatos, bolsas, joias e maquiagem? E, francamente, por que as mulheres fariam isso? O trabalho de muita gente depende desse consumo.
2. (b) Josefina foi incrível! Ela não apenas tinha um guarda-roupa maravilhoso, mas comprava coroas, casas e todo o tipo de coisa, e apenas admitia a metade dos débitos. Ela é uma verdadeira inspiração. Você deveria ler a biografia dela. (E ela teve casos amorosos. Não que isso seja incrível, nem nada, é só para você saber.)
3. (a) Que trabalho chato! Ela até mesmo fez moldes de gesso das cabeças decapitadas de pessoas que ela conheceu. Imagine isso! Eca... Veja bem, se você realmente não gostasse da pessoa... Não! Não!... Deve ser horrível, não importam as circunstâncias.
4. (c) Embora talvez Simon considere filmar algum dia...
5. (c) Essa é uma solução simples, mas eficiente, para o estacionamento de carros em grandes cidades. Não consigo imaginar por que o prefeito de Londres ainda não publicou alguma lei sugerindo que façamos a mesma coisa. Basta deixar o carro com o freio de mão abaixado, então, o motorista, cuja saída foi bloqueada, pode manobrar e tirar o carro da frente. Alguém pode lhe ensinar a "manobrar" – é fácil.
6. (a) Doze, e infelizmente são todas iguais; é provavelmente por isso que os motoristas ocasionalmente revertem no balão, quando perdem a entrada. Não que eu tenha feito isso.

7. (b) O que é bem decepcionante, porque qualquer uma das outras respostas seria melhor. Não é a mesma coisa dizer: "Oh, comprei essa saia no Lugar dos Mortos Abençoados", é?
8. (b) O Boulevard Peripherique é um anel viário de duas pistas, o equivalente francês da M25 em Londres. Por que não damos às nossas rodovias nomes fabulosos como esses?
9. (a) E o projetista Frederic Bartholdi moldou nela o rosto de sua mãe, Charlotte, o que o tornou "o garotinho da mamãe" para todo o sempre.
10. (b) Não posso evitar pensar que a vida lhe pregou uma boa peça. Teria sido melhor se ela tivesse ficado em Paris e não ter ido para a Grã-Bretanha, onde foi decapitada.